Natürlich für Mercedes

KiWi
Paperback

Franziska [illegible]

KiWi
745

Über das Buch:

Nichts auf dieser Welt ist schwieriger als die Liebe. Das leben und erleiden Fermina Daza und Doktor Juvenal Urbino tagtäglich in ihrer mehr als fünfzigjährigen Ehe. Und keiner erfährt das schmerzlicher als Fermina Dazas ewiger Verehrer Florentino Ariza, der 51 Jahre, 9 Monate und 4 Tage auf sie gewartet hat. Schwärmerisch hat er in poetischen Briefen um sie geworben, sie in aller Keuschheit gewonnen und wieder verloren, aber nie aufgehört, sie zu lieben. Während Fermina Daza an der Seite ihres Mannes, eines hochgeachteten Arztes, ein großbürgerliches Leben führt, bringt es Florentino Ariza bis zum Direktor der Karibischen Flußschiffahrtsgesellschaft. Er ist ein erfolgreicher, nimmermüder Schürzenjäger, im Herzen aber Fermina Daza immer treu geblieben, und noch am Abend der Beerdigung ihres Mannes erklärt er ihr erneut seine Liebe.

»Gabriel García Márquez' komische, ironische, traurige Geschichte von Liebe und Vergänglichkeit ist vom handfest und dauerhaft robusten Stoff der großen Literatur.«

Gunar Ortlepp, *Der Spiegel*

Über den Autor:

Gabriel García Márquez, geb. 1927 in Aracataca, Kolumbien, arbeitete nach dem Jurastudium zunächst als Journalist. 1982 erhielt er den Nobelpreis für Literatur. García Márquez hat ein umfangreiches erzählerisches und journalistisches Werk vorgelegt. Er gilt als einer der bedeutensten und erfolgreichsten Schriftsteller der Welt.

Das gesamte Werk von Gabriel García Márquez ist lieferbar bei Kiepenheuer & Witsch.

Gabriel García Márquez

Die Liebe in den Zeiten der Cholera

Roman

Aus dem Spanischen von Dagmar Ploetz

Kiepenheuer & Witsch

6. Auflage 2002

Titel der Originalausgabe: *El amor en los tiempos del cólera*

Aus dem Spanischen von Dagmar Ploetz

Umschlaggestaltung: Barbara Thoben, Köln
Foto Rückseite: © dpa
Gesamtherstellung: Clausen & Bosse, Leck
ISBN 3-462-03205-4

In dieser Gegend geht's voran:
die bekränzte Göttin zeigt es an.
Leandro Díaz

Es war unvermeidbar: Der Geruch von bitteren Mandeln ließ ihn stets an das Schicksal verhinderter Liebe denken. Doktor Juvenal Urbino hatte ihn sofort wahrgenommen, als er in das noch dämmrige Haus trat, wohin man ihn dringend gerufen hatte, damit er sich eines Falles annähme, der für ihn schon seit vielen Jahren nicht mehr dringlich war. Der Antillenflüchtling Jeremiah de Saint-Amour, Kriegsinvalide, Kinderfotograf und der nachsichtigste seiner Schachgegner, hatte sich mittels Goldzyaniddämpfen vor den Martern der Erinnerung in Sicherheit gebracht.

Er fand die Leiche, bedeckt mit einem Tuch, auf dem Feldbett vor, in dem der Mann immer geschlafen hatte, dicht daneben ein Schemel und darauf die Schale, in der das Gift verdampft war. Am Boden hingestreckt und an ein Bein des Bettes gebunden, lag der Kadaver einer großen Dänischen Dogge, schwarz mit schneeiger Brust. Daneben lagen die Krücken. Den unordentlichen, stickigen Raum, der zugleich Schlafzimmer und Labor war, erhellte gerade erst ein Schimmer des Morgenrots im geöffneten Fenster, das Licht reichte jedoch aus, um sofort die Autorität des Todes zu erkennen. Die übrigen Fenster waren, wie jede Ritze im Zimmer, mit Lappen verhängt oder mit schwarzer Pappe vernagelt, was den Eindruck beklemmender Enge verstärkte. Da war ein langer Tisch, vollgestellt mit Flaschen und Tuben ohne Etikett und zwei abgestoßene Zinnschalen unter einer gewöhnlichen Glühbirne, die mit rotem Papier abgeschirmt war. Die dritte Schale, für das Fixierbad, befand sich neben der Leiche. Überall stapelten sich alte Zeitungen, Zeitschriften und Fotoplatten, beschädigte Möbel standen herum, doch eine fürsorgliche Hand hatte das alles vor Staub bewahrt. Obwohl durch das geöffnete Fenster frische Luft ins Zimmer gedrungen war, lag für den, der ihn zu erkennen wußte, noch immer der laue Bittermandelgeruch gescheiterter Liebe im Raum. Doktor Juvenal Urbino hatte ohne bestimmte Vorahnung mehr als einmal gedacht, daß dies nicht der rechte Ort sei, um in der Gnade des Herrn zu sterben. Doch mit der Zeit hatte er es schließlich für möglich gehalten, daß diese Unordnung einem geheimen Beschluß der göttlichen Vorsehung gehorchte.

Ein Polizeikommissar war vor ihm eingetroffen, zusammen mit einem jungen Arzt, der sein gerichtsmedizinisches Praktikum an der städtischen Poliklinik machte. Sie hatten, während er noch unterwegs war, das Zimmer gelüftet und die Leiche zugedeckt. Mit ihrer feierlichen Begrüßung bezeugten sie ihm diesmal eher ihr Beileid als ihre Ehrerbietung, denn seine Freundschaft mit Jeremiah de Saint-Amour war jedermann bekannt. Der vortreffliche Meister drückte beiden die Hand, wie er es seit jeher bei seinen Schülern vor der täglichen Vorlesung zur Allgemeinmedizin gehalten hatte, dann griff er den Saum der Decke, als sei er eine Blume, zwischen Daumen und Zeigefingerspitzen und enthüllte nach und nach mit sakraler Gemessenheit den Leichnam. Der Mann war vollkommen nackt, starr und verkrümmt, die Augen offen, der Körper blau und seit dem vergangenen Abend um fünfzig Jahre gealtert. Seine Pupillen waren durchsichtig, Bart und Haare gelblich, und über den Bauch zog sich eine alte Narbe, wie von einem Sacknäher zusammengeflickt. Weil er sich so lange an Krücken abgemüht hatte, erinnerten die Spannbreite seiner Arme und sein Oberkörper an einen Galeerensklaven, seine wehrlosen Beine hingegen an ein Waisenkind. Doktor Juvenal Urbino betrachtete ihn einen Augenblick lang, und ihm war weh ums Herz wie selten in den langen Jahren seines fruchtlosen Kampfes gegen den Tod.

»Idiot«, sagte er zu ihm, »das Schlimmste war doch schon überstanden.«

Er deckte ihn wieder zu und gewann seine akademische Überlegenheit zurück. Im Jahr zuvor hatte er seinen achtzigsten Geburtstag mit einer dreitägigen offiziellen Jubiläumsfeier begangen und in seiner Dankesrede wieder einmal die Versuchung abgewehrt, in den Ruhestand zu treten. Er hatte gesagt: »Zum Ausruhen habe ich Zeit genug, wenn ich tot bin, aber diese Möglichkeit beziehe ich noch nicht in meine Pläne ein.« Obwohl er auf dem rechten Ohr immer schlechter hörte und sich beim Gehen auf seinen Stock mit dem Silberknauf stützte, um die Unsicherheit seiner Schritte zu überspielen, war sein Auftreten im Leinenanzug mit der Uhrkette über der Weste immer noch das seiner jungen Jahre. Der Pasteur-Bart war perlmuttfarben wie das Haar, das er schön glatt gekämmt und mit einem sauber gezogenen Mittelscheitel trug, getreulicher Ausdruck seines Wesens. Der immer beunruhigenderen Erosion seines Gedächtnisses begegnete er, soweit möglich, mit hastig auf Zettel geschriebenen Notizen, die am Ende in seinen vielen Taschen durcheinandergerieten, wie auch die Instrumente, die Arzneifläschchen und so vieles andere in seinem vollgestopften Arztkoffer. Er war nicht nur der älteste und angesehenste Arzt, sondern auch der gepflegteste Mann der Stadt. Dennoch brachten ihm seine allzu offen zur Schau gestellte Gelehrsamkeit und die alles andere als unschuldige Art, mit der er den Einfluß seines Namens geltend machte, weniger Zuneigung ein, als er verdient hätte.

Die Anweisungen an den Kommissar und den Assistenzarzt kamen präzise und schnell. Eine Autopsie sei nicht nötig. Der Geruch im Hause genüge vollkommen, um die

Todesursache zu bestimmen: Emanationen von Zyanid, das in der Schale mittels einer fotografischen Säure aktiviert worden sei, und Jeremiah de Saint-Amour habe sich zu gut damit ausgekannt, als daß es sich um einen Unfall handeln könne. Eine skeptische Äußerung des Kommissars konterte er auf seine Weise: »Vergessen Sie nicht, ich unterschreibe den Totenschein.« Der junge Arzt war enttäuscht: Noch nie hatte er das Glück gehabt, die Wirkungen von Goldzyanid an einer Leiche zu untersuchen. Doktor Juvenal Urbino war überrascht gewesen, ihn nicht vom Medizinischen Institut her zu kennen, doch das leichte Erröten des jungen Mannes und sein Andenakzent lieferten ihm sogleich die Erklärung: Wahrscheinlich war er neu in der Stadt. Er sagte zu ihm: »Es wird sich hier schon irgendein Liebestoller finden, der Ihnen nächstens den Gefallen tut.« Während er das aussprach, fiel ihm auf, daß unter den unzähligen Selbstmorden, an die er sich erinnerte, dies der erste mit Zyanid war, der nicht seinen Grund im Liebesleid hatte. Daraufhin änderte sich sein Ton.

»Wenn Sie auf einen stoßen, sollten Sie auf etwas achten«, sagte er zu dem Assistenzarzt, »diese Leute haben gewöhnlich Sand im Herzen.« Dann wandte er sich an den Kommissar wie an einen Subalternen. Er befahl ihm, alle Instanzen zu übergehen, damit die Beerdigung am selben Nachmittag und in größter Diskretion stattfinden könne. Er sagte: »Ich spreche mit dem Bürgermeister.« Er wußte, daß Jeremiah de Saint-Amour von einer primitiven Genügsamkeit gewesen war und daß ihm seine Kunst weit mehr eingebracht hatte, als er zum Leben brauchte, so daß in irgendeiner Schublade im Haus reichlich Geld für die Begräbniskosten sein mußte.

»Und wenn Sie es nicht finden, macht das auch nichts«, sagte er. »Ich übernehme alles.«

Er ordnete an, den Zeitungen mitzuteilen, der Fotograf

sei eines natürlichen Todes gestorben, obwohl er glaube, die Nachricht werde sie eh nicht interessieren. Er sagte: »Wenn nötig, spreche ich mit dem Gouverneur.« Der Kommissar, ein ernsthafter und bescheidener Beamter, wußte, daß die staatsbürgerliche Gewissenhaftigkeit des Meisters sogar seine engsten Freunde zur Verzweiflung brachte, und war daher überrascht, mit welcher Leichtigkeit er sich, um die Beerdigung zu beschleunigen, über den vorgeschriebenen Amtsweg hinwegsetzte. Das einzige, worauf der Arzt sich nicht einließ, war mit dem Erzbischof zu reden, damit Jeremiah de Saint-Amour in geweihter Erde begraben werden könne. Der Kommissar bereute seinen vorlauten Vorschlag und versuchte, sich zu rechtfertigen.

»Es hieß, dieser Mann sei ein Heiliger«, sagte er.

»Etwas noch Selteneres«, sagte Doktor Urbino, »ein ungläubiger Heiliger. Aber das geht nur Gott etwas an.«

Aus der Ferne, vom anderen Ende der aus der Kolonialzeit stammenden Altstadt, erschallten die Glocken der Kathedrale und riefen zum Hochamt. Doktor Urbino setzte sich die goldgefaßte Halbmondbrille auf und sah auf die zierliche Taschenuhr, deren feiner Deckel von einer Feder geöffnet wurde: Er war im Begriff, die Pfingstmesse zu verpassen.

Im Wohnraum stand ein riesiger Fotoapparat auf Rädern, wie er in öffentlichen Parks benutzt wird, auf einer Leinwand war in Anstreicherfarben ein Sonnenuntergang am Meer als Kulisse gemalt, und die Wände waren mit Kinderfotos von denkwürdigen Tagen tapeziert: erste Kommunion, das Kaninchenkostüm, der glückliche Geburtstag. Doktor Urbino hatte die allmähliche Verkleidung der Wände verfolgt, Jahr um Jahr, während er sich an den Schachabenden dem Grübeln hingab, und oftmals hatte er in einer Anwandlung von Mutlosigkeit gedacht, daß diese Galerie der zufälligen Bildnisse den Keim der künftigen Stadt in sich trug, die, von jenen unsicheren Kindern regiert und verdorben, nicht einmal mehr die Asche seines Ruhms bewahren würde.

Auf dem Schreibtisch, neben einem Topf mit ein paar Kapitänspfeifen, stand das Schachbrett mit einer unbeendeten Partie. Doktor Juvenal Urbino konnte trotz seiner Eile und seiner düsteren Stimmung nicht der Versuchung widerstehen, die Partie zu studieren. Er wußte, daß es die der vergangenen Nacht war, da Jeremiah de Saint-Amour an jedem Abend der Woche und mindestens mit drei verschiedenen Gegnern spielte, doch stets führte er das Spiel zu Ende und legte danach das Brett und die Steine in ihre Schachtel und die Schachtel in eine Schublade des Schreibtischs. Der Arzt wußte, daß er immer mit Weiß spielte, und es war offensichtlich, daß er dieses Mal nach vier weiteren Zügen unrettbar geschlagen gewesen wäre. »Hätte es sich um ein Verbrechen gehandelt, wäre das hier eine gute Fährte«, sagte er sich. »Ich kenne nur einen Mann, der fähig ist, einen solch meisterhaften Hinterhalt zu legen.« Er hätte nicht weiterleben mögen, ohne später in Erfahrung bringen zu können, warum dieser unbezwingbare Kämpfer, der stets bereit war, sich bis zum letzten Blutstropfen zu schlagen, bei der Endschlacht seines Lebens nicht bis zum Schluß durchgehalten hatte.

Um sechs Uhr morgens, auf seiner letzten Runde, hatte der Nachtwächter das Schild gesehen, das an die Eingangstür geheftet war: *Treten Sie ein, ohne zu läuten, und verständigen Sie die Polizei.* Kurz darauf kam der Kommissar mit dem Assistenzarzt, und beide durchsuchten das Haus nach irgendeinem Hinweis, der gegen den unverwechselbaren Hauch der bitteren Mandeln sprach. In den wenigen Minuten aber, die für die Analyse der unvollendeten Partie nötig waren, entdeckte der Kommissar dann einen Umschlag zwischen den Papieren auf dem Schreibtisch, der an Doktor Juvenal Urbino adressiert und mit soviel Siegellack gesichert war, daß man ihn zerfetzen mußte, um den Brief herauszunehmen. Der Arzt zog, um mehr Licht zu haben, den schwarzen Vorhang am Fenster beiseite, warf zuerst einen schnellen Blick auf die elf Bogen, die beidseitig mit gefälligen Schriftzügen beschrieben waren, und begriff, nachdem er den ersten Absatz gelesen hatte, daß er bereits die Kommunion verpaßt hatte. Er las atemlos, blätterte mehrere Seiten zurück, um den verlorenen Faden wiederzufinden, und schien, als er fertig war, nach einer langen Zeit von weither zurückzukehren. Seine Niedergeschlagenheit war sichtbar, obwohl er sie zu verbergen suchte: Seine Lippen hatten die gleiche bläuliche Färbung wie die Leiche angenommen, und er konnte nicht das Zittern seiner Hände verhindern, als er den Brief wieder zusammenfaltete und in der Westentasche verwahrte. Dann erinnerte er sich des Kommissars und des jungen Arztes und lächelte ihnen aus den Nebeln seines Trübsinns zu.

»Nichts Besonderes«, sagte er. »Es sind seine letzten Verfügungen.« Das war die halbe Wahrheit, aber sie glaubten sie ganz, als er sie anwies, eine lose Fliese am Boden hochzuheben. Dort fanden sie ein abgenutztes Kontobuch, in dem die Zahlenkombination für die Geldkassette stand. Es war nicht so viel Geld da, wie sie vermutet hatten, doch mehr als genug, um die Kosten des Begräbnisses und andere kleine Verpflichtungen zu begleichen. Doktor Urbino war nun klar, daß er nicht vor dem Evangelium zur Kathedrale kommen würde.

»So weit ich zurückdenken kann, ist dies das dritte Mal, daß ich die Sonntagsmesse versäume«, sagte er. »Aber Gott hat Verständnis.« So blieb er lieber noch einige Minuten länger, um alle Einzelheiten zu klären, obwohl er kaum das Verlangen beherrschen konnte, seiner Frau die Enthüllungen des Briefes mitzuteilen. Er verpflichtete sich, die zahlreichen Flüchtlinge aus der Karibik, die in der Stadt lebten, zu benachrichtigen, damit sie demjenigen die letzte Ehre erweisen konnten, der sich als der achtbarste, aktivste und radikalste unter ihnen hervorgetan hatte, selbst dann noch, als allzu offenkundig wurde, daß er dem Sog der Ernüchterung erlegen war. Er wollte auch den Schachfreunden Bescheid geben, unter ihnen berühmte Akademiker, aber auch namenlose Handwerker, sowie anderen, weniger engen Freunden, die aber möglicherweise an der Beerdigung teilnehmen wollten. Bevor er den Abschiedsbrief kannte, war er entschlossen gewesen, der erste Trauergast zu sein, als er ihn aber gelesen hatte, war alles ungewiß geworden. Wie auch immer, er würde einen Gardenienkranz schicken, für den Fall, daß Jeremiah de Saint-Amour eine letzte Minute der Reue gehabt haben sollte. Das Begräbnis wurde für fünf Uhr angesetzt, das war in den Hitzemonaten die günstigste Zeit. Falls man ihn brauche, ab zwölf Uhr mittags sei er im Landhaus seines lieben Schülers, Doktor Lácides Olivella, zu erreichen, der an diesem Tag mit einem Galaessen sein silbernes Berufsjubiläum begehe.

Doktor Juvenal Urbinos Tagesablauf gehorchte, seit seine Sturm-und-Drang-Jahre vorüber waren und er einen Ruf und eine Respektabilität erlangt hatte, die in der Provinz ihresgleichen suchten, einer leicht einsehbaren Routine. Er stand mit den ersten Hähnen auf, und zu dieser Stunde begann er auch seine geheimen Medizinen einzunehmen: Bromkali, um die Stimmung zu heben, Salycilate gegen die Knochenschmerzen in Regenzeiten, Roggenkeim-Tropfen gegen die Benommenheit, Belladonna, um gut zu schlafen. Er schluckte jede Stunde etwas und immer heimlich, da er sich in seinen langen Jahren als Arzt und Lehrer stets dagegen gewehrt hatte, Palliativa gegen das Alter zu verschreiben: Es fiel ihm leichter, die fremden Schmerzen zu ertragen als die eigenen. Er hatte immer ein kleines Riechkissen mit Kampfer in der Tasche, und wenn ihn niemand beobachtete, atmete er ihn tief ein, um die Angst vor soviel durcheinandergemengten Arzneimitteln abzuwehren.

Eine Stunde lang hielt er sich in seinem Arbeitszimmer auf, wo er die Vorlesung für Allgemeinmedizin vorbereitete, die er bis zum Vortag seines Todes täglich montags bis samstags um Punkt acht Uhr im Medizinischen Institut hielt. Er war auch ein aufmerksamer Leser literarischer Neuerscheinungen, die ihm sein Pariser Buchhändler mit der Post schickte oder die sein Buchhändler am Ort für ihn aus Barcelona bestellte, allerdings verfolgte er die spanischsprachige Literatur nicht mit der gleichen Aufmerksamkeit wie die französische. Jedenfalls las er nie morgens, sondern eine Stunde lang nach der Siesta und abends vor dem Schlafen. Vom Arbeitszimmer ging er ins Bad, wo er fünfzehn Minuten lang vor dem offenen Fenster Atemübungen machte, wobei er sich immer der Richtung zuwandte, aus der die Hähne krähten, denn von dort kam die neue Luft. Dann badete er, bürstete seinen Backenbart und wichste den Schnurrbart, alles in einem von Kölnisch Wasser – dem echten Farina Gegenüber – gesättigten Raum, und kleidete sich nun in weißes Leinen, mit Weste, weichem Hut und Halbschuhen aus Korduanleder. Mit seinen einundachtzig Jahren hatte er sich die formlose Umgangsart und die muntere Geistesverfassung aus der Zeit bewahrt, als er, kurz nach der großen Choleraepidemie, aus Paris zurückgekehrt war. Auch das wohlgekämmte Haar mit dem Mittelscheitel glich immer noch dem seiner Jugend, sah man von dem metallischen Farbton ab. Er frühstückte mit der Familie, hielt sich jedoch an seine eigene Diät: Ein Aufguß aus Wermutblüten für das Wohlbefinden des Magens und eine Knoblauchknolle, deren Zehen er Stück für Stück schälte und dann mit einer Scheibe Brot gewissenhaft kaute, um den Erstickungsanfällen des Herzens vorzubeugen. Nur selten hatte er nach der Vorlesung nicht irgendwelche Verpflichtungen im Zusammenhang mit seinen staatsbürgerlichen Initiativen, seinem katholischen Engagement oder seinen künstlerischen und sozialen Aktivitäten.

Er aß fast immer daheim zu Mittag und hielt eine zehnminütige Siesta, zu der er sich auf die Terrasse zum Innenhof setzte, und hörte in seinen Träumen die Lieder der Dienstmädchen unter dem Laubwerk der Mangos, hörte die Ausrufer auf der Straße, das Dröhnen der Schiffsmotoren in der Bucht, deren Ausdünstungen an den heißen Nachmittagen flügelschlagend durch das Haus zogen, wie ein Engel, der zur Fäulnis verdammt ist. Dann las er eine Stunde lang die neuen Bücher, vor allem Romane und historische Studien, und gab dem zahmen Papageien, der seit Jahren eine lokale Attraktion war, Unterricht in Französisch und Gesang. Um vier Uhr, nachdem er eine große Kanne geeister Limonade getrunken hatte, machte er sich auf den Weg zu seinen Kranken. Trotz seines Alters weigerte er sich, die Patienten in seine Praxis kommen zu lassen. Er versorgte sie weiterhin in ihren eigenen Häusern, wie er es stets seit jener Zeit gehalten hatte, als die Stadt noch so überschaubar war, daß man überallhin zu Fuß gehen konnte.

Seit seiner ersten Rückkehr aus Europa ließ er sich in dem von zwei Goldfüchsen gezogenen Landauer der Familie fahren. Als dieser ausgedient hatte, tauschte er ihn gegen eine leichte einspännige Kutsche, die er mit einer gewissen Verachtung für die Mode auch dann noch benutzte, als die Kutschen langsam aus der Welt verschwanden und die letzten noch in der Stadt verbliebenen allein dazu dienten, Touristen auszufahren und Kränze zu den Beerdigungen zu bringen. Er weigerte sich, in den Ruhestand zu gehen, obwohl ihm bewußt war, daß er nur noch zu den hoffnungslosen Fällen gerufen wurde, aber er hielt auch dies für eine Form der Spezialisierung. Es genügte ihm, einen Kranken zu sehen, um zu wissen, was ihm fehlte. Immer stärker mißtraute er den Standardarzneien und verfolgte beunruhigt das Umsichgreifen der Chirurgie. »Das Chirurgenmesser ist der beste Beweis für das Scheitern der Medizin«, sagte er gerne. Er war der Meinung, daß – strenggenommen – jedes Medikament Gift sei und daß siebzig Prozent der üblichen Nahrungsmittel den Tod beschleunigten. »Das wenige, was man über das Heilen von Kranken weiß«, pflegte er bei der Lehrveranstaltung zu sagen, »wissen in jedem Fall nur einige wenige Ärzte.« Seine jugendliche Begeisterung hatte einer Haltung Platz gemacht, die er selbst als fatalistischen Humanismus bezeichnete: »Jeder ist seines Todes Schmied, und wenn ihre Stunde gekommen ist, können wir den Menschen nur dabei helfen, ohne Angst und Schmerzen zu sterben.« Doch trotz dieser extremen Ansichten, die schon zur medizinischen Folklore der Stadt gehörten, holten seine ehemaligen Schüler auch dann noch seinen Rat ein, wenn sie schon angesehene Ärzte waren, denn sie schrieben ihm das zu, was man damals den klinischen Blick nannte. Auf alle Fälle war er immer ein teurer und exklusiver Arzt gewesen, und seine Klientel wohnte vorwiegend im herrschaftlichen Viertel der Vizekönige.

Er hatte einen so geregelten Tagesablauf, daß seine Frau wußte, wohin sie ihm eine Botschaft schicken mußte, wenn etwas Dringendes während der nachmittäglichen Hausbesuche vorfiel. In seinen jungen Jahren kehrte er, bevor er nach Hause fuhr, noch ins Café de la Parroquia ein und perfektionierte dort zusammen mit den Kumpanen seines Schwiegervaters und einigen Flüchtlingen aus der Karibik sein Schachspiel. Seit dem Anbruch des neuen Jahrhunderts war er jedoch nicht wieder ins Café de la Parroquia gegangen und versuchte statt dessen nationale Meisterschaften unter der Schirmherrschaft des Club Social zu organisieren. Das war die Zeit, in der Jeremiah de Saint-Amour bereits mit toten Knien, doch noch kein Kinderfotograf, in die Stadt kam. Bevor drei Monate vergangen waren, kannte ihn jedermann, der einen Läufer bewegen konnte, denn es war niemandem gelungen, Saint-Amour in einer Partie zu schlagen. Für Doktor Juvenal Urbino war diese Begegnung wie ein Wunder, gerade eben, als ihm das Schachspiel zur unbeherrschbaren Leidenschaft geworden war, aber nur noch wenige Gegner blieben, um diese zu stillen.

Dank seiner Hilfe konnte Jeremiah de Saint-Amour das werden, was er bei uns war. Doktor Juvenal Urbino entwikkelte sich zu seinem bedingungslosen Gönner, er bürgte für alles und machte sich nicht einmal die Mühe, erst in Erfahrung zu bringen, wer sein Schachpartner war, was er tat oder aus welchen ruhmlosen Kriegen er in diesem Zustand der Invalidität und Verstörung gekommen war. Schließlich lieh er ihm Geld, damit er das Fotoatelier aufmachen konnte, und Jeremiah de Saint-Amour zahlte es ihm mit der Gewissenhaftigkeit eines Bortenwirkers von dem Augenblick an, da er das erste vom Magnesiumblitz erschreckte Kind ablichtete, nach und nach bis auf den letzten Heller zurück.

Alles für das Schachspiel. Anfangs spielten sie um sieben Uhr abends, nach dem Essen, mit einer angemessenen Vorgabe für den Arzt wegen der deutlichen Überlegenheit des Gegners, dann von Mal zu Mal mit kleineren Vorgaben, bis sie einander ebenbürtig waren. Später, nachdem Don Galileo Daconte das erste Kino aufgemacht hatte, wurde Jeremiah de Saint-Amour zu einem seiner regelmäßigsten Kunden, und die Schachpartien beschränkten sich auf die Abende, an denen keine Erstaufführungen stattfanden. Damals war er schon so gut Freund mit dem Arzt, daß dieser ihn ins Kino begleitete, allerdings immer ohne Frau, teils weil diese nicht die Geduld aufbrachte, den Faden komplizierter Handlungen zu verfolgen, teils weil er schon immer gespürt hatte, daß Jeremiah de Saint-Amour kein guter Umgang war.

Juvenal Urbinos besonderer Tag war der Sonntag. Er besuchte das Hochamt in der Kathedrale, kehrte dann nach Hause zurück, blieb dort, ruhte sich aus und las auf der Terrasse des Patios. Nur selten machte er an einem Feiertag einen Krankenbesuch, es mußte sich schon um einen ausgesprochenen Notfall handeln, und seit vielen Jahren kam er auch keiner gesellschaftlichen Verpflichtung mehr nach, es sei denn, sie wäre zwingend gewesen. An jenem Pfingsttag fielen durch einen außerordentlichen Zufall zwei seltene Begebenheiten zusammen: der Tod eines Freundes und das Jubiläum eines hervorragenden Schülers. Statt jedoch, nachdem er den Tod von Jeremiah de Saint-Amour beurkundet hatte, ohne Umweg nach Haus zu fahren, wie er es vorgehabt hatte, ließ er sich von der Neugier forttreiben.

Sobald er in die Kutsche gestiegen war, überflog er noch einmal den Abschiedsbrief und wies den Kutscher an, ihn zu einer schwer erreichbaren Adresse irgendwo im alten Sklavenviertel zu fahren. Dieser Entschluß paßte so gar nicht zu seinen sonstigen Gewohnheiten, daß der Kutscher sich vergewisserte, ob kein Irrtum vorlag. Nein, die Adresse war eindeutig, und derjenige, der sie geschrieben hatte, hatte guten Grund, sie genau zu kennen. Doktor Urbino widmete sich dann wieder der ersten Seite und tauchte erneut in diese Quelle der unliebsamen Offenbarungen ein, die sein Leben sogar noch in seinem Alter hätten ändern können, wäre er nur sicher gewesen, daß es sich nicht um die Delirien eines Verlorenen handelte.

Der Himmel hatte sich schon früh eingetrübt, jetzt war er bedeckt und die Luft kühl, aber vor Mittag drohte kein Regen. Der Kutscher versuchte den Weg abzukürzen und begab sich auf die Kopfsteinpflastergassen der alten Kolonialstadt. Mehrmals mußte er im Gedränge der Schulklassen und religiösen Kongregationen, die von der Pfingstliturgie zurückkehrten, anhalten, damit das Pferd nicht scheute. Die Straßen waren voller Papiergirlanden, Musik und Blumen, und von den Balkons verfolgten Mädchen unter ihren bunten, mit Musselinvolants besetzten Sonnenschirmen den Festzug. Nach der Messe stauten sich die Automobile auf der Plaza de la Catedral, wo die Statue des Befreiers kaum zwischen afrikanischen Palmen und neuen Straßenlaternen auszumachen war, und in dem ehrwürdigen und lauten Café de la Parroquia war nicht ein Platz mehr frei. Die einzige Pferdekutsche war die von Doktor Urbino, und sie fiel unter den wenigen, die es in der Stadt überhaupt noch gab, auf, weil das Lacklederverdeck seinen Glanz bewahrt hatte, die Messingbeschläge nicht vom Salpeter zerfressen waren und man Räder und Speichen rot angestrichen und mit Goldschnörkeln verziert hatte wie für einen Galaabend an der Wiener Oper. Während die vornehmsten Familien sich damit zufriedengaben, daß ihre Kutscher ein sauberes Hemd trugen, verlangte er von seinem die Livree aus mattem Samt und den Zylinder eines Zirkusdompteurs, was nicht nur anachronistisch war, sondern in der Bruthitze der Karibik auch als Mangel an Barmherzigkeit galt.

Trotz seiner geradezu manischen Liebe zu der Stadt und obwohl er sie so gut wie kein anderer kannte, hatte Doktor Juvenal Urbino nur selten wie an jenem Sonntag Anlaß gehabt, sich ohne Vorbehalt in das Getümmel des alten Sklavenviertels zu wagen. Der Kutscher mußte mehrere Runden drehen und nachfragen, bis er die Adresse gefunden hatte. Doktor Urbino erkannte von nahem die Schwermut der Sumpflagunen wieder, ihre unheilvolle Stille, diese Blähungen eines Ertrunkenen, die so oft in schlaflosen Morgenstunden vermischt mit den Düften der Jasminsträucher im Hof bis zu seinem Zimmer aufstiegen und die er vorbeistreichen spürte wie einen Wind von gestern, der nichts mit seinem Leben zu tun hatte. Doch jene vom Heimweh oft verklärte Pestilenz hatte plötzlich eine unerträgliche Gegenwärtigkeit, als der Wagen durch die Schlammpfützen der Straßen zu rumpeln begann, wo die Geier sich um die von Ebbe und Flut mitgeschleiften Schlachthofabfälle stritten. Im Unterschied zu der Stadt der Vizekönige mit ihren Steinbauten waren hier die Häuser aus verblichenem Holz errichtet und hatten Weißblechdächer. Die meisten standen auf Pfählen, damit bei Hochwasser nicht die Abwässer aus den offenen Kloaken, einem Erbe der Spanier, hereingespült würden. Alles machte einen ärmlichen und verwahrlosten Eindruck, aber aus den schäbigen Kneipen donnerte Parrandamusik, dort feierten die Armen ohne Gott und Gesetz ihr Pfingstfest. Als sie endlich die Adresse gefunden hatten, wurde die Kutsche schon von Banden nackter Kinder verfolgt, die sich über die theatralische Aufmachung des Kutschers lustig machten, weshalb dieser sie mit der Peitsche zu vertreiben suchte. Doktor Urbino, der sich auf einen vertraulichen Besuch eingestellt hatte, begriff, daß es keine gefährlichere Naivität als die seines Alters gab.

Das Äußere des Hauses ohne Nummernschild unterschied sich in nichts von den weniger glücklichen, einmal abgesehen von einem Fenster mit Spitzengardinen und dem Portal, das aus irgendeiner alten Kirche herangeschafft worden war. Der Kutscher betätigte den Türklopfer, und erst als er sich davon überzeugt hatte, daß es sich um die richtige Adresse handelte, half er dem Arzt aus der Kutsche. Die Tür hatte sich geräuschlos geöffnet, und in der Dämmerung des Innenraums stand eine Frau mittleren Alters, ganz in Schwarz und mit einer roten Rose hinter dem Ohr. Trotz ihrer Jahre, wohl mindestens vierzig, war sie immer noch eine stolze Mulattin, die Augen golden und grausam und das Haar wie ein Helm aus Stahlwolle fest um den Schädel gelegt. Doktor Urbino erkannte sie nicht, obwohl er sie mehrmals im Nebel der Schachpartien bei dem Fotografen gesehen hatte und ihr gelegentlich ein Rezept für Chinin gegen Wechselfieber ausgeschrieben hatte. Er streckte ihr die Hand entgegen, und sie nahm sie zwischen ihre beiden, weniger um ihn zu begrüßen, als um ihm beim Hereinkommen zu helfen. Im Raum war die Luft und das unsichtbare Raunen eines Waldes, er war vollgestellt mit Möbeln und Nippes, alles stimmig angeordnet. Doktor Urbino erinnerte sich ohne Bitterkeit an das Lädchen eines Antiquars in Paris, an einen Herbstmontag des vergangenen Jahrhunderts in der Rue Montmartre 26. Die Frau setzte sich ihm gegenüber und sprach ihn in einem ungelenken Spanisch an.

»Fühlen Sie sich wie zu Hause, Doktor«, sagte sie. »Ich hatte Sie nicht so schnell erwartet.«

Doktor Urbino fühlte sich verraten. Er sah sie mit den Augen seines Herzens, bemerkte ihre strenge Trauer, die Würde ihres Leids und erkannte, daß dies ein überflüssiger Besuch war, weil sie über all das, was in Jeremiah de Saint-Amours Abschiedsbrief ausgesprochen und gerechtfertigt worden war, mehr wußte als er. So war es: Bis wenige Stunden vor seinem Tod hatte sie ihn begleitet, wie sie ihn ein halbes Leben lang begleitet hatte, mit einer Hingabe und einer unterwürfigen Zärtlichkeit, die allzusehr der Liebe ähnelten, ohne daß es jemand in dieser schläfrigen Provinzhauptstadt, wo doch selbst Staatsgeheimnisse bekannt waren, gewußt hätte. Sie hatten sich in einer Wandererherberge in Port-au-Prince kennengelernt, wo sie geboren war und er seine erste Flüchtlingszeit verbracht hatte, und sie war ihm ein Jahr später für einen kurzen Besuch hierher gefolgt, obwohl beide, ohne es abgesprochen zu haben, wußten, daß sie gekommen war, um für immer zu bleiben. Sie übernahm es, einmal die Woche das Atelier zu putzen und aufzuräumen, doch sogar die Nachbarn mit den üppigsten Hintergedanken hielten den Anschein nicht für die Wahrheit, weil sie wie jedermann davon ausgingen, daß Jeremiah de Saint-Amours Invalidität nicht nur aufs Gehen beschränkt war. Selbst Doktor Urbino nahm das aus fundierten medizinischen Gründen an und wäre nie auf den Gedanken gekommen, daß der Fotograf eine Frau gehabt haben könnte, hätte jener es nicht selbst im Brief enthüllt. Auf jeden Fall fiel es ihm schwer zu begreifen, daß zwei ungebundene Erwachsene ohne Vergangenheit und abseits der Vorurteile einer selbstgerechten Gesellschaft das Wagnis der verbotenen Liebe gewählt hatten. Sie erklärte es ihm: »Es war sein Wunsch.« Außerdem hielt sie selbst die mit diesem Mann, der nie ganz der ihre gewesen war, geteilte Heimlichkeit, in der sie mehr als einmal die jähe Explosion des Glücks erfahren hatten, beileibe nicht für einen reizlosen Zustand. Im Gegenteil: Das Leben hatte ihr bewiesen, daß er vielleicht vorbildlich war.

In der vergangenen Nacht waren sie ins Kino gegangen, jeder für sich und auf getrennten Sitzen, wie sie das mindestens zweimal im Monat taten, seitdem der italienische Einwanderer Don Galileo Daconte ein Kino in den Ruinen eines Klosters aus dem siebzehnten Jahrhundert eingerichtet hatte. Der Film war nach einem Buch gedreht worden, das im Jahr zuvor Mode gewesen war und das auch Doktor Urbino gelesen hatte, das Herz voll Gram ob der Barbarei des Krieges: *Im Westen nichts Neues.* Später hatten sie sich im Atelier getroffen. Er wirkte abwesend und elegisch auf sie, und sie dachte, es sei wegen der brutalen Szenen mit den Verwundeten im Morast. Um ihn abzulenken, forderte sie ihn zu einer Partie Schach auf, und er tat ihr den Gefallen, spielte aber unkonzentriert, mit Weiß, natürlich, bis er noch vor ihr bemerkte, daß er in vier weiteren Zügen schachmatt sein würde, und sich ehrlos ergab. Da begriff der Arzt, daß sie und nicht, wie er angenommen hatte, General Jerónimo Argote der Gegner der letzten Partie gewesen war. Erstaunt murmelte er:

»Es war eine meisterhafte Partie!«

Sie bestand darauf, daß das nicht ihr Verdienst gewesen sei, vielmehr habe Jeremiah de Saint-Amour, der sich schon in den Nebeln des Todes verloren hatte, die Figuren lieblos gezogen. Als er die Partie unterbrach, etwa um Viertel nach elf, die Musik der öffentlichen Tanzfeste war schon verklungen, bat er sie, ihn alleinzulassen. Er wollte einen Brief an Doktor Juvenal Urbino schreiben, den er für den achtbarsten Mann hielt, dem er je begegnet war, und zudem für einen Seelenfreund, wie er gern sagte, obwohl ihre einzige Gemeinsamkeit das Laster des Schachspiels war, das sie als Dialog der Vernunft und nicht als Wissenschaft betrachteten. Da hatte sie gewußt, daß Jeremiah de Saint-Amour am Ende seiner Agonie angelangt war und ihm gerade noch soviel Zeit zum Leben blieb, um diesen Brief zu schreiben.

Der Arzt wollte es nicht glauben.

»Sie wußten es also!« rief er aus.

Sie hatte es nicht nur gewußt, sondern ihm auch mit der gleichen Liebe geholfen, die Agonie zu ertragen, mit der sie ihm geholfen hatte, das Glück zu entdecken. Denn das waren seine letzten elf Monate gewesen: eine grausame Agonie.

»Es wäre Ihre Pflicht gewesen, das anzuzeigen«, sagte der Arzt.

»Das hätte ich ihm nicht antun können«, sagte sie empört. »Ich liebte ihn zu sehr.«

Doktor Urbino, der glaubte, bereits alles gehört zu haben, hatte dergleichen noch nie gehört, und schon gar nicht auf so einfache Weise gesagt. Er schaute sie geradeheraus an, mit all seinen fünf Sinnen, um sie sich so einzuprägen, wie sie in jenem Augenblick war: Sie glich einer Flußgottheit, unerschrocken in ihrem schwarzen Kleid, mit den Augen einer Schlange und der Rose hinter dem Ohr. Vor sehr langer Zeit, an einem einsamen Strand von Haiti, wo beide nach der Liebe nackt ruhten, hatte Jeremiah de Saint-Amour auf einmal geseufzt: »Ich werde nie alt.« Sie deutete das als heroischen Vorsatz, einen unerbittlichen Kampf gegen die zerstörerische Vergänglichkeit zu führen, doch er wurde noch deutlicher: Er habe die unumstößliche Absicht, sich mit sechzig das Leben zu nehmen.

Tatsächlich war er am dreiundzwanzigsten Januar dieses Jahres sechzig geworden, und damals hatte er sich als letzten Termin den Tag vor Pfingsten gesetzt, dem höchsten Fest in dieser der Anbetung des Heiligen Geistes geweihten Stadt. Es gab nicht die geringste Kleinigkeit in der vergangenen Nacht, die sie nicht schon im vorhinein gekannt hätte, oft hatten sie darüber gesprochen und gemeinsam die unwiederholbare Sturzflut der Tage, die weder er noch sie aufhalten konnten, über sich ergehen lassen. Jeremiah de Saint-Amour liebte das Leben mit einer ziellosen Leidenschaft, er liebte das Meer und die Liebe, liebte seinen Hund und liebte sie, und je näher das Datum rückte, holte ihn die Verzweiflung ein, als sei sein Tod nicht der eigene Entschluß, sondern ein unentrinnbares Schicksal.

»Als ich ihn gestern nacht alleinließ, war er schon nicht mehr von dieser Welt«, sagte sie.

Sie hatte den Hund mitnehmen wollen, doch er hatte ihn angeschaut, wie er dösend neben den Krücken lag, und ihn mit den Fingerspitzen gestreichelt. Er sagte: »Tut mir leid, aber Mister Woodrow Wilson geht mit mir.« Er bat sie, das Tier, während er schrieb, an ein Bein des Feldbetts zu binden. Sie tat es, knüpfte aber einen falschen Knoten, damit es sich befreien könne. Das war der einzige Akt der Untreue, den sie begangen hatte, und er war gerechtfertigt durch den Wunsch, in den Winteraugen des Hundes die Erinnerung an seinen Herrn zu bewahren. Aber Doktor Urbino unterbrach sie und erzählte, daß der Hund sich nicht befreit habe. Sie sagte: »Dann hat er es nicht anders gewollt.« Und sie freute sich, weil sie doch lieber des Geliebten so gedenken wollte, wie er es in der vergangenen Nacht von ihr erbeten hatte, als er den schon begonnenen Brief unterbrach, um sie ein letztes Mal anzusehen.

»Denk mit einer Rose an mich«, hatte er gesagt.

Kurz nach Mitternacht war sie heimgekommen. Sie legte sich dann angezogen aufs Bett und rauchte, zündete eine Zigarette an der anderen an, um ihm Zeit zu geben, den Brief, von dem sie wußte, daß er lang und schwierig war, zu beenden, und kurz vor drei, als die Hunde zu heulen begannen, stellte sie das Wasser für den Kaffee auf den Herd, kleidete sich ganz in Trauer und schnitt im Hof die erste Rose des Morgengrauens. Doktor Urbino war schon bald klargeworden, wie sehr ihm die Erinnerung an diese nicht zu erlösende Frau zuwider sein würde, und er glaubte den Grund dafür zu kennen: Nur eine prinzipienlose Person konnte den Schmerz so willig empfangen.

Bis zum Ende seines Besuchs lieferte sie ihm dafür noch weitere Argumente. Sie werde nicht zur Beerdigung gehen, weil sie es ihrem Geliebten so versprochen habe, obgleich Doktor Urbino Gegenteiliges aus einem Absatz des Briefes entnommen zu haben glaubte. Sie werde keine Tränen vergießen, und sie werde die ihr verbleibenden Jahre nicht im fauligen Saft ihrer Erinnerungen schmoren, sie werde sich in diesen vier Wänden nicht lebendig begraben, um, wie es von den einheimischen Witwen erwartet wurde, ihr Leichentuch zu nähen. Sie wollte Jeremiah de Saint-Amours Haus, das jetzt, wie es der Brief bestimmte, mit allem Inventar ihr gehörte, verkaufen und klaglos wie immer weiterleben, wo sie glücklich gewesen war, in diesem Sterbequartier der Armen.

Dieser Satz verfolgte Doktor Juvenal Urbino auf seinem Heimweg: »Dieses Sterbequartier der Armen.« Das war keine unverdiente Bezeichnung. Denn die Stadt, seine Stadt, war die gleiche geblieben am Rande der Zeit: Die gleiche glühende und ausgedörrte Stadt seiner nächtlichen Ängste und der einsamen Lüste der Pubertät, wo die Blumen oxydierten und das Salz sich zersetzte, eine Stadt, der in vier Jahrhunderten nicht mehr eingefallen war, als langsam zwischen welkem Lorbeer und fauligen Gewässern zu altern. Im Winter überschwemmten reißende Platzregen die Kloaken und verwandelten die Straßen in ekelerregende Kotpfade. Im Sommer drang ein unsichtbarer Staub, rauh wie glühende Kreide, sogar durch die gesichertsten Ritzen der Imagination, aufgestört von wahnsinnigen Winden, die Häuser abdeckten und Kinder in die Lüfte wirbelten. Jeden Samstag verließ das Bettelvolk der Mulatten im Tumult seine Hütten aus Dachpappe und Wellblech am Ufer der Moraste und nahm samt Haustieren und allem Drum und Dran zum Essen und Trinken im Jubelsturm die steinigen Strände der Kolonialstadt. Bis vor wenigen Jahren konnte man noch ein paar alte Männer sehen, die das mit glühenden Eisen eingebrannte Sklavenzeichen auf der Brust trugen. Das Wochenende über tanzten alle gnadenlos, besoffen sich tödlich mit hausgebranntem Schnaps, gaben sich der freien Liebe zwischen dem Icaco-Gestrüpp hin und lösten sonntags um Mitternacht ihre eigenen Fandangos in blutigen Schlägereien auf, in denen dann jeder gegen jeden kämpfte. Es war die gleiche ungestüme Menschenmenge, die sich den Rest der Woche über mit fliegenden Ständen von allem, was nur irgendwie kauf- und verkaufbar war, auf den Plätzen und Gäßchen der Altstadt drängte und dieser toten Stadt die Tollheit eines Menschenmarktes verlieh, der nach gebackenem Fisch roch: ein neues Leben.

Die Unabhängigkeit von der spanischen Herrschaft und später dann die Abschaffung der Sklaverei beschleunigten die ehrenhafte Dekadenz, in der Doktor Juvenal Urbino geboren und groß geworden war. Die vormals mächtigen Familien tauchten in das Schweigen ihrer ungeschützten Stadtburgen. In den verwinkelten Kopfsteinpflastergassen, die sich bei Kriegsüberfällen und bei den Landungen der Freibeuter als so vorteilhaft erwiesen hatten, wuchs das Unkraut über die Balkone herunter und sprengte selbst bei den gepflegtesten Häusern Risse in die festgemauerten Wände, und um zwei Uhr nachmittags waren die schleppenden Klavierübungen im Dämmer der Siesta das einzige Lebenszeichen. Drinnen in den kühlen, weihrauchgesättigten Schlafzimmern schützten sich die Frauen vor der Sonne wie vor einer schändlichen Ansteckung, und sogar bei den Frühmetten deckten sie das Gesicht mit einer Mantilla ab. Ihre Liebesgeschichten waren langsam und verwickelt, oft gestört von düsteren Voraussagen, und das Leben erschien ihnen endlos. Wenn der Abend kam und der Straßenverkehr beklemmend wurde, erhob sich aus den Sümpfen eine Gewitterwolke blutgieriger Mosquitos, und ein zarter Dunst von Menschenscheiße, lau und trist, wühlte im Seelengrund die Todesgewißheit auf.

Denn das Eigenleben der kolonialen Altstadt, das der junge Juvenal Urbino in seinen Pariser Melancholien gern verklärt hatte, war zu jener Zeit eine bloße Illusion der Erinnerung. Im achtzehnten Jahrhundert war die Stadt das blühende Handelszentrum der Karibik gewesen, insbesondere wegen des unrühmlichen Privilegs, der größte Umschlagplatz für afrikanische Sklaven in beiden Amerikas zu sein. Außerdem pflegten die Vizekönige von Neu Granada hier zu residieren, da sie lieber mit Blick auf den Ozean der Welt regierten als in der fernen und eisigen Hauptstadt, wo der Nieselregen von Jahrhunderten ihnen den Sinn für die Wirklichkeit verrückte. Mehrmals im Jahr sammelten sich in der Bucht die Galeonenflotten, beladen mit den Schätzen aus Potosí, Quito und Veracruz, das war die glorreiche Zeit der Stadt. Am Freitag, dem 8. Juni 1708 um vier Uhr nachmittags, wurde die Galeone San José, die eben mit einer Fracht von Edelsteinen, Gold und Silber Kurs auf Cádiz genommen hatte, vor der Hafeneinfahrt von einem englischen Geschwader versenkt, und zwei lange Jahrhunderte später war sie noch nicht geborgen worden. Der Schatz ruhte mit dem in der Kommandobrücke seitlich treibenden Kapitän auf Korallengründen und wurde von den Geschichtsschreibern gern als Emblem dieser in Erinnerungen ertrunkenen Stadt beschworen.

Auf der anderen Seite der Bucht, im Villenviertel La Manga, stand das Haus von Doktor Juvenal Urbino in einer anderen Zeit. Es war groß, kühl, einstöckig und hatte auf der Außenterrasse einen Portikus mit dorischen Säulen, von dem aus man das stehende Gewässer der Bucht mit seinen Krankheitskeimen und all dem Schiffbruchsmüll überblickte. Der Boden war von der Eingangstür bis in die Küche im

Schachbrettmuster schwarzweiß gefliest, was oft auf die alles beherrschende Leidenschaft des Doktor Urbino zurückgeführt worden war, ohne dabei zu bedenken, daß es sich um eine verbreitete Schwäche der katalanischen Maurermeister handelte, die dieses Viertel der Neureichen zu Anfang des Jahrhunderts gebaut hatten. Der Salon war weitläufig, hatte wie das ganze Haus hohe Decken und sechs Türfenster zur Straße; vom Eßzimmer war er durch eine riesige mit Weinlaub und Trauben verzierte Glastür getrennt, auf deren Gitter sich Jungfrauen in einem Bronzehain von den Hirtenflöten der Faune verführen ließen. Die Möbel des Salons, einschließlich der Pendeluhr, die etwas von der Präsenz einer leibhaftigen Wache hatte, stammten aus dem viktorianischen England, die Hängelampen waren Lüster aus Bergkristall, und überall standen Krüge und Vasen aus Sèvres sowie Alabasterstatuetten mit heidnischen Idyllen. Doch diese europäische Stimmigkeit verlor sich im übrigen Haus, wo die Korbsessel sich unter Wiener Schaukelstühle und Lederhocker aus heimischen Werkstätten mischten. In den Schlafzimmern gab es neben den Betten prächtige, von bunten Fransen gesäumte Hängematten aus San Jacinto, auf die mit Seide und in gotischen Lettern der Name des Besitzers gestickt war. Den ursprünglich für Galadiners vorgesehenen Raum neben dem Eßzimmer nutzte man als kleinen Musiksaal, dort wurden, wenn berühmte Interpreten kamen, Konzerte im kleinen Kreis gegeben. Um die Akustik des Raumes zu verbessern, hatte man die Fliesen mit bei der Pariser Weltausstellung gekauften türkischen Teppichen bedeckt, ein Grammophon befand sich neben einem Regal wohlgeordneter Platten, und in einer Ecke stand, mit einem Übertuch aus Manila bedeckt, das Klavier, auf dem Doktor Urbino seit vielen Jahren nicht mehr gespielt hatte. Im ganzen Haus war die Vernunft und die

Umsicht einer Frau zu spüren, die mit beiden Beinen auf der Erde stand.

Kein anderer Platz offenbarte jedoch eine so pedantische Feierlichkeit wie die Bibliothek, die Doktor Urbinos Allerheiligstes gewesen war, bevor ihn das Alter einholte. Dort, um den Nußbaumschreibtisch seines Vaters und die lederbezogenen Polstersessel, ließ er die Wände und sogar die Fenster mit verglasten Bücherschränken vollstellen, in denen er, in einer fast irrwitzigen Ordnung, dreitausend identisch eingebundene Bücher mit seinem Monogramm in Gold auf dem Kalbslederrücken verwahrte. Im Gegensatz zu den anderen Zimmern, die den Verwüstungen und dem fauligen Atem des Hafens preisgegeben waren, bewahrte die Bibliothek stets den Geruch und die Verschwiegenheit einer Abtei. Geboren und aufgewachsen im karibischen Aberglauben, durch das Öffnen von Fenstern und Türen eine Frische einzulassen, die es in Wirklichkeit nicht gab, hatten Doktor Urbino und seine Frau in geschlossenen Räumen zunächst Herzbeklemmungen verspürt. Sie überzeugten sich jedoch schließlich von den Vorteilen der römischen Methode zur Abwehr der Hitze, die darin besteht, die Häuser vor der Bruthitze des August geschlossen zu halten, um die glühende Luft von der Straße nicht eindringen zu lassen, und dann den Nachtwinden Fenster und Türen zu öffnen. Von da an war ihr Haus das kühlste unter der wilden Sonne von La Manga, und es war beglückend, in den schattigen Schlafzimmern Siesta zu halten und sich gegen Abend in den Portikus zu setzen, um die Frachtdampfer aus New Orleans aschgrau und schwer vorbeiziehen zu sehen, sowie die Flußdampfer, die mit ihren hölzernen Schaufelrädern hellerleuchtet durch die Dämmerung fuhren und mit einem Schwall von Musik die stille Müllbrühe der Bucht reinigten. Es war auch das bestgeschützte Haus, wenn von Dezember bis März die

Passatwinde aus dem Norden die gedeckten Dächer aufrüttelten und die Nacht über wie hungrige Wölfe um das Haus strichen, auf der Suche nach einem Spalt, durch den sie eindringen könnten. Niemand kam je auf den Gedanken, daß es für eine Ehe, die auf solche Fundamente gesetzt war, irgendeinen Grund geben könnte, nicht glücklich zu sein.

Doktor Urbino war es jedenfalls nicht, als er an jenem Morgen kurz vor zehn heimkam, verstört nach den beiden Besuchen, die ihn nicht nur um die Pfingstmesse gebracht hatten, sondern ihn auch in seinem Alter noch, wo alles schon hinter ihm zu liegen schien, zu verändern drohten. Er hatte vor, eine morgendliche Hundesiesta zu halten, bis die Zeit zum Festmahl bei Doktor Lácides Olivella kam, fand aber ein aufgeregtes Personal vor, das versuchte, den Papagei einzufangen, der, als man ihn aus dem Käfig geholt hatte, um ihm die Flügel zu stutzen, auf den höchsten Ast des Mangobaums entflogen war. Es war ein gerupfter und launischer Papagei, der nicht sprach, wenn man ihn dazu aufforderte, dafür aber bei den unverhofftesten Gelegenheiten, und dann mit so viel Klarheit und Verstand, wie sie auch bei menschlichen Wesen ungewöhnlich sind. Er war von Doktor Urbino persönlich abgerichtet worden, und das hatte ihm Privilegien eingebracht, die niemand in der Familie je gehabt hatte, nicht einmal die Kinder, als sie noch klein waren.

Er war seit über zwanzig Jahren im Haus, und niemand wußte, wie lange er schon davor gelebt hatte. Jeden Nachmittag nach der Siesta setzte sich Doktor Urbino mit ihm auf die Patioterrasse, den kühlsten Ort des Hauses, und scheute in seiner pädagogischen Leidenschaft auch nicht die mühseligsten Wege, um dem Papagei Französisch beizubringen, bis der wie ein Akademiemitglied sprach. Danach brachte er ihm, da er nun schon mal dabei war, die Messe auf lateinisch bei und einige ausgewählte Stücke aus dem Matthäusevangelium, vergeblich versuchte er dann, ihm eine mechanische Kenntnis der vier arithmetischen Operationen einzutrichtern. Von einer seiner letzten Europareisen hatte er den ersten Phonographen mit Schallmuschel mitgebracht, etliche Modeplatten und einige mit der Musik seiner klassischen Lieblingskomponisten. Tag für Tag, wieder und wieder, ließ er den Papagei mehrere Monate lang die Lieder von Yvette Gilbert und Aristide Bruant, die das Frankreich des vergangenen Jahrhunderts entzückt hatten, hören, bis der sie auswendig kannte. Er sang sie mit Frauenstimme, wenn es ihre Passagen waren, und im Tenor, wenn es seine waren, und endete mit einem wüsten Gelächter, das meisterhaft das der Dienstmädchen wiedergab, wenn sie ihn französisch singen hörten. Der Ruhm seiner Künste reichte so weit, daß manchmal distinguierte Reisende, die mit den Flußdampfern aus dem Landesinnern kamen, darum baten, ihn sehen zu dürfen. Bei einer Gelegenheit hatten einige von den vielen englischen Touristen, die zu jener Zeit auf den Bananenschiffen von New Orleans reisten, ihn für jeden Preis kaufen wollen. Der Tag seines größten Ruhms war jedoch, als der Präsident der Republik, Don Marco Fidel Suárez, mit allen Ministern seines Kabinetts ins Haus kam, um sich persönlich davon zu überzeugen, daß dieser Ruhm begründet war. Sie kamen etwa um drei Uhr nachmittags an, fast erstickt unter den Zylinderhüten und den Gehröcken aus schwerem Tuch, die sie während des dreitägigen offiziellen Besuchs unter einem glühenden Augusthimmel nicht ausgezogen hatten, mußten dann aber so neugierig gehen, wie sie gekommen waren, denn der Papagei weigerte sich zwei verzweifelte Stunden lang, auch nur Piep zu sagen, trotz der flehentlichen Bitten, der Drohungen und der öffentlichen Schmach des Doktor Urbino, der, entgegen den weisen

Ratschlägen seiner Frau, auf der tollkühnen Einladung bestanden hatte.

Die Tatsache, daß der Papagei auch nach diesem historischen Affront noch seine Privilegien behielt, war der letzte Beweis für seine sakrale Sonderstellung. Kein anderes Tier war im Haus erlaubt, außer der Erdschildkröte, die drei oder vier Jahre, nachdem man sie endgültig verloren geglaubt hatte, wieder in der Küche aufgetaucht war. Sie aber wurde nicht als Lebewesen angesehen, sondern eher als mineralischer Glücksbringer, von dem man nie genau wußte, wo er sich gerade befand. Doktor Urbino weigerte sich zuzugeben, daß er Tiere haßte, und vertuschte das durch alle möglichen wissenschaftlichen Fabeln und philosophischen Ausreden, die viele, nicht aber seine Frau, überzeugten. Er sagte, daß wer Tiere übertrieben liebe, zu den größten Grausamkeiten gegenüber Menschen fähig sei. Er sagte, daß Hunde nicht treu, sondern unterwürfig seien, Katzen opportunistisch und verräterisch, daß Pfauen Herolde des Todes, Makais nicht mehr als hinderliche Dekorationsstükke seien, daß Kaninchen die Habgier förderten, Kapuzineraffen das Fieber der Wollust übertrügen und die Hähne verdammt seien, weil sie sich dazu hergegeben hätten, daß Christus dreimal verleugnet wurde.

Seine Frau Fermina Daza hingegen, die damals zweiundsiebzig Jahre alt war und schon den Gang einer Hindin früherer Zeiten verloren hatte, war eine irrationale Anbeterin von äquatorialen Blumen und von Haustieren und hatte zu Anfang der Ehe die Neuheit der Liebe genutzt, um sehr viel mehr davon ins Haus zu bringen, als der gesunde Menschenverstand empfahl. Als erste kamen drei Dalmatiner mit den Namen römischer Imperatoren, die sich gegenseitig um die Gunst eines Weibchens zerfleischten, das seinem Namen Messalina alle Ehre machte, da sie länger dazu brauchte, neun Welpen zu werfen, als weitere zehn auszutragen. Dann kamen die abessinischen Katzen mit ihrem Adlerprofil und den pharaonischen Manieren, die schielenden Siamkatzen, höfische Perserkatzen mit orangefarbenen Augen, die wie Geisterschatten durch die Zimmer glitten und in den Nächten mit den Schreien ihres Liebessabbats Aufruhr stifteten. Einige Jahre lang hatte sie einen amazonischen Kapuzineraffen, der um den Bauch herum an den Mangobaum im Hof gekettet wurde und der so etwas wie Mitleid weckte, da er das trübselige Antlitz des Erzbischofs Obdulio y Rey hatte, doch nicht deswegen entledigte sich Fermina Daza seiner, sondern weil er die schlechte Angewohnheit hatte, sich in Gegenwart der Damen zu befriedigen.

In den Gängen gab es Käfige mit den verschiedensten Arten von Vögeln aus Guatemala, dazu wachsame Rohrdommeln, Sumpfreiher mit langen gelben Beinen und einen Junghirsch, der sich in die Fenster hineinreckte, um die Anthurien aus den Vasen zu fressen. Kurz vor dem letzten Bürgerkrieg, als zum ersten Mal von einem möglichen Besuch des Papstes die Rede war, hatte Fermina Daza aus Guatemala einen Paradiesvogel kommen lassen, der, als bekannt wurde, daß die päpstliche Reise eine Erfindung der Regierung gewesen war, um die gegen sie verschworenen Liberalen zu schrecken, schneller wieder in sein Land zurückgelangte, als es gedauert hatte, ihn herbeizuschaffen. Ein anderes Mal kaufte sie auf den Segelschiffen der Curaçao-Schmuggler einen Drahtkäfig mit sechs duftenden Raben, ganz ähnlich jenen, die Fermina Daza als Kind im Elternhaus gehabt hatte und die sie nun als verheiratete Frau wieder haben wollte. Doch niemand konnte das ständige Geflatter ertragen, das das Haus mit einer Ausdünstung wie von Totenkränzen erfüllte. Auch eine vier Meter lange

Anakonda wurde angeschafft, eine schlaflose Jägerin, deren Seufzer die Dunkelheit der Schlafzimmer aufstörte; allerdings erreichten sie mit ihr das Gewünschte: Ihr todbringender Atem vertrieb die Fledermäuse und Salamander und die vielfältigen Arten schädlicher Insekten, die in den Regenmonaten ins Haus eindrangen. Doktor Urbino, damals von seinem Beruf sehr gefordert und zudem abgelenkt von seinen staatsbürgerlichen und kulturellen Initiativen, gab sich mit der Vermutung zufrieden, daß, inmitten von so vielen abscheulichen Kreaturen, seine Gattin nicht nur die schönste Frau im karibischen Raum war, sondern auch die glücklichste. An einem regnerischen Nachmittag jedoch, nach einem aufreibenden Arbeitstag, fand er in seinem Haus eine Katastrophe vor, die ihn in die Wirklichkeit zurückholte. In der Empfangshalle und so weit der Blick reichte, trieb in einer gewaltigen Blutlache eine Unzahl toter Tiere. Die Dienstmädchen waren auf die Stühle geklettert und wußten nicht, was tun, sie hatten sich von der Panik des Gemetzels noch nicht erholt.

Tatsache war, daß eine der Deutschen Doggen aufgrund eines plötzlichen Tollwutanfalls durchgedreht war und jedwedes Tier, das ihr in den Weg kam, zerfleischt hatte, bis der Gärtner des Nachbarhauses Mut gefaßt hatte, sich ihr entgegenstellte und sie mit Machetehieben zerstückelte. Man wußte nicht, wie viele Tiere der Hund gebissen oder mit seinem grünen Geifer angesteckt hatte, so daß Doktor Urbino befahl, die Überlebenden zu töten und die Kadaver auf einem abgelegenen Feld einzuäschern. Auch bat er den Außendienst des Hospital de la Misericordia um eine gründliche Desinfektion des Hauses. Die einzige, die sich rettete, weil niemand an sie gedacht hatte, war die Glücksschildkröte.

Fermina Daza gab erstmals in einer häuslichen Angelegenheit ihrem Mann recht und hütete sich lange Zeit davor, von Tieren zu sprechen. Sie tröstete sich mit den Farbtafeln aus der Naturgeschichte von Linné, die sie einrahmen und an die Wände im Salon hängen ließ, und hätte vielleicht am Ende die Hoffnung verloren, je wieder ein Tier im Haus zu sehen, wenn nicht eines Tages bei Morgengrauen Räuber ein Badezimmerfenster eingedrückt und das über fünf Generationen vererbte Silberbesteck mitgenommen hätten. Doktor Urbino brachte Doppelschlösser an den Ringen der Fenster an, verwahrte die wertvollsten Gegenstände im Geldschrank und nahm verspätet die Kriegsgewohnheit an, mit dem Revolver unter dem Kopfkissen zu schlafen. Aber er widersetzte sich der Anschaffung eines scharfen Hundes, ob geimpft oder nicht, freilaufend oder an der Kette, selbst wenn ihn die Diebe bis auf die Haut ausrauben sollten.

»Es kommt mir nichts ins Haus, das nicht sprechen kann«, sagte er.

Er sagte es, um den Spitzfindigkeiten seiner Frau ein Ende zu setzen. Diese hatte sich nämlich in den Kopf gesetzt, wieder einen Hund zu kaufen, und er ahnte nicht, daß seine voreilige Verallgemeinerung ihn einmal das Leben kosten sollte. Fermina Daza, deren schroffer Charakter sich mit den Jahren abgeschliffen hatte, griff die sprachliche Leichtfertigkeit des Gatten wie im Flug auf: Ein paar Monate nach dem Diebstahl ging sie wieder zu den Seglern aus Curaçao und kaufte einen Königspapagei aus Paramaribo, der nur Matrosenflüche rufen konnte, diese aber mit einer so menschlichen Stimme hervorbrachte, daß er allemal den überhöhten Preis von zwölf Centavos wert war.

Es war einer von der guten Sorte, leichtgewichtiger als er aussah, mit gelbem Kopf und einer schwarzen Zunge, das einzige, woran man ihn von den Manglero-Papageien unterscheiden konnte, die nicht einmal mit Terpentinzäpfchen zum Sprechen zu bringen sind. Doktor Urbino war ein guter Verlierer, er beugte sich der Findigkeit seiner Frau und war selbst überrascht von dem Vergnügen, das ihm die Fortschritte des von den Dienstmädchen in Atem gehaltenen Papageien bereiteten. An Regennachmittagen, wenn sich diesem vor Freude über die eingeweichten Federn die Zunge löste, sagte er Sätze aus anderen Zeiten, die er nicht im Haus aufgeschnappt haben konnte und die vermuten ließen, daß er noch älter war, als er zu sein schien. Die letzten Vorbehalte des Arztes brachen in sich zusammen, als eines Nachts wieder einmal Diebe durch eine Luke der Dachterrasse einzubrechen versuchten und der Papagei sie mit dem Gebell einer Bulldogge vertrieb, das, wäre es echt gewesen, kaum so glaubhaft geklungen hätte, und dann schrie er noch: Haltet den Dieb, haltet den Dieb, zwei rettende Kunststückchen, die er nicht im Haus erlernt hatte. Damals hatte sich Doktor Urbino seiner angenommen, er ließ unter dem Mangobaum einen Bügel mit einem Wassernapf und einer Schale für reife Bananen anbringen und dazu noch ein Trapez zum Turnen. Von Dezember bis März, wenn die Nächte kälter wurden und es draußen wegen der Nordwinde nicht mehr auszuhalten war, holten sie ihn in dem mit einem Tuch bedeckten Käfig ins Haus, obwohl Doktor Urbino argwöhnte, daß sein chronischer Rotz für die Atemwege der Menschen gefährlich sein könnte. Viele Jahre lang stutzte man ihm die Flügel und ließ ihn frei, damit er mit seinem Gang eines alten Reiters nach Laune herumlaufen konnte. Eines Tages aber begann er akrobatische Kunststückchen auf den Küchenbalken zu vollführen und fiel mit dem maritimen Schrei *Mann über Bord* in den Fleischtopf, hatte dabei aber viel Glück, denn der Köchin gelang es, ihn mit der Schöpfkelle herauszuholen, verbrüht und federlos, aber noch lebend. Von da an ließen sie ihn gegen den Volksglauben, daß eingesperrte

Papageien das Gelernte vergessen, auch tagsüber im Käfig und holten ihn nur um vier Uhr, wenn es frischer wurde, für die Lektionen von Doktor Urbino auf die Patioterrasse heraus. Niemand hatte rechtzeitig bemerkt, daß seine Flügel zu lang gewachsen waren, und als man sie ihm an jenem Morgen dann schneiden wollte, war er auf die Spitze des Mangobaumes entflogen.

Es war nach drei Stunden noch nicht gelungen, ihn einzufangen. Die Dienstmädchen des Hauses, unterstützt von anderen aus der Nachbarschaft, versuchten ihn auf jede nur mögliche Weise herunterzulocken, doch er blieb unbeirrt auf seinem Platz, lachte lauthals und schrie: Es lebe die Liberale Partei, es lebe die Liberale Partei, Carajo! – ein wagemutiger Ruf, der schon mehr als vier harmlosen Trunkenbolden das Leben gekostet hatte. Doktor Urbino konnte den Vogel kaum zwischen dem Laub ausmachen, er versuchte ihn auf spanisch und französisch, ja sogar auf lateinisch zu überreden, und der Papagei antwortete jeweils in derselben Sprache, mit der gleichen Emphase und in der gleichen Stimmlage, rührte sich aber nicht von seinem Zweig. Davon überzeugt, daß es niemand im Guten schaffen würde, befahl Doktor Urbino, die Feuerwehr zu Hilfe zu holen, die sein neuestes gemeinnütziges Spielzeug war.

Bis vor kurzem waren in der Tat die Brände von Freiwilligen gelöscht worden, die mit von irgendwoher angeschleppten Wassereimern auf Maurerleitern standen, und das Durcheinander bei den Löscharbeiten war so groß gewesen, daß diese zuweilen mehr Verheerung als die Brände anrichteten. Seit dem vergangenen Jahr aber gab es dank einer Geldsammlung, angeregt von der Gesellschaft für den Ausbau öffentlicher Einrichtungen, deren Ehrenpräsident Juvenal Urbino war, eine Berufsfeuerwehr und einen Löschwasserwagen mit Sirene, Glocke und zwei Hochdruckschläuchen. Die Feuerwehr war der letzte Schrei, so daß, immer wenn die Kirchenglocken Sturm läuteten, in den Schulen sogar der Unterricht unterbrochen wurde, damit die Kinder sich den Kampf gegen das Feuer ansehen konnten. Anfangs war Löschen das einzige, was die Feuerwehr tat. Doch Doktor Urbino erzählte den städtischen Behörden, daß er in Hamburg gesehen habe, wie Feuerwehrleute ein Kind wiedererweckten, das sie nach einem dreitägigen Schneesturm erfroren in einem Keller gefunden hatten. In einer neapolitanischen Gasse hatte er sie auch dabei beobachtet, wie sie von einem Balkon im zehnten Stock einen Sarg mit dem Toten herabließen, da die Treppen des Gebäudes derart verwinkelt waren, daß es die Familie nicht geschafft hatte, ihn auf die Straße herunterzubringen. So kam es, daß die örtlichen Feuerwehrleute lernten, auch andere Notdienste zu leisten, sie brachen Schlösser auf oder töteten giftige Schlangen, und im Medizinischen Institut war für sie ein spezieller Lehrgang in Erster Hilfe bei kleineren Unfällen abgehalten worden. Es war also keine Zumutung, sie um den Gefallen zu bitten, den Papagei vom Baum zu holen, dessen Verdienste nicht geringer waren als die eines Caballeros. Doktor Urbino sagte: »Richtet ihnen aus, daß ich darum bitte.« Dann ging er ins Schlafzimmer, um sich für das Festmahl umzukleiden. In Wahrheit ließ ihn, den der Brief von Jeremiah de Saint-Amour bedrückte, das Schicksal des Papageien im Augenblick kalt.

Fermina Daza hatte ein seidenes Hängerkleid angezogen, weit, locker und mit tiefsitzender Taille, sie hatte eine echte Perlenkette in sechs unregelmäßigen Reihen umgehängt und ein Paar hochhackige Atlasschuhe an, die sie nur bei sehr feierlichen Gelegenheiten trug, da ihr die Jahre solche Unvernunft nicht mehr erlaubten. Diese modische Aufmachung schien einer ehrwürdigen Großmutter kaum angemessen, paßte jedoch zu ihrem langknochigen Körper, der noch gerade und schlank war, zu ihren geschmeidigen Händen ohne Altersflecken, zu ihrem stahlblauen Haar, das auf Wangenhöhe schräg geschnitten war. Alles, was noch an ihr Hochzeitsbild erinnerte, war das Leuchten in ihren mandelbraunen Augen und die angeborene stolze Haltung, doch was ihr von alters wegen abging, glich sie reichlich durch Charakter und überreichlich durch Umsicht aus. Sie fühlte sich wohl: Weit zurück lagen die Jahrhunderte der Eisenkorsetts, der eingeschnürten Taillen, der kraft Stoffarrangements hochsitzenden Hüftpartien. Die befreiten Körper atmeten nach Lust und zeigten sich, wie sie waren. Auch noch mit zweiundsiebzig Jahren.

Doktor Urbino sah sie vor dem Toilettentisch unter den langsamen Flügeln des elektrischen Ventilators sitzen und den glockenförmigen Hut aufsetzen, den Veilchen aus Filz schmückten. Das Schlafzimmer war geräumig und licht, ein englisches Bett mit einem feinmaschigen rosa Moskitonetz stand darin, durch die zwei zu den Bäumen des Innenhofs offenen Fenster drang das Dröhnen der Zikaden herein, die von dem sich ankündigenden Regen aufgestört waren. Seit der Rückkehr von ihrer Hochzeitsreise wählte Fermina Daza die Kleidung ihres Mannes je nach Gelegenheit und Wetterlage aus und legte sie am Abend geordnet auf einen Stuhl, damit er, wenn er morgens aus dem Bad kam, alles bereit fand. Sie erinnerte sich nicht mehr daran, wann sie begonnen hatte, ihm auch beim Anziehen zu helfen, und wann sie dazu übergegangen war, ihn ganz anzuziehen, sie war sich aber dessen bewußt, daß sie es erst aus Liebe getan hatte, seit etwa fünf Jahren aber hatte sie keine andere Wahl, da er sich nicht mehr allein ankleiden konnte. Sie hatten gerade ihre goldene Hochzeit gefeiert und konnten keinen Augenblick ohne den anderen sein oder nicht an ihn denken und konnten es immer weniger, je schlimmer ihnen das Alter zusetzte. Weder er noch sie hätten sagen können, ob diese gegenseitigen Dienstleistungen auf Liebe oder Bequemlichkeit gründeten, hatten es sich aber auch nie mit der Hand auf dem Herzen gefragt. Beide zogen es seit jeher vor, die Antwort nicht zu kennen. Sie hatte nach und nach die Unsicherheit in den Schritten ihres Mannes entdeckt, seine Stimmungsstürze, die Risse in seinem Gedächtnis, seine neuerliche Angewohnheit, im Schlaf zu schluchzen, sah darin aber nicht die unverwechselbaren Anzeichen des letzten Rosts, sondern eine glückliche Rückkehr zur Kindheit. Daher behandelte sie ihn nicht wie einen schwierigen Greis, sondern wie ein seniles Kind, und dieser Selbstbetrug war für beide ein Gottesgeschenk, denn er rettete sie vor dem Mitleid.

Das Leben wäre für sie ganz anders verlaufen, hätten sie beizeiten gewußt, daß es leichter ist, die großen Ehekatastrophen durchzustehen als die winzigen tagtäglichen Miseren. Doch wenn sie etwas zusammen gelernt hatten, so war es, daß wir Weisheit erst erlangen, wenn sie uns nichts mehr nützt. Fermina Daza hatte jahrelang mit bitterem Herzen das jubelnde Erwachen ihres Mannes über sich ergehen lassen. Sie klammerte sich an die letzten Fäden des Schlafs, um sich nicht der Fatalität eines neuen Morgens voll finsterer Vorzeichen zu stellen, während er mit der Unschuld eines Neugeborenen erwachte: Jeder neue Tag war ein gewonnener Tag. Sie hörte ihn mit den Hähnen aufwachen, sein erstes Lebenszeichen war ein grundloser Husten, wie absichtlich, um auch sie zu wecken. Sie hörte ihn brummeln, nur um sie unruhig zu machen, während er nach den Pantoffeln tastete, die neben dem Bett stehen mußten. Sie hörte, wie er sich im Dunkeln tappend den Weg ins Badezimmer bahnte. Sie schlief wieder ein, während er in seinem Studierzimmer arbeitete, und wurde nach einer Stunde abermals geweckt, wenn er zurückkam, um sich, noch immer ohne Licht, anzuziehen. Einmal, bei einem Gesellschaftsspiel, war er gefragt worden, wie er sich selbst definiere, und er hatte gesagt: »Ich bin ein Mann, der sich im Dunkeln anzieht.« Sie horchte, wohl wissend, daß keines der Geräusche unbedingt nötig war und daß er sie absichtlich machte, auch wenn er das Gegenteil vorgab, so wie sie ihrerseits wach war und vorgab, es nicht zu sein. Seine Motive waren eindeutig: Nie brauchte er sie so sehr, lebendig und luzide, wie in jenen Minuten der Bedrängnis.

Keine war wie sie elegant im Schlaf, den Körper in einer tänzerischen Pose und eine Hand an der Stirn, aber es gab auch keine, die so wild wurde, wenn man sie in dem Gefühl, noch zu schlafen, störte, selbst wenn sie tatsächlich schon nicht mehr schlief. Doktor Urbino wußte, daß sie auf das kleinste Geräusch von seiner Seite wartete und daß sie ihm dafür sogar dankbar war, konnte sie dann doch jemanden beschuldigen, sie um fünf Uhr früh geweckt zu haben. Das ging so weit, daß sie bei den wenigen Gelegenheiten, wenn er im Dunkeln herumtasten mußte, weil er die Pantoffeln nicht an ihrem angestammten Platz fand, plötzlich mit verschlafener Stimme sagte: »Du hast sie gestern nacht im Badezimmer gelassen.« Und sofort schimpfte sie, die Stimme wach vor Wut:

»Das ärgste Übel in diesem Haus ist, daß man nicht ausschlafen kann.«

Dann warf sie sich herum, zündete ganz ohne Selbsterbarmen das Licht an, glücklich über den ersten Sieg des Tages. Im Grunde war es ein Spiel der beiden, mythisch und pervers, doch gerade deshalb tröstlich: eine der vielen gefährlichen Freuden der domestizierten Liebe. Wegen eines dieser trivialen Spielchen hätten jedoch die ersten dreißig

Jahre gemeinsamen Lebens fast ein Ende genommen, denn eines schönen Tages war keine Seife im Badezimmer.

Es begann mit routinemäßiger Schlichtheit. Doktor Juvenal Urbino war ins Schlafzimmer zurückgekehrt, damals badetete er noch selbständig, und begann, ohne Licht zu machen, mit dem Anziehen. Sie befand sich wie immer zu dieser Stunde in ihrem lauen Fötalzustand, die Augen geschlossen, der Atem flach und ein Arm wie bei einem Sakraltanz über dem Kopf. Aber wie immer lag sie im Halbschlaf da, und er wußte es. Nach einem langen Geraschel von gestärktem Leinen in der Dunkelheit sprach Doktor Urbino zu sich selbst:

»Seit etwa einer Woche bade ich jetzt schon ohne Seife.«

Da wachte sie endgültig auf, dachte kurz nach und entbrannte vor Wut auf die Welt, denn sie hatte in der Tat vergessen, ein neues Stück Seife ins Badezimmer zu legen. Drei Tage zuvor hatte sie das, als sie schon unter der Dusche stand, bemerkt, hatte den Mangel später beheben wollen, es dann aber bis zum nächsten Tag vergessen. Am dritten Tag war ihr dasselbe passiert. In Wirklichkeit war nicht eine Woche vergangen, wie er sagte, um ihre Schuld zu erschweren, aber es waren doch drei unverzeihliche Tage, und die Wut darüber, bei einem Fehler ertappt worden zu sein, machte sie wild. Wie immer war ihre Verteidigung ein Angriff.

»Ich habe täglich gebadet«, schrie sie außer sich, »und immer war Seife da.«

Obwohl ihre Kriegstaktik ihm sattsam bekannt war, wollte er sie diesmal nicht hinnehmen. Unter irgendeinem beruflichen Vorwand zog er im Hospital de la Misericordia in ein Zimmer der internen Ärzte und erschien nur gegen Abend daheim, um sich für seine Hausbesuche umzuziehen. Wenn sie ihn kommen hörte, ging sie in die Küche, gab vor, irgend etwas zu tun, und blieb dort, bis sie wieder das Hufeklappern der Kutschenpferde hörte. Jedesmal wenn sie in den folgenden drei Monaten versuchten, die Verstimmung zu beheben, erreichten sie nur, sie neu zu beleben. Er war nicht bereit, zurückzukommen, solange sie nicht zugab, daß keine Seife im Bad gewesen war, und sie war nicht bereit, ihn zu empfangen, solange er nicht eingestand, wissentlich gelogen zu haben, um sie zu quälen.

Der Zwischenfall gab ihnen selbstverständlich Gelegenheit, an andere zu denken, an viele winzige Streitfälle bei vielen anderen trüben Tagesanbrüchen. Eine Bitterkeit rührte die andere auf, öffnete alte Narben, machte frische Wunden daraus, und beide erschraken bei der betrüblichen Feststellung, daß sie in so vielen Jahren der Ehescharmützel nicht viel mehr getan hatten, als ihren Groll zu pflegen. Er schlug sogar vor, sie sollten sich gemeinsam einer offenen Beichte unterziehen, wenn nötig vor dem Erzbischof, damit Gott als letzte Instanz entscheide, ob Seife im Seifenbehälter des Bads gewesen war oder nicht. Worauf ihr, die sich sonst so gut im Zaum hielt, der historisch gewordene Ausruf durchging:

»Scheiß auf den Herrn Erzbischof!«

Die Schmähung erschütterte die Stadt bis in ihre Grundfesten, ließ Gerüchte entstehen, die nicht leicht von der Hand zu weisen waren, und wurde im Zarzuelaklang dem Volksmund einverleibt: »Scheiß auf den Herrn Erzbischof!« Im Bewußtsein, den Bogen überspannt zu haben, kam sie der erwarteten Reaktion ihres Mannes zuvor, indem sie ihm androhte, allein in das alte Haus ihres Vaters zu ziehen, das an öffentliche Ämter vermietet war, aber noch ihr gehörte. Das war keine leere Drohung: Sie wollte wirklich gehen, ohne sich um den gesellschaftlichen Skandal zu scheren, und ihr Mann merkte es gerade noch rechtzeitig. Er hatte nicht den Mut, seine eigenen Vorurteile herauszufordern: Er gab nach. Nicht in dem Sinne, daß er zugegeben hätte, im Badezimmer sei Seife gewesen, das hätte die Wahrheit beleidigt, aber doch dahingehend, daß er darauf drang, weiterhin im gleichen Haus zusammenzuleben, allerdings in getrennten Zimmern und ohne das Wort aneinander zu richten. So aßen sie gemeinsam und handhabten die Situation mit solchem Geschick, daß sie sich Botschaften von der einen zur anderen Seite des Tisches über die Kinder zukommen ließen, ohne daß diese bemerkt hätten, daß sie nicht miteinander sprachen.

Da das Arbeitszimmer kein Bad hatte, löste dieser Umstand den Konflikt des morgendlichen Lärms, denn er ging erst ins Bad, nachdem er die Vorlesung vorbereitet hatte, und traf wirklich Vorsichtsmaßnahmen, um seine Frau nicht zu wecken. Mitunter trafen sie aufeinander und lösten sich vor dem Schlafengehen mit dem Zähneputzen ab. Nachdem vier Monate vergangen waren, hatte er sich einmal zum Lesen aufs Ehebett gelegt, weil sie noch im Bad war, was häufig vorkam, und war dabei eingeschlafen. Sie legte sich ziemlich unsanft an seine Seite, er sollte aufwachen und gehen. Er wachte auch tatsächlich halb auf, statt aufzustehen, löschte er aber die Nachttischlampe und machte es sich auf seinem Kopfkissen bequem. Sie rüttelte an seiner Schulter, um ihn daran zu erinnern, daß er ins Arbeitszimmer gehen müsse, er fühlte sich jedoch im Federbett der Urgroßeltern wieder so wohl, daß er es vorzog, zu kapitulieren.

»Laß mich hier«, sagte er. »Es war Seife da.«

Wenn sie sich später, schon an der Wegbiegung zum Alter, an diese Episode erinnerten, konnten weder er noch sie die erstaunliche Wahrheit glauben, daß dieser Streit der ernsteste in einem halben Jahrhundert gemeinsamen Lebens gewesen war, der einzige auch, der in beiden den Wunsch geweckt hatte, aufzugeben und das Leben neu und anders zu beginnen. Selbst als sie schon alt und friedfertig geworden waren, hüteten sie sich davor, den Vorfall anzusprechen, denn die kaum vernarbten Wunden hätten wieder zu bluten begonnen, als seien sie von gestern.

Er war der erste Mann gewesen, den Fermina Daza urinieren hörte. Sie hörte ihn in der Hochzeitsnacht, in der Kabine des Schiffs, das sie nach Frankreich trug, während sie seekrank darniederlag, und das Tosen seines Pferdewasserfalls erschien ihr so machtvoll und so herrisch, daß es ihre Angst vor den befürchteten Verletzungen noch steigerte. Diese Erinnerung kam ihr häufig in den Sinn, als die Jahre den Wasserfall nach und nach abschwächten, weil sie sich nicht damit abfinden konnte, daß er jedesmal einen nassen Klosettrand hinterließ. Doktor Urbino versuchte sie mit für jeden, der sie verstehen wollte, leicht einsichtigen Argumenten davon zu überzeugen, daß dieses Mißgeschick sich nicht, wie sie behauptete, wegen seiner Unachtsamkeit täglich wiederholte, sondern aus einem organischen Grund: Sein jugendlicher Strahl war so bestimmt und direkt gewesen, daß er in der Schule mit seiner Zielsicherheit beim Flaschenfüllen Turniere gewonnen hatte, doch durch den Altersverschleiß war der Strahl nicht nur schwächer geworden, sondern hatte sich auch gekrümmt, verzweigt und schließlich in ein eigenwilliges Brünnlein verwandelt, und das trotz aller Anstrengungen, ihn zu begradigen. Er sagte: »Das Klosett muß jemand erfunden haben, der nichts von Männern verstand.« Zum häuslichen Frieden trug er mit einer täglichen Geste bei, die eher ein Zeichen von Demütigung als von Demut war: Er wischte die Ränder des Klosetts nach jeder Benutzung mit Klopapier ab. Sie wußte das, sagte aber nie etwas, solange die Ammoniakdämpfe im Bad nicht zu offenkundig wurden, dann erklärte sie, als decke sie ein Verbrechen auf: »Hier stinkt es nach Kaninchenstall.« Am Vorabend des Greisenalters brachte ihn die Körperstörung selbst auf die endgültige Lösung: Er pinkelte wie sie im Sitzen, was die Brille sauber und ihn im Zustand der Gnade beließ.

Damals kam er schon ziemlich schlecht alleine zurecht, und nachdem er im Bad ausgerutscht war, was fatal hätte enden können, nahm er vom Duschen Abstand. Im Haus, immerhin eines der modernen, fehlte die löwenfüßige Zinkbadewanne, die man in den Herrenhäusern der Altstadt benutzte. Er hatte aus einem hygienischen Grund darauf verzichtet: Die Badewanne gehöre zu den vielen Schweinereien der Europäer, die nur am letzten Freitag jeden Monats badeten, und dann in einer Brühe, die von eben dem Dreck verunreinigt war, den sie sich vom Körper schaffen wollten. Also ließen sie einen großen Trog aus massivem Gujakholz nach Maß anfertigen, in dem Fermina Daza ihren Mann mit dem gleichen Ritual wie neugeborene Kinder badete. Das Bad dehnte sich über eine Stunde aus, wurde mit weichem Wasser und aufgebrühten Malvenblättern und Orangenschalen bereitet und hatte eine derart beruhigende Wirkung auf ihn, daß er manchmal in dem parfümierten Aufguß einschlief. Nach dem Bad half Fermina Daza ihm beim Ankleiden, stäubte ihm Talkumpuder zwischen die Beine, salbte ihm die aufgescheuerten Stellen mit Kakaobutter ein, zog ihm die Unterhosen so liebevoll an, als seien es Windeln, und kleidete ihn weiter an, Stück für Stück, von den Strümpfen bis zum Krawattenknoten mit der Topasnadel. Die ehelichen Morgende wurden geruhsamer, weil er sich wieder in der Kindheit einrichtete, aus der ihn seine Kinder verdrängt hatten. Und sie war endlich im Einklang mit dem Stundenplan der Familie, denn die Jahre vergingen auch für sie, und noch bevor sie siebzig geworden war, wachte sie morgens vor ihrem Mann auf.

Am Pfingstsonntag, als er die Decke hochhob, um die

Leiche von Jeremiah de Saint-Amour zu sehen, offenbarte sich Doktor Urbino etwas, das sich ihm auch bei seinen scharfsichtigsten Betrachtungen als Arzt und gläubiger Christ bisher entzogen hatte. Es war, als habe er nach so vielen Jahren der Vertrautheit mit dem Tod, den er so lange bekämpft und hin- und hergewendet hatte, zum ersten Mal gewagt, ihm ins Antlitz zu schauen, und da hatte der Tod auch ihn angeschaut. Es war nicht Angst vor dem Tod. Nein: Die Angst war seit vielen Jahren in ihm, lebte mit ihm, war ein zweiter Schatten auf seinem Schatten, seit jener Nacht, in der er verstört von einem Alptraum aufgewacht und ihm plötzlich bewußt geworden war, daß der Tod nicht nur, wie er es immer empfunden hatte, eine ständige Möglichkeit war, sondern eine bevorstehende Wirklichkeit. An diesem Tag hingegen hatte er die körperliche Gegenwart von etwas geschaut, das bis dahin nicht mehr als eine denkbare Gewißheit gewesen war. Es freute ihn, daß Jeremiah de Saint-Amour das Instrument der göttlichen Vorsehung für diese überwältigende Offenbarung gewesen war, denn er hatte ihn schon immer für einen Heiligen gehalten, der seinen eigenen Zustand der Gnade nicht kannte. Als der Brief ihm aber dann die wahre Identität dieses Mannes entdeckte, seine finstere Vergangenheit und seine unglaubliche Verstellungsgabe, spürte er, daß etwas Endgültiges in seinem Leben geschehen war. Es gab kein Zurück.

Fermina Daza, die ihm half, die Beine in die Hose zu stecken, und ihm die lange Knopfleiste des Hemdes schloß, ließ sich jedoch, obwohl er es darauf anlegte, nicht von seiner düsteren Stimmung anstecken, denn sie war nicht leicht zu beeindrucken, und erst recht nicht von dem Tod eines Mannes, den sie nicht liebte. Sie wußte gerade, daß Jeremiah de Saint-Amour, den sie nie gesehen hatte, ein Invalide an Krücken war, der einst vor einem Erschießungspeloton bei einem der vielen Aufstände auf einer der vielen Antilleninseln geflohen war, daß er aus Not Kinderfotograf geworden war und beim Schach jemanden geschlagen hatte, den sie als Torremolinos in Erinnerung hatte, der aber in Wirklichkeit Capablanca hieß.

»Nun, er war nichts anderes als ein Flüchtling aus Cayenne, und wegen eines grauenvollen Verbrechens zu lebenslanger Kettenhaft verurteilt«, sagte Doktor Urbino. »Stell dir vor, er hat sogar Menschenfleisch gegessen.«

Er gab ihr den Brief, dessen Geheimnisse er mit ins Grab nehmen wollte, doch sie verwahrte die zusammengefalteten Blätter ungelesen in ihrem Toilettentisch und schloß die Schublade ab. Sie kannte an ihrem Mann diese unauslotbare Fähigkeit zu staunen, auch seine überzogenen Urteile, die mit den Jahren immer verbiesterter wurden, bis hin zu einer Engstirnigkeit, die nicht zu dem Bild paßte, das man sich von ihm in der Öffentlichkeit machte. Diesmal aber war er selbst für seine Verhältnisse zu weit gegangen. Sie nahm an, daß er in Jeremiah de Saint-Amour nicht den Mann geschätzt hatte, der dieser früher einmal gewesen war, sondern denjenigen, der er zu sein begann, als er mit nichts als dem Bündel des Exilierten auf dem Rücken in die Stadt kam. Sie konnte deshalb nicht verstehen, warum ihn die späte Entdeckung der wahren Identität dermaßen konsternierte. Sie begriff nicht, was ihm daran so verabscheuungswürdig erschien, daß Jeremiah de Saint-Amour heimlich eine Frau gehabt hatte, handelte es sich doch um eine atavistische Gewohnheit der Männer seiner eigenen Klasse, der auch er, in einem unliebsamen Moment, gefrönt hatte, und außerdem empfand sie es als einen herzzerreißenden Liebesbeweis, daß die Frau ihrem Geliebten bei der Ausführung seines tödlichen Entschlusses beigestanden hatte. Sie sagte: »Falls auch du das aus so ernsthaften Gründen beschließen würdest, wäre es meine Pflicht, wie sie zu handeln.« Wieder einmal kam Doktor Urbino das schlichte Unverständnis in die Quere, das ihn ein halbes Jahrhundert lang zur Verzweiflung getrieben hatte.

»Du verstehst nichts«, sagte er. »Was mich empört, ist nicht, wer er war oder was er getan hat, sondern daß er uns alle so viele Jahre lang hinters Licht geführt hat.«

Seine Augen begannen sich mit lockeren Tränen zu füllen, doch sie gab vor, es nicht zu bemerken.

»Er hat recht daran getan«, erwiderte sie. »Hätte er die Wahrheit gesagt, hätten weder du noch diese arme Frau noch sonst jemand in diesem Kaff ihn so geliebt, wie ihr ihn geliebt habt.«

Sie befestigte die Kette der Taschenuhr am Knopfloch der Weste, rückte noch einmal den Krawattenknoten zurecht und steckte ihm die Topasnadel an. Dann trocknete sie ihm die Tränen, säuberte ihm den verweinten Bart mit einem in Duftwasser angefeuchteten Taschentuch und steckte es ihm dann mit aufgefächerten Spitzen wie eine Magnolie in die Brusttasche. Die elf Schläge der Pendeluhr hallten in der stehenden Luft des Hauses.

»Beeil dich«, sagte sie ihn unterhakend, »wir kommen noch zu spät.«

Aminta Dechamps, Gattin des Doktor Lácides Olivella, hatte mit ihren sieben Töchtern, eine war anstelliger als die andere, alles vorausbedacht, damit das Jubiläumsessen zum gesellschaftlichen Ereignis des Jahres werde. Die Familienresidenz mitten im historischen Stadtkern war das ehemalige Münzhaus, das ein Florentiner Architekt entstellt hatte, als er hier wie ein böser Wind der Erneuerung durchgezogen war und dabei mindestens vier Baudenkmäler aus dem siebzehnten Jahrhundert in venezianische Basiliken verwandelt hatte. Das Haus hatte sechs Schlafzimmer und zwei Säle für

Diners und Empfänge, großräumig und luftig und doch nicht ausreichend für die geladenen Gäste aus der Stadt sowie die besonders erlesenen, die von außerhalb kommen sollten. Der Patio war dem Kreuzgang einer Abtei zum Verwechseln ähnlich, mit einem singenden Steinbrunnen in der Mitte und Heliotropbeeten, die am Abend das Haus in Duft hüllten, doch der Raum zwischen den Arkaden reichte für so viele und große Namen nicht aus. Daher wurde beschlossen, das Essen auf dem Landsitz der Familie zu geben, zehn Autominuten auf dem Camino Real entfernt. Dort gab es einen weitläufigen Innenhof, riesige indische Lorbeerbäume und einheimische Seerosen auf einem zahmen Flüßchen. Unter der Anleitung von Frau Olivella spannten die Kellner des Mesón de Don Sancho dort, wo kein Schatten war, farbige Sonnenzelte über die in einem Viereck aufgestellten Tischchen für einhundertzweiundzwanzig Gedecke auf Leinentischtüchern und den Ehrentisch, den tagfrische Rosensträuße schmücken sollten. Sie errichteten auch ein Podium für eine Blaskapelle mit einem ausgewählten Programm von nationalen Kontertänzen und Walzern und für ein Streichquartett der Kunstakademie, dies war eine Überraschung von Frau Olivella für den verehrten Lehrmeister ihres Mannes, der dem Festmahl vorsitzen sollte. Obwohl das Datum strenggenommen nicht mit dem Tag des Hochschulabschlusses übereinstimmte, hatten sie den Pfingstsonntag gewählt, um dem Fest eine noch höhere Bedeutung zu verleihen.

Die Vorbereitungen hatten drei Monate vorher begonnen, aus Furcht, daß etwas Unabdingbares aus Zeitmangel nicht hätte ausgeführt werden können. Sie ließen aus der Ciénaga de Oro lebende Hühner bringen, die an der ganzen Küste berühmt waren, nicht nur wegen ihrer Größe und Köstlichkeit, sondern weil sie zu Zeiten der Kolonie im Schwemmland gepickt hatten und Klümpchen puren Goldes in dem Kropf gefunden worden waren. Señora Olivella stieg, begleitet von einigen ihrer Töchter und Dienstboten, persönlich an Bord der Luxus-Transatlantikdampfer, um das Beste aus aller Welt auszusuchen und so die Verdienste ihres Mannes zu ehren. Sie hatte alles bedacht, nur nicht, daß das Fest an einem Junisonntag in einem Jahr der späten Regenfälle stattfand. Sie bemerkte das Risiko am Morgen desselben Tages, als sie zum Hochamt aufbrach, erschrak über die Luftfeuchtigkeit und sah, daß der Himmel schwer und niedrig hing und man den Horizont des Meeres nicht erkennen konnte. Trotz dieser unheilvollen Zeichen erinnerte sie der Direktor der Sternwarte, den sie bei der Messe traf, daran, daß es in der wechselhaften Geschichte der Stadt selbst nach den grausamsten Wintern nie zu Pfingsten geregnet hatte. Schlag zwölf Uhr jedoch, als bereits viele der Gäste im Freien ihren Aperitif tranken, ließ das Krachen eines einsamen Donners die Erde erzittern, und ein böser Wind von See wirbelte die Tische durcheinander, hob die Sonnenzelte in die Lüfte, und mit einem entsetzlichen Platzregen brach der Himmel über das Fest herein.

Im Durcheinander des Unwetters traf Doktor Juvenal Urbino zusammen mit den letzten Gästen ein, denen er unterwegs begegnet war, und wollte wie diese vom Wagen bis zum Haus über die Steine des verschlammten Hofs springen, mußte dann aber am Ende die Peinlichkeit hinnehmen, unter einem gelben Segeltuchschirm von Don Sanchos Männern auf Armen getragen zu werden. Die Tische waren, so gut es ging, im Inneren des Hauses wieder aufgestellt worden, sogar in den Schlafzimmern, und die Gäste gaben sich keinerlei Mühe, ihre Schiffbruchstimmung zu überspielen. Es war heiß wie im Kesselraum eines Schiffes, da man die Fenster hatte schließen müssen, damit der Regen nicht vom Wind hereingepeitscht wurde. Draußen im Hof hatte es für jeden Gast Tischkarten gegeben, die eine Seite des Patios hatte man, wie es Sitte war, für die Frauen, die andere für die Männer reserviert. Doch die Tischkarten gerieten im Haus durcheinander, und jeder setzte sich, wie es kam, in einer der höheren Gewalt gehorchenden Promiskuität, die wenigstens einmal unseren gesellschaftlichen Aberglauben durchkreuzte. Inmitten der Katastrophe schien Aminta de Olivella überall gleichzeitig zu sein, das Haar durchnäßt und das prachtvolle Kleid mit Schlamm bespritzt, doch sie trug das Unglück mit dem von ihrem Mann erlernten unbesiegbaren Lächeln, um nicht dem Mißgeschick noch einen Gefallen zu tun. Mit Hilfe ihrer Töchter, die in derselben Schmiede gestählt worden waren, gelang es ihr, die Sitzordnung des Ehrentisches weitgehend aufrechtzuerhalten, Doktor Juvenal Urbino in der Mitte und Erzbischof Obdulio y Rey zu seiner Rechten. Fermina Daza setzte sich wie gewöhnlich neben ihren Mann, aus Furcht, er könne während des Essens einnicken oder sich die Suppe aufs Revers kleckern. Den Platz gegenüber belegte Doktor Lácides Olivella, ein Mann in den Fünfzigern mit femininem Gebaren, der sich sehr gut gehalten hatte und dessen fröhliche Laune in keinerlei Beziehung zu seinen treffsicheren Diagnosen stand. Am übrigen Tisch versammelten sich die Würdenträger aus Stadt und Provinz und die Schönheitskönigin des vergangenen Jahres, die der Gouverneur am Arm hereinführte, um sie an seine Seite zu setzen. Obwohl eine Kleidervorschrift bei Einladungen nicht üblich war, erst recht nicht bei einem ländlichen Festessen, trugen die Damen mit Edelsteinen geschmückte Abendkleider, und die Mehrzahl der Männer war im dunklen Anzug mit schwarzer Krawatte erschienen, einige im Cut. Nur die wahrhaft welterfahrenen, unter ihnen Doktor Urbino, trugen Tagesanzüge. Auf jedem Platz lag ein Exemplar der auf französisch gedruckten Speisekarte, die mit goldenen Vignetten verziert war.

Frau Olivella lief, besorgt über die verheerende Hitze, durchs Haus und bat alle, doch die Jacken beim Essen abzulegen, aber niemand traute sich, den Anfang zu machen. Der Erzbischof wies Doktor Urbino darauf hin, daß dies in gewisser Hinsicht ein historisches Essen sei: saßen doch erstmals, nachdem nun die Wunden vernarbt und der Groll sich gelegt hatte, jene beiden Parteien an einem Tisch, die seit der Unabhängigkeit das Land in Bürgerkriegen hatten bluten lassen. Dieser Gedanke paßte zu der Begeisterung der Liberalen, insbesondere der Jungen, denn nach fünfundvierzig Jahren konservativer Hegemonie hatten sie erreicht, daß ein Präsident ihrer Partei gewählt worden war. Doktor Urbino war nicht einverstanden: Ein liberaler Präsident erschien ihm weder schlechter noch besser als ein konservativer, nur schlechter gekleidet. Er wollte dem Erzbischof aber nicht widersprechen. Obwohl er ihn gern darauf hingewiesen hätte, daß zu diesem Essen niemand wegen seiner Gesinnung, sondern alle wegen der Verdienste ihrer Herkunft geladen waren, der die Politik und die Schrecken des Krieges nie etwas hatten anhaben können. So gesehen, fehlte in der Tat niemand.

Der Regenguß hörte plötzlich auf, wie er begonnen hatte, und sofort entbrannte die Sonne am wolkenlosen Himmel. Das Unwetter war jedoch so gewalttätig gewesen, daß es einige Bäume entwurzelt hatte, und das gestaute Flüßchen war über seine Ufer getreten und hatte den Hof in einen Sumpf verwandelt. Das größte Unheil herrschte in der Küche. Man hatte mehrere Feuerstellen aus Ziegelsteinen hinter dem Haus im Freien errichtet, und die Köche hatten kaum Zeit gehabt, die Kessel vor dem Regen in Sicherheit zu bringen. Sie verloren kostbare Zeit damit, einen Teil der überschwemmten Küche wieder funktionsfähig zu machen und in der rückwärtigen Galerie neue Feuerstellen zu improvisieren. Doch um ein Uhr mittags war die Notlage gemeistert, und es fehlte nur noch das Dessert, das man bei den Nonnen von Santa Clara bestellt hatte, die es bis elf Uhr hätten liefern sollen. Nun wurde befürchtet, daß der Bach beim Camino Real wie schon in weniger strengen Wintern aus seinem Bett getreten sei, und in diesem Fall war mit dem Nachtisch frühestens in zwei Stunden zu rechnen. Sobald der Regen aufhörte, wurden die Fenster geöffnet, und das Haus kühlte sich in der vom schwefligen Gewitter gereinigten Luft ab. Dann wurde die Kapelle angewiesen, ihr Walzerprogramm auf der überdachten Terrasse zu spielen, was die Beklemmung jedoch abermals verstärkte, da man sich wegen der Resonanz der Blechinstrumente im Haus nur noch schreiend unterhalten konnte. Des Wartens müde und am Rande der Tränen lächelnd, gab Aminta de Olivella den Befehl, das Essen aufzutragen.

Das Streichquartett der Kunstakademie begann sein Konzert inmitten eines förmlichen Schweigens, das solange wie die Anfangstakte von Mozarts *La Chasse* anhielt. Trotz des immer lauteren Stimmengewirrs und der Störung durch die schwarzen Kellner von Don Sancho, die mit ihren dampfenden Schüsseln kaum zwischen den Tischen hindurchkamen, gelang es Doktor Urbino, sich bis zum Ende des Programms einen offenen Empfangskanal für die Musik zu erhalten. Seine Konzentration hatte von Jahr zu Jahr nachgelassen, bis er sich jeden Schachzug auf einem Zettel notieren mußte, um auf dem laufenden zu bleiben. Dennoch war es ihm immer noch möglich, ein ernsthaftes Gespräch zu führen und gleichzeitig ein Konzert zu verfolgen. Allerdings erreichte er dabei nicht solch meisterliche Extreme wie ein deutscher Dirigent, ein enger Freund aus seiner österreichischen Zeit, der die Partitur von *Don Giovanni* las, während er *Tannhäuser* hörte. Das zweite Stück im Programm, *Der Tod und das Mädchen* von Schubert, schien ihm mit billiger Dramatik gespielt. Während er es nur mit Mühe durch den neuen Lärm der Bestecke auf den Tellern hindurch anhörte, blieb sein Blick an einem jungen Mann mit rosigem Gesicht hängen, der ihn mit einem Neigen des Kopfes grüßte. Er hatte ihn irgendwo gesehen, kein Zweifel, doch er wußte nicht mehr wo. Das passierte ihm häufig, vor allem mit den Namen der Leute, selbst der bekanntesten, oder mit einer Melodie aus einer anderen Zeit, und es versetzte ihn in eine so entsetzliche Unruhe, daß er eines Nachts lieber gestorben wäre, als dies bis zum Morgengrauen zu ertragen. Er war kurz davor, diesen Zustand zu erreichen, als ein mildtätiger Blitz ihm das Gedächtnis erleuchtete: Der junge Mann war im vergangenen Jahr sein Schüler gewesen. Er war überrascht, ihn dort im Reich der Erwählten zu sehen, doch Doktor Olivella erinnerte ihn daran, daß es der Sohn des Gesundheitsministers war, der in die Stadt gekommen war, um an einer Dissertation in Gerichtsmedizin zu arbeiten. Doktor Juvenal Urbino winkte ihm einen fröhlichen Gruß zu, und der junge Arzt stand auf und antwortete mit einer Verbeugung. Doch weder dann noch später kam Doktor Urbino darauf, daß es sich um den Assistenzarzt handelte, der an jenem Morgen mit ihm zusammen im Haus von Jeremiah de Saint-Amour gewesen war.

Erleichtert angesichts eines weiteren Siegs über das Alter, gab er sich der durchsichtigen und fließenden Lyrik des letzten Stücks im Programm hin, das er nicht einordnen konnte. Später sagte ihm der junge Cellist der Gruppe, der gerade aus Frankreich heimgekehrt war, daß es das Streichquartett von Gabriel Fauré gewesen sei, von dem Doktor Urbino trotz seiner Hellhörigkeit für Neues aus Europa noch nie gehört hatte. Wie immer auf ihn fixiert, besonders dann, wenn sie seine Geistesabwesenheit in der Öffentlichkeit bemerkte, hörte Fermina Daza auf zu essen und legte ihre irdische Hand auf die seine. »Denk nicht mehr daran«, sagte sie. Doktor Urbino lächelte ihr vom anderen Ufer der Ekstase zu und dachte nun erst wieder an das, was sie befürchtet hatte. Er erinnerte sich an Jeremiah de Saint-Amour, der zu dieser Stunde in seiner angemaßten Uniform eines Kriegers unter den anklagenden Kinderblicken der Porträtfotos in seinem Sarg aufgebahrt lag. Er wandte sich dem Erzbischof zu, um ihm von dem Selbstmord zu berichten, doch dieser wußte schon davon. Nach dem Hochamt war viel darüber geredet worden, und er hatte sogar ein Bittschreiben von General Jerónimo Argote im Namen der Flüchtlinge aus der Karibik erhalten, der Tote möge doch in geweihter Erde bestattet werden. Der Erzbischof sagte: »Für mich war schon das Bittschreiben eine Respektlosigkeit.« In einem menschlicheren Ton fragte er dann, ob der Grund für den Selbstmord bekannt sei. Doktor Urbino antwortete ihm mit einem korrekten Begriff, den er in jenem Moment erfunden zu haben glaubte: *Gerontophobie.* Doktor Olivella, der sich seinen Tischnachbarn widmete, überließ diese einen Augenblick sich selbst, um sich in den Dialog seines Lehrmeisters einzuschalten, und sagte: »Es ist ein Jammer, noch auf einen Selbstmord zu stoßen, der nicht aus Liebe verübt wurde.« Doktor Urbino erstaunte es nicht, seine eigenen Gedanken in denen des Lieblingsschülers wiederzuerkennen.

»Und, was noch schlimmer ist«, sagte er, »es geschah mit Goldzyanid.«

Als er das sagte, spürte er, daß das Mitleid die Verbitterung über den Brief eingeholt hatte und er das nicht seiner Frau, sondern einem Wunder der Musik zu verdanken hatte.

Dann erzählte er dem Erzbischof von dem weltlichen Heiligen, den er in den langsamen Abenddämmerungen am Schachbrett kennengelernt hatte, sprach davon, wie dieser seine Kunst dem Glück der Kinder geweiht hatte, sprach von seiner seltenen Gelehrsamkeit alle Dinge dieser Welt betreffend, von seinen spartanischen Gewohnheiten und war selbst überrascht über die Läuterung der eigenen Seele, die ihm auf einen Schlag erlaubte, den Freund vollständig von seiner Vergangenheit loszulösen. Sodann legte er dem Bürgermeister nahe, das Fotoplattenarchiv aufzukaufen, um die Bilder einer Generation zu bewahren, die außer auf ihren Fotos womöglich nie wieder glücklich sein würde und in deren Händen die Zukunft der Stadt lag. Den Erzbischof hatte es entsetzt, daß ein bekennender und gebildeter Katholik es wagte, an die Heiligkeit eines Selbstmörders zu glauben, war aber mit dem Vorschlag einverstanden, die Negative zu archivieren. Der Bürgermeister wollte wissen, wem man sie abkaufen müsse. Doktor Urbino brannte das Geheimnis auf der Zunge, er blieb jedoch standhaft und verriet nicht die heimliche Erbin der Archive. »Ich kümmere mich darum«, sagte er. Und seine Loyalität der Frau gegenüber, die er fünf Stunden zuvor verurteilt hatte, erlöste ihn. Fermina Daza merkte es und nahm ihm flüsternd das Versprechen ab, zur Beerdigung zu gehen. Aber selbstverständlich, sagte er erleichtert, das sei doch klar.

Die Reden waren kurz und gefällig. Die Blaskapelle stimmte eine im Programm nicht vorgesehene volkstümliche Weise an, und die Gäste wandelten auf den Terrassen und warteten, ob jemand den Mut zum Tanzen aufbrächte, wenn Don Sanchos Kellner den Hof restlos entwässert hätten. Allein die Gäste des Ehrentisches blieben im Saal. Doktor Urbino hatte beim letzten Trinkspruch ein halbes Gläschen Kognak auf einen Zug geleert, und das wurde jetzt gefeiert, denn niemand konnte sich daran erinnern, daß er je so etwas getan hätte. Allenfalls trank er einmal zu einem exquisiten Gericht ein Glas guten Weines. Doch an jenem Nachmittag hatte sein Herz danach verlangt, und seine Schwäche wurde belohnt: Nach vielen, vielen Jahren hatte er wieder einmal Lust zu singen. Er hätte es zweifellos auch auf Drängen des jungen Cellisten getan, der sich erbot, ihn zu begleiten, wenn nicht plötzlich eines dieser neuen Automobile das Schlammfeld im Hof durchquert, die Musiker vollgespritzt und mit einer Entenhupe die Enten in den Ställen aufgestört hätte. Es hielt vor dem Portikus des Hauses, und laut lachend stiegen Doktor Marco Aurelio Urbino Daza und seine Frau aus, in jeder Hand ein mit Spitzentüchern zugedecktes Tablett. Weitere Tabletts lagen auf den Notsitzen und sogar auf dem Boden neben dem Chauffeur. Es war der verspätete Nachtisch. Als der Applaus und die freundlichen Spottrufe verstummt waren, erklärte Doktor Urbino Daza, daß die Klarissinnen sie noch vor dem Unwetter um den Gefallen gebeten hätten, den Nachtisch mitzunehmen, er habe aber auf dem Camino Real kehrtgemacht, als ihm jemand gesagt habe, sein Elternhaus stehe in Flammen. Doktor Juvenal Urbino geriet in Angst, bevor sein Sohn noch fertig erzählt hatte. Doch seine Frau erinnerte ihn beizeiten daran, daß er ja selbst die Feuerwehr hatte rufen lassen, um den Papagei einzufangen. Aminta de Olivella strahlte und beschloß, das Dessert auch nach dem Kaffee auf den Terrassen zu servieren. Doktor Juvenal Urbino und seine Gattin aber verabschiedeten sich, ohne davon zu kosten, da bis zur Beerdigung kaum noch Zeit für seine geheiligte Siesta war.

Er hielt Siesta, allerdings kurz und unruhig, da er bei seiner Heimkehr hatte feststellen müssen, daß die Feuerwehrmänner fast so fürchterliche Verwüstungen wie ein

Feuer hinterlassen hatten. Bei dem Versuch, den Papagei aufzuscheuchen, hatten sie mit den Hochdruckschläuchen einen Baum gerupft, und ein fehlgerichteter Strahl war durch die Fenster des ehelichen Schlafzimmers gedrungen und hatte Möbel und an den Wänden hängende Bilder unbekannter Ahnen irreparabel beschädigt. Auch die Nachbarn waren, als sie die Glocke des Feuerwehrwagens gehört hatten, herbeigeeilt, und wenn nicht noch schlimmeres Unheil angerichtet wurde, so nur, weil die Schulen sonntags geschlossen waren. Als die Feuerwehrleute merkten, daß sie den Papagei auch mit der ausgefahrenen Leiter nicht erreichen konnten, hatten sie begonnen, die Äste mit ihren Macheten abzuhauen, und nur durch das rechtzeitige Erscheinen von Doktor Urbino Daza wurde verhindert, daß sie den Mango bis auf den Stamm absäbelten. Sie hatten dann die Nachricht hinterlassen, daß sie um fünf Uhr zurückkämen, um den Baum gegebenenfalls mit Erlaubnis zusammenzuhacken, dazu waren sie in den Salon eingedrungen, hatten diesen verdreckt und einen türkischen Teppich, das Lieblingsstück von Fermina Daza, zerrissen. Ein unnötiges Mißgeschick übrigens, denn der allgemeinen Ansicht nach hatte der Papagei das Durcheinander genutzt, um über die Nachbarpatios zu entkommen. Doktor Urbino suchte ihn in den belaubten Kronen, bekam aber in der Tat in keiner Sprache eine Antwort, auch nicht auf Pfiffe und Lieder, er gab ihn also für verloren und legte sich kurz vor drei schlafen. Davor genoß er das flüchtige Vergnügen seines nach geheimen Gärten duftenden Urins, der vom lauwarmen Spargel gereinigt worden war.

Die Traurigkeit weckte ihn. Nicht jene, die er am Morgen vor der Leiche des Freundes empfunden hatte, sondern dieser unsichtbare Nebel, der seine Seele nach der Siesta durchdrang und den er als göttliche Botschaft deutete, daß er jetzt seine letzten Nachmittage zu leben habe. Bis zu seinem fünfzigsten Lebensjahr war er sich der Größe, des Gewichts und des Zustands seiner inneren Organe nicht bewußt gewesen. Nach und nach, während er bei der täglichen Siesta mit geschlossenen Augen dalag, hatte er sie im Innern erfühlt, eins ums andere, er spürte sogar die Form seines ruhelosen Herzens, seine geheimnisvolle Leber, seinen hermetischen Pankreas, und er hatte entdeckt, daß selbst die ältesten Personen jünger waren als er, der einzige Überlebende der legendären Gruppenbilder seiner Generation. Als er seine ersten Vergeßlichkeiten bemerkte, griff er auf ein Mittel zurück, das einer seiner Lehrer am Medizinischen Institut empfohlen hatte: »Wer kein Gedächtnis hat, macht sich eins aus Papier.« Das war jedoch eine kurzlebige Hoffnung, denn es kam so weit, daß er vergaß, was die Erinnerungsnotizen, die er sich in die Taschen steckte, bedeuten sollten. Er lief durchs Haus auf der Suche nach der Brille, die er auf der Nase hatte, drehte noch einmal die Schlüssel um, nachdem er die Türen abgeschlossen hatte, und verlor beim Lesen den Faden, da er die Prämissen der Handlung vergaß oder die Beziehungen zwischen den Personen. Was ihn aber am meisten beunruhigte, war sein Mißtrauen dem eigenen Urteilsvermögen gegenüber. Er spürte, wie er nach und nach, auf einen unabwendbaren Schiffbruch zusteuernd, den Sinn für Gerechtigkeit verlor.

Aus reiner Erfahrung, wenngleich ohne wissenschaftliche Grundlage, wußte Doktor Juvenal Urbino, daß die Mehrzahl der tödlichen Krankheiten einen eigenen Geruch haben, keiner aber so spezifisch ist wie der des Alters. Er nahm ihn bei den aufgeschnittenen Leichen auf dem Seziertisch wahr, erkannte ihn selbst bei den Patienten wieder, die am geschicktesten ihr Alter verbargen, auch an seiner eigenen verschwitzten Kleidung und im wehrlosen Atem seiner schlafenden Frau. Wäre er nicht dem Wesen nach ein Christ von altem Schlag gewesen, hätte er vielleicht mit Jeremiah de Saint-Amour darin übereingestimmt, daß das Alter ein indezenter Zustand sei, dem beizeiten vorgebeugt werden müsse. Der einzige Trost, selbst für jemanden wie ihn, der ein guter Liebhaber gewesen war, war das langsame und barmherzige Verlöschen des Geschlechtstriebs: der sexuelle Frieden. Mit einundachtzig Jahren hatte er die nötige geistige Klarheit, um zu begreifen, daß ihn an diese Welt nur noch schwache Fäden banden, die bei einer einfachen Drehung im Schlaf schmerzlos reißen konnten, und wenn er sein möglichstes tat, um sie zu erhalten, so aus Furcht, Gott in der Dunkelheit des Todes nicht zu finden.

Fermina Daza war damit beschäftigt, das von den Feuerwehrleuten zerstörte Schlafzimmer wieder instand zu setzen. Sie ließ ihrem Mann kurz vor vier sein tägliches Glas Limonade mit gestoßenen Eisstückchen bringen und erinnerte ihn daran, daß er sich für die Beerdigung umkleiden müsse. Doktor Urbino hatte an diesem Nachmittag zwei Bücher zur Hand: *Der Mensch, das unbekannte Wesen* von Alexis Carrel und *Das Buch von San Michele* von Axel Munthe. Letzteres war noch nicht aufgeschnitten, und daher bat er Digna Pardo, die Köchin, ihm das im Schlafzimmer vergessene Papiermesser aus Elfenbein zu holen. Als man es ihm brachte, las er jedoch schon in *Der Mensch, das unbekannte Wesen* auf der mit einem Briefumschlag gekennzeichneten Seite: Es fehlten nur noch wenige Seiten, bis er damit fertig war. Er las langsam, bahnte sich den Weg zwischen den Mäandern eines leichten Kopfwehs, das er auf das halbe Gläschen Kognak bei dem letzten Trinkspruch zurückführte. In den Lesepausen trank er einen Schluck Limonade und ließ sich Zeit beim Zerkauen eines Eisstückchens. Er hatte nur Strümpfe an, das Hemd ohne den falschen Kragen, und auf beiden Seiten des Hosenbunds hingen die grüngestreiften elastischen Hosenträger herunter. Der bloße Gedanke, sich für das Begräbnis umziehen zu müssen, war ihm zuwider. Bald hörte er auf zu lesen, legte das Buch auf das andere und begann sich ganz langsam im Korbschaukelstuhl zu wiegen. Durch seine Schwermut hindurch betrachtete er die Bananenstauden im schlammigen Hof, den gerupften Mangobaum, die fliegenden Ameisen nach dem Regen, den ephemeren Glanz des Nachmittags, wieder ein Tag, der für immer ging, weniger. Er hatte vergessen, daß er einmal einen Papagei aus Paramaribo gehabt und wie ein Menschenwesen geliebt hatte, als er ihn auf einmal hörte: »Prachtpapagei«. Er hörte ihn ganz nah, fast neben sich, und sah ihn dann auch gleich auf dem untersten Ast des Mangobaums.

»Unverschämter Kerl!« schrie er ihn an.

Der Papagei erwiderte mit gleicher Stimme:

»Du bist unverschämt, Doktor.«

Der Arzt redete weiter mit ihm, ohne ihn aus den Augen zu lassen, während er sich sehr vorsichtig, um ihn nicht scheu zu machen, die Halbschuhe anzog, er steckte die Arme in die Hosenträger und stieg in den noch schlammigen Hof hinunter, den Boden mit seinem Spazierstock abklopfend, um nicht über die drei Stufen der Terrasse zu stolpern. Der Papagei rührte sich nicht. Er saß so tief, daß er ihm den Stock hinstreckte, damit er auf den Silberknauf steigen könne, wie es seine Gewohnheit war, doch der Papagei wich ihm aus. Er hüpfte auf einen Nachbarast, der etwas höher, aber leichter zu erreichen war, dort lehnte noch die Küchenleiter, die man vor der Ankunft der Feuerwehr geholt hatte. Doktor Urbino schätzte die Höhe ab und dachte, daß, um ihn zu packen, zwei Sprossen genügen müßten. Er stieg auf die erste, ein vertrautes Lied auf den Lippen, um die Aufmerksamkeit des mißtrauischen Tiers abzulenken, das nun den Text ohne Musik nachplapperte, sich aber mit seitlichen Schritten auf dem Ast entfernte. Mühelos stieg er auf die zweite Sprosse, hielt sich mit beiden Händen an der Leiter, während der Papagei das ganze Lied zu wiederholen begann, ohne sich von der Stelle zu bewegen. Doktor Urbino stieg auf die dritte Sprosse und, weil er sich in der Höhe des Astes verschätzt hatte, gleich auf die vierte, klammerte sich dann mit der linken Hand an der Leiter fest und versuchte den Papagei mit der rechten zu packen. Digna Pardo, die alte Hausangestellte, kam gerade, um ihn darauf hinzuweisen, daß es höchste Zeit für das Begräbnis sei, sie sah den Mann, der auf der Leiter stand, von hinten und hätte nicht geglaubt, daß er derjenige war, der er war, wären nicht die grüngestreiften Hosenträger gewesen.

»Heiliges Sakrament!« schrie sie. »Er wird sich umbringen!«

Doktor Urbino packte mit einem Siegesseufzer den Papagei am Hals: *ça y est.* Doch sofort ließ er ihn wieder los, denn die Leiter rutschte ihm unter den Füßen weg. Einen Augenblick schwebte er in der Luft, und da wurde ihm klar, daß er starb, ohne Kommunion, ohne Zeit, irgend etwas zu bereuen oder von irgend jemandem Abschied zu nehmen, um vier Uhr und sieben Minuten am Nachmittag des Pfingstsonntags.

Fermina Daza schmeckte gerade in der Küche die Suppe für das Abendessen ab, als sie den Entsetzensschrei von Digna Pardo, die Aufregung beim Personal und gleich auch die Nachbarn hörte. Sie warf den Probierlöffel weg und versuchte, so gut es mit dem unbesiegbaren Gewicht des Alters ging, zu rennen, und schrie wie eine Irre, ohne zu wissen, was unter dem Laubdach des Mangos geschah, und ihr Herz zersprang, als sie ihren Mann sah. Er lag auf dem

Rücken, hingestreckt, im Schlamm, schon tot im Leben, wich jedoch noch für eine letzte Minute dem endgültigen Schlag des Todes aus, um ihr Zeit zu geben. Es gelang ihm noch, sie im Tumult zu erkennen, durch die Tränen des einmaligen Schmerzes, ohne sie sterben zu müssen, und er sah sie zum letzten Mal für immer und ewig an, mit Augen so licht, so traurig und so dankbar, wie sie in einem halben Jahrhundert gemeinsamen Lebens sie nie an ihm gesehen hatte, und mit dem letzten Atem sagte er ihr:

»Nur Gott weiß, wie sehr ich dich geliebt habe.«

Es war ein denkwürdiger Tod, und das nicht ohne Grund. Kaum hatte Doktor Juvenal Urbino seine Studien zur Spezialisierung in Frankreich abgeschlossen, machte er sich im Lande schon dadurch einen Namen, daß er mit neuartigen und drastischen Methoden die letzte Choleraepidemie, von der die Provinz heimgesucht wurde, beizeiten eindämmte. Die vorangegangene, zu der Zeit, als er noch in Europa weilte, hatte in weniger als drei Monaten einem Viertel der Stadtbevölkerung den Tod gebracht, darunter auch seinem Vater, der ebenfalls ein anerkannter Arzt gewesen war. Mit dem schnell errungenen Prestige und einem ordentlichen Zuschuß aus dem Familienvermögen gründete er die Medizinische Gesellschaft, die erste und für lange Zeit einzige in den karibischen Provinzen, und wurde ihr Präsident auf Lebenszeit. Er setzte den Bau des ersten Aquädukts durch, des ersten Kanalisationssystems und die Errichtung eines überdachten öffentlichen Marktes, woraufhin die Faulgrube der Bucht von Las Animas saniert werden konnte. Außerdem war er Präsident der Akademie für Sprache und der Akademie für Geschichte. Der römische Patriarch von Jerusalem ernannte ihn für seine der Kirche erwiesenen Dienste zum Ritter des Ordens vom Heiligen Grab, und die französische Regierung machte ihn zum Kommandeur der Ehrenlegion. Er war ein anregendes Element in jedweder konfessionellen oder gemeinnützigen Vereinigung der Stadt, insbesondere im Patriotischen Rat, der von einflußreichen, parteipolitisch unabhängigen Bürgern gebildet wurde und die Regierungen und den örtlichen Handel mit fortschrittlichen Anträgen unter Druck setzte, die ihrer Zeit weit vorauseilten. Am denkwürdigsten war der Start eines Freiluftballons, der auf seinem Jungfernflug einen Brief nach San Juan de la Ciénaga beförderte, lang bevor man an die Luftpost als an eine zweckmäßige Möglichkeit dachte. Ebenfalls Doktor Urbinos Idee war das Kulturzentrum, aus dem die Akademie der schönen Künste hervorging, die bis heute im selben Gebäude fortbesteht, auch war er viele Jahre lang Schirmherr der Blumenspiele im April.

Nur Doktor Juvenal Urbino war gelungen, was ein Jahrhundert lang unmöglich schien: die Restaurierung des Teatro de la Comedia, das seit der Kolonialzeit zur Hahnenkampfarena und zum Zuchtstall für Kampfhähne verkommen war. Dies war der Höhepunkt einer spektakulären Bürgerkampagne, die in der Stadt alle Schichten in die Pflicht nahm, eine Massenmobilisierung, von der manch einer glaubte, sie sei einer besseren Sache würdig gewesen. Wie auch immer, das neue Teatro de la Comedia wurde eingeweiht, als es weder Sitze noch Beleuchtung hatte, und die Helfer mußten Sitzgelegenheiten herbeischaffen und Lampen für die Pausen. Der Stil der großen Premieren in Europa wurde übernommen, was die Damen nutzten, um in der Bruthitze der Karibik mit ihren langen Kleidern und ihren Pelzmänteln zu prunken. Man mußte jedoch auch den Dienern Einlaß gewähren, damit sie die Stühle und Lampen hereintrugen und was man an Proviant zu brauchen glaubte, um die endlosen, sich mitunter bis zur Stunde der Frühmesse hinziehenden Vorstellungen zu überstehen. Die Saison wurde von einem französischen Opernensemble eröffnet, das als Neuheit eine Harfe im Orchester bot und für dessen unvergänglichen Ruhm die makellose Stimme und das dramatische Talent einer türkischen Sopranistin sorgte, die barfuß mit Edelsteinringen an den Zehen tanzte. Nach dem ersten Akt war die Bühne kaum noch zu sehen, und die Sänger verloren vom Rauch der Butterpalmöl-Lampen ihre Stimme, die Reporter der Stadt jedoch verstanden es prächtig, diese kleinen Hindernisse zu übergehen und dafür das Erinnerungswürdige hervorzuheben. Zweifellos war dies die ansteckendste Initiative von Doktor Urbino, denn das Opernfieber befiel sogar Kreise, die man nicht für anfällig gehalten hatte, und begründete eine ganze Generation von Isolden und Othellos und Aidas und Siegfrieds. Dennoch wurde es nie so heftig, wie es sich Doktor Urbino gewünscht hätte, daß nämlich die Anhänger italienischer Meister und die Wagnerianer in den Pausen mit Gehstöcken aufeinander losgegangen wären.

Doktor Juvenal Urbino hatte nie offizielle Posten angenommen, die ihm immer wieder und ohne Bedingungen angetragen wurden, und er war ein scharfer Kritiker jener Ärzte, die ihr berufliches Ansehen einsetzten, um politische Positionen zu erklimmen. Obgleich man ihn immer für liberal gehalten hatte und er auch die Kandidaten dieser Partei zu wählen pflegte, tat er das mehr aus Tradition denn aus Überzeugung und war im übrigen vielleicht der letzte Sproß einer der großen Familien, der auf der Straße niederkniete, wenn die Karosse des Erzbischofs vorüberfuhr. Er selbst verstand sich als geborener Pazifist und sprach sich für eine endgültige Versöhnung zwischen Liberalen und Konservativen zum Wohle des Vaterlandes aus. Dennoch war sein Auftreten in der Öffentlichkeit so eigenwillig, daß niemand ihn ganz für sich beanspruchen mochte: Die Liberalen hielten ihn für einen vorsintflutlichen Reaktionär, die Konservativen sagten, es fehle nur noch, daß er Freimaurer sei, und die Freimaurer lehnten ihn als verkappten Kleriker ab, der im Dienst des Heiligen Stuhls stehe. Seine weniger blutrünstigen Kritiker meinten, er sei nichts weiter als ein Aristokrat, der sich an den Genüssen der Blumenspiele berausche, während die Nation in einem endlosen Bürgerkrieg verblute.

Zu diesem Bild schien nur zweierlei nicht zu passen. Erstens, daß er das ehemalige Palais des Marqués de Casalduero verließ, das über ein Jahrhundert lang Sitz der Familie gewesen war, um in einen Neubau in einem Neureichenviertel zu ziehen. Zweitens, die Hochzeit mit einer Dorfschönheit ohne Namen und Vermögen, über welche die Damen mit den langen Nachnamen insgeheim spotteten, bis sie sich notgedrungen davon überzeugen mußten, daß die junge Frau ihnen allen an Vornehmheit und Charakter den Rang ablief. Doktor Urbino war sonst stets darauf bedacht, mögliche Flecken an seinem Bild in der Öffentlichkeit zu vermeiden, und niemand war sich so wie er bewußt, der letzte Repräsentant eines aussterbenden Geschlechts zu sein. Seine Kinder waren nur zwei matte Schlußlichter. Marco Aurelio, der Sohn, Arzt wie er und wie alle Erstgeborenen der Familie in den vorausgegangenen Generationen, hatte die fünfzig überschritten und bisher nichts Bemerkenswertes vollbracht. Er hatte nicht einmal einen Sohn gezeugt. Ofelia, die einzige Tochter, verheiratet mit einem höheren Angestellten einer Bank in New Orleans, hatte das Klimakterium mit drei Töchtern und keinem einzigen Sohn erreicht. Obwohl Juvenal Urbino das Versiegen seines Blutes im Strom der Geschichte schmerzte, beunruhigte ihn am Tod am meisten das – ohne ihn – einsame Leben von Fermina Daza.

Jedenfalls löste der tragische Tod nicht nur in seinem

Kreis Erschütterung aus, sondern diese übertrug sich auch aufs einfache Volk, das auf die Straße lief, in der Illusion, immerhin den Widerschein der Legende zu erkennen. Es wurden drei Tage Trauer anberaumt, die Fahnen an den öffentlichen Gebäuden auf halbmast gesetzt, und die Glokken aller Kirchen läuteten ohne Unterlaß, bis die Krypta im Familienmausoleum versiegelt war. Eine Künstlergruppe von der Akademie nahm eine Totenmaske ab, die als Form für eine Büste in natürlicher Größe dienen sollte. Doch man kam von dem Plan ab, weil allen dieser getreuliche Abdruck des letzten Grauens unwürdig erschien. Ein namhafter Künstler, der zufällig auf dem Weg nach Europa hier Station gemacht hatte, bemalte in pathetischem Realismus eine gigantische Leinwand, auf der man Doktor Urbino in dem tödlichen Augenblick auf der Leiter die Hand nach dem Papagei ausstrecken sah. Das einzige, was der kruden Wahrheit der Geschichte widersprach, war, daß er auf dem Bild nicht das Hemd ohne Kragen und die grüngestreiften Hosenträger trug, sondern die Melone und den schwarzen Gehrock von einem Pressefoto aus den Jahren der Cholera. Damit alle es sehen konnten, wurde dieses Gemälde wenige Monate nach der Tragödie in der weitläufigen Galerie »El Alambre de Oro« ausgestellt, einem Geschäft für Importwaren, durch das die ganze Stadt defilierte. Später hing das Bild an den Wänden jedweder öffentlichen und privaten Institution, die sich verpflichtet fühlte, dem Gedächtnis des bedeutenden Patriziers Tribut zu zollen, und schließlich wurde es im Rahmen einer zweiten Totenfeier in der Kunstakademie aufgehängt, aus der es viele Jahre später die Kunststudenten eigenhändig wieder hinaustrugen, um es auf der Plaza de la Universidad zu verbrennen, als Symbol einer verabscheuungswürdigen Zeit und Ästhetik.

Vom ersten Augenblick ihres Witwendaseins an wurde

deutlich, daß Fermina Daza nicht so hilflos war, wie ihr Mann befürchtet hatte. Sie war unbeugsam in ihrem Entschluß, den Leichnam ihres Mannes nicht zugunsten irgendeiner Sache benutzen zu lassen, und blieb es auch beim Ehrentelegramm des Präsidenten der Republik, der angeordnet hatte, ihn auf einem beleuchteten Katafalk im Festsaal des Provinzgouvernements aufzubahren. Mit der gleichen ruhigen Entschiedenheit lehnte sie eine Totenwache in der Kathedrale ab, um die sie der Erzbischof persönlich gebeten hatte, und gestand nur zu, daß man Juvenal Urbino dort während der Totenmesse aufbahrte. Selbst als sich der Sohn, verwirrt von so vielen verschiedenen Ersuchen, einschaltete, blieb Fermina Daza fest bei ihrer bäuerlichen Anschauung, daß die Toten niemandem außer der Familie gehören und daß die Totenwache zu Hause abgehalten werden sollte, mit schwarzem Kaffee und Quarkgebäck, damit jedweder frei wäre, Doktor Urbino auf eigene Weise zu beweinen. Es sollte nicht die traditionelle Totenklage der neun Nächte geben: Die Türen wurden nach dem Begräbnis geschlossen und nicht wieder geöffnet, es sei denn für vertraute Besucher.

Im Haus herrschte der Tod. Alle Wertgegenstände waren sicher verwahrt worden, und an den nackten Wänden waren nur noch die Spuren der abgehängten Bilder. Die eigenen und von den Nachbarn ausgeliehenen Stühle waren an die Wände gerückt worden, vom Salon bis in die Schlafzimmer, die leeren Räume wirkten riesig, und die Stimmen hatten einen geisterhaften Hall, da die großen Möbel beiseite geräumt worden waren, bis auf den Konzertflügel, der in seiner Ecke mit einem weißen Laken bedeckt stand. In der Mitte der Bibliothek lag, ohne Sarg, auf dem Schreibtisch seines Vaters, der, der Juvenal Urbino de la Calle gewesen war, das letzte Entsetzen im Antlitz versteint, mit dem schwarzen Umhang und dem Schwert der Ritter vom Heiligen Grab. Neben ihm, ganz in Trauer, bebend, doch Herrin ihrer selbst, empfing Fermina Daza die Beileidsbezeugungen ohne Dramatik und fast ohne sich zu rühren bis elf Uhr morgens am nächsten Tag, als sie mit einem Taschentuch winkend am Portal von ihrem Mann Abschied nahm.

Es war ihr nicht leichtgefallen, die Selbstbeherrschung wiederzuerlangen, nachdem sie Digna Pardos Schrei im Patio gehört und den Greis ihres Lebens sterbend im Schlamm gefunden hatte. Ihre erste Reaktion war Hoffnung gewesen, denn seine Augen waren offen, und in ihnen lag der Glanz eines strahlenden Lichts, das sie noch nie in seinen Pupillen gesehen hatte. Sie flehte zu Gott, daß er ihm wenigstens noch einen Augenblick gewähren möge, er sollte nicht gehen, ohne zu wissen, wie sehr sie ihn, ungeachtet ihrer beiden Zweifel, geliebt hatte, und sie spürte den unwiderstehlichen Drang, das Leben mit ihm noch einmal von Anfang an zu beginnen, um einander all das sagen zu können, was ungesagt geblieben war, und alles noch einmal richtig zu machen, was sie in der Vergangenheit womöglich falsch gemacht hatten. Doch sie mußte sich der Strenge des Todes beugen. Ihr Schmerz gerann zu einem blinden Zorn gegen die Welt und sogar gegen sich selbst, und dies gab ihr den Mut und den Willen, sich allein ihrer Einsamkeit zu stellen. Von da an hatte sie keine Ruhepause, aber sie hütete sich vor jeglicher Geste, die ihren Schmerz zur Schau gestellt hätte. Der einzige und zwar ungewollt ein wenig pathetische Moment war, als am Sonntag um elf Uhr nachts der bischöfliche Sarg gebracht wurde, der noch nach Schiffswerft roch, Messingbeschläge hatte und üppig mit Seide ausgeschlagen war. Doktor Urbino Daza ordnete an, ihn sofort zu schließen, da die Luft im Haus von den vielen in der unerträglichen Hitze duftenden Blumen aufgebraucht war, und er glaubte, die ersten bläulichen Flecken am Hals seines Vaters entdeckt zu haben. Eine zerstreute Stimme ließ sich in der Stille hören: »In diesem Alter ist man schon zu Lebzeiten halb verfault.« Bevor der Sarg geschlossen wurde, streifte Fermina Daza den Ehering ab und steckte ihn dem toten Ehemann an, und dann legte sie ihre Hand auf die seine, wie sie es immer getan hatte, wenn sie ihn in der Öffentlichkeit abwesend ertappte.

»Wir sehen uns bald«, sagte sie zu ihm.

Florentino Ariza, unkenntlich in der Menge der Honoratioren, spürte den Stich einer Lanze in seiner Seite. Fermina Daza hatte ihn im Tumult der ersten Beileidsbekundungen nicht bemerkt, obwohl in jener Nacht niemand so gegenwärtig sein sollte wie er, der alles Dringliche erledigte. Er war es, der Ordnung in den überschwemmten Küchenräumen schaffte, damit man Kaffee anbieten konnte. Er trieb weitere Stühle auf, als die der Nachbarn nicht ausreichten, und ordnete an, die überzähligen Kränze in den Hof zu legen, als kein einziger mehr im Haus Platz fand. Er sorgte dafür, daß Brandy für die Gäste des Doktor Lácides Olivella da war, die auf der Höhe der Jubiläumsfeier von der traurigen Nachricht überrascht worden waren, dann hereingeplatzt kamen und nun rund um den Mangobaum sitzend weiterfeierten. Er war der einzige, der zur rechten Zeit reagieren konnte, als um Mitternacht der flüchtige Papagei im Eßzimmer mit erhobenem Schnabel und ausgebreiteten Flügeln auftauchte und ein Schauder des Entsetzens durchs Haus ging, denn es war wie ein Menetekel der Reue. Florentino Ariza packte ihn am Hals, ließ ihm keine Zeit, irgendeine seiner unsinnigen Parolen zu schreien, und trug ihn im zugedeckten Käfig in den Stall. So machte er alles, mit viel Taktgefühl und dermaßen effektiv, daß niemand auf den Gedanken kam, er mische sich in fremde Angelegenheiten ein, im Gegenteil, er war eine unbezahlbare Hilfe in der bösen Stunde des Hauses.

Er war, was er zu sein schien: ein ernsthafter und zuvorkommender alter Mann. Er hatte eine knochige und aufrechte Gestalt, eine bräunliche, haarlose Haut, hungrige Augen hinter den runden, in Weißmetall gefaßten Brillengläsern und, für die Epoche etwas verspätet, einen romantischen Schnurrbart mit gewichsten Spitzen. Die restlichen Strähnen der Seitenhaare hatte er hochgekämmt und mit Pomade über den glänzenden Schädel geklebt, das letzte Mittel gegen eine Vollglatze. Seine angeborene Höflichkeit und seine sanftmütige Art nahmen sofort für ihn ein, galten aber bei einem eingefleischten Junggesellen auch als zwei verdächtige Tugenden. Er hatte viel Geld, viel Geist und viel Willenskraft darauf verwendet, damit man ihm die sechsundsiebzig Jahre nicht ansähe, die er im vergangenen Herbst vollendet hatte, und in der Einsamkeit seines Herzens war er davon überzeugt, in aller Stille sehr viel mehr geliebt zu haben als je irgend jemand auf dieser Welt.

Am Abend von Doktor Urbinos Tod war er so gekleidet, wie ihn die Nachricht überrascht hatte, also wie immer, selbst in der höllischen Junihitze: dunkler Rock mit Weste, eine Seidenschleife unter dem Zelluloidkragen, ein Filzhut und dazu ein Regenschirm aus schwarzem Satin, der ihm auch als Gehstock diente. Als aber der Morgen zu grauen begann, verschwand er für zwei Stunden von der Totenwache und kehrte mit den ersten Strahlen der Sonne zurück, erfrischt, gut rasiert und nach Toilettenwässerchen duftend. Er hatte einen jener schwarzen Gehröcke angezogen, die nur noch bei Beerdigungen und zu den Messen der Karwoche getragen wurden, dazu einen Stehkragen, statt Krawatte die Künstlerschleife und eine Melone. Auch den Regenschirm hatte er mitgenommen, und diesmal nicht aus reiner Gewohnheit, sondern weil er sicher war, daß es vor zwölf Uhr mittags regnen würde. Er ließ das Doktor Urbino Daza wissen, für den Fall, daß es diesem möglich gewesen wäre, das Begräbnis vorzuverlegen. Sie versuchten es tatsächlich, denn Florentino Ariza stammte aus einer Reederfamilie und war selbst Präsident der Karibischen Flußschiffahrtskompanie, was vermuten ließ, daß er sich auf meteorologische Prognosen verstand. Es gelang aber nicht, allen rechtzeitig Bescheid zu geben: den zivilen und militärischen Behörden, den öffentlichen und privaten Körperschaften, der Militärkapelle und dem Orchester der Kunstakademie, den Schulen und den religiösen Kongregationen, die sich alle schon auf elf Uhr eingestellt hatten, so daß die Beerdigung, die als historisches Ereignis angelegt war, wegen eines verheerenden Platzregens in wilder Flucht endete. Nur sehr wenige gelangten durch den Schlamm watend bis zum Familienmausoleum, das von einer Ceiba aus der Kolonialzeit, deren Krone bis über die Friedhofsmauer hinausreichte, geschützt war. Unter diesem Laubwerk, aber in der äußeren Parzelle, die für die Selbstmörder bestimmt war, hatten die Antillenflüchtlinge am Nachmittag zuvor Jeremiah de Saint-Amour seinem Wunsch gemäß gemeinsam mit dem Hund begraben.

Florentino Ariza war einer der wenigen, die bis zum Schluß an der Beerdigung teilnahmen. Er war bis aufs Unterhemd durchnäßt und wurde von der Angst nach Hause getrieben, sich nach so vielen Jahren sorgfältiger Pflege und übertriebener Vorsichtsmaßnahmen eine Lungenentzündung geholt zu haben. Er ließ sich eine heiße Limonade mit einem Schuß Brandy zubereiten, trank sie im Bett mit zwei Tabletten Phenaspirin und schwitzte in eine Wolldecke gewickelt in Strömen, bis er die richtige Körpertemperatur wiedererlangt hatte. Als er zur Totenfeier zurückkehrte, war er guten Mutes. Fermina Daza hatte wieder das Regiment über das Haus übernommen, es war gefegt und empfangsbereit, und auf den Altar der Bibliothek hatte sie ein Bild des Ehemannes gestellt, ein Pastellgemälde mit einem Trauerflor am Rahmen. Um acht Uhr waren so viele Menschen dort wie in der Nacht zuvor, und die Hitze war ebenso drückend, doch nach dem Rosenkranz ließ jemand die Bitte kursieren, man möge sich doch früh zurückziehen, damit die Witwe erstmals seit Sonntagnachmittag wieder ruhen könne.

Fermina Daza verabschiedete die meisten neben dem Altar, die letzte Gruppe enger Freunde begleitete sie jedoch bis zur Eingangstür, um diese dann wie immer selbst zu schließen. Das wollte sie gerade mit letzter Kraft tun, als sie Florentino Ariza in Trauerkleidung mitten im leeren Salon stehen sah. Sie freute sich, denn sie hatte ihn vor vielen Jahren aus ihrem Leben gelöscht und nahm ihn nun, geläutert durch das Vergessen, zum ersten Mal wieder bewußt wahr. Doch bevor sie ihm für seinen Besuch danken konnte, legte er sich die Hand, in der er den Hut hielt, auf die Seite des Herzens und ließ bewegt und würdevoll den Abszeß aufplatzen, der ihn am Leben gehalten hatte.

»Fermina«, sagte er zu ihr: »Auf diese Gelegenheit habe ich über ein halbes Jahrhundert gewartet, um Ihnen erneut ewige Treue und stete Liebe zu schwören.«

Fermina Daza hätte geglaubt, einen Verrückten vor sich zu haben, hätte sie nicht Gründe für die Annahme gehabt, daß Florentino Ariza in jenem Augenblick von der Gnade des Heiligen Geistes beseelt war. Ihr unmittelbarer Impuls war, ihn wegen der Entweihung des Hauses zu verfluchen, in diesem Moment, da die Leiche ihres Mannes im Grab noch warm war. Doch daran hinderte sie die Würde des Zorns. »Hau ab«, sagte sie. »Und laß dich nicht wieder blicken, solange du lebst.« Sie öffnete erneut weit die Eingangstür, die sie gerade hatte schließen wollen, und fügte hinzu:

»Und ich hoffe, das dauert nicht mehr lang.«

Als sie die Schritte auf der einsamen Straße verhallen hörte, schloß sie sehr langsam mit Riegeln und Schlüsseln die Tür und ging allein ihrem Schicksal entgegen. Nie, bis zu diesem Augenblick, hatte sie das Gewicht und die Tragweite des Dramas ganz ermessen, das sie selbst mit kaum achtzehn Jahren ausgelöst hatte und das sie bis zu ihrem Tod verfolgen sollte. Zum ersten Mal seit dem Unglücksnachmittag weinte sie, ohne Zeugen, für sie die einzig mögliche Art zu weinen. Sie weinte über den Tod ihres Mannes, über ihre Einsamkeit und über ihren Zorn, und als sie ins leere Schlafzimmer trat, weinte sie über sich selbst, denn seit dem Verlust ihrer Unschuld hatte sie nur selten allein in diesem Bett geschlafen. Alles, was ihrem Mann gehört hatte, schürte ihr Leid: die Pantoffeln mit Pompons, der Pyjama unter dem Kopfkissen, der ohne ihn leere Hintergrund im Mond des Toilettenspiegels, sein Geruch auf ihrer Haut. Ein vager Gedanke ließ sie erschauern: »Die Menschen, die man liebt, müßten mit all ihren Sachen sterben.« Sie wollte keine Hilfe, um zu Bett zu gehen, wollte vor dem Schlafen nichts essen. Von Schwermut niedergedrückt, bat sie zu Gott, er möge ihr in dieser Nacht den Tod schicken, und mit dieser Hoffnung legte sie sich hin, barfuß, aber angekleidet, und schlief augenblicklich ein. Sie schlief, ohne es zu wissen, wußte aber, daß sie schlafend weiterlebte, daß die Hälfte des Bettes übrig war und daß sie auf der linken Hälfte auf der Seite lag, wie immer, ihr aber das Gegengewicht des anderen Körpers auf dem Bett fehlte. Im Schlaf nachdenkend, dachte sie, daß sie nie wieder so würde schlafen können, und fing an zu schluchzen und schlief schluchzend, ohne die Stellung auf ihrer Bettseite zu ändern, bis sie sehr viel später, die Hähne hatten schon aufgehört zu krähen, von der unerwünschten Sonne eines Morgens ohne ihn geweckt wurde. Erst da merkte sie, daß sie, ohne zu sterben, lang geschlafen hatte, im Schlaf schluchzend, und daß sie, während sie schluchzend schlief, mehr an Florentino Ariza als an ihren toten Mann gedacht hatte.

Florentino Ariza hingegen hatte nicht einen Augenblick aufgehört, an Fermina Daza zu denken, seit sie ihn nach einer langen und angefeindeten Liebe endgültig abgewiesen hatte. Das war vor einundfünfzig Jahren, neun Monaten und vier Tagen gewesen. Er hatte nicht täglich eine Kerbe in die Kerkermauer ritzen müssen, um über das Vergessen Buch zu führen, denn kein Tag verging, an dem nicht irgend etwas geschah, was ihn an sie erinnert hätte. Zur Zeit des Bruchs lebte er zusammen mit seiner Mutter, Tránsito Ariza, in einer gemieteten Haushälfte der Calle de las Ventanas, wo diese schon seit ihren jungen Jahren ein Kurzwarengeschäft betrieb und nebenher Hemden und alte Lumpen aufzupfte, um sie dann als Watte für die Kriegsverletzten zu verkaufen. Er war ihr einziger Sohn, den sie aus einer Liebesaffäre mit dem bekannten Reeder Don Pio Quinto Loayza hatte, einem jener drei Brüder, die die Karibische Flußschiffahrtskompanie gegründet und damit der Dampfschiffahrt auf dem Magdalena neuen Auftrieb gegeben hatten.

Don Pio Quinto Loayza starb, als der Sohn zehn Jahre alt war. Obwohl er sich insgeheim immer um dessen Unterhalt gekümmert hatte, erkannte er ihn vor dem Gesetz nie an und sorgte auch nicht für seine Zukunft vor, so daß Florentino Ariza nur der Nachname der Mutter blieb, wenngleich seine tatsächliche Herkunft allgemein bekannt war. Nach dem Tod seines Vaters mußte Florentino Ariza von der Schule abgehen und eine Stelle als Lehrling bei der Post annehmen, wo er die Aufgabe hatte, Postsäcke zu öffnen, Briefe zu sortieren und die Bevölkerung von der

Ankunft der Postschiffe zu unterrichten, indem er am Eingang des Postamts die Fahne des Herkunftslandes hißte.

Seine Umsicht fiel dem Telegraphisten Lothario Thugut auf, einem deutschen Emigranten, der im übrigen bei den wichtigen Zeremonien in der Kathedrale Orgel spielte und zum Musikunterricht in die Häuser der Schüler kam. Lothario Thugut brachte ihm das Morsealphabet bei sowie den Umgang mit dem Telegraphen, und schon nach den ersten Geigenlektionen spielte Florentino Ariza nach Gehör wie ein Berufsmusiker. Als er Fermina Daza kennenlernte, war er in seinen Kreisen der begehrteste junge Mann, derjenige, der die Modetänze am besten beherrschte, sentimentale Poesie auswendig rezitieren konnte und seinen Freunden stets zur Verfügung stand, wenn es darum ging, deren Liebsten ein Violinständchen zu bringen. Er war schon damals hager, hatte steifes Indiohaar, das mit Duftpomade gezähmt war, und die geschliffenen Brillengläser des Kurzsichtigen verstärkten noch den Eindruck seiner Hilflosigkeit. Neben dem Sehfehler litt er an chronischer Verstopfung, die ihn sein Lebtag zwang, abführende Spülungen vorzunehmen. Er besaß einen einzigen Kirchgangsanzug, ein Erbe seines Vaters, doch von Tránsito Ariza so gut gepflegt, daß er jeden Sonntag wie neu aussah. Trotz Florentino Arizas ausgezehrter Erscheinung, seiner Schüchternheit und seiner düsteren Kleidung losten die Mädchen aus seiner Gruppe heimlich untereinander aus, wer seine Partnerin sein durfte, und er spielte mit, bis zu dem Tag, da er Fermina Daza kennenlernte und es mit seiner Naivität vorbei war.

Zum ersten Mal hatte er sie an einem Nachmittag gesehen, als Lothario Thugut ihm den Auftrag gab, ein Telegramm auszutragen, an jemanden, der Lorenzo Daza hieß und dessen Adresse unbekannt war. Er machte ihn am kleinen

Parque de los Evangelios ausfindig, in einem der alten, verfallenen Häuser, dessen Innenhof dem Kreuzgang eines Klosters ähnelte, mit Unkraut in den Beeten und einem Steinbrunnen ohne Wasser. Florentino Ariza nahm kein menschliches Geräusch wahr, als er dem barfüßigen Dienstmädchen durch den Arkadengang folgte, wo noch ungeöffnete Umzugskisten herumstanden und Maurergerät zwischen Resten von Kalk und aufgeschichteten Zementsäcken lag, denn das Haus wurde gerade grundlegend renoviert. Hinten im Innenhof war ein provisorisches Büro eingerichtet. Dort saß vor dem Schreibtisch ein sehr dicker Mann mit krausen, in den Schnurrbart übergehenden Koteletten und hielt Siesta. Er hieß tatsächlich Lorenzo Daza und war in der Stadt kaum bekannt, da er erst vor knapp zwei Jahren gekommen war und kein Mann von vielen Freunden war.

Er nahm das Telegramm in Empfang, als handele es sich um die Fortsetzung eines unheilvollen Traumes. Florentino Ariza musterte die fahlen Augen mit so etwas wie berufsmäßigem Mitgefühl, beobachtete, wie die unsicheren Finger versuchten, die Verschlußmarke zu zerreißen, diese Herzensangst, die er so viele Male so vielen Empfängern angesehen hatte, die bei einem Telegramm immer noch an nichts anderes als an den Tod dachten. Als Daza es gelesen hatte, fand er seine Beherrschung wieder. Er seufzte: »Gute Nachrichten.« Und drückte Florentino Ariza die üblichen fünf Reales in die Hand, gab ihm aber mit einem Lächeln zu verstehen, daß er sie ihm, wenn es eine schlechte Nachricht gewesen wäre, nicht gegeben hätte. Dann verabschiedete er ihn mit einem Händedruck, was gegenüber Telegrammboten unüblich war, und das Dienstmädchen begleitete Florentino Ariza, weniger um ihn zu führen, als um ihn zu überwachen, bis zur Eingangstür. Sie legten den gleichen Weg durch den Arkadengang in umgekehrter Richtung zurück, doch jetzt entdeckte Florentino Ariza, daß noch jemand im Haus war, denn die Helligkeit des Hofes war erfüllt von einer Frauenstimme, die ein Lesestück übte. Als er am Nähzimmer vorüberging, sah er durchs Fenster eine ältere Frau und ein Mädchen, die eng nebeneinander auf zwei Stühlen saßen und in dem Buch, das die Frau auf dem Schoß hielt, den Text verfolgten. Es schien ihm ein merkwürdiger Anblick: Die Tochter lehrt die Mutter lesen. Die Deutung stimmte nur zum Teil, denn die Frau war die Tante und nicht die Mutter des Mädchens, obwohl sie dieses wie eine Mutter aufgezogen hatte. Der Unterricht wurde nicht unterbrochen, das Mädchen hob jedoch den Blick, um nachzusehen, wer da am Fenster vorbeiging. Dieser beiläufige Blick war der Ursprung einer Gemütserschütterung, die ein halbes Jahrhundert später noch immer andauerte.

Das einzige, was Florentino Ariza in Erfahrung bringen konnte, war, daß Lorenzo Daza kurz nach der Choleraepidemie mit seiner einzigen Tochter und seiner unverheirateten Schwester aus San Juan de la Ciénaga hergezogen war. Wer ihn beim Ausschiffen beobachtet hatte, zweifelte nicht daran, daß er gekommen war, um zu bleiben, denn er brachte alles Notwendige für ein gut ausgestattetes Haus mit. Seine Frau war gestorben, als die Tochter noch sehr klein war. Die Schwester hieß Escolástica, war vierzig Jahre alt und erfüllte ein Gelöbnis, indem sie nur im Habit des Heiligen Franz auf die Straße ging und sich im Haus immerhin noch mit der Kordel gürtete. Das Mädchen war dreizehn Jahre alt und hieß wie seine tote Mutter: Fermina.

Man vermutete, daß Lorenzo Daza ein Mann von Vermögen war, denn er lebte gut, ohne daß man seinen Beruf kannte, und hatte in klingender Münze das Haus am Parque de los Evangelios bezahlt, dessen Restaurierung ihn mindestens das Doppelte der zweihundert Goldpesos, für die er es gekauft hatte, kosten mußte. Das Mädchen ging in die Schule Presentación de la Santísima Virgen, wo die jungen Damen der Gesellschaft seit zwei Jahrhunderten die Kunst und den Beruf erlernten, umsichtige, unterwürfige Ehefrauen zu sein. Während der Kolonialzeit und in den ersten Jahren der Republik wurden dort nur die Erbinnen großer Namen aufgenommen. Doch die alten Familien, deren Ruin die Unabhängigkeit gewesen war, mußten sich den Realitäten der neuen Zeit anpassen, und die Schule öffnete, ohne sich um Stammbäume zu kümmern, ihre Türen allen Anwärterinnen, die zahlen konnten, allerdings nur unter der Bedingung, daß es sich um legitime Töchter aus katholischen Ehen handelte. Es war jedenfalls eine teure Schule, und die Tatsache, daß Fermina Daza sie besuchte, war allein schon ein Indiz für die wirtschaftliche Lage der Familie, wenn auch noch nicht für ihren sozialen Stand. Diese Informationen ermutigten Florentino Ariza, rückten sie doch das schöne junge Mädchen mit den Mandelaugen in Reichweite seiner Träume. Das strenge Regiment ihres Vaters erwies sich jedoch bald als unüberwindbares Hindernis. Im Unterschied zu den anderen Schülerinnen, die in Gruppen oder begleitet von einer alten Dienstmagd zur Schule gingen, kam Fermina Daza immer mit ihrer unverheirateten Tante, und ihr Verhalten zeigte, daß ihr keinerlei Ablenkung erlaubt war.

Auf diese unschuldige Weise begann Florentino Ariza sein geheimes Leben als einsamer Jäger. Von sieben Uhr morgens an saß er allein auf der verborgensten Bank des kleinen Platzes und tat, als lese er im Schatten der Mandelbäume einen Gedichtband, bis er die unerreichbare Jungfrau in der blaugestreiften Schuluniform vorbeigehen sah; sie trug Kniestrümpfe, Knabenschuhe mit gekreuzten Schuhbändern und einen einzigen dicken Zopf, der ihr, am Ende mit einer Schleife gebunden, über den Rücken bis zur Taille hing. Sie ging mit einer natürlichen Hoheit, den Kopf mit der feingeschnittenen Nase erhoben, den Blick unbewegt, mit raschem Schritt, die Schulmappe unter den gekreuzten Armen an die Brust gedrückt und mit dem Gang einer Hindin, der den Eindruck weckte, die Schwerkraft könne ihr nichts anhaben. An ihrer Seite, nur mühsam mit ihr Schritt haltend, die Tante im bräunlichen mit der Kordel gegürteten Habit des Heiligen Franz. Es gab nicht die geringste Chance für eine Annäherung. Florentino Ariza sah sie hin- und wieder zurückgehen, viermal am Tag und einmal am Sonntag, wenn sie aus dem Hochamt kam, und es war ihm genug, sie anzusehen. Nach und nach idealisierte er sie, schrieb ihr unglaubliche Tugenden, imaginäre Gefühle zu, und als zwei Wochen vergangen waren, dachte er schon an nichts anderes, nur noch an sie. Also beschloß er, ihr ein schlichtes Billet zu schicken, beidseitig beschrieben mit seiner erlesenen Handschrift. Den Brief trug er jedoch mehrere Tage in der Tasche mit sich herum, während er überlegte, wie er ihn übergeben könnte, und während er darüber nachdachte, schrieb er jeweils, bevor er zu Bett ging, mehrere Seiten dazu, so daß der ursprüngliche Brief sich zu einem Lexikon der Artigkeiten auswuchs, inspiriert von den Büchern, die Florentino Ariza bei den Wartezeiten auf der Parkbank so oft gelesen hatte, daß er sie auswendig kannte.

Er bemühte sich – um ihr den Brief zukommen zu lassen –, Schülerinnen von der Presentación de la Santísima Vírgen kennenzulernen, doch waren sie seiner Welt zu fern. Außerdem erschien es ihm nach vielem Grübeln nicht ratsam, daß jemand von seinem Werben erführe. Immerhin brachte er in Erfahrung, daß Fermina Daza wenige Tage nach ihrer Ankunft zu einem Samstagstanz eingeladen worden war und daß ihr Vater ihr entschieden verboten hatte hinzugehen: »Alles zu seiner Zeit.« Der Brief umfaßte mehr als sechzig beidseitig beschriebene Bogen, als Florentino Ariza die Last seines Geheimnisses nicht länger tragen konnte und sich rückhaltlos seiner Mutter offenbarte, der einzigen Person, der er sich zuweilen anvertraute. Tránsito Ariza war zu Tränen gerührt über die Unschuld des Sohnes in Liebesdingen und versuchte, ihn nach bestem Wissen zu beraten. Sie überzeugte ihn erst einmal davon, den lyrischen Wälzer, mit dem er das Mädchen seiner Träume allenfalls in Schrecken versetzen würde, nicht zu übergeben, weil dieses in Herzensangelegenheiten vermutlich so grün war wie er. Der erste Schritt sei, sagte sie, das Mädchen auf sein Interesse aufmerksam zu machen, damit seine Erklärung es nicht unvorbereitet träfe und es Zeit zum Nachdenken hätte.

»Vor allem aber«, sagte sie, »ist die erste, die du erobern mußt, nicht sie, sondern die Tante.«

Beides waren weise Ratschläge, zweifellos, sie kamen jedoch zu spät. In Wirklichkeit hatte Florentino Ariza schon an dem Tag, als Fermina Daza ihre Lektion kurz unterbrach, um zu sehen, wer da über den Gang ging, mit seiner Aura der Verlassenheit Eindruck auf sie gemacht. Abends, während des Essens, hatte ihr Vater von dem Telegramm gesprochen, und so erfuhr sie, was Florentino Ariza ins Haus geführt hatte und was sein Beruf war. Diese Neuigkeiten verstärkten ihr Interesse, denn für sie, wie für viele Menschen ihrer Zeit, hatte die Erfindung des Telegraphen etwas mit Magie zu tun. Daher erkannte sie Florentino Ariza gleich beim ersten Mal, als sie ihn unter den Bäumen lesen sah, was sie keineswegs in Unruhe versetzte, zumal die Tante sie nicht wissen ließ, daß er bereits seit mehreren Wochen dort saß. Später, als sie ihn auch sonntags nach der Messe sahen, war die Tante endgültig davon überzeugt, daß ein so häufiges Zusammentreffen nicht zufällig sein konnte.

Sie sagte: »So viel Mühe macht er sich wohl kaum meinetwegen.« Denn trotz ihrer strengen Haltung und ihres Büßergewandes hatte Tante Escolástica einen Instinkt für das Leben und eine Berufung zur Komplizin, übrigens ihre besten Tugenden, und unwiderstehliche Rührung überwältigte sie bei dem bloßen Gedanken, daß ein Mann sich für ihre Nichte interessierte. Fermina Daza selbst war jedoch auch von der einfachen Neugier, was Liebe sei, noch unberührt, und das einzige, was Florentino Ariza in ihr auslöste, war ein wenig Mitleid, denn er kam ihr krank vor. Aber die Tante sagte, daß man viel gelebt haben müsse, um die wahre Art eines Mannes zu erkennen, und sie war davon überzeugt, daß jener, der sich unter die Mandelbäume setzte, um Fermina Daza vorbeigehen zu sehen, nur vor Liebe krank sein könne.

Die Tante war für die einzige Tochter aus einer Ehe ohne Liebe ein Hort des Verständnisses und der Zuneigung. Escolástica Daza hatte das Kind seit dem Tod der Mutter aufgezogen und hielt, mehr Komplizin als Tante, auch gegen Lorenzo Daza zu ihr. Daher bedeutete das Auftauchen von Florentino Ariza für die beiden ein heimliches Vergnügen mehr, wie sie es sich gerne ausdachten, um die toten Stunden zu vertreiben. Viermal am Tag, wenn sie durch den Parque de los Evangelios gingen, beeilten sich beide, mit einem raschen Blick den schmächtigen Wachposten zu orten, der schüchtern, nicht der Rede wert und trotz der Hitze fast immer in Schwarz, unter den Bäumen zu lesen vorgab. »Da ist er«, sagte, wer ihn zuerst entdeckt hatte, und sie unterdrückten das Lachen, bevor er den Blick hob und die beiden Frauen sah, die, unbeirrbar und seinem Leben fern, den Platz überquerten, ohne ihn anzusehen.

»Der Arme«, hatte die Tante gesagt. »Er traut sich nicht näherzukommen, weil ich bei dir bin, aber wenn er ernste

Absichten hat, wird er es eines Tages versuchen. Dann wird er dir einen Brief übergeben.«

Mögliche Widrigkeiten voraussehend, brachte sie ihr bei, sich mit Fingerzeichen zu verständigen, ein unverzichtbares Hilfsmittel bei verbotenen Liebschaften. Diese überraschenden, fast kindischen Späße weckten in Fermina Daza eine unbekannte Neugier. Mehrere Monate lang kam sie jedoch nicht auf den Gedanken, daß daraus mehr werden könnte. Sie wußte auch später nie, in welchem Moment aus dem Vergnügen Verlangen geworden war und wann ihr Blut bei dem Wunsch, ihn zu sehen, in Wallung geraten war. Eines Nachts wachte sie schaudernd auf, weil sie gesehen hatte, wie er sie im Dunkeln vom Fußende ihres Bettes aus betrachtete. Da wünschte sie sich mit ganzer Seele, daß sich die Voraussagen ihrer Tante erfüllten, und sie flehte in ihren Gebeten zu Gott, daß er ihm den Mut verlieh, ihr den Brief zu übergeben, nur um zu wissen, was darin stand.

Doch ihre Bitten wurden nicht erhört. Im Gegenteil. Dies geschah zu der Zeit, als Florentino Ariza sich seiner Mutter anvertraut und diese ihn davon überzeugt hatte, die siebzig Seiten Artigkeiten nicht zu übergeben, so daß Fermina Daza den Rest des Jahres über weiter warten mußte. Aus ihrem Sehnen wurde, je näher die Dezemberferien rückten, Verzweiflung, denn sie fragte sich ruhelos, was sie tun könne, um ihn während der drei Monate, die sie nicht zur Schule ging, zu sehen und auch von ihm gesehen zu werden. Die Fragen bedrängten sie ohne Lösung bis in die Weihnachtsnacht, als die Ahnung sie durchschauerte, daß er sie aus der Menschenmenge der Christmette ansah, und vor innerer Unruhe ging ihr Herz durch. Sie wagte nicht, den Kopf zu wenden, da sie zwischen dem Vater und der Tante saß, und sie mußte sich zusammennehmen, damit diese nicht ihre Verwirrung bemerkten. In dem Gedränge beim Hinausgehen spürte sie ihn so nah, so deutlich zwischen den vielen Menschen, daß, als sie die Kirche durch das Mittelschiff verließ, eine unwiderstehliche Macht sie zwang, über die Schulter zu schauen, und da sah sie zwei Handbreit vor ihren Augen diese anderen Augen aus Eis, das bleiche Gesicht, die vom Schrecken der Liebe versteinerten Lippen. Verwirrt von ihrem eigenen Mut, griff sie nach dem Arm von Tante Escolástica, um nicht zu stürzen, und diese fühlte durch den Spitzenhandschuh hindurch den eisigen Schweiß der Hand und gab ihr Zuspruch mit einem kaum wahrnehmbaren Zeichen bedingungsloser Kameradschaft. Inmitten der knallenden Raketen und des Getrommels der bunten Laternen an den Portalen und einer lärmenden Menge, die sich nach Frieden sehnte, irrte Florentino Ariza bis zum Morgengrauen wie ein Schlafwandler einher. Er sah das Fest durch seine Tränen, betäubt von der Halluzination, daß er und nicht Gott in dieser Nacht geboren worden war.

Das Delirium steigerte sich in der folgenden Woche noch, als er zur Siestazeit ohne Hoffnung am Haus von Fermina Daza vorbeiging und sah, daß sie und die Tante unter den Mandelbäumen beim Portal saßen. Es war eine Wiederholung im Freien von eben dem Bild, das er am ersten Nachmittag im Nähzimmer gesehen hatte: Das Mädchen nahm mit der Tante ein Lesestück durch. Doch Fermina Daza war ohne die Schuluniform verwandelt, sie trug ein Leinenkleid, das wie ein griechisches Gewand in vielen Falten von den Schultern herabfiel, auf dem Kopf hatte sie einen Kranz aus frischen Gardenien und glich damit einer bekränzten Göttin. Florentino Ariza setzte sich auf den Platz, dort wo er sicher sein konnte, gesehen zu werden, und gab auch nicht vor zu lesen, sondern saß da, das Buch geöffnet und die Augen fest auf die unerreichbare Jungfrau gerichtet, die ihm nicht einmal einen mildtätigen Blick schenkte.

Zunächst hielt er die Lektion unter den Mandelbäumen für eine zufällige Erscheinung, die vielleicht auf die endlosen Reparaturen im Haus zurückzuführen war, in den folgenden Tagen wurde ihm jedoch klar, daß Fermina Daza jeden Nachmittag zur gleichen Stunde dort sein würde, in seiner Sichtweite, die ganzen drei Ferienmonate über, und diese Gewißheit flößte ihm neuen Mut ein. Er hatte nicht den Eindruck, selbst gesehen zu werden, bemerkte keinerlei Zeichen von Interesse oder Ablehnung, doch in ihrem Gleichmut war nun ein Leuchten, das ihn in seiner Beharrlichkeit bestärkte. Plötzlich, an einem Nachmittag Ende Januar, legte die Tante ihre Handarbeit auf den Stuhl und ließ ihre Nichte allein im Strom der von den Mandelbäumen fallenden gelben Blätter am Portal zurück. Ermutigt von der spontanen Annahme, daß dies eine abgesprochene Gelegenheit sein mußte, überquerte Florentino Ariza die Straße, baute sich vor Fermina Daza auf, so nah, daß er ihren zerrissenen Atem und jenen Blumenhauch wahrnahm, den er von nun an und für immer mit ihr verbinden sollte. Er sprach sie an, mit erhobenem Haupt und mit einer Entschiedenheit, die er erst ein halbes Jahrhundert später und aus dem gleichem Grund wiedergewinnen sollte.

»Ich bitte Sie nur um eins, nehmen Sie einen Brief von mir an«, sagte er zu ihr.

Das war nicht die Stimme, die Fermina Daza von ihm erwartet hätte, so eine klare Stimme, von einer Beherrschung, die mit seinen schmachtenden Gebärden nichts zu tun hatte. Ohne die Augen von der Stickerei zu heben, antwortete sie ihm: »Ich kann ihn nicht ohne die Erlaubnis meines Vaters annehmen.« Florentino Ariza erschauerte von der Wärme jener Stimme, deren matte Klangfarbe er für den Rest seines Lebens nicht vergessen sollte. Doch er blieb hart und erwiderte sofort: »Holen Sie die Erlaubnis ein.« Dann milderte er den Befehl, indem er flehentlich hinzufügte: »Es geht um Leben oder Tod.« Fermina Daza sah ihn nicht an, stickte weiter, doch seine Entschlossenheit öffnete eine Tür, nur einen Spalt breit, durch den aber paßte die Welt.

»Kommen Sie jeden Nachmittag«, sagte sie, »und warten Sie darauf, daß ich den Stuhl wechsle.«

Erst am Montag der nächsten Woche begriff Florentino Ariza, was sie damit hatte sagen wollen, als er von seiner Bank aus die gleiche Szene sah wie immer, aber mit einer Variante: Als die Tante Escolástica ins Haus ging, stand Fermina Daza auf und setzte sich auf den anderen Stuhl. Florentino Ariza, eine weiße Kamelie im Knopfloch des Gehrocks, überquerte daraufhin die Straße und stellte sich vor sie hin. Er sagte: »Dies ist *die* Gelegenheit meines Lebens.« Fermina Daza blickte nicht zu ihm auf, sondern sah sich forschend um, sah die leeren Straßen in der schläfrigen Dürre und einen Wirbel toter Blätter im Wind.

»Geben Sie ihn mir«, sagte sie.

Florentino Ariza hatte vorgehabt, ihr die siebzig Briefbogen zu bringen, die er vom vielen Durchlesen schon auswendig aufsagen konnte, entschied sich dann jedoch für ein einseitig beschriebenes Billett, das nüchtern und klar sein sollte und in dem er nur das Wesentliche versprach: seine unbedingte Treue und seine ewige Liebe. Er holte den Brief aus der Innentasche seines Gehrocks und hielt ihn der verstörten Stickerin, die noch nicht gewagt hatte, ihn anzuschauen, vors Gesicht. Sie sah den blauen Umschlag, der in einer von Angst verkrampften Hand zitterte, und hob, um das Beben auch ihrer Hände vor ihm zu verbergen, den Stickrahmen, damit er den Brief darauflege. Da geschah es: Ein Vogel schüttelte sich im Laub der Mandelbäume, und sein Dreck fiel genau auf die Stickerei. Fermina Daza zog den Stickrahmen weg und versteckte ihn hinter dem Stuhl, denn Florentino Ariza sollte nicht merken, was passiert war, und sah ihn dann mit flammendem Gesicht zum ersten Mal an. Den Brief in der Hand, sagte dieser ungerührt: »Das bringt Glück.« Sie dankte es ihm mit ihrem ersten Lächeln, riß ihm beinahe den Brief weg, faltete ihn und verbarg ihn im Mieder. Er reichte ihr die Kamelie, die er im Knopfloch getragen hatte. Sie wies sie zurück: »Das ist eine Verlobungsblume.« Gleich darauf, im Bewußtsein, ihre Zeit aufgebraucht zu haben, flüchtete sie sich wieder in ihre Unnahbarkeit.

»Gehen Sie jetzt«, sagte sie, »und kommen Sie erst wieder, wenn ich Ihnen Bescheid gebe.«

Als Florentino Ariza sie zum ersten Mal gesehen, seiner Mutter aber noch nichts davon erzählt hatte, merkte diese ihm dennoch sofort etwas an, er hatte nämlich die Sprache und den Appetit verloren und wälzte sich nachts schlaflos im Bett. Jetzt, da er die Antwort auf seinen ersten Brief erwartete, steigerte sich seine Unruhe zu galligem Erbrechen und Durchfall, er verlor den Orientierungssinn und wurde von plötzlichen Ohnmachtsanfällen heimgesucht, was seine Mutter in Schrecken versetzte, da sein Zustand nicht an die Verwirrungen der Liebe, sondern an die Verheerungen der Cholera erinnerte. Florentinos Pate, ein greiser Homöopath, der seit den Zeiten von Tránsito Arizas heimlicher Liebschaft ihr Vertrauter war, geriet zunächst ebenfalls in Unruhe über den Zustand des Kranken, denn dessen Puls war schwach, der Atem ging rasselnd, und der bleiche Schweiß eines Sterbenden lag auf seiner Haut. Bei der Untersuchung stellte er jedoch fest, daß Florentino Ariza weder Fieber noch Schmerzen an irgendeiner bestimmten Stelle hatte. Das Einzige, was er deutlich spürte, war das dringende Bedürfnis zu sterben. Ein listiges Verhör, erst des Kranken, dann der Mutter, genügte dem Homöopathen, um wieder einmal festzustellen, daß die Symptome der Liebe denen der Cholera gleichen. Er verschrieb Lindenblütentee, um die Nerven abzulenken, und schlug eine Luftveränderung vor, damit Florentino Ariza in der Ferne Trost fände, doch der ersehnte genau das Gegenteil: Er wollte sein Martyrium genießen.

Tránsito Ariza war eine freie Quarteronin, mit einem Instinkt für das Glück, der in der Armut verkümmerte, und sie genoß die Leiden des Sohnes, als wären es die eigenen. Sie gab ihm den Tee zu trinken, wenn sie ihn phantasieren hörte, und wickelte ihn in Wolldecken ein, um den Schüttelfrost zu überlisten, zugleich machte sie ihm jedoch Mut, sein Leid auszukosten.

»Nütze es, solange du jung bist, und leide, soviel du kannst«, riet sie ihm, »denn diese Dinge dauern nicht ein Leben lang.«

Im Postamt waren sie verständlicherweise nicht der gleichen Ansicht. Florentino Ariza verfiel in Trägheit und war so zerstreut, daß er die Flaggen, mit denen er die Ankunft der Post ankündigte, verwechselte, hißte an einem Mittwoch die deutsche Flagge, als ein Schiff der Leyland Company mit Post aus Liverpool eingelaufen war, und an irgendeinem anderen Tag hißte er die der Vereinigten Staaten, obgleich das eingetroffene Schiff der Compagnie Générale Transatlantique die Post aus Saint-Nazaire brachte. Diese Irrtümer aus Liebe verursachten solche Störungen bei der Postverteilung, und es gab so viel Protest bei den Kunden, daß Florentino Ariza nur deshalb seine Stelle nicht verlor, weil Lothario Thugut ihn am Telegraphen behielt und zum Chor in die Kathedrale mitnahm, damit er dort Geige spiele. Vom Altersunterschied her, sie hätten Großvater und Enkel sein können, war nicht einsichtig, warum sie sich so gut verstanden, sowohl bei der Arbeit wie auch in den Hafenschenken, wo die Nachtschwärmer jenseits aller Klassenschranken landeten, armselige Schluckspechte, aber auch junge Herren im Abendanzug, die von den Galafesten des Club Social flohen, um hier gebackene Meeräsche mit Kokosreis zu essen. Lothario Thugut ging gern nach der letzten Telegraphenschicht dorthin und machte dann oft bis zum Morgengrauen durch, trank Jamaikapunsch und spielte Akkordeon mit den verrückten Mannschaften der Antillenschoner. Er war korpulent, vierschrötig, hatte einen goldenen Bart und eine Jakobinermütze, die er aufsetzte, wenn er nachts ausging, und dann fehlte ihm nur noch das Schellenbündel, um dem Heiligen Nikolaus aufs Haar zu gleichen. Mindestens einmal in der Woche landete er bei einer Nachtvögelin, wie er sie nannte, bei einer der vielen, die in einer Absteige für Matrosen Erste-Hilfe-Liebe anboten. Als er Florentino Ariza kennenlernte, führte er ihn zuerst mit einem gewissen lehrmeisterlichen Vergnügen in die Geheimnisse seines Paradieses ein. Er suchte ihm die Vögelinnen aus, die er für die besten hielt, verhandelte mit ihnen über Preis und Stellung und erbot sich, die Leistung im voraus von seinem Geld zu bezahlen. Florentino Ariza nahm das jedoch nicht an: Er war unschuldig und hatte den Vorsatz, daran nichts zu ändern, es sei denn aus Liebe.

Das Stundenhotel war ein heruntergekommenes Palais aus der Kolonialzeit. Man hatte die großen Salons und die Marmorgemächer in Kämmerchen unterteilt, die sowohl zum Zustoßen wie zum Zuschauen vermietet wurden, da in ihre Pappwände mit Nadeln Gucklöcher gebohrt worden waren. Es wurde von Spannern erzählt, denen man ein Auge mit einer Stricknadel ausgestochen hatte, von einem, der seine eigene Ehefrau in jener erkannte, an der er sich eben sattsehen wollte, von vornehmen Herren, die als Marktfrauen verkleidet kamen, um sich mit Obermaaten auf Landgang abzukühlen, und von etlichen weiteren Betriebsunfällen bei Belauernden und Belauerten, so daß die bloße Vorstellung, ins Nebenzimmer zu spähen, Florentino Ariza in Schrecken versetzte. Also konnte ihn Lothario Thugut nicht davon überzeugen, daß sehen und gesehen werden Raffinements europäischer Fürsten sind.

Im Gegensatz zu dem, was seine Korpulenz vermuten ließ, hatte er das einer Rosenknospe gleichende Schwänzchen eines Cherubs. Doch mußte es sich um einen glücklichen Defekt handeln, denn die gesuchtesten Vögelinnen machten sich die Ehre streitig, unter ihm zu liegen, und wenn sie dann kopflos schrien, bebten die Grundpfeiler des Palais, und seine Gespenster erzitterten vor Grauen. Es hieß, er verwende eine Schlangengiftpomade, die das Yspilon der Frauen erglühen ließ, doch er schwor, keine anderen Mittel zu benutzen, als die ihm von Gott verliehenen. Er lachte sich darüber tot und sagte: »Das ist reine Liebe.« Viele Jahre mußten vergehen, bis Florentino Ariza begriff, daß er vielleicht recht damit gehabt hatte. Endgültig überzeugt war er davon auf einer fortgeschrittenen Stufe seiner Lehrjahre des Gefühls, als er einen Mann kennenlernte, der wie ein König davon lebte, drei Frauen gleichzeitig auszubeuten. Die drei rechneten bei Morgengrauen mit ihm ab, lagen ihm demütig zu Füßen, damit er ihnen die kläglichen Einnahmen verzieh, und ersehnten sich als einzige Belohnung, daß er mit derjenigen schlief, die ihm das meiste Geld gebracht hatte. Florentino Ariza hatte geglaubt, daß nur Angst und Schrecken zu einer solchen Erniedrigung führen könnten. Eines der drei Mädchen verblüffte ihn jedoch damit, daß das Gegenteil wahr sei.

»Diese Dinge«, sagte sie, »kann man nur aus Liebe tun.«

Nicht so sehr wegen seiner Verdienste als Rammler als wegen seines persönlichen Charmes war Lothario Thugut einer der geschätztesten Kunden des Hotels geworden. Auch Florentino Ariza gewann, obgleich er so still und abwesend war, das Wohlwollen des Besitzers, so daß er sich in der härtesten Zeit seiner Qualen in eines der stickigen Zimmerchen einschließen durfte, um dort Gedichte und rührselige Geschichten zu lesen. Und von seinen Träumereien blieben Nester dunkler Schwalben auf den Balkonen zurück, das Gewisper von Küssen und ein Flügelschlagen in der Mattigkeit der Siesta. Am Abend, wenn die Hitze nachließ, war es unmöglich, die Gespräche der Männer zu überhören, die kamen, um sich bei einer schnellen Umarmung vom Arbeitstag zu entspannen. So erfuhr Florentino Ariza von mancher Intrige und sogar von einigen Staatsgeheimnissen, die Kunden von Rang, auch städtische Würdenträger, ihren flüchtigen Geliebten anvertrauten, ohne darauf zu achten, ob sie von den Nachbarzimmern gehört werden konnten. Auf diese Weise erfuhr er auch, daß vier Seemeilen nördlich vom Sotavento Archipel seit dem achtzehnten Jahrhundert eine gesunkene spanische Galeone mit Feingold und Edelsteinen im Wert von mehr als fünfhunderttausend Millionen Pesos lag. Er staunte über die Geschichte, dachte aber nicht weiter daran, bis einige Monate später sein Liebeswahnsinn in ihm das Verlangen weckte, den gesunkenen Schatz zu heben: Fermina Daza sollte in Becken aus Gold baden können.

In späteren Jahren, als er sich zu vergegenwärtigen suchte, wie die durch poetische Alchimie verklärte Jungfrau denn wirklich gewesen war, konnte er sie nicht gelöst von den herzzerreißenden Abenden jener Zeit sehen. Und auch als er ihr, ohne selbst gesehen zu werden, auflauerte, in jenen Tagen der Seelenqual, da er der Antwort auf seinen ersten Brief entgegenfieberte, war sie ihm entrückt unter dem feinen Blütenregen der Mandelbäume im gleißenden Zwei-

Uhr-mittags-Licht eines das ganze Jahr währenden Aprils. Nur deshalb war er damals daran interessiert, Lothario Thugut mit der Geige zu begleiten, weil er in der Kathedrale von dem Vorzugsplatz auf der Chorgalerie aus sehen konnte, wie sich ihre Tunika im Hauch der Gesänge bewegte. Doch seine krankhafte Sehnsucht verdarb ihm schließlich dieses Vergnügen, er versuchte nämlich, da ihm in seiner Seelenverfassung die geistliche Musik allzu harmlos erschien, die Glut von Liebeswalzern in sein Spiel zu legen, woraufhin sich Lothario Thugut gezwungen sah, ihn aus dem Chor zu entlassen. Das war zu der Zeit, als Florentino Ariza dem Verlangen nachgab, die von seiner Mutter in den Beeten des Patio gezogenen Gardenien zu essen, und so erfuhr, wie Fermina Daza schmeckte. In dieser Zeit fand er auch zufällig in einem Koffer der Mutter eine Einliterflasche Kölnisch Wasser, das die Matrosen der Hamburg-Amerika-Linie schwarz verkauften, und konnte, auf der Suche nach anderen Geschmacksnuancen der geliebten Frau, der Versuchung nicht widerstehen, davon zu kosten. Er trank bis zum Morgengrauen aus dem Flakon, berauschte sich mit brennenden Schlucken an Fermina Daza, erst in den Hafenschenken, dann, im Bann des Meeres, auf den Klippen, wo sich die Pärchen ohne Bleibe den Tröstungen der Liebe hingaben, bis ihn Bewußtlosigkeit übermannte. Tránsito Ariza, die in größter Sorge bis sechs Uhr früh auf ihn gewartet hatte, suchte ihn an jedem nur denkbaren Ort. Kurz nach Mittag fand sie ihn in einer duftenden Lache von Erbrochenem, an einer Biegung der Bucht, wo gewöhnlich die Ertrunkenen angeschwemmt wurden.

Sie nutzte die Pause der Rekonvaleszenz, um ihm die Passivität, mit der er auf den Antwortbrief wartete, vorzuhalten. Sie erinnerte ihn daran, daß Schwächlinge niemals ins Reich der Liebe eintreten, da es ein Reich ohne Gnade und

Großmut ist, und daß Frauen sich nur entschlossenen Männern hingeben, weil diese ihnen die ersehnte Sicherheit geben, mit der man sich im Leben behaupten kann. Florentino Ariza nahm sich die Lektion vielleicht mehr als nötig zu Herzen. Tránsito Ariza konnte ein Gefühl des Stolzes, das eher wollüstig denn mütterlich war, nicht unterdrücken, als sie sah, wie er in dem Anzug aus schwarzem Tuch, mit der Dichterschleife unter dem Zelluloidkragen und der Melone auf dem Kopf das Kurzwarengeschäft verließ. Scherzhaft fragte sie ihn, ob er zu einem Begräbnis ginge. Mit glühenden Ohren antwortete er ihr: »Das ist fast das gleiche.« Sie bemerkte, daß er vor Angst kaum atmen konnte, seine Entschlossenheit aber war unbezwingbar. Sie gab ihm die letzten Ratschläge und ihren Segen und konnte sich kaum mehr vor Lachen halten, als sie ihm eine weitere Flasche Kölnisch Wasser versprach, um dann gemeinsam die Eroberung zu feiern.

Seit der Übergabe des Briefes hatte er viele Male sein Versprechen, nicht mehr zu dem kleinen Platz zu kommen, gebrochen, aber stets dafür gesorgt, daß er nicht gesehen wurde. Alles war wie immer. Die Lesestunde endete gegen zwei Uhr mittags, wenn die Stadt von der Siesta erwachte, dann stickten Fermina Daza und die Tante noch eine Weile, bis die Hitze nachließ. Florentino Ariza wartete diesmal nicht, bis die Tante ins Haus ging, er überquerte die Straße mit martialischen Schritten, die ihm erlaubten, die Mutlosigkeit seiner Knie zu überwinden. Er wendete sich dann aber nicht an Fermina Daza, sondern an die Tante.

»Tun Sie mir den Gefallen, lassen Sie mich einen Augenblick allein mit dem Fräulein«, sagte er zu ihr, »ich muß ihr etwas Wichtiges mitteilen.«

»Das ist dreist!« sagte die Tante. »Es gibt nichts, was ich nicht hören dürfte.«

»Dann sage ich es nicht, aber ich mache Sie darauf aufmerksam, die Verantwortung für das, was geschieht, tragen Sie.«

Das war nicht gerade die Art, die Escolástica Daza von dem idealen Verehrer erwartete, sie stand aber verschreckt auf, weil sie zum erstenmal den ergreifenden Eindruck hatte, daß aus Florentino Arizas Worten der Heilige Geist sprach. Also ging sie ins Haus, um Nadeln zu holen, und ließ die beiden jungen Menschen unter den Mandelbäumen am Portal allein.

Genaugenommen wußte Fermina Daza von diesem wortkargen Freier, der wie eine Winterschwalbe in ihrem Leben aufgetaucht war, nur sehr wenig. Ohne die Unterschrift unter dem Brief hätte sie nicht einmal seinen Namen gekannt. Inzwischen hatte sie ausgekundschaftet, daß er der vaterlose Sohn einer Ledigen war, die als ernsthaft und arbeitsam galt, jedoch hoffnungslos vom Brandmal einer einzigen Jugendsünde gezeichnet war. Fermina Daza hatte erfahren, daß er kein Telegrammbote, sondern ein qualifizierter Telegraphenassistent mit einer hoffnungsvollen Zukunft war, und sie glaubte, das Telegramm für ihren Vater sei nur ein Vorwand gewesen, um sie zu sehen. Diese Vermutung rührte sie. Sie wußte auch, daß er einer der Musiker im Chor war, und obwohl sie nie gewagt hatte, dies mit eigenen Augen während der Messe zu überprüfen, hatte sie eines Sonntags die Offenbarung, daß die Instrumente für alle spielten, mit Ausnahme der Geige, die wurde nur für sie gestrichen. Er war nicht der Typ Mann, den sie sich ausgesucht hätte. Seine Findelkindbrille, sein klerikaler Aufzug, sein geheimnistuerisches Gehabe hatten in ihr eine Neugier geweckt, der schwer zu widerstehen war, aber sie hätte nie vermutet, daß auch die Neugier eine der ach so vielen Fallen der Liebe war.

Sie konnte sich selbst nicht erklären, warum sie den Brief angenommen hatte. Nicht daß sie es sich vorwarf, aber die als immer drängender empfundene Verpflichtung, eine Antwort zu geben, behinderte sie regelrecht in ihrem Leben. Jedes Wort ihres Vaters, jeder zufällige Blick, seine gewöhnlichsten Gesten erschienen ihr wie Fallstricke, um ihr das Geheimnis zu entlocken. Sie lebte in einem Zustand gespannter Wachsamkeit und vermied sogar, bei Tisch zu reden, aus Angst, eine unbedachte Äußerung könne sie verraten. Sie wich selbst Tante Escolástica aus, obwohl diese ihre unterdrückte Unruhe teilte, als sei es die eigene. Zu jeder Tageszeit schloß sich das Mädchen ohne Notwendigkeit im Bad ein und las wieder und wieder den Brief, versuchte, einen Geheimcode zu entdecken, eine magische Formel, die in irgendeinem der dreihundertvierzehn Buchstaben der achtundfünzig Worte verborgen gewesen wäre, in der Hoffnung, daß diese mehr aussagten, als sie sagten. Doch sie fand nichts, was über das damals beim ersten Lesen Verstandene hinausging, als sie mit tollem Herzen ins Bad gerannt war, sich eingeschlossen, den Umschlag in der Hoffnung auf einen üppigen, fiebrigen Brief aufgerissen, dann aber nur ein parfümiertes Billett vorgefunden hatte, dessen Entschiedenheit sie erschreckte.

Zunächst hatte sie nicht im Ernst daran gedacht, daß sie zu einer Antwort verpflichtet wäre, doch der Brief war so eindeutig, daß es keine Möglichkeit gab, ihn einfach zu übergehen. Währenddessen ertappte sie sich im Sturm der Zweifel dabei, daß sie häufiger und angelegentlicher an Florentino Ariza dachte, als sie es sich selbst zugestehen mochte, sie fragte sich sogar bekümmert, warum er nicht zur gewohnten Uhrzeit auf seiner Bank saß, ohne daran zu denken, daß sie selbst ihn ja darum gebeten hatte, nicht wiederzukommen, bis sie sich eine Antwort überlegt hätte.

Sie hatte nie für möglich gehalten, daß man so an jemanden denken könnte, wie sie schließlich an ihn dachte, sie spürte ihn, wo er nicht war, wünschte sich ihn dort, wo er nicht sein konnte, wachte plötzlich mit dem lebhaften Gefühl auf, daß er sie in der Dunkelheit im Schlaf betrachtete. Daher fiel es ihr an jenem Nachmittag, als sie seine entschlossenen Schritte auf der Flut gelber Blätter im Park hörte, schwer, ihn nicht für ein weiteres Trugbild ihrer Phantasie zu halten. Als er jedoch herrisch, wie es gar nicht zu seiner schmachtenden Art paßte, eine Antwort von ihr forderte, gelang es ihr, das Entsetzen zu überwinden und in die Wahrheit zu flüchten: Sie wisse eben nicht, was sie ihm antworten solle. Florentino Ariza aber hatte nicht den einen Abgrund überwunden, um vor dem nächsten zurückzuschrecken.

»Wenn Sie den Brief angenommen haben, ist es unhöflich, ihn nicht zu beantworten«, sagte er.

Das war der Ausweg aus dem Labyrinth. Fermina Daza fand ihre Fassung wieder, entschuldigte sich für die Verzögerung und gab ihm förmlich ihr Wort, daß er vor Ende der Ferien eine Antwort haben würde. Sie löste es ein. Am letzten Freitag im Februar, drei Tage vor Wiederbeginn der Schulen, kam die Tante Escolástica ins Telegraphenamt und fragte, wieviel ein Telegramm nach Piedras de Moler koste, ein Dorf, das nicht einmal auf der Liste der Dienststellen aufgeführt war. Sie ließ sich von Florentino Ariza bedienen, als ob sie ihm noch nie begegnet wäre, beim Hinausgehen vergaß sie dann aber mit aller Absicht ein in Eidechsenleder gebundenes Gebetbuch, in dem ein Leinenumschlag mit Goldvignetten steckte. Fassungslos vor Seligkeit verbrachte Florentino Ariza den Rest des Nachmittags damit, Rosen zu essen und den Brief zu lesen, er ging ihn ein ums andere Mal Buchstabe für Buchstabe durch, und je länger er las, desto mehr Rosen aß er. Um Mitternacht hatte er ihn so oft gelesen und so viele Rosen verspeist, daß seine Mutter ihm wie einem Kalb gewaltsam eine Schale Rizinusöl einflößen mußte.

Es war das Jahr der erbitterten Verliebtheit. Keiner von beiden lebte für sonst noch irgend etwas, sie dachten nur aneinander, träumten voneinander und warteten ebenso sehnsüchtig auf Briefe, wie sie selbst welche schrieben. Weder in jenem trunkenen Frühling noch im folgenden Jahr hatten sie je Gelegenheit, miteinander zu sprechen. Mehr noch: Seitdem sie sich zum ersten Mal gesehen hatten bis zu dem Tag, da er ihr ein halbes Jahrhundert später seine Entscheidung bekräftigte, hatten sie nie eine Gelegenheit, sich allein zu sehen und von ihrer Liebe zu sprechen. Dafür verging in den ersten drei Monaten kein einzigerTag, ohne daß sie sich geschrieben hätten, in einer bestimmten Phase schrieben sie sich sogar zweimal täglich, bis die Tante Escolástica über die Gier des Feuers, das sie selbst mitenzündet hatte, erschrak.

Seit dem ersten Brief, den sie, auch als Rache für ihr eigenes Schicksal, zur Telegraphenstelle gebracht hatte, erlaubte sie den fast täglichen Austausch von Botschaften bei scheinbar zufälligen Begegnungen auf der Straße. Sie wagte aber nicht, eine Unterhaltung, wie banal und flüchtig auch immer, zu begünstigen. Nach drei Monaten begriff sie jedoch, daß die Nichte nicht nur jugendlich entflammt war, wie sie zunächst angenommen hatte, sondern daß dieser Liebesbrand, der das Mädchen erfaßt hatte, ihr eigenes Leben bedrohte. Tatsächlich hatte Escolástica Daza außer der Mildtätigkeit des Bruders kein anderes Auskommen, und sie wußte auch, daß er ihr bei seinem despotischen Charakter einen solchen Vertrauensbruch niemals verzeihen würde. In der Stunde der Entscheidung brachte sie es dann aber doch nicht übers Herz, ihrer Nichte das gleiche unauslöschbare Leid zuzufügen, an dem sie seit ihrer Jugend trug. Sie erlaubte ihr, auf ein Mittel zurückzugreifen, das ihr selbst noch einen Schein von Unschuld ließ. Die Methode war einfach: Fermina Daza legte ihren Brief auf dem täglichen Schulweg in irgendein Versteck und teilte in dem Brief mit, wo sie Florentino Arizas Antwort zu finden hoffte. Florentino Ariza machte es ebenso. Auf diese Weise wurden den Rest des Jahres über Tante Escolásticas Gewissenskonflikte auf die Taufbecken in den Kirchen, auf Baumhöhlen und Risse in den Ruinen der Kolonialfestungen abgeschoben. Manchmal waren die Briefe, wenn sie sie fanden, vom Regen aufgeweicht, schlammverschmutzt, durch widrige Umstände zerfetzt, und andere gingen aus unterschiedlichen Gründen verloren, doch die beiden fanden immer einen Weg, die Verbindung wieder aufzunehmen.

Ohne Erbarmen mit sich selbst schrieb Florentino Ariza jede Nacht im Hinterzimmer des Kurzwarengeschäfts, er vergiftete sich Buchstabe für Buchstabe am Rauch der Steinnußöl-Lampen, und je mehr er sich bemühte, seine Lieblingsdichter aus der Biblioteca Popular, die damals schon an die achtzig Bände umfaßte, zu imitieren, desto umfangreicher und mondsüchtiger wurden seine Briefe. Seine Mutter, die ihn mit soviel Eifer angehalten hatte, seine Qualen zu genießen, begann sich nun um seine Gesundheit zu sorgen: »Du schreibst dir das Hirn wund«, rief sie ihm aus dem Schlafzimmer zu, wenn sie die ersten Hähne krähen hörte. »Die Frau, die das wert ist, gibt es nicht.« Sie konnte sich nämlich nicht erinnern, jemals jemanden in einem solchen Zustand der Verlorenheit erlebt zu haben. Er aber hörte nicht auf sie. Manchmal ging er, ohne geschlafen zu haben, das Haar von Liebe aufgewühlt, ins Amt, nachdem er den Brief in das vorgesehene Versteck gelegt hatte, damit Fermina Daza ihn auf dem Weg zur Schule finden könne. Sie hingegen, die der Wachsamkeit ihres Vaters und der lasterhaften Neugier der Nonnen ausgesetzt war, schaffte es kaum, eine halbe Seite aus einem Schulheft zu füllen, wenn sie sich ins Bad einschloß oder vorgab, beim Unterricht Notizen zu machen. Nicht nur die Hast und die ständigen Störungen, auch ihr Charakter war der Grund dafür, daß ihre Briefe jede Gefühlsklippe umschifften und sich auf Begebenheiten aus ihrem täglichen Leben beschränkten, die im amtlichen Ton eines Logbuchs erzählt wurden. Tatsächlich waren es Hinhaltebriefe, dazu bestimmt, die Glut wachzuhalten, ohne dabei die Hand ins Feuer legen zu müssen, während Florentino Ariza in jeder seiner Zeilen verglühte. Begierig, sie mit dem eigenen Wahnsinn anzustecken, schickte er ihr Verse, die Miniaturisten mit Nadeln in die Blütenblätter von Kamelien gestochen hatten. Er und nicht sie hatte die Kühnheit, eine Haarsträhne von sich in einen Brief zu legen. Doch die ersehnte Antwort blieb aus, und zwar ein Haar in ganzer Länge aus Fermina Dazas Zopf. Immerhin erreichte er, daß sie einen Schritt weiter ging. Sie begann, ihm Blattgerippe zu schicken, die sie in Lexika gepreßt hatte, Schmetterlingsflügel, Federn von Zaubervögeln und als Geburtstagsgeschenk einen Quadratzentimeter vom Gewand des Heiligen Pedro Claver, das in jenen Tagen zu einem für ein Schulmädchen unerschwinglichen Preis unter der Hand gehandelt wurde. Völlig unvorbereitet wachte Fermina Daza eines Nachts erschreckt von einer Serenade auf, eine einzelne Geige spielte nur einen Walzer. Die hellsichtige Erkenntnis ließ sie erbeben, daß jede Note eine Danksagung für die Blütenblätter aus ihrem Herbarium war, für die der Arithmetik geraubte Zeit, für die Angst bei den Examina, wenn sie mehr an ihn als an die Naturwissenschaften gedacht hatte, sie wagte jedoch nicht zu glauben, daß Florentino Ariza zu einer solchen Unbesonnenheit fähig sei.

Am nächsten Morgen konnte Lorenzo Daza beim Frühstück seine Neugierde nicht unterdrücken. Erstens, weil er nicht wußte, was ein einziges Stück in der Sprache der Ständchen bedeutete, und zweitens, weil er, obwohl er aufmerksam gelauscht hatte, nicht genau hatte ausmachen können, vor welchem Haus es gehalten worden war. Mit einer Kaltblütigkeit, die der Nichte die Atemluft wiedergab, versicherte Tante Escolástica, sie hätte durch die Vorhänge des Schlafzimmers den einsamen Geiger auf der anderen Seite des Platzes gesehen, und dann sagte sie noch, mit einem einzelnen Stück werde auf jeden Fall eine Trennung bekanntgegeben. In seinem Brief an diesem Tag bestätigte Florentino Ariza, daß er das Ständchen gespielt habe, daß er den Walzer selbst komponiert und ihm den Namen gegeben habe, auf den Fermina Daza in seinem Herzen höre: *Die bekränzte Göttin.* Er spielte nicht wieder auf dem Platz, dafür zuweilen in Mondnächten, an eigens ausgewählten Orten, damit sie ihn unbesorgt von ihrem Zimmer aus hören konnte. Einer seiner Lieblingsplätze war der Armenfriedhof, auf einem dürftigen Hügel Sonne und Regen ausgesetzt, wo die Geier schliefen und die Musik eine übernatürliche Resonanz erreichte. Später lernte er die Richtung der Winde nutzen und konnte sichergehen, daß seine Melodie dort zu hören war, wo sie gehört werden sollte.

Im August dieses Jahres drohte sich ein weiterer jener vielen Bürgerkriege, die seit über einem halben Jahrhundert das Land verwüsteten, auszubreiten, die Regierung rief in den Provinzen der Karibikküste das Standrecht aus und verordnete die Sperrstunde für sechs Uhr abends. Obwohl es schon einige Unruhen gegeben und das Heer sich bei Vergeltungsaktionen allerlei Übergriffe erlaubt hatte, lebte Florentino Ariza auch weiter vom Zustand der Welt unberührt und ließ sich eines frühen Morgens von einer Militärpatrouille dabei überraschen, wie er mit seinen musikalischen Ausschweifungen die Keuschheit der Toten störte. Nur durch ein Wunder entging er einer sofortigen Exekution, hielt man ihn doch für einen Spion, der in G-Dur verschlüsselte Botschaften an die liberalen Schiffe übermittelte, die in den nahen Gewässern kreuzten.

»Was, zum Teufel, heißt hier Spion«, sagte Florentino Ariza, »ich bin nur ein armer Verliebter.«

Er schlief drei Nächte mit Ketten an den Knöcheln in der Ortsgarnison. Als sie ihn dann aber laufen ließen, fühlte er sich um eine längere Haft betrogen, und noch im Alter, als sich in seiner Erinnerung so viele andere Kriege vermengten, glaubte er, der einzige Mann in der Stadt, vielleicht im ganzen Land zu sein, der wegen einer Liebesangelegenheit fünf Pfund schwere Fußketten hatte schleppen müssen.

Zwei Jahre eines exaltierten Briefwechsels vollendeten sich, als Florentino Ariza in einem nur einen Absatz langen Brief Fermina Daza seinen förmlichen Heiratsantrag machte. In den sechs vorangegangenen Monaten hatte er ihr mehrmals ein weiße Kamelie geschickt, doch die hatte sie jeweils ihrem Antwortbrief wieder beigelegt: Er sollte nicht an ihrer Bereitschaft, ihm weiterhin zu schreiben, zweifeln, aber sie wollte es nicht unter dem gewichtigen Vorzeichen einer Verlobung tun. In Wahrheit hatte sie das Kommen und Gehen der Kamelien für Liebesgeplänkel gehalten, und es war ihr nie in den Sinn gekommen, darin einen Kreuzweg ihres Schicksals zu sehen. Als aber der förmliche Antrag kam, spürte sie zum ersten Mal die Krallen des Todes. Von Panik ergriffen, erzählte sie es der Tante Escolástica, und diese beriet sie mit dem Mut und der Klarsicht, die ihr selbst im Alter von zwanzig gefehlt hatten, als sie gezwungen gewesen war, über ihr eigenes Glück zu entscheiden.

»Antworte mit Ja«, riet sie ihr. »Selbst wenn du vor Angst

stirbst, selbst wenn du es später bereuen solltest, denn du wirst es auf jeden Fall dein ganzes Leben lang bereuen, wenn du ihm mit Nein antwortest.«

Fermina Daza war jedoch so verwirrt, daß sie sich eine Bedenkfrist ausbat. Sie bat erst um einen Monat, dann um noch einen, und als der vierte Monat ohne Antwort verstrichen war, bekam sie wieder eine Kamelie geschickt, doch diesmal nicht, wie bei den anderen Malen allein in einem Umschlag, sondern mit der endgültigen Mitteilung, daß dies die letzte sei: jetzt oder nie. Nun war es Florentino Ariza, der noch am gleichen Nachmittag dem Tod ins Auge sah, als er in einem Umschlag einen aus einem Schulheft gerissenen Papierstreifen erhielt, und darauf stand mit Bleistift geschrieben eine einzige Zeile: *Gut, ich heirate Sie, wenn Sie mir versprechen, daß Sie mich nie zwingen werden, Auberginen zu essen.*

Florentino Ariza war auf diese Antwort nicht vorbereitet. Seine Mutter aber war es. Seit er vor sechs Monaten zum ersten Mal von seinem Heiratswunsch gesprochen hatte, hatte Tránsito Ariza alles in die Wege geleitet, um das Haus ganz zu mieten, das sie bislang mit zwei anderen Familien geteilt hatte. Es war ein Bau aus dem siebzehnten Jahrhundert, zweigeschossig, einst Sitz der königlich spanischen Tabakbehörde. Die bankrotten Eigentümer mußten das Haus stückweise vermieten, da ihnen die Mittel fehlten, es instand zu halten. Ein Gebäudeteil, in dem die Verkaufsräume gewesen waren, ging zur Straße, ein anderer, der als Fabrik gedient hatte, stand hinten im gepflasterten Hof, und dann gab es noch einen großen Pferdestall, den die jetzigen Mieter gemeinsam benutzten, um dort Wäsche zu waschen und aufzuhängen. Tránsito Ariza bewohnte den vorderen Teil, der zwar der kleinste, aber auch am besten erhaltene und praktischste war. In der alten Verkaufshalle befand sich der Kurzwarenladen mit einem Tor zur Straße, und daneben, im ehemaligen Lager, das nur eine Lüftungsluke hatte, schlief Tránsito Ariza. Das Hinterzimmer des Geschäfts war die durch eine Holzlattenwand abgetrennte andere Hälfte der Halle. Dort stand ein Tisch mit vier Stühlen, der zum Essen wie zum Schreiben diente, und dort spannte auch Florentino Ariza seine Hängematte auf, wenn ihn nicht das Morgengrauen beim Schreiben überraschte. Es war ausreichend Raum für die beiden, aber nicht für eine weitere Person, erst recht nicht für eine junge Dame aus der Schule Presentación de la Santísima Virgen, deren Vater eine Hausruine so renoviert hatte, daß sie jetzt wie neu aussah, während die Familien mit sieben Titeln in der Angst zu Bett gingen, die Dächer ihrer Stadtvillen könnten im Schlaf über ihnen einstürzen. Tránsito Ariza hatte also erreicht, daß der Besitzer ihr auch die Galerie zum Hof unter der Voraussetzung überließ, daß sie die nächsten fünf Jahre das Haus instand hielt.

Sie hatte die Mittel dazu. Neben ihrem tatsächlichen Einkommen aus dem Kurzwarenladen und dem Verkauf der blutstillenden Fasern, das für ihr bescheidenes Leben gereicht hätte, hatte sie ihre Ersparnisse vielfach vermehrt, indem sie diese an eine Klientel von schamhaften Neuarmen verlieh, die wegen Tránsito Arizas Diskretion auch ihre überzogenen Zinsen akzeptierte. Da stiegen vor dem Eingang des Kurzwarenladens Damen mit dem Gehabe von Königinnen aus ihren Karossen, ohne die Begleitung von Ammen oder störenden Dienstboten, und verpfändeten zwischen zwei Schluchzern, während sie vorgaben, holländische Spitze oder Posamentierborten zu kaufen, den letzten Flitter ihres verlorenen Paradieses. Tránsito Ariza half ihnen mit so viel Rücksicht auf die noble Herkunft aus der Verlegenheit, daß viele, wenn sie wieder gingen, ihr dankbarer für die erwiesene Ehre als für den Gefallen waren. In weniger als zehn Jahren kannte sie die Schmuckstücke, die so oft ausgelöst und dann erneut unter Tränen verpfändet worden waren, wie ihre eigenen, und als der Sohn sich entschloß zu heiraten, lagen die in Goldmünzen eingewechselten Gewinne in einem Tongefäß unter ihrem Bett vergraben. Dann machte sie ihre Berechnungen und stellte fest, daß sie sich nicht nur auf den Handel, das fremde Haus fünf Jahre lang instand zu halten, einlassen konnte, sondern daß sie es vielleicht mit eben der Schläue und etwas mehr Glück vor ihrem Tod für die zwölf Enkel, die sie sich wünschte, kaufen könnte. Florentino Ariza seinerseits war einstweilig zu Lothario Thuguts Stellvertreter ernannt worden, und dieser wollte ihn zu seinem Nachfolger als Chef der Dienststelle machen, wenn er selbst die Leitung der Schule für Telegraphie und Magnetismus übernahm, die im kommenden Jahr eingerichtet werden sollte.

Die praktische Seite der Eheschließung war also geregelt. Tránsito Ariza hielt es jedoch für vernünftig, zwei letzte Bedingungen zu stellen. Die erste Bedingung war, in Erfahrung zu bringen, wer Lorenzo Daza wirklich war. Sein Akzent ließ zwar keinen Zweifel an seiner Herkunft, über seine Identität und seine Finanzen wußte jedoch niemand Genaueres. Die zweite Bedingung war eine lange Verlobungszeit, damit sich die Verlobten im persönlichen Umgang gründlich kennenlernen könnten, und daß strengste Diskretion gewahrt werde, bis beide sich ihrer Gefühle ganz sicher waren. Sie schlug vor, daß sie das Ende des Krieges abwarten sollten. Florentino war mit der absoluten Geheimhaltung einverstanden, einmal aus den gleichen Gründen wie seine Mutter, aber auch wegen seiner eigenen verschlossenen Wesensart. Er war auch mit der Verschiebung der Hochzeit einverstanden. Der Termin allerdings erschien

NIRVANA

04.04 HA8

ihm unrealistisch, da das Land in einem halben Jahrhundert der Unabhängigkeit nicht einen Tag inneren Friedens erlebt hatte.

»Da werden wir beim Warten alt«, sagte er.

Sein Pate, der Homöopath, der zufällig bei dem Gespräch dabei war, hielt die Kriege nicht für einen Hinderungsgrund. Er meinte, daß sie nicht mehr seien als Fehden zwischen den Armen des Landes, die von den Großgrundbesitzern wie Ochsen ins Feld getrieben wurden, und den barfüßigen, von der Regierung angetriebenen Soldaten.

»Der Krieg findet draußen im Land statt«, sagte er. »Seitdem ich ich bin, tötet man uns in den Städten nicht mit Gewehrkugeln, sondern mit Dekreten.«

Die Einzelheiten der Verlobung wurden jedenfalls in den Briefen der folgenden Woche festgelegt. Fermina Daza, die von der Tante Escolástica beraten wurde, ging auf die Frist von zwei Jahren und die absolute Geheimhaltung ein und schlug vor, Florentino Ariza solle in den Weihnachtsferien, wenn sie die Oberschule beendet hätte, um ihre Hand anhalten. Zu gegebener Zeit würden sie sich dann darüber einigen, auf welche Weise die Verlobung bekanntgegeben werden sollte, was vom Grad der Zustimmung, die sie bei ihrem Vater erreichte, abhinge. Inzwischen schrieben sie sich weiterhin mit gleicher Glut und gleicher Häufigkeit, doch ohne die Aufregungen von einst, und die Briefe bekamen einen familiären Ton, der schon dem von Eheleuten glich. Nichts störte ihre Traumbilder.

Florentino Arizas Leben hatte sich verändert. Die erwiderte Liebe gab ihm eine Sicherheit und eine Kraft, die er nie zuvor an sich gekannt hatte, und da er auch bei der Arbeit so tüchtig war, erreichte Lothario Thugut mühelos, daß man ihn zu seinem Stellvertreter ernannte. Damals war das Projekt der Schule für Telegraphie und Magnetismus bereits gescheitert, und der Deutsche widmete seine freie Zeit dem einzigen, was ihm wirklich Spaß machte, er ging zum Hafen, spielte Akkordeon und trank Bier mit den Matrosen, und alles endete dann im Stundenhotel. Geraume Zeit verging, bis Florentino Ariza dahinterkam, daß Lothario Thuguts Einfluß in dieser Stätte der Lust darauf zurückzuführen war, daß er inzwischen Eigentümer des Etablissements und zudem Impresario der Vögelinnen vom Hafen geworden war. Er hatte es nach und nach mit seinen Ersparnissen vieler Jahre gekauft, als Inhaber trat statt seiner jedoch ein mageres, schielendes Männlein auf, mit einem Bürstenkopf und so weichherzig, daß allen unbegreiflich war, wie er ein derart guter Geschäftsführer sein konnte. Er war es aber. Das meinte zumindest Florentino Ariza, als der Geschäftsführer ihm, ohne daß er darum gebeten hätte, ein festes Zimmer im Hotel anbot, nicht nur für die Probleme des Unterleibs, falls er sich einmal solche zugestehen wolle, sondern auch um einen ruhigeren Ort für seine Lektüre und seine Liebesbriefe zu haben. Während also die langen Monate bis zur offiziellen Bekanntgabe der Verlobung verstrichen, hielt er sich mehr dort als im Büro oder bei sich zu Hause auf, und es gab Zeiten, in denen Tránsito Ariza ihn nur sah, wenn er kam, um die Wäsche zu wechseln.

Das Lesen wurde ihm zu einem unstillbaren Laster. Seine Mutter kaufte ihm, seitdem sie ihm das Lesen beigebracht hatte, regelmäßig die illustrierten Ausgaben nordischer Autoren, die als Kindermärchen feilgeboten wurden, tatsächlich aber Geschichten enthielten, die für jedes Alter höchst grausam und pervers waren. Florentino Ariza trug sie im Unterricht oder bei Schulveranstaltungen aus dem Gedächtnis vor, doch die Vertrautheit mit ihnen linderte nicht sein Grauen. Im Gegenteil, sie verstärkte es. Als er zur Poesie überwechselte, kam es ihm daher vor, als habe er endlich ruhige Gewässer erreicht. Schon in der Pubertät hatte er – in der Reihenfolge ihres Erscheinens – alle Bände der Biblioteca Popular gelesen, die Tránsito Ariza bei den Buchständen am Portal de los Escribanos kaufte, und alles mögliche von Homer bis zu den unbegabtesten lokalen Dichtern war darunter. Doch er machte da keinen Unterschied: Er las den jeweils neuerschienenen Band wie auf einen Befehl des Schicksals hin, und all die Jahre des Lesens reichten nicht aus, ihn erkennen zu lassen, was von dem vielen Gelesenen gut war und was nicht. Klar war ihm nur, daß er die Poesie der Prosa vorzog, und hier bevorzugte er Liebesgedichte, die er, auch ohne es sich vorzunehmen, von der zweiten Lektüre an auswendig lernte, und zwar mit um so größerer Leichtigkeit, je genauer Versmaß und Reim stimmten und je ergreifender sie waren.

Dies war die ursprüngliche Quelle seiner ersten Briefe an Fermina Daza, in denen ganze Abschnitte der spanischen Romantiker unverdaut wieder auftauchten, und sie blieb es, bis das wirkliche Leben ihn dazu zwang, sich mit irdischeren Angelegenheiten als Herzensschmerzen zu befassen. Damals war er schon einen Schritt weitergegangen, er las die Tränenheftchen und noch profanere Prosa seiner Zeit. Bei der Lektüre der lokalen Dichter, deren Werke auf den Plazas und an den Portalen als Broschüren zu zwei Centavos verkauft wurden, hatte er gelernt, mit seiner Mutter zu weinen. Zugleich aber konnte er aus dem Stand die erlesenste Poesie des spanischen Siglo de Oro rezitieren. Generell las er alles, was ihm in die Hände fiel, das ging so weit, daß er, lange nach den harten Jahren seiner ersten Liebe, als er selbst schon nicht mehr jung war, die zwanzig Bände der »Enzyklopädie der Jugend« von der ersten bis zur letzten Seite las, ebenso die gesamte Reihe der Klassikerübersetzungen von Garnier & Brüder und die leichteren Werke von

Don Vicente Blasco Ibañez, die in der Sammlung »Prometeo« veröffentlicht wurden.

Seine Jugendjahre in der Absteige waren jedenfalls nicht nur auf das Lesen und das Abfassen fiebriger Briefe beschränkt, sie weihten ihn auch in die Geheimnisse der lieblosen Liebe ein. Das Leben im Haus begann nach der Mittagszeit, wenn seine Vertrauten, die Vögelinnen, aus den Betten stiegen, wie ihre Mütter sie geboren hatten, so daß Florentino Ariza von der Arbeit in einen mit nackten Nymphen bevölkerten Palast kam. Schreiend unterhielten sie sich über die Geheimnisse der Stadt, die sie von den indiskreten Protagonisten erfahren hatten. Viele der Frauen zeigten in ihrer Nacktheit auch die Spuren der Vergangenheit: Narben von Dolchstößen auf dem Bauch, sternenförmige Einschüsse, Messerkerben aus Eifersucht, Kaiserschnittnähte nach Schlachterart. Einige ließen sich tagsüber ihre kleinen Kinder bringen, unglückselige Früchte des Trotzes oder jugendlicher Unachtsamkeit, und sie zogen ihnen, sobald sie hereinkamen, die Kleider aus, damit sie sich im Paradies der Nacktheit nicht fremd fühlten. Jede kochte für sich, und niemand aß besser als Florentino Ariza, wenn er dazu aufgefordert wurde, denn er suchte sich bei jeder das Beste aus. Es war ein tägliches Fest, das bis zur Dämmerung dauerte, wenn die Nackten singend in die Bäder zogen, sich voneinander Seife, Zahnbürste, Schere ausliehen, sich gegenseitig die Haare schnitten, ihre Kleider vertauschten und sich wie düstere Clowninnen anmalten und dann ausschwärmten, um die ersten Beutestücke der Nacht zu erjagen. Von da an wurde das Leben im Haus unpersönlich, entmenschlicht, und nur wer zahlte, konnte daran teilhaben.

Es gab keinen Ort, an dem sich Florentino Ariza, seit er Fermina Daza kennengelernt hatte, wohler gefühlt hätte, war es doch der einzige, wo er sich nicht allein fühlte. Mehr noch: Es war schließlich der einzige Ort, wo er das Gefühl hatte, mit ihr zusammen zu sein. Aus den gleichen Gründen vielleicht lebte dort eine ältere, elegante Frau mit einem schönen silbernen Kopf, die am natürlichen Leben der Nackten nicht teilnahm und von diesen mit heiligem Respekt behandelt wurde. Ein zu früher Freund hatte sie, als sie sehr jung war, dort hingebracht und sie dann, nachdem er sie eine Zeitlang genossen hatte, ihrem Schicksal überlassen. Trotz dieses Makels war es ihr gelungen, eine gute Partie zu machen. Als sie, alt geworden, allein zurückblieb, machten sich zwei Söhne und drei Töchter das Vergnügen streitig, sie bei sich aufzunehmen, doch ihr fiel zum Leben kein würdigerer Ort ein, als jenes Hotel der sanften Söldnerinnen. Ihr festes Zimmer war ihr einziges Zuhause, und das verband sie mit Florentino Ariza, von dem sie behauptete, daß er einst als weiser Mann in aller Welt bekannt sein werde dank seiner Fähigkeit, noch im Paradies der Geilheit seine Seele durch Lektüre zu bereichern. Florentino Ariza war ihr bald so zugetan, daß er ihr bei den Einkäufen auf dem Markt half und zuweilen ganze Nachmittage im Gespräch mit ihr verbrachte. Er hielt sie für eine in den Dingen der Liebe weise Frau, hatte sie ihm doch manches Licht über seine eigene Liebe aufgesteckt, ohne daß er ihr sein Geheimnis hätte entdecken müssen.

War er, bevor er die Liebe zu Fermina Daza erfahren hatte, schon nicht den vielen Versuchungen in seiner Reichweite erlegen, konnte das nun erst recht nicht geschehen, da sie seine Verlobte war. So lebte Florentino Ariza mit den Mädchen zusammen, teilte ihre Freuden und ihr Elend, doch weder ihm noch ihnen kam es in den Sinn, einen Schritt weiter zu gehen. Ein unvorhergesehener Vorfall stellte seine Unbeugsamkeit unter Beweis: Eines Tages um sechs Uhr abends, als die Mädchen sich ankleideten, um die Kunden der Nacht zu empfangen, trat die Reinmachefrau für das Stockwerk in sein Zimmer: eine noch junge Frau, doch früh gealtert, verhärmt und im Glanz der Nackten wie eine Büßerin gekleidet. Er sah sie täglich, ohne sich gesehen zu fühlen: Sie ging mit einem Besen und einem Abfalleimer durch die Zimmer und hob mit einem Extratuch die gebrauchten Präservative vom Boden auf. Sie kam in die Kammer, in der Florentino Ariza wie immer las, und fegte wie immer so unauffällig wie möglich, um ihn nicht zu stören. Plötzlich kam sie nah an sein Bett heran, und er spürte die laue, weiche Hand mitten auf seinem Unterleib, spürte, wie sie ihn suchte, spürte, wie sie ihn fand, spürte, wie sie ihm die Hose aufknöpfte, während ihr Atem das Zimmer anfüllte. Er gab vor zu lesen, bis er nicht mehr konnte und den Körper wegdrehen mußte.

Sie erschrak, denn man hatte sie gewarnt, bevor sie als Putzfrau eingestellt worden war, sie solle nicht versuchen, mit den Kunden zu schlafen. Den Hinweis hatte sie nicht nötig, denn sie gehörte zu denjenigen, die meinten, Prostitution sei schon, sich mit einem Unbekannten hinzulegen, und nicht erst, für Geld die Beine breit zu machen. Sie hatte zwei Kinder, jedes von einem anderen Mann, keine Zufallsabenteuer, es war ihr nur nicht gelungen, einen zu lieben, der auch nach dem dritten Mal noch zu ihr gekommen wäre. Bis dahin war sie eine Frau ohne drängende Bedürfnisse gewesen, von Natur aus dafür geschaffen, zu warten, ohne zu verzweifeln. Doch das Leben in jenem Haus war stärker als ihre Tugenden. Sie kam um sechs Uhr abends zur Arbeit, ging dann die ganze Nacht über von Zimmer zu Zimmer, fegte sie mit vier Besenstrichen aus, sammelte die Präservative auf, wechselte die Laken. Kaum vorstellbar, was die Männer alles nach der Liebe liegenließen. Erbrochenes und Tränen blieben zurück, was ihr verständlich schien, aber auch manches intime Rätsel: Blutlachen, Salbenpflaster mit Exkrementen, Glasaugen, Golduhren, falsche Zähne, Medaillons mit goldenen Locken, Liebesbriefe, Geschäftsbriefe, Beileidsbriefe: Briefe aller Art. Einige Männer kamen wieder, um die verlorenen Gegenstände abzuholen, das meiste aber blieb dort. Lothario Thugut schloß alles weg und glaubte, daß dieser in Ungnade gefallene Palast mit den Tausenden von vergessenen persönlichen Dingen früher oder später ein Museum der Liebe werden würde.

Die Arbeit war hart und schlecht bezahlt, doch sie erledigte sie gewissenhaft. Was sie nicht ertragen konnte, das waren die Schluchzer, das Ächzen, das Quietschen der Bettfedern, all das lagerte sich mit soviel Glut und Schmerz in ihrem Blut ab, daß sie im Morgengrauen das quälende Verlangen hatte, mit dem erstbesten Bettler zu schlafen, dem sie auf der Straße begegnete, oder mit einem versprengten Betrunkenen, der ihr ohne irgendwelche Erwartungen oder Fragen zu Gefallen war. Das Auftauchen Florentino Arizas, eines unbeweibten Mannes, jung und rein, war für sie ein Geschenk des Himmels, denn vom ersten Augenblick war ihr klar, daß er wie sie liebesbedürftig war. Doch er blieb unansprechbar für ihr Verlangen. Er bewahrte seine Unschuld für Fermina Daza, und es gab keinen Grund und keine Kraft in dieser Welt, die ihn von seinem Vorsatz hätten abbringen können.

So sah vier Monate vor dem vorgesehenen Datum für die offizielle Verlobung sein Leben aus, als Lorenzo Daza um sieben Uhr früh im Telegraphenamt erschien und nach ihm fragte. Da Florentino Ariza noch nicht gekommen war, setzte er sich auf die Bank, steckte sich den schweren, von einem edlen Opal gekrönten Goldring von einem Finger auf den anderen und wartete bis zehn nach acht, als er in dem

Eintretenden sogleich den Telegraphenboten wiedererkannte und ihn am Arm packte.

»Kommen Sie, junger Mann«, sagte er. »Sie und ich, wir müssen etwas bereden, fünf Minuten, von Mann zu Mann.«

Florentino Ariza, grün wie eine Leiche, ließ sich mitziehen. Er war auf dieses Treffen nicht vorbereitet, denn Fermina Daza hatte weder Mittel noch Wege gefunden, ihn zu warnen. Tatsache war, daß sich am vergangenen Sonnabend die Schwester Franca de la Luz, Oberin in der Schule Presentación de la Santísima Vírgen, heimlich wie eine Schlange in eine Unterrichtsstunde – Einführung in die Kosmogonie – geschlichen hatte und, als sie den Schülerinnen über die Schultern spähte, feststellen mußte, daß Fermina Daza, die vorgab, sich Notizen ins Heft zu machen, in Wirklichkeit einen Liebesbrief schrieb. Das Vergehen war nach der Schulordnung ein Grund für den Ausschluß. Lorenzo Daza, der dringend ins Rektorat gerufen worden war, entdeckte das Leck, durch das sein eisernes Regiment dahinschmolz. Fermina Daza gab mit der ihr angeborenen Geradheit die Schuld den Brief betreffend zu, weigerte sich aber, die Identität des heimlichen Verlobten preiszugeben, auch vor dem Schulgericht, das daraufhin das Ausschlußurteil bestätigte. Der Vater nahm sich dann ihr Schlafzimmer vor, das bis dahin ein unantastbares Heiligtum gewesen war, durchsuchte es und fand im doppelten Boden eines Koffers die Päckchen eines dreijährigen Briefwechsels, Briefe, die mit so viel Liebe versteckt wie geschrieben worden waren. Die Unterschrift war eindeutig, doch Lorenzo Daza wollte damals und auch später nie glauben, daß die Tochter von dem heimlichen Liebsten nicht mehr wußte, als daß er von Beruf Telegraphist war und gern Geige spielte.

Überzeugt, daß ein so umständliches Verhältnis nur mit der Komplizenschaft der Schwester denkbar war, gewährte

Lorenzo Daza dieser nicht einmal die Gnade, sich zu entschuldigen. Unwiderruflich schiffte er sie auf dem Schoner nach San Juan de la Ciénaga ein. Fermina Daza konnte sich nie von der Last dieser letzten Erinnerung befreien: An jenem Nachmittag hatte sie sich am Portal von der Tante verabschiedet, die in ihrer braunen Kutte fiebrig glühte, und hatte sie verschwinden sehen, aschgrau und knochig, im Nieselregen des kleinen Platzes, mit dem einzigen, was ihr im Leben geblieben war: dem Bündel der Ledigen und in der Faust, in ein Taschentuch eingewickelt, gerade genug Geld, um einen Monat zu überstehen. Sobald sich Fermina Daza von der Befehlsgewalt des Vaters befreit hatte, ließ sie in allen Provinzen der Karibikküste nach der Tante suchen, fragte jeden, der sie möglicherweise kennen konnte, nach ihr, bekam aber keinerlei Hinweis über ihren Verbleib, bis sie, fast dreißig Jahre später, einen Brief erhielt, der lange Zeit durch viele Hände gegangen war, und sie davon unterrichtete, daß Escolástica Daza im Lazarett von Agua de Dios gestorben war. Lorenzo Daza hatte nicht vorausgesehen, mit welcher Wildheit seine Tochter auf die ungerechte Strafe reagieren würde, deren Opfer ihre Tante Escolástica geworden war. Diese Frau hatte für sie immer die Stelle der Mutter, an die sie sich kaum erinnern konnte, eingenommen. Sie riegelte sich in ihrem Schlafzimmer ein, aß nicht, trank nicht, und als er endlich, erst mit Drohungen, dann mit schlecht verhohlenen Bitten erreichte, daß sie aufmachte, stieß er auf eine verwundete Löwin, die nie wieder fünfzehn Jahre alt sein würde.

Er versuchte, sie mit allen möglichen Schmeicheleien weich zu stimmen. Er versuchte, ihr begreiflich zu machen, daß die Liebe in ihrem Alter eine Sinnestäuschung sei. Er versuchte, sie im Guten dazu zu überreden, die Briefe zurückzuschicken, in die Schule zu gehen und auf Knien um

Verzeihung zu flehen. Und er gab ihr sein Ehrenwort, der erste zu sein, der ihr helfen würde, mit einem würdigen Bewerber glücklich zu werden. Aber es war, als ob er zu einer Toten spräche. Er war geschlagen, und am Montag beim Mittagessen verlor er die Beherrschung. Während er sich, kurz vor dem Schlaganfall, an seinen Unflätigkeiten und Flüchen verschluckte, legte sie sich ohne dramatische Geste doch mit sicherer Hand das Fleischmesser an den Hals, und er wagte nicht, dieses bestürzte Augenpaar herauszufordern. Daraufhin hatte er beschlossen, das Risiko einzugehen, fünf Minuten von Mann zu Mann mit diesem dahergelaufenen Unglücksraben zu reden, an den er sich nicht erinnern konnte und der in einer so unglücklichen Stunde seinen Lebensplan durchkreuzt hatte. Aus reiner Gewohnheit nahm er beim Hinausgehen den Revolver mit, war jedoch vorsichtig genug, ihn versteckt unter dem Hemd zu tragen.

Florentino Ariza hatte noch nicht wieder Luft schöpfen können, als Lorenzo Daza ihn am Arm packte und über die Plaza de la Catedral bis zu den Arkaden des Café de la Parroquia schleppte und ihn aufforderte, sich an einen Terrassentisch zu setzen. Sie waren die einzigen Gäste zu jener Stunde, eine schwarze Matrone schrubbte in dem großen Saal mit den gesprungenen und verstaubten Fensterfronten den Fliesenboden, und die Stühle standen, die Beine in der Luft, auf den Marmortischen. Florentino Ariza hatte Lorenzo Daza dort oft beim Kartenspiel mit den Asturiern aus der Markthalle gesehen, sie tranken offenen Wein und stritten sich brüllend über chronische Kriege, die nicht die unseren waren. Im Bewußtsein der Zwangsläufigkeit der Liebe hatte er sich des öfteren gefragt, wie wohl die Begegnung mit ihm verlaufen würde, die früher oder später stattfinden mußte und die keine irdische Macht verhindern konnte, weil sie ihnen beiden von jeher vorbestimmt war. Er hatte sich diese Begegnung als ungleichen Wortwechsel vorgestellt, nicht nur weil Fermina Daza in ihren Briefen vor dem aufbrausenden Charakter des Vaters gewarnt hatte, sondern weil ihm selbst aufgefallen war, daß dessen Augen sogar dann noch, wenn er lauthals am Spieltisch lachte, cholerisch wirkten. Der ganze Mann war ein Tribut an die Vulgarität: der ordinäre Bauch, sein lautes Auftreten, seine Luchskoteletten, die groben Hände mit dem von der Fassung des Opals gewürgten Ringfinger. Der einzig anrührende Zug, den Florentino Ariza sogleich bemerkt hatte, als er ihn zum ersten Mal gehen sah, war, daß sein Gang wie der der Tochter an Rotwild erinnerte. Als der Mann dann auf den Stuhl wies, damit Florentino Ariza sich setzte, erschien er diesem schon weniger schroff, und als er ihn zu einem Glas Anisschnaps einlud, konnte er wieder durchatmen. Florentino Ariza hatte so früh noch nie etwas getrunken, nahm jedoch dankbar an, weil er es dringend nötig hatte.

Lorenzo Daza brauchte tatsächlich nicht mehr als fünf Minuten, um seine Beweggründe darzulegen, und tat es mit einer entwaffnenden Offenheit, die Florentino Ariza vollends verwirrte. Nach dem Tode seiner Frau habe er den Vorsatz gefaßt, aus der Tochter eine große Dame zu machen. Der Weg dahin sei lang und unsicher für einen Maultierhändler, der weder lesen noch schreiben könne und dessen Ruf, ein Viehdieb zu sein, zwar nicht bewiesen, aber dafür in der Provinz San Juan de la Ciénaga weit verbreitet war. Er zündete sich eine Viehtreiberzigarre an und klagte: »Nur schlechte Gesundheit ist schlimmer als ein schlechter Ruf.« Dabei sei, sagte er, das wahre Geheimnis seines Vermögens, daß keines seiner Maultiere so viel und so hartnäckig arbeite wie er selbst, und zwar sogar in den bittersten Zeiten des Krieges, wenn die Dörfer in Asche und die Felder verwüstet erwachten. Obgleich die Tochter nie über die Planung ihres Schicksals informiert worden war, verhielt sie sich wie eine eifrige Komplizin. Sie war intelligent und systematisch, brachte dem Vater gar das Lesen bei, sobald sie es selbst gelernt hatte, und mit zwölf Jahren war ihr praktischer Realitätssinn so weit entwickelt, daß sie auch ohne Hilfe ihrer Tante Escolástica den Haushalt hätte führen können. »Sie ist ein Goldesel«, seufzte er. Als die Tochter die Primarschule beendet hatte, mit sehr guten Noten in allen Fächern und einer Ehrenurkunde bei der Abschlußfeier, hatte er begriffen, daß San Juan de la Ciénaga ein zu begrenzter Raum für die Entfaltung seiner Hoffnungen war. So hatte er Land und Vieh verkauft und war mit neuem Schwung und siebzigtausend Goldpesos in diese Stadt der Ruinen übergesiedelt, deren Ruhm zwar die Motten angefressen hatten, wo aber eine schöne, nach alter Art erzogene Frau noch die Chance hatte, durch eine Geldheirat neu geboren zu werden. Florentino Arizas Auftauchen sei ein unvorhergesehenes Hindernis bei der Verwirklichung dieses verbissenen Vorsatzes. »Ich bin daher hier, um Sie inständig um etwas zu bitten«, sagte Lorenzo Daza. Er feuchtete das Ende der Zigarre im Anisschnaps an, saugte einmal daran und schloß mit sorgenvoller Stimme: »Stehen Sie uns nicht im Weg.«

Florentino Ariza hatte schlückchenweise den Anisschnaps getrunken und dabei so gebannt die Enthüllung von Fermina Dazas Vergangenheit verfolgt, daß er sich nicht einmal gefragt hatte, was er sagen könnte, wenn es an ihm sei, zu sprechen. Als der Moment gekommen war, begriff er, daß, was immer er sagte, sein Schicksal aufs Spiel setzte.

»Haben Sie mit ihr gesprochen?« fragte er.

»Das geht Sie nichts an«, sagte Lorenzo Daza.

»Ich frage nur«, sagte Florentino Ariza, »weil ich der Meinung bin, daß sie diejenige ist, die entscheiden muß.«

»Nichts da«, sagte Lorenzo Daza. »Das hier ist Männersache und wird unter Männern geregelt.«

Der Ton war nun drohend, und ein Gast an einem Nebentisch drehte sich nach ihnen um. Florentino Ariza sprach so leise, aber auch so entschieden er konnte.

»Auf alle Fälle kann ich keine Antwort geben, ohne zu wissen, wie sie darüber denkt. Es wäre Verrat.«

Da warf sich Lorenzo Daza in seinen Stuhl zurück, seine Lider waren gerötet und feucht, und das linke Auge kreiste in der Augenhöhle und blieb nach außen schielend stehen. Auch er senkte die Stimme.

»Zwingen Sie mich nicht, Ihnen eine Kugel zu verpassen«, sagte er.

Florentino Ariza spürte, wie sich in seinen Gedärmen kalter Schaum ausbreitete. Doch seine Stimme zitterte nicht, denn er fühlte sich zugleich vom Heiligen Geist erleuchtet.

»Schießen Sie nur«, sagte er, die Hand auf die Brust gelegt. »Es gibt keinen größeren Ruhm, als für die Liebe zu sterben.«

Lorenzo Daza mußte ihn wie ein Papagei von der Seite her anschauen, um ihn mit dem abgedrifteten Auge in den Blick zu bekommen. Er sprach das Wort nicht, er schien es, Silbe für Silbe, auszuspucken:

»Hu-ren-sohn!«

Noch in derselben Woche ging er mit der Tochter auf die Reise des Vergessens. Er gab ihr keine Erklärung, sondern platzte in ihr Schlafzimmer, den Schnurrbart von schäumender Wut und Kautabak verschmiert, und befahl ihr, die Koffer zu packen. Sie fragte, wohin sie führen, und er antwortete: »In den Tod.« Erschreckt von dieser Antwort, die nur zu sehr der Wahrheit glich, versuchte sie ihm mit der Kühnheit der vergangenen Tage zu begegnen, da zog er den Gürtel mit der massiven Kupferschnalle ab, rollte ihn sich um die Faust und ließ einen Peitschenhieb auf den Tisch niedersausen, der wie ein Gewehrschuß im Haus widerhallte. Fermina Daza kannte das Ausmaß und die Möglichkeiten ihrer eigenen Kraft gut genug, sie packte also ein Bündel mit zwei Strohmatten und einer Hängematte sowie zwei große Koffer mit all ihrer Kleidung, überzeugt davon, daß es sich um eine Reise ohne Rückkehr handelte. Bevor sie sich anzog, sperrte sie sich im Badezimmer ein und schaffte es noch, Florentino Ariza auf einem abgerissenen Blatt Toilettenpapier einen kurzen Abschiedsbrief zu schreiben. Dann schnitt sie sich mit der Gartenschere ihren Zopf am Hinterkopf ab, steckte ihn zusammengerollt in ein mit Goldfäden besticktes Samtetui und schickte es mit dem Brief ab.

Es war eine wahnwitzige Reise. Allein die erste Etappe mit einer Andenviehtreiber-Karawane über die Gratpfade der Sierra Nevada dauerte elf Tage auf Maultierrücken, sie ritten abgestumpft unter nackten Sonnen oder durchweicht von den horizontalen Oktoberschauern, den Atem fast immer versteinert vom einschläfernden Dunst der Abgründe. Am dritten Reisetag stürzte ein von den Stechbremsen wildgewordenes Maultier mit seinem Reiter in den Abgrund und zog sieben weitere angeseilte Lasttiere mit sich, das Gebrüll des Mannes und der zusammengeklumpten Tiere prallte von Hohlwegen und Klippen mehrere Stunden lang zurück und hallte noch nach Jahren in Fermina Dazas Erinnerung wider. Ihr ganzes Gepäck war mit den Maultieren abgestürzt, doch in dem jahrhundertelangen Augenblick dieses Sturzes, bis auf dem Grund der Angstschrei erstarb, hatte sie nicht an den armen Maultiertreiber gedacht, auch nicht an die zerschmetterten Lasttiere, sondern nur das Unglück bedauert, daß nicht auch ihr eigenes Maultier an die anderen gebunden gewesen war.

Zum ersten Mal ritt sie, doch die Angst und die unzähligen Mühen der Reise wären ihr nicht so bitter erschienen, wenn sie nicht sicher gewesen wäre, niemals wieder Florentino Ariza zu sehen oder den Trost seiner Briefe zu haben. Seit Beginn der Reise hatte sie nicht wieder das Wort an ihren Vater gerichtet, und dieser war so bedrückt, daß er nur bei den notwendigsten Gelegenheiten mit ihr redete oder ihr Botschaften durch die Treiber zukommen ließ. Wenn sie Glück hatten, fanden sie ein Gasthaus am Weg, wo man ihnen Bergkost vorsetzte und Betten vermietete, deren Laken von ranzigem Schweiß und Urin wie gestärkt waren. In der Regel verbrachten sie jedoch die Nacht in den Rancherías der Indios, öffentliche Schlafsäle im Freien, die am Wegesrand erbaut waren und aus reihenweise aufgestellten Pfeilern und Dächern aus Palmenzweigen bestanden. Jeder Ankömmling hatte das Recht, dort zu übernachten. Fermina Daza schlief nicht eine einzige Nacht durch. Sie schwitzte vor Angst, hörte im Dunkeln das heimliche Kommen der Reisenden, die ihre Tiere an die Pfeiler banden und ihre Hängematten, wo es eben ging, befestigten.

Am Abend, wenn die ersten eintrafen, war das Lager noch überschaubar und ruhig, doch bei Tagesanbruch hatte es sich in einen Marktplatz verwandelt, allenthalben hingen auf unterschiedlicher Höhe die Hängematten, Aruaco-Indianer aus den Bergen schliefen irgendwo in Hockstellung, die angebundenen Ziegenböcke meckerten, die Kampfhähne lärmten in ihren Pharaonen-Käfigen, und die Berghunde, die wegen der allgegenwärtigen Gefahren des Kriegs darauf abgerichtet waren, nicht zu bellen, hechelten stumm. Solche Mühsal war Lorenzo Daza, der ein halbes Leben lang in dieser Zone Handel getrieben hatte, vertraut, und es gab kaum einen Morgen, an dem er nicht alte Freunde traf. Für die Tochter war es eine Agonie ohne Ende. Der Gestank der Ladungen von eingesalzenen Bagrewelsen, dazu die der

Sehnsucht eigene Appetitlosigkeit verdarben ihr gründlich die Gewohnheit zu essen. Und sie wurde nur deshalb nicht vor Verzweiflung wahnsinnig, weil sie in der Erinnerung an Florentino Ariza stets Erleichterung fand. Sie hegte keinen Zweifel: Dies war das Land des Vergessens.

Ein weiterer ständiger Schrecken war der Krieg. Vom Beginn der Reise an war von der Gefahr die Rede gewesen, auf versprengte Patrouillen zu treffen, und die Viehtreiber hatten ihnen erklärt, wie man jeweils herausfinden konnte, zu welchem Lager diese gehörten, um sich entsprechend zu verhalten. Nicht selten traf man auf einen Trupp berittener Soldaten unter dem Befehl eines Offiziers, der neue Rekruten aushob, indem er sie wie Jungstiere in vollem Galopp mit dem Lasso einfing. Ermattet von so vielen Schrecken, hatte Fermina Daza den des Krieges vergessen, für sie eher eine Legende als eine unmittelbare Bedrohung, bis eines Nachts eine Patrouille unbekannter Herkunft zwei Reisende aus der Karawane entführte und eine halbe Meile von der Ranchería entfernt an einem Glockenturm aufhängte. Lorenzo Daza hatte nichts mit ihnen zu tun gehabt, ließ sie jedoch herunterholen und gab ihnen ein christliches Begräbnis als Dankopfer dafür, daß ihn nicht das gleiche Schicksal ereilt hatte. Das war nur recht und billig. Er war davon aufgewacht, daß die Angreifer ihm einen Gewehrlauf in den Bauch stießen, der Kommandant mit rußgeschwärztem Gesicht leuchtete ihn mit einer Lampe an und fragte, ob er konservativ oder liberal sei.

»Weder das eine noch das andere«, sagte Lorenzo Daza. »Ich bin spanischer Untertan.«

»Glück gehabt!« meinte der Kommandant und verabschiedete sich von ihm mit hochgerecktem Arm: »Es lebe der König!«

Zwei Tage später ritten sie in die leuchtende Ebene hinab,

wo das fröhliche Städtchen Valledupar lag. Da gab es Hahnenkämpfe in den Patios, Akkordeonmusik an den Straßenecken, Reiter auf edlen Pferden, Raketen und Glockengeläut. Man war gerade dabei, ein pyrotechnisches Spektakel auszurichten. Fermina bemerkte die Volksfeststimmung nicht einmal. Sie stiegen im Haus von Onkel Lisímaco Sánchez ab, einem Bruder ihrer Mutter, der ihnen auf dem Camino Real entgegengeritten war, hinter sich eine lärmende Reiterschar jugendlicher Verwandter auf den besten Rassepferden der ganzen Provinz, und so waren sie inmitten von krachendem Feuerwerk durch die Straßen des Städtchens heimgeführt worden. Das Haus lag an der Plaza Grande neben der mehrmals ausgebesserten Kirche aus der Kolonialzeit. Es glich mit seinen weitläufigen, düsteren Gemächern und der Veranda, die nach heißem Zuckerrohrsaft roch und auf den Obstgarten hinausführte, eher dem Hauptgebäude einer Hacienda.

Kaum waren sie bei den Pferdeställen abgestiegen, füllten sich die Hallen mit zahlreichen unbekannten Verwandten, von deren unerträglicher Herzlichkeit sich Fermina Daza bedrängt fühlte, denn sie war todmüde und wundgeritten, hatte Durchfall und fühlte sich nicht mehr in der Lage, irgend jemanden auf dieser Welt zu mögen. Sie wünschte sich nur eines, einen einsamen und ruhigen Winkel zum Weinen. Ihre Kusine Hildebranda Sánchez, zwei Jahre älter und wie Fermina Daza von herrischem Stolz, war die einzige, die auf den ersten Blick deren Zustand erfaßte – auch sie verzehrte sich in der Glut einer wagemutigen Liebe. Als es Nacht wurde, brachte sie Fermina in das Schlafzimmer, das sie für beide hergerichtet hatte, und es war ihr unbegreiflich, wie diese mit den brennenden Geschwüren auf den Hinterbacken überhaupt noch lebte. Mit Hilfe ihrer Mutter, einer sanften Frau, die dem Gatten so sehr glich wie ein Zwilling dem anderen, bereitete sie ihr ein Sitzbad und linderte mit Arnikakompressen das Brennen, während der Donner vom Feuerwerk das Fundament des Hauses erzittern ließ.

Gegen Mitternacht gingen die Gäste, das Volksfest löste sich in mehrere verstreute Restgrüppchen auf, und Hildebranda borgte der Kusine ein weißes Batistnachthemd und half ihr in ein Bett mit glatten Laken und Federkissen, das in Fermina unvermittelt die flüchtige Panik des Glücks auslöste. Als die beiden endlich allein im Schlafzimmer zurückblieben, schob Hildebranda den Riegel vor die Tür und zog unter der Matratze ihres Betts einen braunen Umschlag hervor, der mit den Emblemen des staatlichen Telegraphendienstes versiegelt war. Fermina Daza brauchte nur den Ausdruck strahlender Hinterlist bei der Kusine zu sehen, und schon stieg der nachdenkliche Duft weißer Gardenien wieder in der Erinnerung ihres Herzens auf, sie zerbiß das Lacksiegel und watete dann bis zum Morgengrauen im Tränensumpf der elf stürmischen Telegramme.

Nun erfuhr sie es. Vor Antritt der Reise hatte Lorenzo Daza den Fehler begangen, sich telegraphisch bei seinem Schwager Lisímaco Sánchez anzukündigen, und dieser hatte seinerseits die Nachricht an seine weit verzweigte Verwandtschaft telegraphiert, die über zahlreiche Dörfer und Seitenwege der Provinz verstreut lebte. Daher konnte Florentino Ariza nicht nur die genaue Reiseroute herausfinden, er hatte auch eine umfassende Bruderschaft der Telegraphisten begründet, mit deren Hilfe er Fermina Dazas Spur bis in die letzte Ranchería am Cabo de la Vela verfolgen konnte. Das erlaubte ihm, in intensivem Kontakt mit ihr zu bleiben, von dem Augenblick ihrer Ankunft in Valledupar an, wo sie drei Monate blieb, bis zum Ende der Reise in Riohacha eineinhalb Jahre später, als Lorenzo Daza es für erwiesen hielt, daß seine Tochter vergessen hatte, und die Heimkehr beschloß.

Vielleicht war er sich selbst nicht dessen bewußt, wie sehr seine Wachsamkeit nachgelassen hatte, abgelenkt wie er war von den Schmeicheleien der angeheirateten Verwandtschaft, die nach so vielen Jahren ihre Sippenvorurteile abgelegt hatte und ihn mit offenen Armen als einen der Ihren aufnahm. Der Besuch war eine späte Aussöhnung, auch wenn das nicht sein Zweck gewesen war. Tatsächlich hatte die Familie von Fermina Sánchez um jeden Preis verhindern wollen, daß sie einen Einwanderer unbekannter Herkunft heiratete, der, großmäulig und grob, nirgendwo seßhaft war und einen Bergmuli-Handel betrieb, der allzu leicht ging, um rechtschaffen zu sein. Lorenzo Daza hatte alles eingesetzt, warb er doch um das begehrteste Mädchen einer der alteingesessenen Familien: Ein verzweigter Stamm von starken Frauen und Männern mit weichem Herzen und lockerem Schießeisen, die in ihrem Ehrgefühl bis zum Wahnsinn reizbar waren. Fermina Sánchez setzte jedoch ihren Kopf mit der blinden Entschlossenheit der angefeindeten Lieben durch und heiratete ihn gegen den Willen der Familie, so hastig und mit so viel Geheimnistuerei, als täte sie es nicht aus Liebe, sondern um über eine voreilige Sorglosigkeit den Mantel des Ehesegens zu breiten.

Fünfundzwanzig Jahre später bemerkte Lorenzo Daza nicht, daß seine Unnachgiebigkeit gegenüber der Liebschaft seiner Tochter eine zwanghafte Wiederholung seiner eigenen Geschichte war, klagte er doch eben jenen Schwägern jetzt sein Leid, die seinerzeit über ihn geklagt und sich gegen ihn gestellt hatten. Die Zeit aber, die er mit Klagen verschwendete, gewann die Tochter für ihre Liebe. Während er also auf den blühenden Ländereien seiner Schwäger Jungstiere kastrierte und Maultiere zuritt, spazierte sie am lockeren Zügel im Schwarm der Kusinen unter dem Kommando von Hildebranda Sánchez, der schönsten und gefälligsten, deren zukunftslose Leidenschaft für einen zwanzig Jahre älteren Mann mit Ehefrau und Kindern sich mit flüchtigen Blicken begnügen mußte.

Nach dem ausgedehnten Aufenthalt in Valledupar setzten sie die Reise über die Ausläufer der Sierra fort, über blühende Felder und traumhafte Hochebenen, und in allen Orten wurden sie wie im ersten empfangen, mit Musik und Feuerwerk und neuen verschworenen Kusinen und pünktlichen Botschaften an den Telegraphenstationen. Fermina Daza wurde bald klar, daß der Abend ihrer Ankunft in Valledupar nichts Besonderes gewesen war, da in dieser fruchtbaren Provinz alle Wochentage wie Feiertage begangen wurden. Besucher schliefen dort, wo sie die Nacht überraschte, und aßen, wo sie der Hunger einholte, denn es waren Häuser mit offenen Türen, wo immer eine Hängematte bereit hing und ein Eintopf mit drei Fleischsorten auf dem Feuer köchelte, für den Fall, daß jemand vor dem Ankündigungstelegramm eintraf, was fast immer geschah. Hildebranda Sánchez begleitete die Kusine auf dem Rest der Reise und führte sie heiter und sicher durch die verzweigten Bahnen des Bluts bis zu seinen Quellen. Fermina Daza fand zu sich, fühlte sich zum ersten Mal Herrin ihrer selbst, fühlte sich begleitet und beschützt, ihre Lungen gefüllt mit der Luft der Freiheit, die ihr die Ruhe und die Lebenslust wiedergab. Noch in ihren letzten Jahren sollte sie jener Reise, die ihr in der Erinnerung immer näher rückte, mit der perversen Scharfsicht der Nostalgie gedenken.

Eines Abends kehrte sie verstört vom täglichen Spaziergang zurück, sie hatte entdeckt, daß man nicht nur ohne Liebe, sondern auch gegen die Liebe glücklich sein kann. Diese Entdeckung beunruhigte sie, da eine ihrer Kusinen ein Gespräch zwischen deren Eltern und Lorenzo Daza belauscht hatte, der mit dem Gedanken gespielt habe, seine

Tochter mit dem Alleinerben des sagenhaften Vermögens von Cleofás Moscote zu verheiraten. Fermina Daza kannte ihn. Sie hatte gesehen, wie er auf den Plazas seine vollkommenen Pferde tänzeln ließ, mit Satteldecken so reich bestickt wie Meßgewänder, er war elegant, geschickt und hatte die Wimpern eines Träumers, die selbst Steine zum Seufzen brachten. Doch sie verglich ihn mit ihrer Erinnerung an Florentino Ariza, der ärmlich und mager unter den Mandelbäumen des kleinen Platzes saß, seinen Gedichtband auf dem Schoß, und fand in ihrem Herzen nicht den Schatten eines Zweifels.

In jenen Tagen war Hildebranda Sánchez trunken von Hoffnungen, nachdem eine Wahrsagerin sie mit ihrer hellseherischen Kraft verblüfft hatte. Verschreckt von den Plänen ihres Vaters, suchte auch Fermina Daza sie auf. Die Karten verkündeten, daß in ihrer Zukunft nichts einer langen und glücklichen Ehe entgegenstehe. Diese Vorhersage gab ihr die Zuversicht wieder, denn sie konnte sich ein solch günstiges Schicksal nicht mit einem anderen als dem geliebten Mann vorstellen. Erregt von dieser Gewißheit, besann sie sich auf ihren freien Willen. So kam es, daß die telegraphische Korrespondenz mit Florentino Ariza aufhörte, ein Konzert der Absichtserklärungen und illusorischen Versprechen zu sein, sie wurde methodisch, praktisch und intensiv wie nie zuvor. Sie legten Daten fest, entwickelten Methoden und verpfändeten ihr Leben auf den gemeinsamen Entschluß, zu heiraten, ohne jemanden zu fragen, wo und wie auch immer, sobald sie wieder zusammenträfen. Sie nahm diese Verpflichtung so ernst, daß es ihr in der Nacht, als Lorenzo Daza ihr im Städtchen Fonseca zum ersten Mal erlaubte, an einem Ball für Erwachsene teilzunehmen, ungehörig erschien, dies ohne Einwilligung ihres Verlobten zu machen. Florentino Ariza hielt sich in jener Nacht in der Absteige auf, er spielte gerade mit Lothario Thugut Karten, als man ihm ausrichtete, daß ihn ein dringender telegraphischer Ruf erwarte.

Er kam von dem Telegraphisten aus Fonseca, der sich über sieben Zwischenstationen kurzgeschaltet hatte, damit Fermina Daza die Erlaubnis für den Ball einholen konnte. Doch als sie diese hatte, begnügte sie sich nicht mit der schlichten Einwilligung, sondern verlangte einen Beweis dafür, daß es tatsächlich Florentino Ariza war, der am anderen Ende die Tastatur betätigte. Eher sprachlos als geschmeichelt dachte er sich einen Erkennungssatz aus: *Sagen Sie ihr, ich schwöre es auf die bekränzte Göttin.* Fermina Daza erkannte die Parole und blieb bis sieben Uhr früh auf ihrem ersten Ball. Dann mußte sie sich im Flug umziehen, um nicht zu spät zur Messe zu kommen. Damals hatte sie schon in den Tiefen ihres Koffers mehr Briefe und Telegramme gesammelt, als ihr Vater ihr einst abgenommen hatte, und hatte gelernt, sich wie eine verheiratete Frau zu verhalten. Lorenzo Daza deutete jenen Wesenswandel als Beweis dafür, daß die Entfernung und die Zeit sie von ihren jugendlichen Phantasien geheilt hatten, dennoch sprach er mit ihr nie über seinen Plan, sie zu verheiraten. Ihre Beziehung zueinander wurde trotz der Reserviertheit, mit der sie ihm seit dem Hinauswurf von Tante Escolástica grundsätzlich begegnete, umgänglicher, was ihnen ein so bequemes Zusammenleben ermöglichte, daß niemand daran zweifelte, daß es auf Zuneigung gegründet sei.

Zu dieser Zeit beschloß Florentino Ariza, ihr in seinen Briefen von dem Schatz der gesunkenen Galeone zu erzählen, und von seinen Bemühungen, ihn zu heben. Es war die Wahrheit. Wie ein Hauch der Inspiration war dieser Einfall an einem lichten Nachmittag über ihn gekommen, als das Meer wegen der vielen Fische, die mittels Barbasco an die

Oberfläche geholt worden waren, wie mit Aluminium gepflastert aussah. Alle Vögel des Himmels waren in Aufruhr wegen des Gemetzels, und die Fischer mußten sie mit den Rudern verscheuchen, weil sie ihnen die Früchte jenes verbotenen Wunders streitig machten. Der Einsatz von Barbasco, das die Fische nur betäubte, war seit der Kolonialzeit gesetzlich verboten, bei den Fischern der Karibik aber selbst bei hellichtem Tag allgemein üblich, bis es durch Dynamit ersetzt wurde. Solange Fermina Dazas Reise dauerte, gehörte es zu Florentino Arizas Zeitvertreib, von den Klippen aus zu beobachten, wie die Fischer ihre Kähne mit den riesigen Schleppnetzen voll schlafender Fische beluden. Zur gleichen Zeit bettelte ein Schwarm von Kindern, die wie die Haifische schwammen, die Neugierigen um Münzen an, die sie vom Meeresgrund herauftauchten. Diese Kinder schwammen aus dem gleichen Grund den Überseedampfern entgegen und wurden in den USA und in Europa in zahlreichen Reiseberichten wegen ihrer Meisterschaft in der Kunst des Tauchens erwähnt. Florentino Ariza kannte sie seit eh und je, noch bevor er der Liebe verfallen war, aber es war ihm bis dahin nie in den Sinn gekommen, daß sie vielleicht in der Lage wären, den Schatz der Galeone zu heben. An jenem Nachmittag kam ihm dieser Gedanke, und er hatte, vom darauffolgenden Sonntag an bis zur Rückkehr von Fermina Daza, fast ein Jahr später, einen zusätzlichen Anlaß für sein Delirium.

Euclides, einer der kleinen Schwimmer, ließ sich in einem knapp zehn Minuten langen Gespräch von seiner Begeisterung für die Unterwassererkundung anstecken. Florentino Ariza entdeckte ihm nicht den wahren Zweck der Unternehmung, sondern informierte sich nur gründlich über seine Fähigkeiten als Taucher und Bootsführer. Er fragte ihn, ob er in zwanzig Meter Tiefe hinuntertauchen könne, und Euclides sagte ja. Er fragte ihn, ob er in der Lage sei, einen Fischerkahn allein und mit keinem anderen Instrument als seinem Instinkt bei Sturm über das offene Meer zu führen, und Euclides sagte ja. Er fragte ihn, ob er fähig sei, einen genauen Punkt sechzehn Seemeilen nordöstlich von der Hauptinsel des Sotavento Archipels zu orten, und Euclides sagte ja. Er fragte ihn, ob er nachts fahren und sich an den Sternen orientieren könne, und Euclides sagte ja. Er fragte ihn, ob er bereit sei, das für denselben Tageslohn zu tun, den ihm die Fischer für Hilfsdienste zahlten, und Euclides sagte: ja, aber mit einem Sonntagszuschlag von fünf Reales. Er fragte ihn, ob er sich vor Haien zu schützen wisse, und Euclides sagte ja, er beherrsche magische Kunstgriffe, um sie zu vertreiben. Er fragte ihn, ob er fähig sei, ein Geheimnis auch in den Folterkammern des Inquisitionspalasts zu bewahren, und Euclides sagte ja, weil er zu nichts nein sagte, und er konnte mit so viel Aplomb ja sagen, daß kein Zweifel möglich war. Zum Schluß machte er Florentino Ariza einen Kostenvoranschlag: die Miete des Kahns, die Miete des Steuerruders, die Miete der Fischerausrüstung, damit niemand Verdacht über das wahre Ziel der Unternehmung schöpfen könne. Außerdem mußte Proviant mitgenommen werden, ein Süßwasserbehälter, eine Öllampe, ein Päckchen Talglichter und ein Jagdhorn, um im Notfall um Hilfe blasen zu können.

Er war etwa zwölf Jahre alt, flink und gewitzt, schwatzte pausenlos und hatte den Körper eines Aals, wie geschaffen, um durch ein Bullauge zu gleiten. Wind und Wetter hatten seine Haut derart gegerbt, daß es unmöglich war, deren ursprüngliche Farbe zu bestimmen, und seine großen gelben Augen schienen dadurch noch strahlender. Florentino Ariza entschied sogleich, daß er der perfekte Komplize für ein Abenteuer solchen Umfangs sei, und am folgenden Sonntag machten sie sich ohne weitere Vorbereitungen auf.

Bei Tagesanbruch liefen sie vom Fischerhafen aus, gut mit

Proviant eingedeckt und noch besser aufgelegt. Euclides war fast nackt, gerade mit dem Lendenschurz bedeckt, den er immer trug, und Florentino Ariza im Gehrock, mit dem Trauerzylinder, den Lackstiefeln und der Dichterschleife um den Hals sowie einem Buch, um sich die Zeit der Überfahrt zu den Inseln zu vertreiben. Vom ersten Sonntag an war ihm klar, daß Euclides ein ebenso geschickter Seefahrer wie guter Taucher war und erstaunlich bewandert über die Natur des Meeres und die Wracks in der Bucht. Er konnte mit unerwarteten Einzelheiten über die Geschichte jedes rostzerfressenen Schiffsrumpfs aufwarten, kannte das Alter jeder Boje, die Zahl der Glieder jener Kette, mit der die Spanier den Eingang zur Bucht abgeriegelt hatten. Besorgt, daß er auch den Zweck der Expedition kennen könne, stellte Florentino Ariza ihm einige Fangfragen und merkte dabei, daß Euclides keinerlei Ahnung von der gesunkenen Galeone hatte.

Seitdem er im Stundenhotel zum ersten Mal die Geschichte des Schatzes gehört hatte, hatte Florentino Ariza sich so gut wie möglich über die Eigenheiten der Galeonen informiert. Er fand heraus, daß die San José nicht allein auf dem Korallengrund lag. Tatsächlich war sie das Flaggschiff der Festlandflotte gewesen und hier im Mai 1708 eingetroffen. Bei ihrer vorigen Station, dem legendären Markt in Portobello, Panama, hatte sie einen Teil ihres Schatzes geladen: dreihundert Kisten mit Silber aus Peru und Veracruz und hundertzehn Kisten mit Perlen, auf der Insel Contadora gesammelt und abgezählt. Während des langen Monats, den sie hier blieb und dessen Tage und Nächte ein einziges Volksfest waren, wurde der Rest des Schatzes geladen, dazu bestimmt, das Königreich Spanien aus der Armut zu befreien: hundertsechzehn Kisten mit Smaragden aus Muzo und Somondoco und dreißig Millionen Goldmünzen.

Die Festlandflotte bestand aus nicht weniger als zwölf Schiffen unterschiedlicher Größe, und sie verließ diesen Hafen im Konvoi mit einem gutbewaffneten französischen Geschwader, das die Expedition jedoch nicht vor den treffsicheren Kanonenschüssen des englischen Geschwaders schützen konnte, das sie, unter Befehl des Kommandanten Carlos Wager, am Ausgang der Bucht im Archipel von Sotavento erwartete. Also war die San José nicht das einzige versenkte Schiff, obwohl es nicht urkundlich belegt war, wie viele Schiffe untergegangen waren und wie viele es geschafft hatten, dem Feuer der Engländer zu entkommen. Keinerlei Zweifel bestand aber darüber, daß das Flaggschiff eines der ersten gewesen war, das mit der gesamten Mannschaft und dem unbewegt auf der Brücke ausharrenden Kommandanten versenkt worden war, und daß allein dieses Schiff die größte Fracht geladen hatte.

Florentino Ariza hatte die Route der Galeonen auf den Seekarten der Zeit studiert und glaubte die Stelle des Schiffbruchs geortet zu haben. Sie fuhren zwischen den beiden Festungen der Boca Chica aus der Bucht und erreichten nach vier Stunden auf See das stille Gewässer innerhalb des Archipels, auf dessen Korallengrund man die schlafenden Langusten mit der Hand greifen konnte. Die Luft war so dünn und das Meer so ruhig und durchsichtig, daß es Florentino Ariza war, als sei er sein eigenes Spiegelbild auf dem Wasser. Am Ende dieses ruhigen Gewässers, zwei Stunden von der Hauptinsel entfernt, war der Ort des Schiffbruchs.

In seinem Begräbnisanzug unter der höllischen Sonne leidend, wies Florentino Ariza Euclides an, er solle auf zwanzig Meter hinuntertauchen und ihm, was auch immer, vom Meeresgrund heraufbringen. Das Wasser war so klar, daß er Euclides hinuntergleiten sah, ein verschmutzter Hai zwischen den blauen Haien, die an ihm vorbeischwammen, ohne ihn zu berühren. Dann sah er ihn im Korallengestrüpp verschwinden, und gerade als er dachte, die Luft müsse ihm ausgegangen sein, hörte er seine Stimme im Rücken. Euclides stand mit erhobenen Armen auf dem Grund, das Wasser bis zur Taille. Also suchten sie weiter, nach tieferen Stellen, fuhren immer nordwärts, über sonnenwarme Rochen, schüchterne Tintenfische und die Rosenbüsche des Nebels hinweg, bis Euclides klar wurde, daß sie Zeit verschwendeten.

»Wenn Sie mir nicht sagen, was ich finden soll, wie soll ich es dann finden«, sagte der Junge.

Er sagte es ihm aber nicht. Daraufhin schlug Euclides ihm vor, sich auszuziehen und mit ihm hinunterzutauchen, und sei es nur, um diesen anderen Himmel unter der Welt zu sehen, den Korallengrund. Florentino Ariza vertrat aber die Meinung, daß Gott das Meer nur geschaffen habe, damit man es durchs Fenster sehen könne, und hatte nie schwimmen gelernt. Kurze Zeit später wurde der Nachmittag bewölkt, die Luft kalt und feucht, und es dunkelte so rasch, daß sie sich nach dem Leuchtturm richten mußten, um den Hafen zu finden. Bevor sie in die Bucht fuhren, sahen sie, hellerleuchtet, riesig und weiß, den Überseedampfer aus Frankreich ganz nah an ihnen vorüberziehen, er hinterließ eine Duftspur von zartem Kochfleisch und blanchiertem Blumenkohl.

So verschwendeten sie drei Sonntage und hätten alle weiteren vertan, wenn Florentino Ariza sich nicht doch entschlossen hätte, sein Geheimnis mit Euclides zu teilen. Dieser änderte daraufhin den gesamten Suchplan, sie fuhren nun den alten Kanal der Galeonen ab, der mehr als zwanzig Seemeilen östlich des von Florentino Ariza berechneten Ortes lag. Es waren noch keine zwei Monate vergangen, als, an einem Regennachmittag auf See, Euclides sehr lange unter

Wasser blieb und dann, da der Kahn inzwischen so weit abgetrieben war, fast eine halbe Stunde schwimmen mußte, um ihn zu erreichen, Florentino Ariza gelang es nämlich nicht heranzurudern. Als es Euclides endlich geschafft hatte, ins Boot zu klettern, holte er, wie als Preis für die Beharrlichkeit, zwei Schmuckstücke aus dem Mund.

Was er dann erzählte, faszinierte Florentino Ariza so sehr, daß er sich schwor, schwimmen zu lernen und so weit wie möglich zu tauchen, nur um es mit eigenen Augen sehen zu können. Euclides erzählte, daß an jener Stelle, in nur achtzehn Meter Tiefe, so viele alte Segelschiffe zwischen den Korallen lägen, daß es ummöglich sei, ihre Zahl auch nur zu schätzen, so weit der Blick reiche, lägen sie umher. Das Erstaunlichste sei, erzählte er, daß keiner der alten Pötte, die sich in der Bucht noch über Wasser hielten, in einem so guten Zustande wie die gesunkenen Schiffe sei. Er erzählte, daß die Segel vieler Karavellen noch intakt und daß die Schiffe auf dem Grund gut sichtbar seien, als wären sie mit ihrer Zeit und in ihrem Raum versunken, so daß sie dort von derselben Elf-Uhr-Vormittagssonne des 9. Juni beschienen würden, an dem sie auf Grund gegangen waren. Am Überschwang seiner eigenen Einbildungskraft schier erstickend, erzählte er, daß die Galeone San José am leichtesten zu erkennen sei, der Name stehe in Goldlettern am Achtersteven, zugleich aber sei sie das von der englischen Artillerie am stärksten zerstörte Schiff. Er erzählte, er habe einen Kraken darin gesehen, mindestens dreihundert Jahre alt, dessen Tentakeln sich durch die Kanonenluken tasteten, er sei im Speisesaal wohl derart gewachsen, daß man das Schiff zertrümmern müßte, um ihn zu befreien. Er erzählte, er habe die Leiche des Kommandanten gesehen, der in seiner Kriegsuniform auf der Seite im Vorderkastell wie in einem Aquarium treibe, und daß er, nur weil er keine Luft mehr in den Lungen gehabt habe, nicht bis in die Laderäume zu dem Schatz hinuntergetaucht sei. Hier seien die Beweise: ein Ohrring mit einem Smaragd und ein Anhänger mit der Jungfrau an einer vom Salpeter zerfressenen Kette.

Damals erwähnte Florentino Ariza den Schatz zum ersten Mal in einem Brief an Fermina Daza, den er kurz vor ihrer Rückkehr nach Fonseca schickte. Die Geschichte der gesunkenen Galeone war ihr vertraut, sie hatte sie oft von Lorenzo Daza gehört, der Zeit und Geld verschwendet hatte, um eine deutsche Tauchergesellschaft dafür zu gewinnen, mit ihm gemeinsam den versunkenen Schatz zu heben. Er hätte an diesem Plan festgehalten, hätten ihn nicht mehrere Mitglieder der Akademie für Geschichte davon überzeugt, daß die Mär vom Schiffbruch der Galeone von einem räuberischen Vizekönig erfunden worden sei, der sich auf diese Weise die Reichtümer der Krone unter den Nagel gerissen habe. Jedenfalls wußte Fermina Daza, daß die Galeone in zweihundert Meter Tiefe lag, unerreichbar für jedes menschliche Wesen, und nicht auf zwanzig Meter, wie Florentino Ariza behauptete. Aber sie war seine poetischen Exzesse so gewohnt, daß sie das Galeonenabenteuer als einen der gelungensten feierte. Als sie jedoch weitere Briefe mit noch phantastischeren Einzelheiten erhielt, mit dem gleichen Ernst geschrieben wie seine Liebesschwüre, gestand sie Hildebranda ihre Befürchtung ein, daß der überspannte Verlobte den Verstand verloren habe.

In jenen Tagen hatte Euclides bereits so viele Beweise für seine Fabel heraufgebracht, daß es nicht mehr darum gehen konnte, weiterhin verstreute Ringe und Ohrringe zwischen den Korallen einzusammeln, sondern Geld für ein großangelegtes Unternehmen aufzutun, um die halbe Hundertschaft von Schiffen mitsamt des babylonischen Vermögens, das sie in sich trugen, zu heben. Dann geschah, was früher oder später geschehen mußte, daß nämlich Florentino Ariza, um das Abenteuer zu einem guten Ende zu bringen, die Unterstützung seiner Mutter erbat. Diese biß in das Metall der Schmuckstücke, hielt die Glassteine gegen das Licht, und schon war ihr eindeutig klar, daß es da jemand gab, der sich an der Naivität ihres Sohnes gesundstieß. Euclides schwor Florentino Ariza auf Knien, daß nichts Trübes an dem Geschäft sei, ließ sich am folgenden Sonntag jedoch weder am Fischerhafen noch sonstwo wieder sehen.

Das einzige, was Florentino Ariza von diesem Hereinfall blieb, war das Liebesnest im Leuchtturm. Dorthin war er eines Nachts, als sie der Sturm auf offenem Meer überrascht hatte, in Euclides Kahn gelangt, und seitdem ging er abends gern hin, um sich mit dem Leuchtturmwärter über die unzähligen Wunder der Erde und des Wassers zu unterhalten, die dieser kannte. Das war der Anfang einer Freundschaft, die so manchen Wandel in der Welt überlebte. Florentino Ariza lernte das Leuchtfeuer beschicken, zunächst noch mit Brennholz und später, bevor die elektrische Energie über uns kam, mit Kannen voller Öl. Er lernte den Lichtstrahl ausrichten und mit Hilfe der Spiegel bündeln, und des öfteren, wenn der Leuchtturmwärter verhindert war, wachte er vom Turm aus über die Meeresnacht. Er lernte die Schiffe am Klang ihrer Sirene und an der Größe ihrer Lichter am Horizont erkennen und nahm wahr, wie in den Blitzen des Leuchtturms etwas von den Schiffslichtern zu ihm zurückgelangte.

Tagsüber war das Vergnügen anderer Art, besonders an Sonntagen. Im Viertel der Vizekönige, wo die Reichen der Altstadt lebten, war der Strand der Frauen von dem der Männer durch eine Mauer getrennt. Der eine Strand lag zur Rechten, der andere zur Linken des Leuchtturms. Der Wärter hatte deshalb ein Fernrohr angebracht, durch das man für einen Centavo den Frauenstrand beobachten konnte. Ohne sich beobachtet zu fühlen, zeigten sich die jungen Damen der Gesellschaft so vorteilhaft wie möglich in ihren Badeanzügen mit den großen Volants, Strandschuhen und Hüten, die fast soviel wie die Straßenkleidung von ihren Körpern bedeckten und zudem nicht so attraktiv waren. Am Ufer saßen die Mütter in Korbschaukelstühlen mit eben den Federhüten und Sonnenschirmen, die sie zum Hochamt getragen hatten, und wachten über sie, aus Furcht, daß die Männer von den Nachbarstränden sie unter Wasser verführen könnten. Tatsächlich war durch das Fernrohr nicht mehr und nichts Erregenderes zu sehen als das, was man auch auf der Straße sehen konnte, dennoch kamen jeden Sonntag viele Kunden dorthin und machten sich das Teleskop streitig, nur um des verbotenen Genusses willen, von den faden Früchten aus Nachbars Garten zu naschen.

Florentino Ariza war einer von ihnen, eher aus Langeweile denn aus Lust, doch nicht wegen dieser zusätzlichen Attraktion wurde er mit dem Leuchtturmwärter so gut Freund. Der wirkliche Grund war, daß, nachdem Fermina Daza ihn abgewiesen und er sich beim Versuch, sie zu ersetzen, mit dem Fieber der flüchtigen Amouren infiziert hatte, er an keinem anderen Ort glücklichere Stunden verlebte oder besseren Trost für sein Herzeleid fand. Der Leuchtturm war der Ort, den er am meisten liebte, so sehr, daß er jahrelang versuchte, seine Mutter und später auch den Onkel León XII. zu überreden, ihm beim Kauf zu helfen. Die Leuchttürme der Karibik waren damals nämlich in Privatbesitz, und ihre Eigentümer ließen sich nach Größe der Schiffe das Passierrecht bezahlen. Florentino Ariza hielt dies für die einzige ehrenhafte Weise, Poesie und Geschäft zu verbinden, doch weder Mutter noch Onkel waren der gleichen Meinung, und als dann seine eigenen Mittel ausreichten, waren die Leuchttürme bereits in Staatseigentum übergegangen.

Keine dieser Illusionen war jedoch vergeblich. Das Märchen von der Galeone und dann die Entdeckung des Leuchtturms halfen ihm über Fermina Dazas Abwesenheit hinweg, und als er am wenigsten damit rechnete, erreichte ihn die Nachricht ihrer bevorstehenden Rückkehr. Tatsächlich hatte Lorenzo Daza nach einem ausgedehnten Aufenthalt in Riohacha beschlossen, heimzukehren. Der Dezember war wegen der Passatwinde nicht die günstigste Zeit des Meeres, und der alte Schoner, der als einziger die Überfahrt riskierte, konnte unter Umständen, von ungünstigen Winden abgetrieben, am Morgen wieder im Auslaufhafen auftauchen. So geschah es. Fermina Daza hatte eine Nacht der Agonie hinter sich gebracht, sie hatte, fest an die Koje gegurtet, Galle gespuckt, in einer Kabine, die einem Kaschemmenabort ähnelte, nicht nur wegen der beklemmenden Enge, sondern auch wegen des Gestanks und der Hitze. Das Schiff schlingerte so stark, daß sie mehrmals meinte, die Riemen am Bett müßten reißen, von Deck erreichten sie die Fetzen der Schreckensschreie, die an Schiffbruch denken ließen, und das tigerhafte Schnarchen des Vaters in der Nachbarkoje war für sie nur eine weitere Zutat des Grauens. Zum ersten Mal seit fast drei Jahren verbrachte sie eine schlaflose Nacht, ohne auch nur einen Augenblick an Florentino Ariza zu denken. Er indes fand in der Hängematte hinter dem Geschäft keinen Schlaf, weil er jede einzelne der ewigen Minuten zählte, die bis zu ihrer Rückkehr fehlten. Bei Tagesanbruch legte sich der Wind plötzlich, die See wurde ruhiger, und Fermina Daza, vom Gerassel der Ankerketten geweckt, stellte fest, daß sie trotz der Qualen der Seekrankheit eingenickt sein mußte. Daraufhin löste sie die Riemen und beugte sich zum Bullauge hinüber, in der Hoffnung, Florentino

Ariza inmitten des Hafengetümmels zu entdecken, sah aber statt dessen die Zollschuppen, umstanden von Palmen, die von den ersten Sonnenstrahlen vergoldet wurden, und die fauligen Planken der Mole von Riohacha, von wo der Schoner in der vergangenen Nacht ausgelaufen war.

Der Rest des Tages glich einer Halluzination. Sie befand sich im selben Haus, in dem sie bis gestern gewohnt hatte, empfing dieselben Besucher, die sie verabschiedet hatten, führte die gleichen Unterhaltungen, und der Eindruck verstörte sie, ein bereits gelebtes Stück Leben noch einmal zu leben. Es war eine so getreue Wiederholung, daß Fermina Daza beim Gedanken zitterte, auch die Fahrt auf dem Schoner, deren bloße Erinnerung sie in Schrecken versetzte, könne sich wiederholen. Doch die einzige Möglichkeit, auf einem anderen Weg nach Hause zu gelangen, war ein zweiwöchiger Mauleselritt über die Grate der Sierra, und zwar unter weit gefährlicheren Bedingungen als beim ersten Mal, da ein in der Andenprovinz Cauca neu ausgebrochener Bürgerkrieg sich über die karibischen Provinzen ausbreitete. Also wurde sie um acht Uhr abends von dem selben Zug lärmender Verwandten wieder zum Hafen geleitet, mit den gleichen Abschiedstränen bedacht und den gleichen allerletzten Geschenkpäckchen, die dann in den Kabinen keinen Platz fanden. Als der Schoner in See stach, verabschiedeten ihn die Männer der Familie mit einer Salve in die Luft, und an Deck erwiderte Lorenzo Daza den Gruß mit den fünf Schüssen seines Revolvers. Die Seelenangst von Fermina Daza verflog rasch, denn der Wind war die ganze Nacht über günstig, und das Meer verströmte einen Duft von Blumen, der sie auch ohne Sicherheitsriemen gut schlafen ließ. Sie träumte, daß sie Florentino Ariza wiedersah und daß dieser sich das Gesicht, das sie kannte, abnahm, weil es in Wirklichkeit eine Maske war, die aber, wie sich herausstellte, mit dem wirklichen Gesicht identisch war. Sie stand sehr früh auf, da ihr das Rätsel des Traumes keine Ruhe ließ, und fand ihren Vater in der Kapitänsmesse, wo er schwarzen Kaffee mit Brandy trank. Sein eines Auge schielte wegen des Alkohols, aber er zeigte keinerlei Anzeichen von Unruhe vor der Rückkehr.

Eben fuhren sie in den Hafen ein. Durch das Labyrinth der vor Anker liegenden Segelschiffe glitt der Schoner still ins Hafenbecken des öffentlichen Marktes, dessen Gestank schon mehrere Meilen zuvor auf See zu ihnen gedrungen war. Das Morgengrauen war von einem sanften Nieselregen getränkt, der sich bald zu einem ordentlichen Platzregen auswuchs. Auf dem Balkon des Telegraphenamtes postiert, hatte Florentino Ariza den Schoner gesichtet, als dieser mit vom Regen matten Segeln die Bucht von Las Animas durchquerte, um dann vor dem Marktkai Anker zu werfen. Am Tag zuvor hatte er bis elf Uhr vormittags gewartet, als er zufällig durch ein Telegramm von der Verspätung des Schoners wegen widriger Winde erfuhr, und so hatte er an diesem Tag seit vier Uhr früh erneut gewartet. Er wartete immer noch, ohne den Blick von den Schaluppen zu lassen, in denen die wenigen Passagiere, die trotz des Unwetters von Bord gehen wollten, an Land gebracht wurden. Die meisten mußten auf halbem Wege die auf Grund gelaufene Schaluppe verlassen und dann im Schlamm bis zum Uferdamm waten. Um acht Uhr, nachdem Fermina Daza vergeblich darauf gewartet hatte, daß der Regen aufhörte, vertraute sie sich einem schwarzen Lastenträger an, der, bis zur Taille im Wasser stehend, sie von Bord des Schoners hob und auf seinen Armen bis zum Ufer trug. Sie war so durchweicht, daß Florentino Ariza sie nicht erkannte.

Ihr war selbst nicht bewußt gewesen, wieviel reifer sie im Laufe der Reise geworden war, bis sie das lange verschlossene Haus betrat und sogleich die heroische Aufgabe in Angriff nahm, es wieder bewohnbar zu machen. Die schwarze Dienstmagd Gala Placidia half ihr dabei, sie war, sobald sie von ihrer Rückkehr erfahren hatte, aus dem alten Sklavenquartier wieder zu ihnen gekommen. Fermina Daza war nicht mehr die vom Vater verwöhnte und zugleich tyrannisierte einzige Tochter, sie war nun die Herrin über ein Reich von Staub und Spinnweben, das nur mit der Kraft einer unbesiegbaren Liebe zurückerobert werden konnte. Sie verzagte nicht, fühlte sie sich doch wie bei einer Levitation beflügelt, die Welt aus den Angeln zu heben. Noch in der Nacht der Heimkehr, als sie am Küchentisch Schokolade tranken und Quarkgebäck aßen, übertrug der Vater ihr mit der Förmlichkeit einer sakralen Handlung die Befehlsgewalt über das Haus.

»Ich übergebe dir die Schlüssel deines Lebens«, sagte er.

Sie, siebzehn Jahre alt, nahm sie mit sicherer Hand und in dem Bewußtsein entgegen, daß jede Handbreit errungener Freiheit für die Liebe war. Am nächsten Tag, nach einer Nacht der schlechten Träume, wurde sie, als sie das Balkonfenster öffnete, zum ersten Mal von der Trübsal der Rückkehr heimgesucht, sie sah wieder den Platz im tristen Nieselregen, das Denkmal des enthaupteten Helden, die Marmorbank, auf die sich Florentino Ariza mit seinem Gedichtband zu setzen pflegte. Sie dachte nicht mehr an ihn als an den hoffnungslosen Verlobten, er war für sie der sichere Gatte, dem sie ganz verpflichtet war. Sie spürte, wie schwer die verlorene Zeit seit ihrer Abreise wog, wie mühselig es war, lebendig zu sein, und wieviel Liebe vonnöten sein würde, um ihren Mann so zu lieben, wie Gott es befahl. Es wunderte sie, daß er nicht, wie so oft trotz Regen, auf dem Platz war und daß sie von ihm keinerlei Zeichen empfangen hatte, nicht einmal durch eine Vorahnung, und plötzlich ließ sie der Gedanke erschauern, er könnte tot sein. Doch sie schloß diese dunkle Möglichkeit sofort aus, denn ihr fiel ein, daß sie, erregt von der bevorstehenden Rückkehr, vergessen hatten, in den Telegrammen der letzten Tage auszumachen, wie sie nach ihrer Rückkunft wieder Verbindung aufnehmen sollten.

Florentino Ariza indes war davon überzeugt, daß sie noch nicht angekommen war, bis der Telegraphist von Riohacha ihm bestätigte, daß sie sich am Freitag auf demselben Schoner eingeschifft hatte, der am Tag zuvor wegen ungünstiger Winde nicht eingetroffen war. So lauerte er das Wochenende über auf irgendein Lebenszeichen in ihrem Haus und sah dann am Montag bei Einbruch der Dunkelheit durch die Fenster ein wanderndes Licht, das kurz vor neun Uhr im Balkonzimmer verlosch. Er schlief nicht, hatte ihn doch die gleiche angstvolle Übelkeit seiner früheren Liebesnächte erfaßt.

Tránsito Ariza stand mit dem ersten Hahnenschrei auf, sie war besorgt, denn der Sohn war um Mitternacht in den Patio hinausgegangen und seitdem nicht wieder hereingekommen. Sie fand ihn nicht im Haus. Er irrte auf den Klippen umher und hatte unter Tränen des Jubels Liebesgedichte gegen den Wind geschrien, bis es endlich Tag wurde. Um acht Uhr saß er halb halluzinierend von der durchwachten Nacht unter den Arkaden des Café de la Parroquia. Er suchte nach einer Möglichkeit, Fermina Daza willkommen zu heißen, als ihn ein seismisches Beben erschütterte und sein Innerstes zerriß.

Sie war es. Sie überquerte die Plaza de la Catedral in Begleitung von Gala Placidia, die Einkaufskörbe trug, und zum ersten Mal hatte Fermina Daza nicht die Schuluniform an. Sie war seit ihrer Abreise gewachsen, wirkte klarer, intensiver, und ihre Schönheit war geläutert von der Selbstbeherrschung einer erwachsenen Frau. Der Zopf war wieder gewachsen, hing aber nicht auf dem Rücken, sondern über die linke Schulter, und diese einfache Veränderung hatte ihr jeden kindlichen Zug genommen. Florentino Ariza blieb gebannt an seinem Platz stehen, bis die Erscheinung, ohne sich umzublicken, die Plaza überquert hatte. Doch die gleiche unwiderstehliche Macht, die ihn lähmte, zwang ihn dann, ihr nachzustürzen, als sie an der Kathedrale um die Ecke bog und sich im ohrenbetäubenden Lärm der Einkaufsgassen verlor.

Er folgte ihr, ohne sich sehen zu lassen, entdeckte die alltäglichen Gesten, die Anmut, die frühe Reife jenes Wesens, das er auf der Welt am meisten liebte und das er zum ersten Mal in ganzer Natürlichkeit sah. Er staunte über die Leichtigkeit, mit der sie sich ihren Weg durch die Menge bahnte. Während Gala Placidia mit anderen Passanten zusammenstieß, mit ihren Körben hängenblieb und dann rennen mußte, um Fermina Daza nicht zu verlieren, trieb diese in ihrem eigenen Raum und in einer anderen Zeit durch das Straßengetümmel, ohne anzustoßen, wie eine Fledermaus in der Dunkelheit. Mit ihrer Tante Escolástica war sie oft im Geschäftsviertel gewesen, doch es hatte sich immer nur um kleine Einkäufe gehandelt, da ihr Vater alles, was im Haus gebraucht wurde, persönlich besorgte, nicht nur Möbel und Nahrungsmittel, sondern sogar die Wäsche der Frauen. Also war für sie jener erste Ausgang ein erregendes Abenteuer, das sie schon in ihren Kleinmädchenträumen verklärt hatte.

Sie achtete weder auf die fliegenden Händler, die ihr einen Trank für die ewige Liebe aufdrängen wollten, noch auf das Flehen der Bettler, die mit ihren dampfenden Schwären in den Hauseingängen lagen, noch auf den falschen Indio, der ihr einen dressierten Kaiman aufzuschwatzen suchte. Sie hatte kein festes Ziel und ließ sich Zeit bei einem langen und gründlichen Rundgang mit Unterbrechungen, deren einziger Grund war, sich mit Muße am Wesen der Dinge zu erfreuen. Sie trat in jedes Portal, wo es etwas zu kaufen gab, und fand überall etwas, das ihre Lust am Leben verstärkte. Sie genoß den Vetiverduft der Stoffe in den Truhen, hüllte sich in bedruckte Seide, lachte über ihr eigenes Lachen, als sie sich mit einem Haarkamm und einem mit Blumen bemalten Fächer als Spanierin im Ganzspiegel von *El Alambre de Oro* sah. Im Geschäft für Überseewaren hob sie den Deckel von einem Faß Salzheringen, die sie an die Nächte des Nordostens erinnerten, als sie, ein kleines Mädchen noch, in San Juan de la Ciénaga lebte. Man ließ sie Blutwurst aus Alicante probieren, die ein wenig nach Süßholz schmeckte, und sie kaufte zwei für das Frühstück am Samstag und außerdem noch ein paar Stockfische und ein Glas Johannisbeeren in Branntwein. Im Gewürzladen zerrieb sie Origano- und Salbeiblätter zwischen den Handflächen, nur so, aus Lust am Riechen, und kaufte eine Handvoll Gewürznelken, eine Handvoll Sternanis, dann noch Ingwer und Wacholder, und als sie wieder herauskam, lachte sie Tränen, weil sie wegen der Schwaden von Cayennepfeffer so oft hatte niesen müssen. Während sie Reuter-Seife und Benzoëwasser in der französischen Drogerie einkaufte, tupfte man ihr ein wenig Pariser Modeparfum hinters Ohr und gab ihr eine Lutschtablette gegen Zigarettengeruch.

Sie spielte Einkaufen, gewiß, doch was sie wirklich brauchte, kaufte sie, ohne lang zu überlegen, mit einer Bestimmtheit, die niemanden auf den Gedanken kommen ließ, daß sie es zum ersten Mal tat, machte sie es doch in dem Bewußtsein, nicht nur für sich, sondern auch für ihn einzukaufen, zwölf Ellen Leinen für die Tischdecken ihres gemeinsamen Tisches, Baumwolle für die Hochzeitslaken, die in der Kühle des Morgengrauens die Erinnerungen der

Nacht aufsaugen sollten, von allem nur das Erlesenste, um es gemeinsam im Haus der Liebe zu genießen. Sie wußte, wie man um den Preis handelte, argumentierte mit Charme und Würde, bis sie das Beste bekam, und zahlte dann mit Goldstücken, die die Kaufleute aus Freude am Klang prüfend auf dem Marmor des Ladentisches klimpern ließen.

Florentino Ariza spionierte ihr verzückt nach, folgte ihr atemlos, stieß mehrmals an die Körbe der Magd, die seine Entschuldigungen mit einem Lächeln beantwortete. Fermina Daza war so nah an ihm vorbeigegangen, daß ihn die Brise ihres Duftes streifte, sie hatte ihn jedoch nicht gesehen, nicht weil sie es nicht gekonnt hätte, sondern weil sie so hoheitsvoll einherschritt. Sie erschien ihm so schön, so verführerisch, so anders als die gewöhnlichen Menschen, daß er nicht begriff, warum niemand wie er selbst vom Kastagnettenklang ihrer Absätze auf dem Pflaster verrückt wurde, warum niemand das Herz durchging im Seufzerwind ihrer Volants, warum nicht die ganze Welt toll wurde vor Liebe beim Wippen ihres Zopfes, dem Flug ihrer Hände, dem Gold ihres Lachens. Ihm war keine ihrer Gesten entgangen, kein Hinweis auf ihre Wesensart, doch er wagte nicht, sich ihr zu nähern, aus Furcht, den Zauber zu zerstören. Als sie sich aber in das Menschengewühl am Portal de los Escribanos begab, wurde ihm klar, daß er im Begriff war, die Gelegenheit zu verscherzen, die er seit Jahren herbeigesehnt hatte.

Fermina Daza teilte mit ihren Schulkameradinnen die merkwürdige Ansicht, das Portal de los Escribanos sei ein Ort der Verderbnis und für anständige Mädchen selbstverständlich verboten. Es war eine Arkadengalerie an einem kleinen Platz, wo die Droschken und die von Eseln gezogenen Lastkarren warteten und das Marktgetümmel noch dichter und lauter wurde. Der Name stammte aus der Kolonialzeit, denn schon damals saßen dort die mürrischen

Schönschreiber mit ihren Tuchjacken und Ärmelschonern und verfaßten auf Bestellung Schriftstücke aller Art zu Armeleutepreisen: Anklage- oder Bittschriften, Verteidigungsschriften, Gratulations- oder Beileidskarten und Billetts für jede Phase der Liebe. Nicht die Schreiber freilich waren schuld am schlechten Ruf dieses lärmenden Marktes, sondern die neu hinzugekommenen Kleinhändler, die unter dem Ladentisch aus Europa hereingeschmuggelte schlüpfrige Waren aller Art verkauften, von obszönen Postkarten und anregenden Pomaden bis hin zu den berüchtigten katalanischen Präservativen mit Leguankämmen, die sich im entscheidenden Augenblick aufstellten oder vorne mit Blütenknospen ausgestattet waren, deren Blätter sich je nach der Lust des Benutzers entfalteten. Fermina Daza, noch ungeübt im Umgang mit der Straße, trat auf der Suche nach linderndem Schatten vor der stechenden Elf-Uhr-Sonne in das Portal, ohne recht zu schauen, wohin sie ging. Sie tauchte in den hitzigen Rummel der Schuhputzer und Vogelhändler, der Kurpfuscher, freien Buchhändler und Marmeladenverkäuferinnen, die im Straßenlärm schreiend ihre süßen Pasten anpriesen: Ananas für die Juanas, Kokosnuß für jeden Kuß, Panela für Micaela.

Unberührt von all dem Krach blieb sie jedoch sofort gebannt vor einem Papierhändler stehen, der Zaubertinten vorführte: rote Tinte mit der Aura des Bluts, Tinten mit düsteren Schlieren für Beileidsbriefe, phosphoreszierende Tinten, die man im Dunkeln lesen konnte, unsichtbare Tinten, die sich erst im Lampenlicht zeigten. Sie hätte alle haben wollen, um mit Florentino Ariza ihre Spielchen zu treiben, er sollte vor ihrem Einfallsreichtum erschrecken, entschied sich jedoch nach mehreren Proben für ein Fläschchen Goldtinte. Dann ging sie zu den Zuckerbäckerinnen, die hinter ihren großen Glasgefäßen saßen, und kaufte, indem sie mit dem Finger auf das jeweilige Glas zeigte, da sie sich in dem Geschrei nicht verständlich machen konnte, sechs Stück von jeder Sorte: sechsmal Engelhaar, sechs Karamellschnitten, sechs Sesamwürfel, sechs Jukkaplätzchen, sechs Teufelshörnchen, sechs Zitronenröllchen, sechs Königinnenmakronen, sechs von diesem und sechs von jenem, sechs von allem, und warf es mit unwiderstehlicher Anmut in die Körbe des Dienstmädchens und beachtete dabei nicht die aufdringlichen Fliegenwolken auf dem Sirup, den andauernden Krach, den in der tödlichen Hitze ranzig wabernden Schweißdunst. Aus dem Zauberbann wurde sie von einer munteren Negerin gerissen, die, rund und schön und mit einem bunten Fetzen um den Kopf, ihr auf der Spitze eines Schlachtermessers einen Ananaskeil anbot. Sie nahm das Fruchtstück, steckte es sich in den Mund zum Kosten und ließ es mit einem in der Menschenmenge verlorenen Blick auf der Zunge zergehen, als sie wie angenagelt stehenblieb. In ihrem Rücken, ganz nah an ihrem Ohr, hatte sie, im Tumult nur für sie vernehmbar, die Stimme gehört: »Dies ist nicht der rechte Ort für eine bekränzte Göttin.«

Sie wendete den Kopf und sah zwei Handbreit vor ihren Augen jene anderen gefrorenen Augen, das bleiche Gesicht, die vor Angst versteinerten Lippen, genau wie beim ersten Mal, als er ihr im Gedränge der Christmette ebenso nah gewesen war. Anders als damals jedoch fühlte sie nicht die Erschütterung der Liebe, sondern stand vor einem Abgrund der Ernüchterung. In einem Augenblick enthüllte sich ihr das ganze Ausmaß ihres Selbstbetrugs, und voll Entsetzen fragte sie sich, wie ein so bösartiges Hirngespinst über so lange Zeit in ihr hatte wachsen können. Sie konnte gerade noch denken: »Lieber Gott, dieser arme Mann!« Florentino Ariza lächelte, versuchte etwas zu sagen, versuchte ihr zu folgen, doch sie strich ihn mit einer Handbewegung aus ihrem Leben.

»Nein, bitte«, sagte sie zu ihm, »vergessen Sie es.«

An jenem Nachmittag, während ihr Vater Siesta hielt, schickte sie ihm durch Gala Placidia einen Brief von zwei Zeilen: *Heute, als ich Sie sah, habe ich begriffen, daß unsere Liebe nur eine Illusion war.* Das Dienstmädchen brachte ihm auch seine Telegramme, seine Gedichte, seine getrockneten Kamelien zurück und bat ihn um die Rückgabe ihrer Briefe und Geschenke: das Gebetbuch der Tante Escolástica, die getrockneten Blattgerippe aus ihrem Herbarium, den Quadratzentimeter aus dem Gewand von Sankt Pedro Claver, die Heiligenmedaillen und den Zopf ihrer fünfzehn Jahre mit der Seidenschleife der Schuluniform. Am Rande des Wahnsinns schrieb er ihr in den folgenden Tagen unzählige Briefe der Verzweiflung und belagerte damit das Dienstmädchen, das sich aber streng an die Anweisung hielt, nichts außer den zurückgeforderten Geschenken anzunehmen. Gala Placidia bestand so nachdrücklich darauf, daß Florentino Ariza alle aushändigte, bis auf den Zopf, den er nicht zurückgeben wollte, es sei denn Fermina Daza persönlich, um wenigstens einen Augenblick mit ihr sprechen zu können. Er erreichte es nicht. Tránsito Ariza, die einen verhängnisvollen Entschluß ihres Sohnes befürchtete, vergaß ihren Stolz und bat Fermina Daza um die Gunst von fünf Minuten. Diese empfing sie für einen Augenblick stehend im Hausflur, ohne sie hereinzubitten und ohne einen Anflug von Schwäche. Zwei Tage später, nach einer Auseinandersetzung mit seiner Mutter, nahm Florentino Ariza in seinem Schlafzimmer den verstaubten Glasschrein von der Wand, in dem er den Zopf wie eine Heiligenreliquie ausgestellt hatte, und Tránsito Ariza selbst gab ihn in dem goldbestickten Samtetui zurück. Florentino Ariza hatte bei den vielen

Begegnungen in ihrer beider langem Leben nie wieder Gelegenheit, Fermina Daza allein zu sehen oder unter vier Augen zu sprechen, erst einundfünfzig Jahre, neun Monate und vier Tage später, in der ersten Nacht ihres Witwendaseins, konnte er ihr erneut ewige Treue und stete Liebe schwören.

Mit achtundzwanzig Jahren war Doktor Juvenal Urbino der begehrteste Junggeselle der Stadt. Er kehrte von einem langen Aufenthalt aus Paris zurück, wo er weiterführende Studien in Medizin und Chirurgie absolviert hatte, und lieferte, sobald er wieder Festland betreten hatte, schlagende Beweise dafür, daß er keine Minute seiner Zeit verloren hatte. Er kam eleganter zurück, als er gegangen war, auch selbstbeherrschter, und keiner seiner Jahrgangskameraden wirkte in seiner Wissenschaft so gewissenhaft und kenntnisreich wie er, zugleich gab es keinen, der besser nach der modernen Musik tanzte oder gekonnter auf dem Klavier improvisierte. Von seinen Talenten und der Sicherheit seines Familienvermögens verführt, losten die Mädchen aus seinen Kreisen heimlich untereinander aus, welcher er zufallen sollte. Er spielte mit, und doch gelang es ihm, sich, unerreichbar und verlockend, den Zustand der Gnade zu erhalten, bis er widerstandslos den plebejischen Reizen von Fermina Daza erlag.

Er behauptete gern, daß diese Liebe die Folge einer Fehldiagnose war. Ihm selbst schien es unbegreiflich, wie das hatte geschehen können, gerade in jener Phase seines Lebens, als sich seine ganze Leidenschaft auf die Zukunft seiner Stadt konzentrierte, von der er allzuoft, ohne näher darüber nachzudenken, gesagt hatte, es gäbe in der Welt keine, die ihr gleiche. Wenn er in Paris mit einer Gelegenheitsfreundin im Spätherbst spazierenging, war ihm kein reineres Glück vorstellbar gewesen als jene goldenen Abende mit dem rauhen Geruch der Maronen in den Kohlebekken, mit den schmachtenden Akkordeons und den unersättlichen Verliebten, die niemals aufhörten, sich auf den offenen Terrassen zu küssen, hatte sich aber dennoch, Hand aufs Herz, dazu bekannt, daß er nicht bereit war, all dies für einen einzigen Augenblick seiner Karibik im April zu tauschen. Er war noch zu jung gewesen, um zu wissen, daß das Gedächtnis des Herzens die schlechten Erinnerungen ausmerzt und die guten erhöht und daß es uns dank dieses Kunststücks gelingt, mit der Vergangenheit zu leben. Als er aber dann von der Schiffsreling aus das weiße Vorgebirge des Kolonialviertels sah, die reglosen Hühnergeier auf den Dächern, die ärmlichen Kleider, die man zum Trocknen auf die Balkone gehängt hatte, erst da begriff er, daß er eine allzu leichte Beute der mildtätigen Fallen des Heimwehs gewesen war.

In der Bucht bahnte sich das Schiff seinen Weg durch eine schwimmende Decke von ertrunkenen Tieren, und die meisten Passagiere flüchteten sich vor dem pestilenzialischen Gestank in ihre Kabinen. Der junge Arzt stieg perfekt gekleidet die Gangway hinunter, mit Weste und Staubmantel, er trug einen jugendlichen Pasteur-Bart und das Haar von einem geraden, bleichen Scheitel geteilt und hatte genügend Contenance, sich nicht anmerken zu lassen, daß ihm Angst, nicht Trauer, die Kehle zuschnürte. Auf dem fast leeren Kai, der von barfüßigen Soldaten ohne Uniform bewacht wurde, erwarteten ihn die Mutter und die Schwestern zusammen mit seinen engsten Freunden. Sie wirkten trotz ihres weltläufigen Gehabes verhärmt und zukunftslos auf ihn, sie sprachen von der Krise und vom Bürgerkrieg als von etwas Fernem und Fremdem, doch in ihren Stimmen war ein verstecktes Beben und in aller Augen eine Unsicherheit, die ihre Worte Lügen strafte. Am meisten erschütterte ihn die Mutter, eine noch junge Frau, die sich mit ihrer Eleganz und ihrem gesellschaftlichen Unternehmungsgeist durchgesetzt hatte und die nun auf kleiner Flamme im Kampferdunst ihres Witwenflors verdorrte. Sie mußte sich selbst in der Verstörtheit des Sohnes erkannt haben, denn sie kam ihm zuvor und verteidigte sich mit der Frage, warum er mit dieser durchsichtigen Paraffinhaut zurückkomme.

»Das ist das Leben, Mutter,« sagte er, »in Paris läuft man grün an.«

Später, als er neben ihr in der geschlossenen Kutsche fast erstickte, wurde ihm die unbarmherzige Wirklichkeit, die stoßweise durch das Fenster hereindrang, unerträglich. Das Meer war wie aus Asche, die alten freiherrlichen Palais kapitulierten vor der wachsenden Zahl der Bettler, und es war unmöglich, den glühenden Duft des Jasmins in den tödlichen Kloakenschwaden auszumachen. Alles erschien ihm kleiner, schäbiger und düsterer als bei seiner Abreise, und in den Müllhaufen auf den Straßen gab es so viele hungrige Ratten, daß die Kutschpferde scheuten. Auf dem langen Weg vom Hafen bis zu seinem Haus, das mitten im Viertel der Vizekönige lag, entdeckte er nichts, das seines Heimwehs würdig gewesen wäre. Er gab sich geschlagen und wandte, damit seine Mutter es nicht sähe, den Kopf ab, um still zu weinen.

Das ehemalige Palais des Marqués de Casalduero, der Stammsitz der Urbinos de la Calle, hielt sich im allgemeinen Untergang wahrlich nicht am stolzesten. Doktor Juvenal Urbino stellte es mit blutendem Herzen fest, sobald er durch den düsteren Flur eingetreten war und im Innengarten den verstaubten Brunnen und das blütenlose Gestrüpp sah, durch das die Leguane huschten, und dann bemerkte, daß auf der breiten Treppe mit dem Messinggeländer, die zu den Haupträumen führte, viele Marmorplatten gesprungen waren oder ganz fehlten. Sein Vater, ein eher aufopfernder als bedeutender Arzt, war während der asiatischen Choleraepidemie, die vor sechs Jahren die Bevölkerung heimgesucht hatte, gestorben, und mit ihm war der Geist des Hauses gestorben. Doña Blanca erstickte an einer Trauer, die auf ewig angelegt war, und hatte die berühmten lyrischen Soiréen und die Kammerkonzerte des verstorbenen Gatten durch Vespernovenen ersetzt. Die beiden Schwestern waren trotz ihres natürlichen Charmes und ihrer Begabung zum Frohsinn nur noch Klosterfleisch.

Doktor Juvenal Urbino schlief in der Nacht seiner Heimkehr, von der Dunkelheit und der Stille verängstigt, nicht einen Augenblick. Er betete drei Rosenkränze zum Heiligen Geist und alle Gebete, die er kannte, um Unbill, Schiffbruch und jede lauernde Gefahr der Nacht zu bannen, während eine Rohrdommel, die durch die nicht richtig geschlossene Tür hereingekommen war, zu jeder vollen Stunde im Schlafzimmer sang. Ihn marterten die irren Schreie der geisteskranken Frauen im nahegelegenen Spital La Divina Pastora, die mitleidlosen Tropfen, die vom Wasserfilter auf die irdene Schüssel fielen und mit ihrem Widerhall das Haus erfüllten, die spindelbeinigen Schritte der im Schlafzimmer umherirrenden Rohrdommel, seine angeborene Angst vor der Dunkelheit, die unsichtbare Gegenwart des toten Vaters in der Weite des schlafenden Herrenhauses. Als die Rohrdommel zusammen mit den Hähnen der Nachbarschaft die fünfte Stunde anschlug, überantwortete sich Doktor Juvenal Urbino mit Leib und Seele der göttlichen Vorsehung, denn er fühlte nicht die Kraft in sich, noch einen Tag länger in dieser Heimat des Verfalls zu leben. Die Zuneigung seiner Familie jedoch, die Sonntage auf dem Land und die begehrlichen Schmeicheleien der heiratsfähigen Mädchen seiner Schicht milderten schließlich die Bitterkeit jenes ersten Eindrucks. Er gewöhnte sich nach und nach wieder an die schwüle Oktoberhitze, an die exzessiven Gerüche, an die vorschnellen Urteile seiner Freunde und an das ewige: Keine Sorge, Doktor, morgen sehen wir weiter, bis er schließlich den Verlockungen der Gewohnheit erlag. Bald hatte er eine naheliegende Rechtfertigung für seine Selbstaufgabe gefunden. Dies sei seine Welt, sagte er sich, die triste und beklemmende Welt, die Gott ihm beschieden habe, und ihr sei er verpflichtet.

Als erstes nahm er die Praxis seines Vaters in Besitz. Er ließ die harten und strengen englischen Möbel stehen, deren Holz in der Kälte des Morgengrauens stöhnte, verbannte aber die wissenschaftlichen Traktate aus der Zeit der Vizekönige und der romantischen Medizin auf den Dachboden und stellte statt dessen die der neuen französischen Schule in die verglasten Bücherschränke. Er entfernte die verblichenen Drucke, bis auf einen, auf dem ein Arzt mit dem Tod um eine nackte Kranke rang; der in gotischen Lettern gedruckte hippokratische Eid blieb an seinem Platz, und neben das einzige Diplom seines Vaters hängte er die vielen verschiedenen Diplome, die er mit den besten Beurteilungen an verschiedenen Schulen Europas erworben hatte.

Er versuchte neuartige Maßstäbe im Hospital de la Misericordia zu setzen, was aber nicht so leicht war, wie er es sich in seiner jugendlichen Begeisterung gedacht hatte, da das altehrwürdige Krankenhaus an abergläubischen Atavismen festhielt. Da wurden beispielsweise die Beine der Krankenbetten in Wassertöpfe gestellt, um zu verhindern, daß die Krankheiten heraufkrochen, man hielt sich auch noch an die Vorschrift, im Operationssaal Gesellschaftskleidung und Wildlederhandschuhe zu tragen, da man es für erwiesen hielt, daß Eleganz eine wesentliche Voraussetzung der Asepsis sei. Sie alle ertrugen es nicht, daß der neuangekommene Spund vom Urin eines Kranken kostete, um den Zuckergehalt festzustellen, daß er Charcot und Trousseau zitierte, als seien sie seine Zimmergenossen, daß er im Unterricht nachdrücklich vor den tödlichen Gefahren der Spritzen warnte und statt dessen ein verdächtiges Vertrauen in die neuerfundenen Suppositorien setzte. Er eckte überall an: Sein Erneuerungsdrang, sein staatsbürgerlicher Übereifer, sein bedächtiger Sinn für Humor in einem Land unausrottbarer Witzbolde, all das, was ihn in Wahrheit so schätzenswert machte, trug ihm das Mißtrauen seiner älteren Kollegen und den verdeckten Spott der jungen ein.

Der gefährliche sanitäre Zustand der Stadt war seine Obsession. Er appellierte an die obersten Instanzen, man müsse die spanischen Kloaken, eine wahre Zuchtstätte für Ratten, zuschütten und statt dessen geschlossene Abflußrinnen anlegen, deren Abwässer nicht wie seit jeher am Hafendamm des Marktes münden dürften, sondern in irgendeiner entlegenen Grube. Die gut ausgestatteten Kolonialhäuser hatten Toiletten mit Sickergruben, doch zwei Drittel der Bevölkerung, die sich am Rand der Sümpfe in Baracken drängte, verrichteten ihre Notdurft im Freien. Der Kot trocknete in der Sonne, verwandelte sich zu Staub, und alle atmeten ihn im Jubel des Advents mit den frischen und glückbringenden Dezemberwinden ein. Doktor Juvenal Urbino versuchte bei der Bürgervertretung im Cabildo für die Armen einen Pflichtkurs im Latrinenbau einzurichten. Er kämpfte vergeblich dafür, daß der Müll nicht in die Mangrovenwälder geschüttet wurde, die seit Jahrhunderten schon Reservoire der Fäulnis waren, sondern statt dessen mindestens zweimal in der Woche abgefahren und in einer unbewohnten Gegend verbrannt wurde.

Stets bewußt war ihm die tödliche Gefahr, die im Trinkwasser lauerte. Der Gedanke, eine Wasserleitung zu legen, war illusorisch, denn diejenigen, die ein solches Projekt hätten vorantreiben können, verfügten über unterirdische

Zisternen, wo unter einer dicken Haut von Entengrütze das Regenwasser mehrerer Jahre gespeichert wurde. Eines der wichtigsten Möbel der Zeit waren die Kannengestelle aus geschnitztem Holz, aus deren Steinfilter Tag und Nacht das Wasser in einen Krug tropfte. Um zu verhindern, daß jemand aus der Aluminiumkanne trank, mit der das Wasser geschöpft wurde, waren deren Ränder gezackt wie die Krone eines Narrenkönigs. Das Wasser war durchsichtig und kühl im Dämmer des gebrannten Tons und schmeckte nach Wald. Doch Doktor Urbino ließ sich nicht von dieser angeblichen Reinheit täuschen, wußte er doch, daß auf dem Grund der irdenen Krüge ein Paradies für Faulwassertierchen war. In seiner Kindheit hatte er lange Stunden damit verbracht, sie mit geradezu mystischem Staunen zu beobachten. Wie so viele Menschen damals war er davon überzeugt gewesen, daß diese *gusarapos*, wie man sie nannte, die *animes* waren, übernatürliche Wesen, die vom Grund des stehenden Wassers aus um die Jungfrauen warben und zu rasender Liebesrache fähig waren. Als Kind hatte er die Zerstörungen im Haus von Lázara Conde gesehen, einer Lehrerin, die es gewagt hatte, die *animes* abzuweisen, er hatte die Glasscherben auf der Straße gesehen und die vielen Steine, die sie ihr drei Tage und drei Nächte lang in die Fenster geworfen hatten. Viel Zeit war vergangen, bis er erfuhr, daß die *gusarapos* in Wirklichkeit Mückenlarven waren, doch er prägte es sich ein für allemal ein, weil er bei dieser Gelegenheit begriffen hatte, daß dann auch viele andere schädliche Tierchen unangefochten unsere harmlosen Steinfilter passieren konnten.

Dem Zisternenwasser wurde lange Zeit und durchaus mit Stolz der Hodenbruch zugeschrieben, den viele Männer der Stadt nicht nur ohne Scham, sondern gar mit so etwas wie patriotischer Unverfrorenheit herumtrugen. Als Juvenal

Urbino in die Primarschule ging, konnte er an heißen Nachmittagen nicht einen Angstschauer unterdrücken, wenn er die Bruchkranken in ihren Hauseingängen sitzen und sich den riesigen Hoden fächeln sah, als sei der ein zwischen den Beinen eingeschlafenes Kind. Es hieß, ein Bruch gäbe in Gewitternächten das Pfeifen eines Trauervogels von sich und krümme sich unter unerträglichen Schmerzen, wenn in der Nähe eine Geierfeder verbrannt werde, doch niemand klagte über solche Beschwerden, da ein großer, mit Haltung getragener Hoden einem Mann zur Ehre gereichte. Als Doktor Juvenal Urbino aus Europa zurückkehrte, wußte er sehr wohl, daß sich solche Vorstellungen wissenschaftlich nicht halten ließen, im lokalen Aberglauben waren sie aber so fest verankert, daß sich viele einer mineralischen Anreicherung des Zisternenwassers widersetzten, befürchteten sie doch, es könne ihm damit die Qualität verlorengehen, einen ehrwürdigen Hodenbruch zu verursachen. Ebensosehr wie über die Verunreinigung des Wassers war Doktor Juvenal Urbino über den hygienischen Zustand des öffentlichen Marktes beunruhigt, der im Freien auf einem weitläufigen Gelände an der Bahía de las Ánimas lag, wo die Segelschiffe von den Antillen festmachten. Ein berühmter Reisender der Zeit beschrieb den Markt als einen der mannigfaltigsten der Welt. Er war in der Tat reich, üppig und laut, zugleich aber auch äußerst gefährlich. Er stand auf seinen eigenen Abfällen und war den Launen der Gezeiten ausgesetzt, da dort die Bucht den unverdaulichen Unrat der Kloaken ans Ufer erbrach. Auch die Abfälle des nahen Schlachthofs wurden hier abgeladen, abgetrennte Köpfe, faulige Innereien, Tiermist, all das trieb Tag und Nacht in einem Sumpf von Blut. Hühnergeier, Ratten und Hunde lieferten sich inmitten der von den Vordächern der Verkaufsbuden herabhängenden Hirsche und schmackhaften Kapaune aus Sotavento und den am Boden auf Matten ausgebreiteten Frühjahrsgemüsen aus Arjona einen ständigen Kampf um die Abfälle. Doktor Juvenal Urbino wollte den Ort sanieren, der Schlachthof sollte verlegt und ein überdachter Markt mit Glaskuppeln gebaut werden, ähnlich dem, den er in den alten Boquerías von Barcelona gesehen hatte, wo die Nahrungsmittel so prächtig und sauber aussahen, daß es ein Jammer war, sie aufzuessen. Aber selbst die zuvorkommendsten unter seinen angesehenen Freunden lächelten mitleidig über seine hoffnungslose Leidenschaft. So waren sie: Ein Leben lang beriefen sie sich auf ihre stolze Herkunft, die historischen Verdienste der Stadt, den Wert ihrer Reliquien, auch auf ihre Tapferkeit und ihre Schönheit, sobald es aber darum ging, dem fortschreitenden Verfall ins Auge zu sehen, stellten sie sich blind. Doktor Juvenal Urbino hingegen liebte die Stadt hinreichend, um sie mit den Augen der Wahrheit zu sehen.

»Wie erhaben muß diese Stadt sein«, pflegte er zu sagen, »daß wir uns nun schon vierhundert Jahre lang bemühen, sie zugrunde zu richten, und es noch nicht geschafft haben.«

Es fehlte jedoch nicht viel. In elf Monaten hatte die Choleraepidemie, die ihre ersten Opfer in die Pfützen des Markts gestreckt hatte, das größte Sterben in unserer Geschichte verursacht. Bis dahin waren einige wenige bedeutende Tote unter den Steinplatten der Kirchen, in der kühlen Nachbarschaft von Erzbischöfen und Kapitularen bestattet worden, und die anderen, weniger reichen, hatte man in den Klosterhöfen begraben. Die Armen landeten auf dem Kolonialfriedhof, auf einem windigen Hügel, von der Stadt durch einen ausgetrockneten Kanal getrennt, über den eine gemauerte Brücke mit Sonnenschutz führte, an der auf Befehl irgendeines hellsichtigen Bürgermeisters eine Tafel angebracht worden war: *Lasciate ogni speranza voi ch'entrate.*

Nach den ersten zwei Cholerawochen war der Friedhof überfüllt, und auch in den Kirchen gab es kein freies Eckchen mehr, obwohl man die morschen Überreste zahlreicher namenloser Helden in das allgemeine Gebeinhaus überführt hatte. Die Luft in der Kathedrale war mit den aus den schlecht versiegelten Krypten aufsteigenden Dämpfen durchsetzt, und die Kirche wurde geschlossen. Ihre Tore sollten sich erst drei Jahre später wieder öffnen, zu der Zeit, als Fermina Daza bei der Christmette zum ersten Mal Florentino Ariza von nahem sah. Der Kreuzgang des Klosters von Santa Clara war, einschließlich der Gartenpfade, in der dritten Woche übervoll, so daß der doppelt so große Gemüsegarten des Ordens zum Friedhof erklärt werden mußte. Dort wurden tiefe Gräber ausgehoben, um hastig ohne Särge auf drei Ebenen beerdigen zu können, aber auch darauf mußte man dann verzichten, weil der vollgesogene Boden einem Schwamm glich, der, wenn man darauf trat, eine widerliche Blutbrühe absonderte. So wurde angeordnet, mit den Begräbnissen in »La Mano de Dios« fortzufahren, einem Gut für Mastviehzucht, knapp eine Meile von der Stadt entfernt, das später zum Städtischen Friedhof geweiht wurde.

Seitdem die Cholerasperre ausgerufen worden war, wurde jede Viertelstunde, Tag und Nacht, eine Kanone vom Kastell der Ortsgarnison abgefeuert, da die Bürger dem Irrglauben anhingen, Pulver reinige die Luft. Die Cholera traf die schwarze Bevölkerung zwar heftiger, da diese weitaus zahlreicher und ärmer war, breitete sich tatsächlich aber ohne Rücksicht auf Farbe oder Stammbaum aus. Sie hörte so plötzlich auf, wie sie begonnen hatte, ohne daß die Zahl ihrer Opfer je bekannt wurde, nicht weil es unmöglich gewesen wäre, diese zu bestimmen, sondern weil die Scham über das eigene Unglück eine unserer verbreitetsten Tugenden ist.

Doktor Marco Aurelio Urbino, Juvenals Vater, war der

zivile Held jener unglückseligen Tage und auch ihr angesehenstes Opfer. Auf offizielle Anweisung arbeitete er eine sanitäre Strategie aus und leitete persönlich die beschlossenen Maßnahmen. Aus eigener Initiative griff er dann auch bei allen Angelegenheiten des öffentlichen Lebens ein, so daß es in den kritischsten Momenten der Pest schließlich keine ihm übergeordnete Autorität mehr zu geben schien. Jahre später, als Doktor Juvenal Urbino die Chronik jener Tage durchsah, stellte er fest, daß die Methode seines Vaters eher karitativ als wissenschaftlich begründet war, daß sie in vielerlei Hinsicht gegen die Vernunft verstoßen und daher die Gefräßigkeit der Pest sogar noch gefördert hatte. Er stellte es mit dem Mitgefühl der Söhne fest, aus denen die Zeit nach und nach Väter ihrer Väter macht. Zum ersten Mal schmerzte es ihn, daß er dem Vater nicht in der Einsamkeit seiner Fehler hatte beistehen können. Er sprach diesem jedoch nicht seine Verdienste ab: Mit seinem Fleiß und seiner Opferbereitschaft, vor allem aber mit seiner persönlichen Tapferkeit, hatte er sich die Ehrungen wohl verdient, die ihm, als die Stadt sich von dem Unglück erholt hatte, erwiesen wurden. Es war nur gerecht, daß sein Name unter den Namen so vieler Helden aus weniger ehrenhaften Kriegen unvergessen blieb.

Er hatte seinen Ruhm nicht erlebt. Als er an sich die gleichen fatalen Veränderungen feststellen mußte wie bei denen, derer er sich erbarmt hatte, versuchte er erst gar nicht, die sinnlose Schlacht zu führen, sondern kehrte sich von der Welt ab, um niemanden anzustecken. Er schloß sich in eines der Arztzimmer des Hospital de la Misericordia ein und blieb den Rufen seiner Kollegen und dem Flehen seiner Angehörigen gegenüber taub. Fern den Pestkranken, die auf den überfüllten Gängen im Sterben lagen, schrieb er an seine Frau und seine Kinder, voller Dankbarkeit dafür, daß es sie gegeben hatte, einen fiebrigen Liebesbrief, in dem offenbar wurde, wie sehr und mit welcher Gier er das Leben geliebt hatte. Es war ein Abschied auf zwanzig herzzerreißenden Seiten, auf denen sich das Fortschreiten der Krankheit an der schlechter werdenden Schrift ablesen ließ. Man mußte den Verfasser nicht gekannt haben, um zu erkennen, daß die Unterschrift mit dem letzten Atemzug geschrieben worden war. Seinen Anweisungen entsprechend verschwand der aschgraue Körper auf dem Städtischen Friedhof und wurde von niemandem, der ihn geliebt hatte, gesehen.

Doktor Juvenal Urbino erhielt das Telegramm drei Tage später in Paris während eines Diners mit Freunden und stieß mit Champagner auf das Gedächtnis seines Vaters an. Er sagte: »Er ist ein guter Mensch gewesen.« Später sollte er sich seine mangelnde Reife vorwerfen: Er war der Wirklichkeit aus dem Weg gegangen, um nicht zu weinen. Nach drei Wochen erhielt er eine Abschrift des Abschiedsbriefes und kapitulierte vor der Wahrheit. Auf einen Schlag enthüllte sich ihm ganz das Bild dieses Mannes, den er länger als jeden anderen gekannt hatte, der ihn aufgezogen und unterrichtet hatte, der zweiunddreißig Jahre lang mit Juvenals Mutter geschlafen hatte und sich ihm dennoch, schlicht und einfach aus Schüchternheit, erst in jenem Brief mit Leib und Seele zu erkennen gegeben hatte. Bis dahin hatten Doktor Juvenal Urbino und seine Familie den Tod als ein Mißgeschick angesehen, das anderen widerfuhr, den Vätern der anderen, deren Brüdern und Ehegatten, das aber nicht die eigene Familie traf. Sie selbst waren Menschen, die langsam lebten, man sah sie weder alt noch krank werden, sie starben auch nicht, sondern verflüchtigten sich nach und nach, wurden zu Lebzeiten Erinnerungen, Nebel aus einer anderen Zeit, bis das Vergessen sie aufsog. Der Abschiedsbrief seines Vaters ließ ihn, mehr noch als das Telegramm mit der bösen

Nachricht, auf die Gewißheit des Todes prallen. Dabei war eine seiner ältesten Erinnerungen, damals war er neun oder elf Jahre alt gewesen, ein früher Hinweis auf den Tod in der Person seines Vaters gewesen. Beide waren an einem Regennachmittag in der Offizin des Hauses geblieben. Der kleine Juvenal malte mit bunten Kreiden Lerchen und Sonnenblumen auf die Bodenfliesen, sein Vater saß lesend im Gegenlicht des Fensters, er hatte die Weste aufgeknöpft und Gummibänder an den Hemdsärmeln. Auf einmal unterbrach er die Lektüre, um sich mit einem Silberhändchen an langem Stil den Rücken zu kratzen. Da es ihm nicht gelang, bat er den Sohn, ihn mit den Nägeln zu kratzen. Der tat es und war seltsam berührt davon, beim Kratzen nicht den eigenen Leib zu spüren. Am Ende lächelte ihn der Vater traurig über die Schulter an.

»Wenn ich jetzt sterbe«, sagte er zu ihm, »wirst du dich kaum mehr an mich erinnern, wenn du so alt bist wie ich.«

Er sagte es ohne ersichtlichen Grund, und für einen Augenblick schwebte der Todesengel durch das kühle Dämmerlicht des Raums, verschwand dann wieder durch das Fenster, eine Federspur zurücklassend. Doch das Kind sah sie nicht. Mehr als zwanzig Jahre waren seitdem vergangen, und Juvenal Urbino würde bald das Alter seines Vaters an jenem Nachmittag erreicht haben. Er wußte, daß er ihm glich, und zu diesem Wissen war nun das erschreckende Bewußtsein gekommen, sterblich zu sein wie er.

Die Cholera wurde ihm zur Obsession. Er wußte über diese Krankheit nicht viel mehr als das routinemäßig in einem Nebenkurs Gelernte, er hatte kaum glauben mögen, daß sie vor knapp dreißig Jahren in Frankreich, sogar in Paris, über hundertvierzigtausend Tote gefordert hatte. Nach dem Tod seines Vaters lernte er jedoch alles über die diversen Erscheinungsformen der Cholera, was nur zu lernen war, eine Art Buße, um sein Gewissen zu beschwichtigen. Er wurde Schüler von Professor Adrien Proust, dem bedeutendsten Epidemiologen seiner Zeit, der die sanitären Kordons erfunden hatte und der Vater des großen Romanciers war. Als Juvenal Urbino in seine Heimat zurückkehrte und schon von See aus den abscheulichen Gestank des Marktes roch, dann die Ratten in der offenen Kanalisation sah und die Kinder, die sich nackt im Straßenschlamm wälzten, war ihm nicht nur klar, wie es zu dem Unglück hatte kommen können, sondern er wußte auch, daß es sich jeden Augenblick wiederholen konnte.

Es dauerte nicht lang. Noch bevor ein Jahr vergangen war, baten ihn seine Schüler am Hospital de la Misericordia um Hilfe bei einem Kranken, dessen ganzer Körper eigentümlich blau verfärbt war. Doktor Juvenal Urbino genügte ein Blick von der Tür aus, um den Feind zu erkennen. Doch man hatte noch Glück: Der Kranke war drei Tage zuvor auf einem Schoner aus Curaçao angekommen und hatte von sich aus die Ambulanz des Hospitals aufgesucht, so schien es nicht wahrscheinlich, daß er jemanden angesteckt hatte. Doktor Juvenal Urbino warnte für alle Fälle seine Kollegen. Er erreichte, daß die Behörden die Nachbarhäfen alarmierten, damit der infizierte Schoner geortet und in Quarantäne gelegt würde, und mußte mäßigend auf den örtlichen Militärkommandanten einwirken, der das Kriegsrecht ausrufen und sogleich die Therapie des viertelstündlichen Kanonenschusses einleiten wollte.

»Sparen Sie sich das Pulver, bis die Liberalen kommen«, riet er ihm gutgelaunt. »Wir leben nicht mehr im Mittelalter.«

Der Kranke starb nach vier Tagen, erstickt an weißkörnig Erbrochenem. In den folgenden Wochen wurde aber trotz ständiger Alarmbereitschaft kein weiterer Fall entdeckt.

Wenig später berichtete die Zeitung Diario del Comercio, zwei Kinder in unterschiedlichen Stadtvierteln seien an Cholera gestorben. Man stellte fest, daß eines davon gewöhnliche Dysenterie gehabt hatte, das andere aber, ein fünfjähriges Mädchen, schien tatsächlich ein Opfer der Cholera gewesen zu sein. Seine Eltern und die drei Geschwister wurden getrennt und in Einzelquarantäne gesteckt, und das ganze Viertel wurde medizinisch streng überwacht. Eines der Kinder bekam die Cholera, erholte sich jedoch rasch, und als die Gefahr vorüber war, konnte die ganze Familie wieder zurück in ihr Haus. Elf weitere Fälle wurden im Verlauf von drei Monaten registriert, im fünften Monat nahm die Zahl der Ansteckungen besorgniserregend zu, doch nach einem Jahr hielt man die Gefahr einer Epidemie für gebannt. Niemand zweifelte daran, daß die strengen sanitären Maßnahmen des Doktor Juvenal Urbino das Wunder möglich gemacht hatten. Bis weit in dieses Jahrhundert hinein blieb die Cholera nicht nur in der Stadt, sondern an fast der gesamten Karibikküste sowie im Gebiet des Magdalena endemisch, es kam jedoch nicht wieder zu einer Epidemie. Wegen des Alarmzustands fanden Doktor Juvenal Urbinos Vorschläge bei den Behörden ernsthaftere Beachtung. Das Studium von Cholera und Gelbfieber wurde am medizinischen Institut zum Pflichtfach erklärt, und man erkannte, wie dringlich es war, die Kloaken zu schließen und weit ab von all dem Müll einen neuen Markt zu errichten. Doktor Urbino aber legte damals keinen Wert darauf, auf seinen Sieg zu pochen, hatte auch keinen Schwung mehr für seine sozialen Missionen, weil er zu der Zeit selbst flügellahm war, verwirrt und zerstreut, aber entschlossen, sein Leben ganz zu verändern und alles übrige zu vergessen. Wie ein Blitz hatte ihn die Liebe zu Fermina Daza getroffen.

In der Tat war das die Folge einer Fehldiagnose. Ein ihm

befreundeter Arzt glaubte die Frühsymptome der Cholera an einer achtzehnjährigen Patientin erkannt zu haben und bat Doktor Urbino, das Mädchen zu untersuchen. Noch am gleichen Tag ging dieser dorthin, getrieben von der Befürchtung, die Pest sei in das Heiligtum der Altstadt eingedrungen, nachdem sie bis dahin nur unter der schwarzen Bevölkerung in den Randbereichen aufgetreten war. Weniger unangenehme Überraschungen erwarteten ihn. Das Haus im Schatten der Mandelbäume des Parque de los Evangelios sah äußerlich so heruntergekommen aus wie die anderen Häuser aus der Kolonialzeit, innen aber herrschte die Ordnung der Schönheit und ein jähes Licht, das aus einem anderen Erdzeitalter zu kommen schien. Der Eingangsflur führte direkt auf einen sevillanischen Patio, quadratisch und frisch gekalkt, die Orangenbäume blühten, und der Boden war mit den gleichen Kacheln wie die Wände ausgelegt. Die Luft war erfüllt von dem Rauschen unsichtbar fließenden Wassers, Nelkentöpfe standen auf den Simsen, und in den Arkaden hingen Käfige mit seltenen Vögeln. Am merkwürdigsten waren drei Raben in einem sehr großen Bauer, die, wenn sie mit den Flügeln schlugen, den Patio in einen verwirrenden Duft tauchten. Mehrere Hunde, die irgendwo im Haus angekettet waren, begannen, durch den Geruch des Fremden gereizt, plötzlich zu bellen, doch der Zuruf einer Frau ließ sie verstummen, und zahlreiche Katzen sprangen, verschreckt von der herrischen Stimme, überall herab und versteckten sich zwischen den Blumen. Dann trat Stille ein, so durchsichtig, daß über dem Tumult der Vögel und den Silben des Wassers auf dem Stein der trostlose Atem des Meeres zu vernehmen war.

Durchschauert von der Gewißheit, die leibliche Gegenwart Gottes zu spüren, dachte Doktor Juvenal Urbino, ein Haus wie dieses müsse gegen die Pest gefeit sein. Er folgte

Gala Placidia durch den Arkadengang, ging am Fenster des Nähzimmers vorüber, wo Florentino Ariza, als der Innenhof noch in Schutt lag, Fermina Daza zum ersten Mal gesehen hatte, stieg über die neuen Marmortreppen hinauf in den zweiten Stock und wartete darauf, gemeldet zu werden, um ins Zimmer der Kranken eintreten zu können. Doch Gala Placidia kam mit einer Botschaft heraus:

»Das Fräulein sagt, Sie können nicht hereinkommen, weil ihr Vater jetzt nicht zu Hause ist.«

Also kam er um fünf Uhr nachmittags, wie es ihm das Dienstmädchen geraten hatte, wieder. Lorenzo Daza öffnete ihm persönlich, führte ihn zum Schlafzimmer der Tochter und blieb, vergeblich bemüht seinen schweren Atem zu beherrschen, während der Untersuchung mit gekreuzten Armen in einer dämmrigen Ecke sitzen. Es war nicht leicht auszumachen, wer gehemmter war, der Arzt in seiner taktvollen Zurückhaltung oder die jungfräulich scheue Kranke in ihrem seidenen Nachthemd. Keiner von beiden sah dem anderen in die Augen, er fragte mit unpersönlicher Stimme, sie antwortete mit bebender Stimme, und beide waren sich dabei ständig der Anwesenheit des Mannes im Halbschatten bewußt. Abschließend bat Doktor Juvenal Urbino die Kranke, sich aufzusetzen. Er öffnete ihr mit ausgesuchter Behutsamkeit das Nachthemd bis zur Taille. Einen Augenblick lang leuchtete die stolze und unberührte Brust mit den kindlichen Brustspitzen wie ein Feuerblitz im Dämmerlicht des Zimmers auf, dann verbarg das Mädchen sie hastig hinter den verschränkten Armen. Unbeirrt und ohne sie anzusehen, schob der Arzt die Arme beiseite und nahm, das Ohr an ihrer Haut, eine direkte Auskultation vor, erst an der Brust, dann am Rücken.

Doktor Juvenal Urbino erzählte später gern, daß er keinerlei Gefühlsregung verspürt habe, als er die Frau kennenlernte, mit der er bis zum Tag seines Todes zusammenleben sollte. Er erinnerte sich an das spitzenbesetzte hellblaue Nachthemd, an die fiebrigen Augen, an das lange offene Haar auf den Schultern, doch damals war er so besorgt über den Ausbruch der Pest im Altstadtbereich gewesen, daß er nicht auf all das achtete, was sie als blühendes Mädchen auszeichnete, sondern nur auf das wenige, was sie als Pestkranke hätte ausweisen können. Sie äußerte sich deutlicher: Der junge Arzt, von dem sie im Zusammenhang mit der Cholera so viel gehört hatte, habe damals wie ein Pedant auf sie gewirkt, unfähig, jemanden außer sich selbst zu lieben. Die Diagnose lautete: ernährungsbedingte Darminfektion; sie war nach einer dreitägigen Kur mit Hausmitteln überwunden.

Erleichtert ließ Lorenzo Daza sich bestätigen, daß seine Tochter nicht die Cholera hatte. Er begleitete Doktor Juvenal Urbino bis zum Wagenschlag der Kutsche, zahlte ihm den Goldpeso für den Hausbesuch, was ihm selbst bei einem Reicheleutearzt übertrieben hoch schien, verabschiedete ihn aber dennoch mit uneingeschränkten Dankbarkeitsbezeugungen. Er war geblendet vom Glanz seiner Namen, verhehlte das auch nicht, sondern hätte sogar alles getan, um ihn noch einmal unter weniger förmlichen Umständen zu sehen.

Der Fall hätte für abgeschlossen gelten können. Am Dienstag der folgenden Woche suchte Doktor Juvenal Urbino jedoch ungerufen und ohne irgendeine Anmeldung das Haus zur unpassenden Zeit um drei Uhr nachmittags wieder auf. Fermina Daza saß mit zwei Freundinnen im Nähzimmer und hatte Unterricht in Ölmalerei, als er im Fenster auftauchte, untadelig im weißen Arztrock, mit einem ebenfalls weißen hohen Hut, und ihr bedeutete, näher zu kommen. Sie legte den Rahmen mit der Leinwand auf den Stuhl und ging auf Zehenspitzen zum Fenster, den Volantrock bis über die Knöchel angehoben, um ihn nicht über den Boden schleifen zu lassen. Sie trug einen Stirnreif, von dem ein leuchtender Stein in der unbestimmten Farbe ihrer Augen auf die Stirn herabhing. Alles an ihr atmete Frische. Dem Arzt fiel auf, daß sie sich, um zu Hause zu malen, wie zu einem Fest angezogen hatte. Durchs Fenster fühlte er ihr den Puls, ließ sie die Zunge herausstrecken, untersuchte ihren Hals mit einem Aluminiumspatel, zog ihr prüfend das untere Augenlid herunter und machte jedesmal eine zustimmende Geste. Er war weniger gehemmt als bei dem vorangegangenen Besuch, sie dafür um so mehr, da sie keinen Grund für diese unvorhergesehene Untersuchung sah, hatte er doch selbst gesagt, er brauche nicht noch einmal zu kommen, es sei denn, man rufe ihn wegen einer neuen Entwicklung. Mehr noch: Sie wollte ihn niemals wiedersehen. Als der Arzt die Untersuchung beendet hatte, verwahrte er den Spatel in seinem mit Instrumenten und Medizinfläschchen vollgestopften Arztkoffer und schloß diesen mit einem kurzen Schlag.

»Sie gleichen einer frischerblühten Rose«, sagte er.

»Danke.«

»Gott sei Dank«, sagte er und zitierte falsch den Heiligen Thomas: »Denken Sie daran, alles Gute, woher es auch kommt, hat seinen Ursprung im Heiligen Geist. Lieben Sie Musik?«

Er fragte es beiläufig, mit einem bezaubernden Lächeln, auf das sie aber nicht einging.

»Warum fragen Sie?« fragte sie ihrerseits.

»Musik ist wichtig für die Gesundheit«, sagte er.

Er glaubte es wirklich, und sie sollte sehr bald und für den Rest ihres Lebens lernen, daß das Thema Musik für ihn fast so etwas wie eine magische Formel war, mit der er seine Freundschaft anbot, in jenem Augenblick aber verstand sie es als Spott. Außerdem hatten die beiden Freundinnen, die während der Unterhaltung am Fenster so getan hatten, als ob sie malten, jetzt wie zwei kleine Ratten gelacht, die Gesichter hinter den Rahmen versteckt, was Fermina Daza endgültig erboste. Blind vor Zorn knallte sie das Fenster zu. Der Arzt stand perplex vor den Spitzengardinen, wollte zum Ausgang, irrte sich aber in der Richtung und stieß in seiner Verwirrung gegen den Käfig mit den duftenden Raben. Diese krächzten schrill, flatterten erschreckt auf und tauchten seine Kleidung in ihren Frauenduft. Die Donnerstimme von Lorenzo Daza ließ den Arzt in der Bewegung erstarren.

»Doktor, warten Sie!«

Er hatte vom oberen Stockwerk aus alles verfolgt und eilte nun, sich das Hemd zuknöpfend, die Treppen hinunter, aufgedunsen und rot und mit von einem schlechten Siestatraum noch gesträubten Koteletten. Der Arzt versuchte die Peinlichkeit zu überspielen. »Ich habe Ihrer Tochter gesagt, daß sie gesund wie eine Rose ist.«

»So ist es«, sagte Lorenzo Daza, »aber sie hat zu viele Dornen.«

Er ging, ohne ihn zu begrüßen, an Doktor Urbino vorbei, stieß die beiden Fensterflügel des Nähzimmers auf und brüllte die Tochter unbeherrscht an.

»Du entschuldigst dich beim Doktor!«

Der Arzt versuchte zu vermitteln, doch Lorenzo Daza achtete nicht auf ihn. Er insistierte: »Los, beeil dich!« Sie schaute um Verständnis flehend zu ihren Freundinnen und entgegnete dem Vater, sie brauche sich für nichts zu entschuldigen, denn sie habe das Fenster nur geschlossen, damit nicht noch mehr Sonne hereinkäme. Doktor Urbino wollte es mit ihrer Erklärung gut sein lassen, doch Lorenzo Daza beharrte auf seinem Befehl. Daraufhin kam Fermina Daza bleich vor Wut zum Fenster, schob den rechten Fuß vor, während sie den Rock mit den Fingerspitzen anhob, und machte einen theatralischen Knicks vor dem Arzt.

»Ich bitte Sie ergebenst um Entschuldigung, mein Herr«, sagte sie.

Doktor Juvenal Urbino ahmte sie gutlaunig nach und schwenkte wie ein Musketier seinen Hut vor ihr, wurde jedoch nicht mit dem erwarteten Lächeln belohnt. Lorenzo Daza lud ihn dann in sein Arbeitszimmer zu einem Versöhnungskaffee ein, und Juvenal Urbino nahm bereitwillig an, um keinen Zweifel daran aufkommen zu lassen, daß in seinem Herzen auch nicht die Spur eines Grolls zurückgeblieben war.

Eigentlich trank Doktor Juvenal Urbino, außer der einen Tasse beim Frühstück, keinen Kaffee. Er trank auch keinen Alkohol, außer einem Glas Wein zum Essen bei feierlichen Gelegenheiten. Jetzt trank er jedoch nicht nur den Kaffee, den Lorenzo Daza ihm anbot, sondern nahm auch ein Gläschen Anisschnaps an. Er trank dann noch einen Kaffee und noch ein Gläschen und noch einen und noch eines, obwohl er noch Hausbesuche zu machen hatte. Am Anfang hörte er sich aufmerksam die Entschuldigungen an, die Lorenzo Daza im Namen seiner Tocher vorbrachte, eines, wie er sagte, ernsthaften und intelligenten Mädchens, das eines Prinzen von hier oder anderswo würdig sei, aber eben den einen Fehler habe, störrisch wie ein Maultier zu sein. Nach dem zweiten Gläschen meinte Juvenal Urbino dann aber Fermina Dazas Stimme hinten im Patio zu hören, und in der Vorstellung folgte er ihr, ging ihr nach durch die ins Haus hereingebrochene Nacht, während sie die Lichter im Gang anzündete, in den Schlafzimmern mit einer Pumpe Insektengift zerstäubte, den Deckel von dem Topf hob, in dem die Suppe brodelte, die sie an diesem Abend zusammen mit ihrem Vater essen würde, er und sie allein am Tisch, ohne den Blick zu heben, ohne zu schlürfen, damit nichts den Bann des Grolls breche, bis er nachgeben und sie wegen seiner nachmittäglichen Strenge um Verzeihung bitten müßte.

Doktor Urbino kannte die Frauen gut genug, um zu wissen, daß Fermina Daza nicht beim Arbeitszimmer vorbeikommen würde, solange er noch da war, dennoch zögerte er seinen Aufbruch hinaus, weil er spürte, daß ihn der verletzte Stolz nach dem Affront dieses Nachmittags nicht würde in Frieden leben lassen. Lorenzo Daza, schon fast betrunken, schien die mangelnde Aufmerksamkeit des Arztes nicht zu bemerken, denn er hatte mit seinem wilden Redefluß an sich selbst genug. Er sprach in gestrecktem Galopp, kaute am Stummel der ausgegangenen Zigarre, hustete schreiend, räusperte sich, rückte sich schwerfällig im Drehsessel zurecht, dessen Federn wie ein brünstiges Tier ächzten. Für jedes Gläschen seines Gastes hatte er drei getrunken und legte erst eine Pause ein, als er merkte, daß sie einander nicht mehr sehen konnten, und stand auf, um die Lampe anzuzünden. Doktor Juvenal Urbino sah sein Gesicht in dem neuen Licht, sah, daß ein Auge seitwärts verdreht war wie bei einem Fisch und seine Worte nicht mit den Lippenbewegungen übereinstimmten, und meinte daher, wegen übermäßigen Alkoholgenusses selbst an Halluzinationen zu leiden. Daraufhin erhob er sich mit dem faszinierenden Gefühl, sich in einem Körper zu bewegen, der nicht der seine war, sondern jemand gehörte, der immer noch auf seinem Stuhl saß, so daß er eine große Anstrengung unternehmen mußte, um nicht den Verstand zu verlieren.

Sieben Uhr war vorbei, als er hinter Lorenzo Daza das Arbeitszimmer verließ. Es war Vollmond. Der vom Anisschnaps verklärte Patio trieb am Grund eines Aquariums, und die mit Tüchern bedeckten Vogelbauer glichen schlafenden Gespenstern im heißen Duft der neuen Orangenblüten. Das Fenster des Nähzimmers war geöffnet, auf dem Arbeitstisch stand eine brennende Lampe, und die noch nicht beendeten Bilder standen wie in einer Ausstellung auf den Staffeleien. »Wo bist du, die du nicht hier bist«, sagte Doktor Urbino im Vorbeigehen, doch Fermina Daza hörte ihn nicht, sie konnte ihn nicht hören, denn sie weinte vor Wut in ihrem Schlafzimmer. Sie hatte sich bäuchlings auf das Bett geworfen und wartete auf ihren Vater, er sollte ihr die Demütigung des Nachmittags bezahlen. Juvenal Urbino hatte die Hoffnung nicht aufgegeben, sich von ihr zu verabschieden, aber Lorenzo Daza schlug es nicht vor. So sehnte der Arzt sich nach ihrem unschuldigen Puls, nach ihrer Katzenzunge, ihren zarten Mandeln, doch der Gedanke, sie könnte ihn nie wieder sehen wollen, noch zulassen, daß er versuchte, sie zu sehen, nahm ihm den Mut. Als Lorenzo Daza in die Eingangshalle trat, stießen die unter ihren Laken noch wachen Raben ein düsteres Kreischen aus. »Sie werden dir die Augen auspicken«, sagte der Arzt laut und dachte an Fermina Daza. Lorenzo Daza drehte sich um, fragte, was er gesagt habe.

»Das war nicht ich«, sagte Juvenal Urbino, »das war der Anis.«

Lorenzo Daza begleitete ihn bis zur Kutsche und versuchte, ihm den Goldpeso für den zweiten Hausbesuch aufzudrängen, Juvenal Urbino nahm ihn jedoch nicht an. Er gab dem Kutscher korrekte Anweisungen, er solle ihn zu den zwei Kranken fahren, die er noch sehen mußte, und stieg dann ohne Hilfe in den Wagen. Beim Gerüttel auf dem Kopfsteinpflaster wurde ihm aber allmählich übel, so daß er dem Kutscher befahl, die Richtung zu ändern. Er schaute einen Augenblick in den Wagenspiegel und sah, daß auch sein Spiegelbild noch immer an Fermina Daza dachte. Er zog die Schultern hoch. Schließlich rülpste er, ließ den Kopf auf die Brust fallen und schlief ein. Im Traum hörte er dann Totenglocken. Zuerst hörte er die der Kathedrale und dann die aller anderen Kirchen, eine nach der anderen. Schließlich die gesprungenen Läutwerke von San Julián el Hospitalario.

»Scheiße«, murmelte er im Schlaf, »die Toten sind gestorben.« Seine Mutter und seine Schwestern nahmen gerade am Bankettisch im großen Eßzimmer ihr Abendessen ein, Milchkaffee mit Quarkgebäck, als sie ihn in der Tür erscheinen sahen, das Gesicht starr und der ganze Mann entehrt vom Nuttenparfum der Raben. Die Hauptglocke der nahen Kathedrale hallte im riesigen Hohlraum des Hauses wider. Besorgt fragte seine Mutter, wo er denn gesteckt habe, sie hätten ihn überall gesucht, weil er General Ignacio María, den letzten Enkel des Marqués de Jaraíz de la Vera, behandeln sollte, den an jenem Nachmittag ein Gehirnschlag niedergestreckt habe: Für ihn läuteten die Glocken. Doktor Juvenal Urbino hörte seine Mutter, ohne zu hören, was sie sagte, er hielt sich am Türrahmen fest und machte dann kehrt, um zu seinem Zimmer zu gehen, schlug aber in einer Explosion von erbrochenem Anis der Länge nach hin.

»Heilige Maria Mutter Gottes«, schrie seine Mutter. »Da muß schon etwas sehr Seltsames geschehen sein, wenn du dich zu Hause in einem solchen Zustand blicken läßt.«

Das Seltsamste war jedoch noch nicht geschehen. Doktor Juvenal Urbino nützte den Besuch des bekannten Pianisten Romeo Lussich, der, sobald sich die Stadt von der Trauer um General Ignacio María erholt hatte, einen Zyklus von Mozart-Sonaten vortrug, und ließ das Klavier der Musikhochschule auf einen Maultierkarren schaffen, um Fermina Daza eine Serenade vorzutragen, die Geschichte machte. Sie wachte bei den ersten Takten auf und mußte nicht durch die Spitzengardinen des Balkonfensters schauen, um zu wissen, wer diese außergewöhnliche Huldigung angeregt hatte. Sie bedauerte nur, nicht den Mut anderer verärgerter Jungfrauen zu haben, die den Nachttopf auf den Kopf des unerwünschten Verehrers geleert hatten. Lorenzo Daza hingegen zog sich im Verlauf der Serenade hastig an, und nachdem sie zu Ende war, bat er Doktor Juvenal Urbino und den Pianisten, die nach dem Konzert gleich im Abendanzug gekommen waren, in den Salon und dankte ihnen mit einem Glas guten Brandy für das Ständchen.

Fermina Daza bemerkte sehr bald, daß ihr Vater versuchte, sie weichzustimmen. Am Tag nach der Serenade hatte er beiläufig gesagt: »Denk nur, wie sich deine Mutter fühlen würde, wüßte sie, daß ein Urbino de la Calle um dich wirbt.« Die Tochter erwiderte barsch: »Sie würde sich im Grab umdrehen.« Die Freundinnen, die mit ihr zusammen malten, berichteten ihr, daß Lorenzo Daza von Doktor Juvenal Urbino zum Essen in den Club Social eingeladen worden sei und daß dieser eine strenge Zurechtweisung wegen Nichtbeachtung der Hausordnung hätte hinnehmen müssen. Erst da erfuhr sie auch, daß ihr Vater mehrmals die Aufnahme in den Club Social beantragt hatte, man ihn aber mit so vielen Gegenstimmen abgelehnt hatte, daß ein erneuter Antrag nicht möglich war. Lorenzo Daza jedoch verarbeitete solche Demütigungen mit der Leber eines guten Küfers. Er ließ sich so manches einfallen, um den Arzt zufällig zu treffen, und merkte dabei nicht, daß es Juvenal Urbino war, der alles nur Mögliche tat, um sich finden zu lassen. Ab und zu unterhielten sie sich stundenlang in Lorenzo Dazas Arbeitszimmer, dann blieb im Haus die Zeit stehen, da Fermina nicht zuließ, daß das Leben, solange er nicht verschwunden war, weiterging. Das Café de la Parroquia war für sie ein günstiger Anlaufhafen. Lorenzo Daza führte Juvenal Urbino dort in die Anfangsgründe des

Schachspiels ein, und dieser war ein so eifriger Schüler, daß für ihn das Schach zur unheilbaren Sucht wurde, die ihm bis zum Tag seines Todes zusetzen sollte.

Eines Abends, kurz nach dem Klavierständchen, fand Lorenzo Daza im Hausflur einen Brief, der an seine Tochter adressiert war und das Monogramm JUC in den Siegellack geprägt hatte. Als er an Ferminas Zimmer vorbeiging, schob er ihn unter der Tür durch. Sie konnte sich nicht erklären, wie er bis dorthin gelangt war, es war für sie unvorstellbar, daß ihr Vater sich so gewandelt haben könnte und ihr den Brief eines Verehrers brachte. Sie legte den Brief auf den Nachttisch, ohne recht zu wissen, was sie mit ihm anfangen sollte, und dort blieb er mehrere Tage geschlossen liegen, bis Fermina Daza an einem regnerischen Nachmittag träumte, Juvenal Urbino sei wieder ins Haus gekommen, um ihr den Spatel zu schenken, mit dem er ihren Hals untersucht hatte. Der Spatel im Traum war nicht aus Aluminium, sondern aus einem wohlschmeckenden Metall, von dem sie in einem anderen Traum mit Genuß gekostet hatte, daher zerbrach sie den Spatel in zwei ungleiche Hälften und reichte ihm die kleinere.

Als sie aufwachte, öffnete sie den Brief. Er war kurz und sorgfältig geschrieben und enthielt nur Juvenal Urbinos Bitte, sie möge ihm gestatten, bei ihrem Vater die Erlaubnis für Besuche einzuholen. Seine schlichte und ernsthafte Art beeindruckte sie, so daß der mit so viel Hingabe so viele Tage gepflegte Zorn sich plötzlich milderte. Sie verwahrte den Brief in einem unbenutzten Kästchen ganz unten in der Reisetruhe, erinnerte sich dann aber daran, daß sie dort auch die parfümierten Briefe von Florentino Ariza aufbewahrt hatte, worauf sie, von einer Woge der Scham ergriffen, den Brief aus dem Kästchen nahm, um einen anderen Platz dafür zu suchen. Sie hielt es für das dezenteste, so zu tun, als hätte sie ihn nicht erhalten, verbrannte ihn über der Lampe und sah zu, wie die Siegellacktropfen in der Flamme blaue Bläschen warfen und zerplatzten. »Der arme Mann«, seufzte sie. Da fiel ihr plötzlich auf, daß sie dies zum zweiten Mal in wenig mehr als einem Jahr sagte. Einen Augenblick lang dachte sie an Florentino Ariza und war selbst erstaunt darüber, wie fern er ihrem Leben war: der arme Mann.

Im Oktober kamen mit den letzten Regenfällen drei weitere Briefe, der erste begleitet von einem Schächtelchen mit Veilchenpastillen aus der Abtei von Flavigny. Dieser und auch der folgende waren von Doktor Urbinos Kutscher, der Gala Placidia vom Wagenfenster aus gegrüßt hatte, bis ans Hausportal getragen worden, damit erstens nicht daran gezweifelt werden konnte, daß er die Briefe überbracht hatte, und zweitens, damit niemand hätte behaupten können, sie seien nicht angekommen. Im übrigen waren beide Briefe mit dem Lackmonogramm versiegelt und in der Geheimschrift gekritzelt, die Fermina Daza schon kannte: die Schrift eines Arztes. In beiden stand im wesentlichen das gleiche wie im ersten Brief, und es sprach auch die gleiche ergebene Haltung daraus, doch hinter dieser Wohlanständigkeit war ein Verlangen zu spüren, das in Florentino Arizas gemessenen Briefen nie offenbar geworden war. Fermina Daza las sie, sobald sie – im Abstand von zwei Wochen – abgegeben worden waren, und als sie sie schon verbrennen wollte, kam sie plötzlich, ohne sich selbst darüber Rechenschaft abzulegen, von diesem Vorsatz ab. Dennoch dachte sie nie daran, die Briefe zu beantworten.

Der dritte Brief im Oktober war unter der Eingangstür hindurchgeschoben worden und unterschied sich in jeder Hinsicht von den vorherigen. Die Schrift wirkte so ungelenk, daß sie zweifellos mit der linken Hand geschrieben war, doch das wurde Fermina Daza erst klar, als der Text selbst den Brief als infames anonymes Geschreibsel entlarvte. Die Person, die das geschrieben hatte, ging davon aus, daß Fermina Daza Doktor Juvenal Urbino mit einem Liebestrank verhext habe, und zog aus dieser Vermutung finstere Schlüsse. Der Brief endete mit einer Drohung: Sollte Fermina Daza nicht auf ihre Absicht verzichten, sich den begehrtesten Mann der Stadt zu kapern, werde man sie der öffentlichen Schande ausliefern.

Sie fühlte sich als Opfer einer empörenden Ungerechtigkeit, reagierte aber nicht rachsüchtig, ganz im Gegenteil: Am liebsten hätte sie den Verfasser des anonymen Briefs ausfindig gemacht, um ihn mit jeder nur erforderlichen Erklärung von seinem Irrtum abzubringen, denn sie war sich ganz sicher, daß es für sie niemals einen Grund geben könnte, auf die Anträge von Juvenal Urbino einzugehen. In den darauffolgenden Tagen erhielt sie zwei weitere Briefe ohne Unterschrift, sie waren so perfide wie der erste, doch keiner der drei schien von derselben Hand geschrieben zu sein. Entweder war sie das Opfer einer Verschwörung, oder aber die falsche Kunde ihrer heimlichen Liebschaft hatte weitere Kreise gezogen, als zu vermuten gewesen wäre. Der Gedanke, daß dies alles Folge einer simplen Indiskretion von Juvenal Urbino sein könnte, beunruhigte sie. Vielleicht, überlegte sie, war er nicht so distinguiert, wie er aussah, vielleicht ging ihm bei seinen Hausbesuchen die Zunge durch, vielleicht prahlte er wie so viele Männer seiner Klasse mit eingebildeten Eroberungen. Sie erwog, ihm zu schreiben, um ihm die Schmach vorzuwerfen, die er ihr antat, kam aber von diesem Vorhaben ab, da Juvenal Urbino womöglich gerade das erreichen wollte. Sie horchte die Freundinnen aus, die zum Malen zu ihr ins Nähzimmer kamen, doch denen waren nur wohlwollende Kommentare über das Klavierständchen zu Ohren gekommen. Sie fühlte sich ohnmächtig und gedemütigt, war wütend. Ganz anders als zu Anfang, als sie dem unsichtbaren Feind noch hatte begegnen wollen, um ihn von seinem Irrtum zu überzeugen, hatte sie jetzt nur noch den Wunsch, ihn mit der Gartenschere in Hackfleisch zu verwandeln. Sie verbrachte schlaflose Nächte, analysierte, in der Hoffnung, auch nur die Ahnung einer Fährte zu finden, Ausdrucksweise und einzelne Merkmale der anonymen Briefe. Es war eine vergebliche Hoffnung: Die innere Welt der Urbinos de la Calle war Fermina Daza im Wesen fremd. Sie hatte zwar Waffen, um ihren guten Künsten, nicht aber den bösen zu begegnen.

Diese Erkenntnis wurde noch bitterer nach der Schrekkensgeschichte mit der Negerpuppe, die in jenen Tagen ohne Begleitbrief ankam, deren Herkunft ihr jedoch leicht bestimmbar schien: Nur Doktor Juvenal Urbino konnte sie ihr geschickt haben. Sie war, nach dem Originaletikett zu schließen, in Martinique gekauft worden, hatte ein entzükkendes Kleid an, Goldsträhnen im gelockten Haar und schloß die Augen, wenn man sie hinlegte. Fermina Daza hatte so viel Spaß an ihr, daß sie sich über ihre Skrupel hinwegsetzte und sie tagsüber auf ihr Kopfkissen legte. Sie gewöhnte sich dann auch daran, mit ihr zu schlafen. Nach einiger Zeit jedoch entdeckte sie, als sie einmal ermattet von einem schlechten Traum aufwachte, daß die Puppe gewachsen war: Das niedliche Kleid, in dem sie gekommen war, ließ jetzt schon die Schenkel frei, und die Schuhe waren vom Druck der Füße geplatzt. Fermina Daza hatte von afrikanischen Hexereien gehört, aber keine davon erschien ihr so beängstigend wie diese. Andererseits konnte sie sich nicht vorstellen, daß ein Mann wie Juvenal Urbino einer solchen Greueltat fähig gewesen sein könnte. Sie hatte recht: Die Puppe war nicht von dem Kutscher gebracht worden, sondern von einem zufällig vorbeikommenden Krabbenverkäufer, über den niemand Genaueres berichten konnte. Bei dem Versuch, das Rätsel zu lösen, dachte Fermina Daza einen Augenblick lang an Florentino Ariza, dessen düstere Verfassung sie ängstigte, doch das Leben sollte sie eines Besseren belehren. Das Geheimnis wurde nie aufgeklärt, und der bloße Gedanke daran ließ sie noch vor Entsetzen erschauern, als sie schon lange verheiratet war, Kinder hatte und sich für die Erwählte des Schicksals hielt: die Glücklichste.

Der letzte Versuch Doktor Urbinos bestand darin, Schwester Franca de la Luz, die Oberin der Schule Presentación de la Santísima Vírgen, als Vermittlerin einzuschalten. Diese konnte sich nicht dem Anliegen einer Familie verschließen, die den Orden seit seiner Niederlassung in Amerika gefördert hatte. Sie erschien um neun Uhr morgens, begleitet von einer Novizin, und beide mußten sich eine halbe Stunde lang die Zeit mit den Vogelbauern vertreiben, bis Fermina Daza ihr Bad beendet hatte. Die Nonne war eine viril anmutende Deutsche mit einem metallischen Akzent und einem herrischen Blick, der in keiner Beziehung zu ihren kindischen Leidenschaften stand. Es gab nichts und niemanden auf dieser Welt, den Fermina Daza mehr haßte als diese Frau und alles, was mit ihr zu tun hatte. Schon bei der Erinnerung an ihr falsches Mitleid spürte sie im Leib ein Stechen wie von Skorpionen. Es genügte ihr, sie von der Badezimmertür aus wiederzuerkennen, und schon wurden auf einen Schlag die Qualen der Schulzeit wieder für sie lebendig, die unerträgliche Müdigkeit bei der täglichen Messe, die Angst vor Prüfungen, der servile Eifer der Novizinnen, dieses ganze Leben, das gebrochen wurde durch das Prisma der Armut im Geiste. Schwester Franca de la Luz begrüßte sie hingegen mit einer Begeisterung, die ehrlich zu sein schien. Sie staunte darüber, wie groß und reif Fermina geworden war, und lobte die Umsicht, mit der sie den

Haushalt führte, den geschmackvollen Patio, das Kohlebekken mit den Orangenblüten. Sie befahl der Novizin, dort auf sie zu warten, aber nicht den Raben zu nahe zu kommen, die ihr, wenn sie nicht aufpasse, die Augen aushacken könnten, und suchte einen abgelegenen Platz, um sich mit Fermina Daza unter vier Augen zu unterhalten. Diese bat sie in den Salon.

Es war ein kurzer und schroffer Besuch. Schwester Franca de la Luz verlor keine Zeit mit Präliminarien und bot Fermina Daza sogleich die ehrenvolle Rehabilitierung an. Der Ausschlußgrund sollte nicht nur aus den Akten, sondern auch aus dem Gedächtnis des Ordens getilgt werden, so daß sie die Schule beenden und das Bakkalaureat erwerben könnte. Fermina Daza war verblüfft und wollte den Grund erfahren.

»Die Fürsprache einer Person, die alles verdient und deren einziger Wunsch es ist, dich glücklich zu machen«, sagte die Nonne. »Weißt du, wer das ist?«

Da begriff sie. Sie fragte sich, mit welcher Berechtigung eine Frau als Liebesbotin auftrat, die ihr das Leben wegen eines unschuldigen Briefes zerstört hatte, wagte aber nicht, das laut zu sagen. Statt dessen sagte sie, ja, sie kenne diesen Mann und wisse deshalb auch, daß er keinerlei Recht habe, sich in ihr Leben einzumischen.

»Er fleht dich nur um eins an, du sollst ihm die Gunst eines fünfminütigen Gesprächs gewähren«, sagte die Nonne. »Ich bin sicher, daß dein Vater einverstanden sein wird.«

Fermina Dazas Zorn wuchs bei dem Gedanken, daß ihr Vater ein Komplize dieses Besuchs sein könnte.

»Wir haben uns zweimal gesehen, als ich krank war«, sagte sie. »Jetzt gibt es keinerlei Anlaß dafür.«

»Für jede Frau mit zweifingerbreit Stirn ist dieser Mann ein Geschenk des Himmels«, sagte die Nonne.

Sie sprach dann von seinen Tugenden, von seiner Gläubigkeit, daß er sich dem Dienst am leidenden Nächsten verschrieben habe. Während sie redete, schüttelte sie einen goldenen Rosenkranz mit einem aus Elfenbein geschnitzten Christus aus ihrem Ärmel und fuchtelte damit vor Fermina Dazas Augen herum. Es war eine Familienreliquie, mehr als hundert Jahre alt, von einem Goldschmied aus Siena geschnitzt und von Clemens IV. gesegnet.

»Es gehört dir«, sagte sie.

Fermina Daza spürte, wie ihr das Blut durch die Adern stürzte, und faßte Mut.

»Ich begreife nicht, wie Sie sich für so etwas hergeben«, sagte sie, »da für Sie Liebe doch Sünde ist.«

Schwester Franca de la Luz überging die Bemerkung, doch ihre Lider röteten sich. Sie ließ den Rosenkranz immer noch vor den Augen des Mädchens pendeln.

»Du tätest gut daran, dich mit mir zu verständigen«, sagte sie, »denn nach mir könnte der Erzbischof kommen, und das ist ein anderes Lied.«

»Er soll nur kommen«, sagte Fermina Daza.

Schwester Franca de la Luz versteckte den goldenen Rosenkranz wieder in ihrem Ärmel. Dann holte sie aus dem anderen ein nicht mehr ganz frisches zusammengeknäultes Taschentuch, behielt es in der geschlossenen Faust und schaute Fermina Daza von weither mit einem mitleidigen Lächeln an.

»Mein armes Kind«, seufzte sie, »du denkst immer noch an diesen Mann.«

Fermina Daza hatte an der Dreistigkeit zu schlucken. Sie schaute die Nonne an, ohne mit der Wimper zu zucken, schaute ihr fest in die Augen, sagte nichts, während sie still mit ihrer Empörung kämpfte, bis sie mit unendlicher Genugtuung bemerkte, daß sich die Männeraugen der Nonne mit Tränen füllten. Schwester Franca de la Luz trocknete sie mit dem Taschentuchknäuel und stand auf.

»Dein Vater hat völlig recht«, sagte sie, »du bist ein Maulesel.«

Der Erzbischof kam nicht. So hätte die Belagerung an jenem Tag enden können, wäre nicht Hildebranda Sánchez gekommen, um mit der Kusine Weihnachten zu verbringen, was beider Leben veränderte. Sie wurde um fünf Uhr morgens vom Schoner aus Riohacha abgeholt. In der Menge von elendiglich seekranken Passagieren verließ eine strahlende Hildebranda das Schiff, sie wirkte sehr fraulich und war aufgeregt von der schlechten Nacht auf See. Sie hatte lebende Truthähne und körbevoll die vielen Früchte ihrer reichen Ebene mitgebracht – niemand sollte während ihres Besuchs Hunger leiden. Lisímaco Sánchez, ihr Vater, ließ anfragen, ob es an Musikern für die Festtage mangele, er habe die besten an der Hand, und versprach, eine Ladung Feuerwerkskörper nachzuschicken. Außerdem kündigte er an, daß er nicht vor März die Tochter holen kommen könne, es war also genug Zeit, um zu leben.

Die beiden Kusinen fingen sofort damit an. Vom ersten Abend an badeten sie nackt zusammen und wuschen einander mit dem Wasser aus der Zisterne. Sie halfen sich beim Einseifen, entfernten sich gegenseitig die Nissen, verglichen ihre Hintern, ihre starren Brüste, die eine betrachtete sich im Spiegel der anderen, um ermessen zu können, wie grausam die Zeit mit ihnen umgegangen war, seit sie sich das letzte Mal gesehen hatten. Hildebranda war groß und stämmig, von goldener Hautfarbe, doch das Haar an ihrem Körper war das einer Mulattin, kurz und kraus wie Stahlwolle. Fermina Daza hingegen war von einer blassen Nacktheit, sie hatte lange Körperlinien, eine gelassene Haut und glatte Vliese. Gala Placidia hatte ihnen zwei gleiche Betten ins

Schlafzimmer gestellt, doch manchmal legten sie sich zusammen in eins und schwatzten bei gelöschtem Licht bis zum Morgengrauen. Sie rauchten wie die Straßenräuber Panetella-Stumpen, die Hildebranda im Futter ihres Kabinenkoffers versteckt mitgebracht hatte, und mußten danach armenisches Papier verbrennen, um die Spelunkenluft, die sie im Zimmer verbreiteten, zu reinigen. Fermina Daza hatte in Valledupar zum ersten Mal geraucht und hatte es in Fonseca und auch in Riohacha fortgesetzt, wo sich bis zu zehn Kusinen in einem Zimmer einschlossen, um heimlich zu rauchen und über Männer zu reden. Sie lernte mit der Glut im Mund zu rauchen wie die Männer in Kriegsnächten, um nicht von den glimmenden Zigaretten verraten zu werden. Aber sie hatte nie allein geraucht. Als Hildebranda bei ihr zu Besuch war, machte sie es jede Nacht vor dem Schlafengehen, und es wurde ihr zur Gewohnheit, die sie beibehielt, allerdings immer heimlich, sogar vor ihrem Mann und ihren Kindern, nicht nur, weil es sich für eine Frau nicht schickte, in der Öffentlichkeit zu rauchen, sondern weil die Heimlichkeit für sie zum Genuß gehörte.

Auch Hildebranda war die Reise von ihren Eltern verordnet worden, um sie von ihrer unmöglichen Liebe fernzuhalten, man ließ sie jedoch in dem Glauben, daß der Besuch den Zweck hatte, Fermina bei der Entscheidung für eine gute Partie zu unterstützen. Hildebranda hatte sich darauf in der Hoffnung eingelassen, wie einst die Kusine dem Vergessen trotzen zu können, und hatte mit dem Telegraphisten von Fonseca vereinbart, daß er ihre Botschaften mit größter Diskretion weiterleiten sollte. Daher war sie so bitter enttäuscht, als sie erfuhr, daß Fermina Daza Florentino Ariza abgewiesen hatte. Zudem hatte Hildebranda ein weltumspannendes Verständnis von Liebe. Sie meinte, was immer irgendeiner Liebe widerfahre, betreffe gleichzeitig alle Lieben in der Welt. Dennoch verzichtete sie nicht auf ihren Plan. Mit einer Kühnheit, die Fermina Daza in Panik versetzte, machte sie sich allein zum Telegraphenamt auf, um Florentino Arizas Unterstützung zu gewinnen.

Sie hätte ihn nicht erkannt, denn keiner seiner Züge entsprach dem Bild, das sie sich nach Fermina Dazas Erzählungen von ihm gemacht hatte. Auf den ersten Blick erschien es ihr unmöglich, daß die Kusine wegen dieses so gut wie unsichtbaren Angestellten fast verrückt geworden war. Er wirkte wie ein geprügelter Hund und konnte mit seiner Erscheinung eines in Ungnade gefallenen Rabbiners und seinen steifen Manieren kein Herz bewegen. Sehr bald bereute sie jedoch dieses erste Urteil, da sich Florentino Ariza bedingungslos in ihren Dienst stellte, und zwar ohne zu wissen, wer sie war. Er erfuhr es nie. Niemand hätte sie besser verstehen können als er. Er fragte nicht nach Namen oder Adresse. Sein Lösungsvorschlag war einfach: Sie solle jeden Mitwochnachmittag im Telegraphenamt vorbeischauen, und er persönlich werde ihr die Antworten übergeben, das sei alles. Als er die Botschaft las, die Hildebranda aufgesetzt hatte, fragte er noch, ob er eine Anregung geben dürfe, und sie willigte ein. Florentino Ariza brachte zunächst ein paar Korrekturen zwischen den Zeilen an, strich sie dann, schrieb sie neu, bis kein Platz mehr war, zerriß schließlich das Blatt und verfaßte eine ganz andere Botschaft, die ihr überaus ergreifend erschien. Als sie aus dem Telegraphenamt kam, war Hildebranda den Tränen nah.

»Er ist häßlich und traurig«, sagte sie zu Fermina Daza, »aber alles an ihm ist Liebe.«

Was Hildebranda besonders auffiel, war die Einsamkeit ihrer Kusine. Kaum zwanzig Jahre alt, wirke sie, sagte sie zu Fermina, wie eine alte Jungfer. An eine zahlreiche und weit verstreute Verwandtschaft gewöhnt, an Häuser, bei denen niemand genau sagen konnte, wie viele Personen dort wohnten oder wer jeweils zum Essen kommen würde, konnte sich Hildebranda nicht vorstellen, daß ein Mädchen ihres Alters sich auf ein klösterliches Privatleben einschränken ließ. Es war aber so. Von sechs Uhr früh an, wenn sie aufstand, bis nachts, wenn sie das Licht in ihrem Schlafzimmer löschte, gab sich Fermina der Zeitverschwendung hin. Das Leben kam von außen an sie heran. Zuerst, nach dem letzten Hahnenschrei, weckte sie der Milchmann mit dem Türklopfer. Nach ihm klopfte die Fischverkäuferin mit ihrer Kiste voll Seebrassen, die sterbend auf einem Algenbett lagen, dann die prächtig herausgeputzten schwarzen Hausiererinnen mit Gemüse aus Maria la Baja und Obst aus San Jacinto. Und später, den ganzen Tag über, klopften alle übrigen an: die Bettler, die Losverkäuferinnen, die barmherzigen Schwestern, der Messerschleifer mit seiner Hirtenflöte, der Flaschenaufkäufer, der Muschelgoldsammler, der Altpapiersammler, die falschen Zigeunerinnen, die sich erboten, die Zukunft aus Karten, aus der Hand, aus dem Kaffeesatz oder aus dem Wasser der Tonkrüge zu lesen. Gala Placidia verbrachte die Woche damit, die Tür zu öffnen und wieder zu schließen, nur um zu sagen, nein, kommen Sie ein andermal wieder, oder schrie gereizt vom Balkon hinunter, lassen Sie uns in Ruhe, verdammt noch mal, wir haben schon alles gekauft, was wir brauchen. Sie war mit so viel Eifer und Geschick an die Stelle von Tante Escolástica getreten, daß Fermina Daza sie mit ihr verwechselte und dann auch liebte. Sobald Gala Placidia ein wenig Zeit hatte, ging sie ins Wirtschaftszimmer, um Weißwäsche vollendet zu bügeln und sie dann mit Lavendelblüten in den Schränken zu verwahren. Übrigens bügelte und faltete sie nicht nur die Stücke, die sie gerade gewaschen hatte, sondern auch jene, die mangels Gebrauch den Glanz verloren hatten. Mit der gleichen Sorgfalt pflegte sie die Garderobe von Ferminas Mutter, Fermina Sánchez, die vor vierzehn Jahren gestorben war. Die Entscheidungen traf jedoch Fermina Daza. Sie ordnete an, was es zu essen geben sollte, was eingekauft werden mußte, wie in jedem einzelnen Fall zu verfahren sei, und bestimmte auf diese Weise das Leben eines Hauses, in dem es in Wirklichkeit nichts zu bestimmen gab. Wenn sie die Käfige gesäubert, den Vögeln Futter hingestellt und sich darum gekümmert hatte, daß die Blumen versorgt waren, hatte sie kein Ziel mehr. Seitdem man sie aus der Schule ausgeschlossen hatte, war sie schon mehrmals zur Siestazeit eingeschlafen und bis zum nächsten Tag nicht aufgewacht. Und der Malunterricht war nur eine vergnüglichere Art, Zeit totzuschlagen.

Das Verhältnis zu ihrem Vater litt seit dem Exil der Tante Escolástica an mangelnder Zuneigung, beide hatten aber eine Form gefunden, miteinander zu leben, ohne sich im Wege zu sein. Wenn sie aufstand, war er schon geschäftlich unterwegs. Selten nur fehlte er beim Ritual des Mittagessens, obwohl er fast nie etwas aß, da ihm die Aperitifs und die spanischen Tapas im Café de la Parroquia genügten. Er aß auch nicht zu Abend. Sie ließen ihm einen Teller mit seiner Portion auf dem Tisch stehen, mit einem anderen Teller abgedeckt, obgleich sie wußten, daß er sie erst am nächsten Tag aufgewärmt zum Frühstück essen würde. Einmal pro Woche gab er der Tochter das Haushaltsgeld, von ihm genau berechnet und von ihr streng verwaltet, ging aber bei unvorhergesehenen Ausgaben bereitwillig auf jede Bitte ihrerseits ein. Nie feilschte er mit ihr um einen Quartillo, bat nie um eine Abrechnung, sie verhielt sich jedoch so, als habe sie sich vor dem Tribunal der Inquisition zu verantworten. Nie hatte er ihr von Art und Gang seiner Geschäfte erzählt, er hatte sie auch nie mitgenommen, um seine Hafenbüros kennenzulernen, da sie in einer Gegend lagen, die für anständige junge Damen selbst in Begleitung ihrer Eltern verboten war. Lorenzo Daza kam gewöhnlich kurz vor zehn Uhr abends heim, dann begann in weniger kritischen Kriegszeiten die Ausgangssperre. Bis dahin saß er bei irgendeinem Spiel im Café de la Parroquia, denn er war ein Fachmann in allen Gesellschaftsspielen und zudem ein guter Lehrer. Immer kam er bei vollem Bewußtsein und ohne die Tochter dabei zu wecken nach Hause, und das, obwohl er beim Aufwachen den ersten Anis trank und den ganzen Tag über, an seiner ausgegangenen Zigarre kauend, weiter in Abständen seine Schnapsgläschen leerte. Eines Nachts aber hörte Fermina Daza, wie er ins Haus kam. Sie hörte seine Kosakenschritte auf den Treppen, sein mächtiges Schnaufen auf dem Gang im zweiten Stock und wie er dann mit den Handflächen gegen ihre Zimmertür schlug. Sie öffnete ihm und erschrak zum ersten Mal über sein abgeirrtes Auge und seine schwerzüngigen Worte.

»Wir sind ruiniert«, sagte er, »total ruiniert, jetzt weißt du es.«

Das war alles, was er sagte, und er sagte es nie wieder, es geschah auch nichts, woraus man hätte schließen können, ob er die Wahrheit gesagt hatte, seit jener Nacht aber war Fermina Daza bewußt, daß sie allein auf der Welt war. Ihre ehemaligen Mitschülerinnen wohnten in einem ihr verwehrten Himmel, erst recht nach ihrem unehrenhaften Ausschluß, und sie war auch nicht die Nachbarin ihrer Nachbarn, da diese sie ohne Vergangenheit und in der Schuluniform der Presentación de la Santísima Vírgen kennengelernt hatten. Die Welt ihres Vaters war die der Händler und Stauer, der Kriegsflüchtlinge in ihrem Stammlokal, dem Café de la Parroquia – eine Männerwelt. Im vergangenen Jahr hatten die Malstunden ihre Abgeschiedenheit etwas gemildert, da die Lehrerin den Gemeinschaftsunterricht vorzog und andere Schülerinnen in das Nähzimmer mitzubringen pflegte. Doch es waren Mädchen aus unterschiedlichen und schlecht bestimmbaren sozialen Kreisen, und sie waren für Fermina Daza nur Freundinnen auf Pump, deren Zuneigung mit der Unterrichtsstunde endete. Hildebranda wollte das Haus öffnen, frische Luft hereinlassen, die Musiker, die Raketen und die Feuerwerkskünste ihres Vaters heranschaffen und einen Karnevalsball veranstalten, dessen Ungestüm dem Mottenfraß im Gemüt der Kusine ein Ende setzen sollte. Sie merkte jedoch bald, daß ihre Vorsätze sinnlos waren. Aus einem einfachen Grund: Es gehörten eben mehr dazu als zwei.

Jedenfalls war sie es, die Fermina ins Leben zurückholte. Nachmittags, nach den Malstunden, ließ sie sich ausführen, um die Stadt kennenzulernen. Fermina Daza zeigte ihr den Weg, den sie täglich mit der Tante Escolástica zurückgelegt hatte, die Parkbank, auf der Florentino Ariza zu lesen vorgab, um sie abzupassen, die Gassen, durch die er ihr gefolgt war, die Verstecke für die Briefe, den finsteren Palast, in dem das Gefängnis der Inquisition untergebracht gewesen und der später restauriert und zur Schule der Presentación de la Santísima Virgen umgebaut worden war, die sie von ganzer Seele haßte. Sie stiegen auf den Hügel des Armenfriedhofs, wo Florentino Ariza bei günstigem Wind Geige gespielt hatte, damit sie es in ihrem Bett hören konnte. Von dort war die ganze Altstadt zu überblicken, sie sahen die kaputten Ziegeldächer und die verfallenen Mauern, die Trümmer der Festungen zwischen dem Gebüsch, den Schwarm von Inseln in der Bucht, die Elendsbaracken am Rand der Sümpfe und das unermeßliche karibische Meer.

In der Weihnachtsnacht gingen sie zur Christmette in die Kathedrale. Fermina Daza setzte sich auf den Platz, wo

Florentino Arizas innige Musik sie am besten erreicht hatte, und zeigte ihrer Kusine die genaue Stelle, an der sie in einer Nacht wie dieser zum ersten Mal die erschreckten Augen von nahem gesehen hatte. Sie wagten sich allein bis zum Portal de los Escribanos, kauften Süßwaren, hielten sich in dem Geschäft mit den ausgefallenen Papierwaren auf, und dann zeigte Fermina Daza ihrer Kusine den Ort, an dem sie entdeckt hatte, daß ihre Liebe nur eine Täuschung gewesen war. Sie selbst merkte nicht, daß jeder ihrer Schritte vom Haus bis zur Schule, jede Stelle in der Stadt, jeder Augenblick ihrer jüngsten Vergangenheit nur durch Florentino Ariza zu existieren schien. Hildebranda machte sie darauf aufmerksam, doch Fermina mochte es nicht zugeben, da sie sich niemals die Tatsache hätte eingestehen können, daß, im Guten wie im Schlechten, Florentino Ariza das einzige war, was ihr im Leben widerfahren war.

Zu jener Zeit kam ein belgischer Fotograf in die Stadt, der sein Atelier über dem Portal de los Escribanos einrichtete. Jeder, der es bezahlen konnte, nutzte die Gelegenheit, sich von ihm ablichten zu lassen. Fermina und Hildebranda waren unter den ersten. Sie leerten den Kleiderschrank von Fermina Sánchez, teilten die prächtigsten Kleider, die Sonnenschirme, die Ballschuhe und Hüte untereinander auf und kleideten sich damit wie Damen der Jahrhundertmitte. Gala Placidia half ihnen, die Korsetts zu schnüren, zeigte ihnen, wie man sich in dem Drahtgestänge der Reifröcke bewegte, wie man die Handschuhe überstreifte und die hochhackigen Stiefelchen zuknöpfte. Hildebranda wählte einen breitkrempigen Hut mit Straußenfedern, die ihr über den Rücken hingen. Fermina Daza setzte sich einen etwas neueren auf, der mit bemalten Gipsfrüchten und Filzblumen geschmückt war. Am Ende mußten sie über sich selbst lachen, als sie im Spiegel sahen, wie sehr sie den Daguerrotypien der Großmütter ähnelten, und sie brachen glücklich kichernd auf, um sich die Fotografie ihres Lebens machen zu lassen. Gala Placidia sah ihnen vom Balkon aus nach, wie sie unter den geöffneten Sonnenschirmen, so gut es ging, auf den hohen Hacken über den Platz stöckelten und die Reifröcke mit dem ganzen Körper wie Kinderlaufstühlchen voranschoben. Sie gab ihnen ihren Segen, daß Gott ihnen bei ihrem Bildnis beistünde.

Vor dem Atelier des Belgiers war Tumult, weil gerade Beny Centeno fotografiert wurde, der in jenen Tagen die Boxmeisterschaft in Panama gewonnen hatte. Er trug kurze Sporthosen, hatte die Boxhandschuhe an und den Kranz auf dem Kopf. Es war nicht leicht, ihn zu fotografieren, weil er eine Minute lang bewegungslos in Angriffstellung verharren mußte und dabei so wenig wie möglich atmen durfte. Sobald er aber die Fäuste hob, setzten die Ovationen seiner Anhänger ein, und dann konnte er der Versuchung nicht widerstehen, sie mit Proben seiner Kunst zu erfreuen. Als die Kusinen an der Reihe waren, hatte sich der Himmel zugezogen, es konnte jeden Augenblick zu regnen beginnen, sie ließen sich aber dennoch die Gesichter mit Stärkemehl pudern und lehnten sich mit so großer Natürlichkeit an eine Alabastersäule, daß es ihnen gelang, länger als vorstellbar regungslos zu verharren. Es war ein Bild für die Ewigkeit. Als Hildebranda fast hundertjährig auf ihrer Hacienda in Flores de María starb, fand man in dem abgeschlossenen Schlafzimmerschrank zwischen parfümierten Laken versteckt ihren Abzug zusammen mit dem Fossil eines Stiefmütterchens in einem Brief, den die Zeit gelöscht hatte. Fermina Daza bewahrte ihr Bild viele Jahre lang auf der ersten Seite eines Familienalbums auf, bis es von dort verschwand, ohne daß jemand gewußt hätte wann und wie, und durch eine Reihe unglaublicher Zufälle in die Hände von

Florentino Ariza gelangte, als beide schon über sechzig waren.

Der Platz vor dem Portal de los Escribanos war überfüllt bis hinauf zu den Balkonen, als Fermina und Hildebranda aus dem Atelier des Belgiers kamen. Sie hatten vergessen, daß ihre Gesichter weiß von Stärkemehl und die Lippen mit einer schokoladenfarbenen Pomade bemalt waren und daß ihre Kleidung weder der Uhrzeit noch der Epoche entsprach. Auf der Straße empfing man sie mit Pfiffen und Gejohle. Sie versuchten dem allgemeinen Spott zu entkommen, waren aber schon eingekreist, als sich der Landauer mit den Goldfüchsen einen Weg durch den Menschenauflauf bahnte. Das Gejohle verstummte, und die feindseligen Grüppchen zerstreuten sich. Hildebranda sollte nie den ersten Anblick des Mannes vergessen, der auf dem Trittbrett erschien, seinen glänzenden Zylinder, seine Brokatweste, seine überlegten Gebärden, die Sanftheit seiner Augen und die Autorität seiner Gegenwart.

Obwohl sie ihn nie gesehen hatte, erkannte sie ihn sofort. Fermina Daza hatte an einem Nachmittag im vergangenen Monat eher zufällig und ohne jede Anteilnahme von ihm gesprochen, als sie nicht am Haus des Marqués de Casalduero hatte vorbeigehen wollen, weil dort der Landauer mit den Goldfüchsen vor dem Portal stand. Sie hatte erzählt, wer der Besitzer war, und versucht, Hildebranda die Gründe ihrer Abneigung zu erklären, ohne jedoch sein Werben mit einem Wort zu erwähnen. Hildebranda hatte den Vorfall vergessen. Als sie ihn jedoch als Märchengestalt am Wagenschlag erkannte, den einen Fuß auf der Erde, den anderen auf dem Trittbrett, erschienen ihr die Gründe ihrer Kusine unbegreiflich.

»Erweisen Sie mir den Gefallen und steigen Sie ein«, sagte Doktor Juvenal Urbino zu ihnen. »Ich fahre Sie, wohin Sie auch befehlen.«

Fermina Daza setzte zu einer ablehnenden Geste an, aber Hildebranda hatte schon angenommen. Doktor Urbino sprang auf die Erde und half ihr mit den Fingerspitzen, fast ohne sie zu berühren, in den Wagen, und Fermina blieb keine andere Wahl, sie stieg hinter der Kusine ein, und ihr Gesicht brannte ob der Peinlichkeit.

Das Haus lag nur drei Straßen entfernt. Die Kusinen hatten nicht bemerkt, wie Doktor Urbino sich mit dem Kutscher absprach, doch etwas dergleichen mußte stattgefunden haben, denn die Fahrt mit der Kutsche dauerte über eine halbe Stunde. Die beiden saßen auf dem Hauptsitz, er, mit dem Rücken in Fahrtrichtung, saß ihnen gegenüber. Fermina Daza drehte das Gesicht zum Fenster und versenkte sich in die Leere. Hildebranda hingegen war entzückt, und noch entzückter über ihr Entzücken war Doktor Urbino. Sobald der Wagen anfuhr, nahm sie den warmen Geruch des Naturleders wahr, die Intimität dieses ausgepolsterten Interieurs, und sagte, das sei so recht ein Platz, um sein Leben zu verbringen. Bald begannen sie zu lachen, scherzten wie alte Freunde und kamen dann auf ein einfaches Sprachspiel, das darin bestand, nach jeder Silbe eines Worts eine feststehende einzusetzen. Sie taten so, als könne Fermina sie nicht verstehen, wußten dabei aber genau, daß sie nicht nur alles verstand, sondern auch ganz Ohr war, und deshalb machten sie es ja auch. Nachdem sie eine Weile viel gelacht hatten, bekannte Hildebranda, daß sie die Qual der Stiefeletten nicht länger ertragen könne.

»Nichts leichter als das«, sagte Doktor Urbino. »Mal sehen, wer zuerst fertig ist.«

Er begann die Schnürsenkel seiner Halbstiefel zu lösen, und Hildebranda nahm die Herausforderung an. Es war nicht leicht für sie, da das Fischbeinkorsett sie daran hinderte, sich vorzubeugen, aber Doktor Urbino trödelte absichtlich, bis sie ihre Stiefeletten mit einem triumphierenden Lachen, als habe sie sie gerade aus einem Weiher gefischt, unter dem Rock hervorzog. Beide schauten auf Fermina und sahen ihr herrliches Amselprofil spitzer denn je vor der Feuersbrunst des Abends. Sie war dreifach wütend: über die Situation, in die sie unverdient geraten war, über das lockere Benehmen von Hildebranda und über die Gewißheit, daß die Kutsche sinnlos Runden drehte, um die Ankunft hinauszuzögern. Doch Hildebranda stach der Hafer.

»Jetzt merk ich's erst«, sagte sie, »nicht die Schuhe haben mich gestört, sondern dieser Drahtkäfig.«

Doktor Urbino begriff, daß sie den Reifrock meinte, und packte die Gelegenheit beim Schopf. »Nichts leichter als das«, sagte er, »ziehen Sie ihn aus.« Mit der schnellen Gebärde eines Taschenspielers zog er sein Schnupftuch hervor und verband sich damit die Augen.

»Ich sehe nichts«, sagte er.

Die Augenbinde hob die klar gezeichneten Lippen zwischen schwarzem Kinnbart und dem an den Spitzen gezwirbelten Schnurrbart hervor, und Hildebranda fühlte sich plötzlich von Panik geschüttelt. Sie schaute zu Fermina hinüber, der man jetzt nicht mehr die Wut, sondern nur noch die Angst ansah, Hildebranda könne tatsächlich den Rock ausziehen. Diese wurde ernst und fragte in der Fingersprache: »Was sollen wir tun?« Fermina antwortete im gleichen Code, daß sie sich aus der fahrenden Kutsche stürzen würde, wenn sie nicht unverzüglich heimführen.

»Ich warte«, sagte der Arzt.

»Sie können herschauen«, sagte Hildebranda.

Als Doktor Urbino sich die Binde abgenommen hatte, sah er, daß Hildebranda verändert war, und begriff, das Spiel war zu Ende und hatte schlecht geendet. Auf ein Zeichen von ihm wendete der Kutscher den Wagen und fuhr, als der

Laternenanzünder gerade die Straßenlaternen ansteckte, in den Parque de los Evangelios ein. Von allen Kirchen klang das Angelusläuten. Hildebranda stieg schnell aus, etwas verstört von der Vorstellung, die Kusine verärgert zu haben, und verabschiedete sich von dem Arzt mit einem formlosen Händedruck. Fermina machte es ihr nach, doch als sie die Hand im Atlashandschuh zurückziehen wollte, drückte ihr Doktor Urbino kräftig den Finger des Herzens.

»Ich warte auf Ihre Antwort«, sagte er.

Woraufhin Fermina heftiger zog und der leere Handschuh in der Hand des Arztes hängenblieb, doch sie wartete nicht darauf, ihn wiederzubekommen. Ohne etwas zu essen, ging sie zu Bett. Hildebranda kam, nachdem sie mit Gala Placidia in der Küche zu Abend gegessen hatte, so als sei nichts vorgefallen, ins Schlafzimmer und äußerte sich mit ihrem natürlichen Witz über die Vorfälle des Nachmittags. Sie verbarg nicht die Begeisterung über Doktor Urbino, über seine Eleganz und sein einnehmendes Wesen. Fermina kam ihr mit keiner Bemerkung entgegen, hatte sich jedoch von ihrem Ärger erholt. Dann, plötzlich, gestand ihr Hildebranda, daß sie, als Doktor Urbino sich die Augen verbunden hatte und zwischen den rosigen Lippen seine vollkommenen Zähne zu sehen gewesen waren, den dringlichen Wunsch verspürt habe, ihn abzuküssen. Fermina Daza drehte sich zur Wand und beendete so das Gespräch. Ohne beleidigende Absicht, eher schmunzelnd, aber von ganzem Herzen sagte sie:

»Was bist du für ein Flittchen.«

Sie schlief unruhig, sah allenthalben Doktor Juvenal Urbino, sah ihn lachen, singen, sah die verbundenen Augen, seine Zähne sprühten Schwefelfunken, er machte sich über sie in einem Kauderwelsch ohne feste Regel lustig und saß in einer anderen Kutsche, die hinauf zum Armenfriedhof fuhr.

Sie wachte lang vor Tagesanbruch erschöpft auf, blieb mit geschlossenen Augen wach liegen und dachte an die unzähligen Jahre, die sie noch zu leben hatte. Später, während Hildebranda ein Bad nahm, schrieb sie hastig einen Brief, faltete ihn hastig zusammen, steckte ihn hastig in einen Umschlag und ließ ihn, noch bevor Hildebranda aus dem Bad kam, durch Gala Placidia Doktor Juvenal Urbino bringen. Es war ein Brief nach ihrer Art, kein Buchstabe zu viel oder zu wenig, und darin stand nur, ja, Doktor, er solle mit ihrem Vater sprechen.

Als Florentino Ariza erfuhr, daß Fermina Daza einen Mann mit altem Namen und Vermögen heiraten würde, einen in Europa ausgebildeten und für sein Alter erstaunlich berühmten Arzt, hätte keine Macht der Welt ihn aus seiner Niedergeschlagenheit herausreißen können. Tránsito Ariza tat das Unmögliche, um ihn zu trösten, und redete mit Engelszungen auf ihn ein, als sie merkte, daß er die Sprache und den Appetit verloren hatte und schlaflos die Näche durchweinte. Erst nach einer Woche erreichte sie, daß er wieder etwas aß. Dann sprach sie bei León XII. Loayza vor, dem einzigen Überlebenden der drei Brüder, und flehte ihn, ohne ihm den Grund zu erklären, an, er möge dem Neffen irgendeine Anstellung in der Schiffahrtsgesellschaft geben, es müsse nur an irgendeinem im Dickicht des Magdalena verlorenen Hafen sein, wo es weder eine Post noch eine Telegraphenstation gäbe und er niemandem begegne, der ihm auch nur das Geringste aus dieser Stadt des Verderbens berichten könne. Der Onkel stellte ihn nicht ein, aus Rücksicht auf die Witwe seines Bruders, die nicht einmal die Existenz des Bankerts ertragen konnte, aber er verschaffte Florentino die Stellung eines Telegraphisten in Villa de Leyva, einem verträumten Städtchen, mehr als zwanzig Tagereisen entfernt und fast dreitausend Meter höher als die Calle de las Ventanas gelegen.

Diese therapeutische Reise gelangte nie ganz in Florentino Arizas Bewußtsein. Er sollte sich an sie nur, wie an alles aus jener Zeit, durch die verzerrenden Gläser seines Unglücks erinnern. Als er das Telegramm mit der Ernennung empfing, dachte er nicht daran, diese auch nur in Erwägung zu ziehen, doch Lothario Thugut überzeugte ihn mit deutschen Argumenten davon, daß ihn eine glänzende Zukunft im Staatsdienst erwarte. Er sagte zu ihm: »Die Telegraphie ist der Beruf der Zukunft.« Er schenkte ihm ein Paar mit Kaninchenfell gefütterte Handschuhe, eine Trappermütze und einen Mantel mit Plüschkragen, der sich im eisigen bayrischen Januar bewährt hatte. Onkel León XII. schenkte ihm zwei Wollanzüge und ein paar wasserdichte Stiefel, die dem älteren Bruder gehört hatten, und überreichte ihm eine Passage für eine Kabine auf dem nächsten Schiff. Tránsito Ariza arbeitete die Kleidung nach den Maßen ihres Sohnes um, der nicht so korpulent wie sein Vater und sehr viel kleiner als der Deutsche war, und kaufte ihm dann noch Wollstrümpfe und lange Unterhosen, damit er für die Prüfungen der kalten Region gerüstet sei. Florentino Ariza, verhärtet von so viel Leid, nahm an den Reisevorbereitungen nicht mehr Anteil als ein Toter an der Ausrichtung seiner Trauerfeier. Er sagte niemandem, daß er ging, verabschiedete sich von niemandem, mit der eisernen Verschlossenheit, die ihn auch nur der Mutter das Geheimnis seiner aufgestauten Leidenschaft hatte offenbaren lassen. Am Vorabend der Abreise beging er jedoch bewußt eine letzte Herzenstorheit, die ihn ohne weiteres das Leben hätte kosten können. Um Mitternacht zog er sich seinen Sonntagsanzug an und spielte allein unter Fermina Dazas Balkon den Liebeswalzer, den er für sie komponiert hatte, den nur sie beide kannten und der drei Jahre lang das Emblem ihrer verhinderten Innigkeit gewesen war. Er spielte ihn, den Text murmelnd, mit einer in Tränen gebadeten Geige und mit so tiefer Inspiration, daß bei den ersten Takten die Hunde der Nachbarschaft zu jaulen begannen und bald die der ganzen Stadt, doch im Bann der Musik verstummten sie nach und nach, so daß der Walzer in einer übernatürlichen Stille endete. Auf dem Balkon öffnete sich kein Fenster, niemand schaute auf die Straße hinunter, nicht einmal der Nachtwächter, der sonst fast immer versuchte, etwas von den Brosamen der Ständchen zu erhaschen, kam mit seiner Laterne. Es war ein Akt der Beschwörung, der Florentino Ariza Linderung brachte. Als er nämlich die Geige in ihrem Kasten verwahrte und sich ohne einen Blick zurück auf der ausgestorbenen Straße entfernte, war es ihm nicht mehr, als ob er am nächsten Morgen wegführe, sondern als sei er schon vor vielen Jahren mit dem unwandelbaren Vorsatz gegangen, niemals zurückzukehren.

Der Dampfer, einer von dreien gleichen Typs der Karibischen Flußschiffahrtskompanie, war zu Ehren des Gründers umgetauft worden: *Pio V. Loayza.* Er war ein schwimmendes Haus aus Holz, das sich zweistöckig auf einem flachen, breiten Eisenrumpf erhob, und hatte, um bei dem unterschiedlichen Wasserstand des Flusses fahren zu können, nur den maximalen Tiefgang von fünf Fuß. Die ältesten Schiffe waren um die Jahrhundertmitte in Cincinnati nach dem legendären Modell der Mississippi- und Ohio-Dampfer gebaut worden. Sie hatten auf beiden Seiten ein Schaufelrad, das von einem holzgeheizten Dampfkessel betrieben wurde. Wie bei diesen Schiffen befanden sich auch auf denen der Karibischen Flußschiffahrtskompanie die Dampfmaschinen und die Küchen fast auf Wasserhöhe auf dem Unterdeck, ebenso die großen Maschendrahtkäfige, in denen die Besatzung ihre Hängematten kreuz und quer in unterschiedlicher Höhe aufhängte. Auf dem Oberdeck waren die Kommandobrücke, die Kabinen des Kapitäns und der Offiziere, ein

Aufenthaltsraum sowie die Kapitänsmesse, in die prominente Passagiere mindestens einmal zum Diner und zum Kartenspiel eingeladen wurden. Auf dem Zwischendeck waren zu beiden Seiten eines breiten Ganges, der als allgemeiner Eßsaal diente, sechs Erste-Klasse-Kabinen untergebracht, und am Bug befand sich ein zum Fluß hin offener Aufenthaltsraum mit geschnitzten Holzgeländern und Eisenpfeilern, an denen die einfachen Passagiere nachts ihre Hängematten befestigten. Doch im Unterschied zu den alten Dampfern hatten diese Schiffe keine Schaufelräder an den Seiten, sondern achtern, unterhalb der stickigen Toiletten des Passagierdecks, ein riesiges Rad mit horizontalen Schaufeln. Florentino Ariza hatte sich, als er an einem Julisonntag morgens um sieben an Bord ging, nicht die Mühe gemacht, gleich das Schiff zu erkunden, wie es fast instinktiv all diejenigen machten, die zum ersten Mal reisten. Erst gegen Abend wurde ihm seine neue Wirklichkeit bewußt, als sie an den Häusern von Calamar vorbeifuhren und er, um Wasser zu lassen, zum Achterschiff ging und durch eine Luke in der Toilette das gigantische Balkenrad sah, das sich zu seinen Füßen in einem vulkanischen Getöse von Schaum und glühend heißen Dämpfen drehte.

Er war noch nie gereist. Er hatte einen Blechkoffer mit der Winterkleidung bei sich, die monatlich gekauften illustrierten Romanheftchen, von ihm selbst in Pappdeckel eingebunden, sowie die Liebeslyrik, die er auswendig rezitieren konnte, Bändchen, die vom vielen Lesen schon fast zu Staub zerfielen. Die Geige hatte er zurückgelassen, zu sehr erinnerte sie an sein Unglück, aber die Mutter hatte ihm den Petate aufgedrängt, eine volkstümliche und sehr praktische Schlafgelegenheit: ein Kissen, ein Laken, eine Zinnwanne und ein Moskitonetz, alles in eine Schilfmatte gewickelt und mit zwei Hanfseilen festgezurrt, um im Notfall eine Hängematte aufhängen zu können. Florentino Ariza hatte den Petate nicht mitnehmen wollen, da er ihm in einer Kabine mit bezogenem Bett unnötig erschien, aber bereits in der ersten Nacht mußte er wieder einmal dankbar die Klugheit seiner Mutter anerkennen.

Tatsächlich geleitete nämlich im letzten Augenblick der Provinzgouverneur persönlich einen an jenem Morgen mit einem Schiff aus Europa eingetroffenen Passagier in Abendanzug an Bord. Dieser hatte die Reise sogleich fortsetzen wollen, mit Frau und Tochter und dem livrierten Diener und den sieben goldverzierten Koffern, die nur mit Mühe über die Treppen bugsiert werden konnten. Der Kapitän, ein Riese aus Curaçao, appellierte an die patriotischen Gefühle der Einheimischen, um die unvorhergesehenen Passagiere unterzubringen. Er erklärte Florentino Ariza in einem Gemisch aus Spanisch und Papiamento, daß der Herr im Abendanzug der neue englische Gesandte sei, der in die Hauptstadt der Republik reise, und erinnerte ihn daran, daß dieses Königreich entscheidende Mittel für unsere Unabhängigkeit von der spanischen Herrschaft beigesteuert habe, folglich kein Opfer zu groß sei, damit sich eine solch ehrwürdige Familie bei uns wohler als bei sich zu Hause fühle. Florentino Ariza verzichtete selbstverständlich auf die Kabine.

Am Anfang bereute er es nicht, denn der Fluß führte zu jener Jahreszeit reichlich Wasser, und der Dampfer kam in den ersten beiden Nächten ungehindert voran. Nach dem Abendessen um fünf Uhr abends verteilte die Schiffsbesatzung Klappliegen mit Segeltuchbespannung an die Passagiere. Jeder schlug die seine dann, wo es ging, auf, bezog sie mit den Tüchern aus dem Petate und spannte das Moskitonetz darüber. Wer eine Hängematte besaß, hängte sie im Salon auf, und diejenigen, die nichts dabei hatten, legten sich auf die Tische im Speisesaal und wickelten sich in die Tischdekken, die gewöhnlich höchstens zweimal im Lauf der Reise gewechselt wurden. Florentino Ariza blieb den größten Teil der Nacht wach, er glaubte Fermina Dazas Stimme in der frischen Flußbrise zu hören, nährte seine Einsamkeit mit der Erinnerung an sie, hörte ihr Singen im Atem des Dampfers, der sich wie Großwild durch die Finsternis vorpirschte, bis am Horizont die ersten rosigen Streifen auftauchten und der neue Tag plötzlich über ausgedörrte Weiden und dunstige Sümpfe hereinbrach. Da erschien ihm diese Reise als ein weiterer Beweis für die Weisheit seiner Mutter, und er verspürte die Kraft, das Vergessen zu überleben.

Nach drei Tagen günstigen Wasserstands wurde es jedoch schwieriger, zwischen unerwarteten Sandbänken und trügerischen Strudeln voranzukommen. Der Fluß strömte trübe und immer schmaler werdend durch einen verschlungenen Wald riesiger Bäume, und nur ab und zu war neben den Brennholzstößen für den Schiffskessel eine Strohhütte zu sehen. Das Kreischen der Papageien und der Aufruhr der unsichtbaren Affen ließen die Mittagshitze noch drückender erscheinen. Nachts aber, zum Schlafen, mußte der Dampfer vertäut werden, und dann wurde sogar die schlichte Tatsache, lebendig zu sein, unerträglich. Zu der Hitze und den Schnaken kam der Gestank des eingesalzenen Fleischs, das in Streifen an der Reling zum Trocknen aufgehängt war. Die Mehrzahl der Passagiere, insbesondere die Europäer, verließen die zu Faulkammern gewordenen Kabinen und verbrachten die Nacht auf- und ablaufend an Deck, verscheuchten Getier aller Art mit ihrem einzigen Handtuch, mit dem sie sich auch den unaufhörlich rinnenden Schweiß abwischten, und erreichten erschöpft und von Stichen verschwollen den Morgen.

Zudem war in jenem Jahr ein weiteres Kapitel des wechselvollen Bürgerkriegs zwischen Konservativen und Liberalen angebrochen, so daß der Kapitän strengste Vorsichtsmaßnahmen für die Ordnung an Bord und die Sicherheit der Passagiere getroffen hatte. Um Mißverständnisse und Provokationen zu vermeiden, hatte er den beliebtesten Zeitvertreib auf den Reisen jener Epoche verboten, und zwar das Zielschießen auf die Kaimane, die sich auf den Sandbänken sonnten. Später dann, als eine Gruppe von Passagieren im Verlauf einer Diskussion in zwei feindliche Lager zerfiel, ließ er alle Waffen mit der ehrenwörtlichen Versicherung beschlagnahmen, sie bei Ende der Reise wieder auszuhändigen. Er war sogar dem englischen Gesandten gegenüber unnachgiebig, der bereits am Tag nach der Abfahrt in Jagdkleidung und mit einem Präzisionskarabiner sowie einer doppelläufigen Tigerbüchse erschienen war. Nach dem Hafen von Tenerife, wo sie einen Dampfer kreuzten, der die gelbe Pestflagge gehißt hatte, wurden die Restriktionen noch drastischer. Der Kapitän konnte nichts Näheres über dieses bedrohliche Zeichen in Erfahrung bringen, da das andere Schiff auf seine Signale nicht antwortete. Am gleichen Tag noch begegneten sie aber einem anderen Schiff, das Vieh für Jamaika geladen hatte, und bekamen die Auskunft, daß der Dampfer mit der Pestflagge zwei Cholerakranke an Bord habe und daß am Oberlauf des Flusses, der noch vor ihnen lag, eine Epidemie grassiere. Darauf wurde den Passagieren untersagt, das Schiff zu verlassen, nicht nur in den nächsten Häfen, sondern auch an den unbewohnten Anlegestellen, wo Brennholz geladen wurde. Die Passagiere entwickelten in den restlichen sechs Reisetagen bis zum Zielhafen Gefängnisgewohnheiten. Dazu gehörte das verwerfliche Betrachten eines Päckchens pornographischer Postkarten aus Holland, das von Hand zu Hand ging, ohne daß jemand hätte sagen können, woher es stammte, obwohl jeder Flußveteran sehr wohl wußte, daß es sich allenfalls um eine kleine Musterauswahl aus der legendären Sammlung des Kapitäns handelte. Jedoch selbst diese zukunftslose Ablenkung vermehrte schließlich den Überdruß.

Florentino Ariza ertrug die Härten der Reise mit der mineralischen Geduld, die seine Mutter schon zur Verzweiflung getrieben und seine Freunde enerviert hatte. Er pflegte mit niemandem Umgang. Die Tage vergingen ihm mühelos, während er an der Reling saß und die reglosen Kaimane beobachtete, die sich auf den Sandbänken sonnten, die Rachen geöffnet, um nach Schmetterlingen zu schnappen. Er sah die aufgescheuchten Reiherschwärme, die sich plötzlich aus den Sümpfen erhoben, die Seekühe, die ihre Jungen an den großen mütterlichen Zitzen stillten und die Passagiere mit ihren klagenden Frauenstimmen in Staunen versetzten. An einem einzigen Tag sah er drei Leichen vorbeitreiben, aufgedunsen, grünlich, auf denen ein paar Geier saßen. Erst kamen zwei Männerkörper, einer ohne Kopf, dann der Körper eines kleinen Mädchens, dessen Medusenhaar sich im Kielwasser des Schiffes wellte. Nie erfuhr er, weil so etwas nicht zu erfahren war, ob es Opfer der Cholera oder des Krieges waren, doch die widerliche Geruchsschwade verseuchte ihm das Andenken an Fermina Daza.

Es war immer so: Jedwedes Ereignis, ob gut oder schlecht, stand in irgendeinem Bezug zu ihr. Nachts, wenn der Dampfer vertäut wurde und die Mehrzahl der Passagiere ungetröstet an Deck auf und ab ging, las er, fast ohne hinsehen zu müssen, unter der Karbidlampe des Eßzimmers, die als einzige bis zum Morgengrauen angezündet blieb, noch einmal die bebilderten Heftchen durch. Die so oft gelesenen Dramen gewannen ihren ursprünglichen Zauber wieder, wenn er für die erfundenen Figuren Bekannte aus dem wirklichen Leben einsetzte und sich und Fermina

Daza die Rollen der aussichtslos Liebenden vorbehielt. Oder er verbrachte die Nacht damit, verzweifelte Briefe zu schreiben, deren Schnipsel er später dem Wasser übergab, das unablässig zu ihr hinströmte. Die bittersten Stunden vergingen, während er in die Haut eines schüchternen Prinzen oder eines Ritters der Liebe schlüpfte oder auch in seiner eigenen verbrannten Haut des vergessenen Liebhabers festsaß, bis dann die erste Morgenbrise aufkam und er in einem der Liegestühle an der Reling einnickte.

Eines Nachts, als er früher als sonst seine Lektüre unterbrach und zerstreut durch den ausgestorbenen Eßsaal Richtung Toilette ging, öffnete sich plötzlich auf seinem Weg durch den verlassenen Korridor eine Tür, und wie ein Falke griff ihn eine Hand am Hemdsärmel, zog ihn in die Kabine und schloß ihn dort ein. Es gelang ihm gerade noch, den alterslosen Körper einer Frau heiß und schweißnaß im Dunkeln zu spüren. Sie atmete stürmisch, stieß ihn auf die Koje, machte ihm die Gürtelschnalle und die Knöpfe auf, öffnete sich rittlings auf ihm und nahm ihm ruhmlos seine Unschuld. Beide fielen ersterbend in die Leere eines nach Krabbensud duftenden Abgrunds. Sie lag einen Augenblick ausgestreckt auf ihm, rang nach Luft und hörte im Dunkel auf zu sein.

»Gehen Sie jetzt und vergessen Sie es«, sagte sie. »Dies hier ist nie geschehen.«

Der Überfall war so schnell und siegreich verlaufen, daß er nicht als eine verrückte Anwandlung aus Langeweile verstanden werden konnte, sondern als das Resultat eines schon länger ausgeklügelten Plans. Diese schmeichelhafte Gewißheit steigerte Florentino Arizas Unruhe, denn auf dem Gipfel seiner Lust war ihm eine Offenbarung zuteil geworden, an die er nicht glauben mochte, die er sich nicht einmal eingestehen mochte, und zwar, daß die illusorische

Liebe zu Fermina Daza durch eine irdische Leidenschaft ersetzt werden konnte. So bemühte er sich, die Identität der meisterhaften Schänderin aufzudecken, deren raubkatzenhafter Instinkt vielleicht das Heilmittel für sein Unglück bereithielt. Doch es gelang ihm nicht. Im Gegenteil, je weiter er die Ermittlung vorantrieb, desto ferner fühlte er sich von der Wahrheit.

Der Überfall hatte sich in der letzten Kabine ereignet, diese war mit der vorletzten durch eine Zwischentür verbunden, so daß sich beide in einen Vier-Kojen-Familienraum verwandeln ließen, in dem zwei junge Frauen reisten, eine ältere, die aber auch sehr gut aussah, und ein kleiner Junge von wenigen Monaten. Sie waren in Barranco de Loba an Bord gegangen, dem Hafen, wo gewöhnlich die Fracht geladen wurde und wo sich die Passagiere aus der Stadt Mompox einschifften, seitdem diese durch die Launen des Flusses von der Route der Dampfschiffe abgeschnitten war. Florentino Ariza waren die Frauen nur deshalb aufgefallen, weil sie das schlafende Kind in einem großen Vogelbauer trugen.

Sie waren modisch gekleidet wie die Damen auf den Überseeschiffen, mit Tournüren unter den Seidenröcken, Spitzenhalskrausen und breitkrempigen, mit Filzblumen geschmückten Hüten. Die beiden jüngeren zogen sich mehrmals am Tag um, so daß sie, während die anderen Passagiere vor Hitze erstickten, ihren eigenen Frühling mit sich herumzutragen schienen. Die drei waren, wie alle Frauen aus Mompox, geschickt im Einsatz von Sonnenschirmen und Federfächern, wenn auch mit den schwer deutbaren Absichten jener Epoche. Florentino Ariza gelang es nicht einmal, die Beziehungen zwischen den dreien genau zu bestimmen, obwohl sie zweifellos zu einer Familie gehörten. Zunächst dachte er, die ältere Frau sei die Mutter der beiden anderen, doch dann wurde ihm klar, daß sie dafür nicht alt genug war, auch trug sie, im Unterschied zu den anderen, Halbtrauer. Er konnte sich nicht vorstellen, daß eine von ihnen gewagt hätte, das zu tun, was sie getan hatte, während die anderen in den Nachbarkojen schliefen. Die einzige vernünftige Annahme war, daß sie, eine zufällige oder auch vorher abgesprochene Gelegenheit nützend, allein in der Kabine zurückgeblieben war. Er stellte fest, daß manchmal zwei der Frauen bis spät in die Nacht frische Luft an Deck schöpften, während die dritte in der Kabine blieb, um das Kind zu hüten. In einer besonders heißen Nacht kamen dann alle drei zusammen heraus, das Kind in dem Käfig aus Korbgeflecht, der mit einem Gazeschleier bedeckt war.

Trotz der Verworrenheit der Indizien beeilte sich Florentino Ariza die Möglichkeit auszuschließen, daß die älteste der drei die Urheberin des Überfalls gewesen sei. Sogleich sprach er auch die Jüngste frei, obgleich sie die schönste und kühnste war. Er tat es ohne triftigen Grund, denn der aus der sehnsüchtigen Überwachung der drei Frauen erwachsene Wunsch war der Vater des Gedankens, daß die Mutter des in dem Käfig eingesperrten Kindes die Augenblicksgeliebte sei. Diese Vorstellung war so verführerisch, daß er an diese Frau intensiver als an Fermina Daza zu denken begann, ohne allerdings zu beachten, daß die junge Mutter offensichtlich nur für ihr Kind lebte. Sie war höchstens fünfundzwanzig Jahre alt, schlank und goldhäutig, hatte schwere portugiesische Augenlider, die sie entrückt erscheinen ließen, und jeder Mann hätte sich mit den Brosamen der Zärtlichkeit begnügt, die sie dem Sohn zukommen ließ. Vom Frühstück bis zur Schlafenszeit beschäftigte sie sich im Salon mit ihm, während die anderen beiden an einem Tisch Mah-Jong spielten, und wenn es ihr gelang, das Kind zum Schlafen zu bringen, hängte sie den Korbkäfig an einen Deckenbalken, dort, wo es dicht an der Reling am kühlsten war. Doch selbst wenn der Sohn schlief, hörte sie nicht auf, sich um ihn zu kümmern, sie wiegte den Käfig und summte Brautlieder, während sie in Gedanken die Mühsal der Reise hinter sich ließ. Florentino Ariza klammerte sich an die Hoffnung, daß sie sich früher oder später, und sei es nur durch eine Geste, verraten würde. Er wachte sogar darüber, ob sich ihr Atem veränderte, dessen Rhythmus das Medaillon auf ihrer Batistbluse verriet. Unverhohlen schaute er sie über das Buch an, das er zu lesen vorgab, und leistete sich die kalkulierte Unverfrorenheit, jeweils den Platz im Eßzimmer zu wechseln, um ihr gegenüber zu sitzen. Doch er bekam nicht den leisesten Hinweis, daß tatsächlich sie die andere Hälfte seines Geheimnisses bewahrte. Das einzige, was ihm von ihr blieb, war, da er die jüngere Gefährtin sie einmal hatte rufen hören, der Vorname: Rosalba.

Am achten Tag passierte der Dampfer nur mit Mühe eine Stromschnelle zwischen Marmorklippen und machte dann, nach dem Mittagessen, in Puerto Nare fest. Dort sollten jene Passagiere vom Schiff gehen, die weiter ins Innere der Provinz Antioquia reisten, eine der vom neuen Bürgerkrieg am stärksten betroffenen Regionen. Der Hafen bestand aus einem Dutzend Palmhütten und einem Lagerschuppen mit Holzwänden und Zinkdach und wurde von mehreren Patrouillen barfüßiger und schlecht bewaffneter Soldaten bewacht, da es hieß, die Aufständischen planten, die Dampfer zu plündern. Hinter den Häusern erhob sich bis in den Himmel hinein ein karstiges Vorgebirge, auf dem sich hufeisenförmig ein Saumpfad am Rande des Abgrunds durch die Felsen zog. Niemand an Bord konnte ruhig schlafen, doch es gab in der Nacht keinen Angriff, und bei Tagesanbruch verwandelte sich der Hafen in einen Sonntagsjahrmarkt.

Indios verkauften dort Steinnuß-Amulette und Liebestränke zwischen den Lasttieren, die für den sechstägigen Aufstieg bis zu den Orchideenwäldern der Zentralkordilleren bereitstanden.

Florentino Ariza vertrieb sich die Zeit damit, beim Löschen der Ladung zuzusehen. Er sah, wie die Schwarzen die Lasten schulterten, wie Körbe mit chinesischem Porzellan und Konzertflügel für die alten Jungfern von Envigado heruntergehievt wurden, und bemerkte zu spät, daß unter den an Land bleibenden Passagieren auch die Gruppe um Rosalba war. Er sah die Frauen, die schon im Damensitz aufgesessen waren, mit Amazonenstiefeln und Sonnenschirmen in tropischen Farben und tat dann den Schritt, den er in den vorangegangenen Tagen nicht gewagt hatte: Er winkte Rosalba zum Abschied. Die drei erwiderten den Gruß auf die gleiche Weise und mit einer Vertraulichkeit, die ihm wegen seiner verspäteten Kühnheit das Innerste zerriß. Er sah sie hinter dem Holzschuppen entlangreiten, gefolgt von den mit Koffern, Hutschachteln und dem Käfig des Kindes bepackten Maultieren. Wenig später sah er sie wie eine Reihe kleiner Ameisen am Rande des Abgrunds hochklettern, und so verschwanden sie aus seinem Leben. Er fühlte sich allein auf der Welt, und die Erinnerung an Fermina Daza setzte nun, nachdem sie ihm die letzten Tage über aufgelauert hatte, zum tödlichen Sprung an.

Er wußte, daß Fermina Daza mit Glanz und Gloria Hochzeit halten würde und daß dann der Mensch, der sie mehr als jeder andere liebte und immer und ewig lieben würde, nicht einmal das Recht haben würde, für sie zu sterben. Die Eifersucht, die bis dahin in Tränen erstickt worden war, nahm von seiner Seele Besitz. Er flehte zu Gott, der Blitz der himmlischen Gerechtigkeit möge Fermina Daza erschlagen, wenn sie sich anschickte, einem Mann

Liebe und Gehorsam zu geloben, der sie nur als repräsentatives Dekorationsstück an seiner Seite wollte, und berauschte sich an einer Vision, bei der die Braut, die ihm oder keinem gehören sollte, hingestreckt auf den Fliesen der Kathedrale lag, die Orangenblüten starr vom Rauhreif des Todes, während die schäumende Flut ihres Schleiers sich über die marmornen Grabplatten der vierzehn Bischöfe ergoß, die vor dem Hauptaltar bestattet lagen. Hatte er jedoch so die Rache ausgekostet, bereute er seine Gemeinheit und sah, wie Fermina Daza unbeschädigt atmete und wieder aufstand, abwesend, doch lebendig, denn er konnte sich eine Welt ohne sie nicht vorstellen. Er schlief nicht mehr, und wenn er sich einmal hinsetzte, um ein wenig zu essen, dann in der Illusion, daß Fermina Daza am Tisch säße, oder aber er aß nur, um ihr nicht die Ehre des Fastens zu erweisen. Zuweilen tröstete er sich mit der Gewißheit, daß im Rausch des Hochzeitsfestes oder sogar während der fiebrigen Nächte des Honigmonds einmal, wenigstens einen Augenblick lang, das Gespenst des verhöhnten, gedemütigten, zurückgestoßenen Verlobten in Fermina Dazas Gewissen spuken und ihr das Glück verderben würde.

Am Vorabend der Ankunft in Caracolí, dem Hafen, an dem die Reise endete, gab der Kapitän das traditionelle Abschiedsfest. Eine Blaskapelle, aus Mitgliedern der Besatzung bestehend, spielte auf, und von der Kommandobrücke aus wurde buntes Feuerwerk gezündet. Der Gesandte von Großbritannien hatte die Odyssee mit beispielhaftem Stoizismus überstanden, indem er mit dem Fotoapparat Bilder von den Tieren schoß, die er nicht mit dem Gewehr erlegen durfte, und es war keine Nacht vergangen, in der man ihn nicht im Abendanzug im Eßsaal gesehen hätte. Beim Abschlußfest aber erschien er in der Schottentracht des Mac Tavish-Clans, spielte auf Wunsch Dudelsack und brachte jedem, der es wollte, die Tänze seiner Heimat bei. Kurz vor Tagesanbruch mußte er dann in seine Kabine geschleift werden. Florentino Ariza hatte sich, vom Schmerz gezeichnet, in den abgelegensten Winkel auf Deck verzogen, wo ihn der Festtrubel nicht erreichen konnte, und hatte sich, um dem Schüttelfrost in seinen Knochen zu begegnen, mit Lothario Thuguts Mantel zugedeckt. Er war um fünf Uhr früh aufgewacht, wie ein zum Tode Verurteilter am Morgen seiner Exekution aufwacht. Den ganzen Tag über hatte er nichts anderes getan, als sich Minute für Minute jede Einzelheit von Fermina Dazas Hochzeit vorzustellen. Später, nach seiner Heimkehr, stellte er fest, daß er sich in der Zeit geirrt hatte und alles ganz anders gewesen war, als er es sich vorgestellt hatte. Da hatte er dann sogar die innere Überlegenheit, über seine Phantastereien zu lachen.

Auf jeden Fall aber war es ein Sonnabend der Leidenschaft gewesen, der in einer neuen Fieberkrise gipfelte, als Florentino Ariza meinte, nun sei der Augenblick gekommen, da sich die Frischvermählten heimlich durch eine versteckte Tür davonstahlen, um sich den Wonnen der ersten Nacht hinzugeben. Jemand, der ihn vor Hitze schlottern sah, gab dem Kapitän Bescheid, und dieser verließ mit dem Schiffsarzt das Fest, in der Befürchtung, daß es sich um einen Fall von Cholera handeln könne. Der Arzt steckte Florentino Ariza vorsichtshalber mit einer ordentlichen Dosis Bromid in die Quarantäne-Kabine. Am nächsten Tag jedoch, als sie die Steilfelsen von Caracolí sichteten, war das Fieber gewichen und Florentino Ariza in überspannter seelischer Verfassung, da er sich im Bewußtseinsschwund der Beruhigungsmittel ohne weitere Überlegungen ein für allemal dazu entschlossen hatte, die glänzende Zukunft der Telegraphie zum Teufel zu schicken und auf dem selben Dampfer zu seiner alten Calle de las Ventanas zurückzukehren.

Er bekam ohne weiteres freie Rückfahrt, schon weil er dem Stellvertreter der Königin Viktoria seine Kabine abgetreten hatte. Allerdings versuchte auch der Kapitän, ihn von seinem Vorsatz mit dem Argument abzubringen, die Telegraphie sei die Wissenschaft der Zukunft und die Entwicklung schon so weit fortgeschritten, daß die Erfindung eines auch auf Schiffen installierbaren Systems bevorstehe. Doch Florentino Ariza widerstand jedem Argument. Der Kapitän nahm ihn schließlich auf der Rückfahrt mit, nicht weil er ihm für die Kabine etwas schuldig gewesen wäre, sondern weil ihm seine verwandtschaftlichen Beziehungen zur Karibischen Flußschiffahrtskompanie bekannt waren.

Die Fahrt flußabwärts dauerte knapp sechs Tage, und Florentino Ariza fühlte sich zu Hause, sobald sie vor Morgengrauen in die Laguna de las Mercedes eingefahren waren und er den Lichterschwarm der Fischerkanus in der Bugwelle des Dampfers schwanken sah. Es war noch Nacht, als sie in der Bai von El Niño Perdido, neun Seemeilen von der großen Bucht entfernt, festmachten und damit die Endstation der Flußdampfer erreicht hatten, da die alte spanische Fahrrinne noch nicht wieder für den Schiffsverkehr ausgebaggert worden war. Die Passagiere mußten bis sechs Uhr morgens auf die Flottille der Mietschaluppen warten, die sie zu ihrem Bestimmungsort bringen sollten. Florentino Ariza war jedoch so voller Unruhe, daß er schon sehr viel früher auf die Postschaluppe stieg, deren Besatzung ihn als einen der Ihren erkannte. Bevor er das Schiff verließ, konnte er der Versuchung nicht widerstehen, eine symbolische Handlung zu vollziehen. Er warf den Petate ins Wasser und verfolgte ihn mit den Augen zwischen den Fackeln der unsichtbaren Fischer, bis er aus der Lagune trieb und im Ozean verschwand. Er war sicher, daß er ihn bis ans Ende seiner Tage nicht mehr brauchen würde. Nie wieder, weil er nie wieder Fermina Dazas Stadt verlassen würde.

Die Bucht war bei Tagesanbruch ein Staubecken. Florentino Ariza sah über dem schwimmenden Dunst die von den ersten Lichtstrahlen vergoldete Kuppel der Kathedrale, sah die Taubenschläge auf den Dachgärten, und sich an diesen orientierend, machte er den Balkon vom Palais des Marqués de Casalduero aus, wo er die Frau seines Unglücks vermutete, die sicherlich noch an der Schulter ihres befriedigten Gatten schlummerte. Diese Vorstellung zerriß ihn, doch er tat nichts, sie zu unterdrücken, sondern genau das Gegenteil, er kostete seinen Schmerz aus. Die Sonne wurde wärmer, während die Postschaluppe sich ihren Weg durch das Labyrinth der verankerten Segelschiffe bahnte, dort vermengten sich die unzähligen Gerüche des Marktes mit der Fäulnis aus der Tiefe zu einem einzigen pestilenzialischen Gestank. Der Schoner aus Riohacha war gerade eingetroffen, und die Lastenträger standen truppweise bis zum Bauch im Wasser, um die Passagiere an der Reling zu empfangen und sie bis zum Ufer zu tragen. Florentino Ariza sprang als erster von der Postschaluppe an Land und nahm von da an nicht mehr den fauligen Gestank der Bucht wahr, sondern nur noch Fermina Dazas persönlichen Duft im Stadtraum. Alles roch nach ihr.

Er kehrte nicht ins Telegraphenamt zurück. Sein Interesse schien sich ausschließlich auf die Romanheftchen und die Bücher der Biblioteca Popular zu richten, die seine Mutter weiter für ihn kaufte und die er in einer Hängematte liegend wieder und wieder las, bis er sie auswendig kannte. Er fragte nicht einmal, wo die Geige geblieben war. Er nahm wieder Kontakt zu seinen nächsten Freunden auf, spielte manchmal Billard oder unterhielt sich mit ihnen in den Straßencafés unter den Arkaden der Plaza de la Catedral. Zu den Tanzfesten am Sonnabend ging er jedoch nicht, ohne Fermina Daza wollte er sie sich nicht vorstellen.

Noch am Morgen seiner Rückkehr von der unvollendeten Reise erfuhr er, daß Fermina Daza auf Hochzeitsreise in Europa war, und sein verwirrtes Herz hielt es für ausgemacht, daß sie dort leben würde, wenn nicht für immer, so doch für viele Jahre. Diese Gewißheit flößte ihm erste Hoffnungen auf ein mögliches Vergessen ein. Er dachte an Rosalba, deren Bild in seiner Erinnerung immer glühendere Farben annahm, während die anderen Erlebnisse allmählich verblaßten. Zu jener Zeit ließ er sich den Schnurrbart mit den gewichsten Spitzen stehen, den er sich für den Rest seines Lebens nicht mehr abnehmen sollte und der einen anderen Mann aus ihm machte. Und der Gedanke, daß Liebe ersetzbar sei, führte ihn auf unvorhergesehene Wege. Fermina Dazas Duft begegnete ihm nicht mehr so oft und so intensiv und zog sich schließlich in die weißen Gardenien zurück.

Er ließ sich treiben und wußte nicht, wie sein Leben weitergehen sollte, als in einer Kriegsnacht während der Belagerung durch den Rebellengeneral Ricardo Gaitán Obeso die allseits bekannte Witwe Nazaret verängstigt in sein Haus flüchtete, weil ein Geschütztreffer das ihre zerstört hatte. Und Tránsito Ariza packte diese Gelegenheit beim Schopf, sie führte die Witwe in das Schlafzimmer des Sohnes, angeblich weil in dem ihren kein Platz mehr war, tatsächlich aber in der Hoffnung, eine andere Liebe könne ihn von jener heilen, die ihn nicht leben ließ. Florentino Ariza hatte, seit Rosalba ihn in der Schiffskabine entjungfert hatte, bei keiner Frau mehr gelegen. In dieser Nacht der Not erschien es ihm nur natürlich, daß die Witwe in seinem Bett und er selbst in der Hängematte schlief. Doch sie hatte schon für ihn mitentschieden. Sie setzte sich auf die Kante des Betts, in dem Florentino Ariza lag und nicht wußte, wie er sich verhalten sollte, und begann ihm von ihrem untröstlichen Schmerz um den vor drei Jahren verstorbenen Ehegatten zu erzählen, während sie die Trauerkleidung auszog und von sich warf, bis sie nicht einmal mehr den Ehering anhatte. Sie zog die Taftbluse mit der Glasperlenstickerei aus und schleuderte sie quer durch den Raum auf den Sessel in der Zimmerecke, die Corsage warf sie über die Schulter hinter sich auf das andere Bettende, mit einem Ruck entledigte sie sich des langen Rocks mitsamt des gerüschten Unterrocks sowie des Strumpfgürtels aus Atlasseide und der schwarzseidenen Trauerstrümpfe und verteilte alles auf dem Boden, bis das Zimmer mit den letzten Fetzen ihrer Trauer ausgelegt war. Sie machte es mit so viel Freude und so wohl bemessenen Pausen, daß jede ihrer Bewegungen vom Geschützfeuer der angreifenden Truppen, das die Stadt in ihren Grundfesten erschütterte, gefeiert zu werden schien. Florentino Ariza wollte ihr helfen, den Haken des Leibchens zu lösen, doch sie kam ihm mit einem geschickten Griff zuvor, da sie in fünf Jahren ehelicher Ergebenheit gelernt hatte, bei allen Erledigungen der Liebe, sogar beim Vorspiel, ohne Hilfe zurechtzukommen. Zuletzt schlüpfte sie aus dem Spitzenhöschen, ließ es mit der raschen Bewegung einer Schwimmerin die Beine hinabgleiten und stand nackt da.

Sie war achtundzwanzig Jahre alt und hatte drei Kinder geboren, doch ihre Nacktheit hatte sich das Schwindelerregende einer Unverheirateten bewahrt. Für Florentino Ariza blieb es unbegreiflich, wie ein Büßergewand den Drang jener jungen Bergstute hatte verdecken können, die schier am eigenen Fieber verging, während sie ihn auszog, so wie sie ihren Mann nie hatte ausziehen können, weil er sie sonst für ein Flittchen gehalten hätte. In einem einzigen Anlauf versuchte sie, immer noch befangen und unerfahren nach fünf Jahren Eheleben, die eiserne Abstinenz der Trauer wettzumachen. Vor dieser Nacht und seit jener gnadenreichen Stunde, in der ihre Mutter sie geboren hatte, hatte sie niemals mit einem anderen Mann als ihrem verstorbenen Ehegatten auch nur auf demselben Bett gelegen.

Sie erlaubte sich nicht die Stillosigkeit von Gewissensbissen. Ganz im Gegenteil. Da die Leuchtkugeln, die über die Ziegeldächer schwirrten, sie nicht schlafen ließen, beschwor sie bis zum Morgengrauen die Vorzüge des Ehemanns, dem sie keine andere Untreue vorzuwerfen hatte als die, ohne sie gestorben zu sein. Darüber tröstete sie sich aber mit der Gewißheit, daß er nie so ganz ihr gehört hatte wie jetzt, da er in einem mit zwölf Dreizollnägeln zugenagelten Sarg zwei Meter unter der Erde lag.

»Ich bin glücklich«, sagte sie, »denn erst jetzt weiß ich mit Sicherheit, wo er ist, wenn er nicht zu Hause ist.«

In jener Nacht legte sie die Trauer ab, auf einen Schlag und ohne die müßige Übergangszeit der graugeblümten Blusen durchzumachen. Ihr Leben füllte sich mit Liebesliedern und herausfordernden Kleidern, auf denen sich gemalte Papageien und Schmetterlinge tummelten, und sie teilte nun ihren Körper mit jedem, der sie darum bat. Als die Truppen des General Gaitán Obeso nach 63 Tagen Belagerung geschlagen waren, baute sie das von dem Geschütztreffer zusammengestürzte Haus wieder auf, ließ eine herrliche Terrasse über den Klippen errichten, wo sich bei Sturmwetter die Wut der Wellen austobte. Das war ihr Liebesnest, wie sie es ohne Ironie nannte, und dort empfing sie nur Männer, die nach ihrem Geschmack waren, wann immer und wie immer sie wollte, und ohne auch nur einen Quartillo dafür zu nehmen, denn sie war der Meinung, daß ja die Männer ihr einen Gefallen taten. In den seltensten Fällen nahm sie ein Geschenk an, es durfte allerdings nicht aus Gold sein, und sie handhabte alles so geschickt, daß niemand einen schlagenden Beweis für ihr sittenloses Benehmen hätte vorbringen können. Nur bei einer Gelegenheit hätte es fast einen öffentlichen Skandal gegeben, als nämlich das Gerücht die Runde machte, der Erzbischof Dante de Luna sei nicht zufällig an einem giftigen Pilzgericht gestorben, sondern habe es bewußt gegessen, da sie ihm gedroht habe, sich die Kehle durchzuschneiden, falls er nicht von seinen gotteslästerlichen Avancen abließe. Sie wurde nie von irgend jemand gefragt, ob das wahr sei, noch sprach sie selbst jemals darüber oder änderte etwas an ihrem Lebenswandel. Sie war, wie sie lauthals lachend erklärte, die einzige freie Frau in der Provinz.

Die Witwe Nazaret hielt selbst in ihren geschäftigsten Zeiten stets die gelegentlichen Verabredungen mit Florentino Ariza ein, und immer ohne den Anspruch zu lieben oder geliebt zu werden, doch immer in der Hoffnung, etwas zu finden, das wie Liebe war, aber ohne die Probleme der Liebe. Ab und zu besuchte er sie, und dann genossen sie es, sich auf der Terrasse von der Salzgischt durchnässen zu lassen, während sie den Weltenanbruch am Horizont betrachteten. Er legte all seinen Ehrgeiz darein, sie die Finessen zu lehren, die er durch die Gucklöcher des Stundenhotels bei anderen gesehen hatte, sowie die theoretischen Anleitungen, die Lothario Thugut in seinen wilden Nächten herausposaunte. Er stiftete sie dazu an, sich beim Liebesakt beobachten zu lassen, die konventionelle Missionarsstellung mit der des Meeresfahrrads, des Hühnchens am Spieß oder des gevierteilten Engels abzuwechseln, und eines Tages hätten sie sich beinahe ums Leben gebracht, als bei dem Versuch, auf der Hängematte etwas Neues zu erfinden, die Seile rissen. Es waren sterile Lektionen. Sie war zwar eine wagemutige Schülerin, aber in Wahrheit fehlte ihr jedes Talent für den gelenkten Beischlaf. Sie hatte weder Verständnis für den Reiz der Ruhe im Bett, noch je selbst einen Anflug von

Inspiration, und ihre Orgasmen kamen unpassend und gingen nicht unter die Haut: eine triste Vögelei. Florentino Ariza lebte lange Zeit in der Täuschung, der einzige zu sein, und sie ließ ihn gern in diesem Glauben, bis sie das Pech hatte, im Schlaf zu sprechen. Während er ihr beim Schlafen zuhörte, rekonstruierte er allmählich Stück für Stück die Navigationskarte ihrer Träume und drang in die Inselwelt ihres Geheimlebens vor. So erfuhr er, daß sie nicht die Absicht hatte, ihn zu heiraten, sich seinem Leben aber verbunden fühlte, weil sie ihm unendlich dankbar dafür war, daß er sie verdorben hatte. Sie sagte es ihm oft:

»Ich bete dich an, weil du mich zu einer Dirne gemacht hast.«

Wenn man es anders ausdrückte, hatte sie nicht unrecht. Denn Florentino Ariza hatte ihr die Jungfräulichkeit der konventionellen Ehe geraubt, die verderblicher ist als jene, mit der man geboren wird, verderblicher auch als die Enthaltsamkeit der Witwenschaft. Er hatte ihr beigebracht, daß nichts von dem, was man im Bett treibt, unmoralisch ist, wenn es nur dazu beiträgt, die Liebe zu bewahren; und noch etwas, das seitdem zur Richtschnur ihres Lebens geworden war: Er hatte sie davon überzeugt, daß man mit gezählten Fickgelegenheiten zur Welt kommt und daß diejenigen, die aus irgendeinem inneren oder äußeren Grund freiwillig oder notgedrungen nicht genutzt werden, für immer verloren sind. Ihr Verdienst war, das ganz wörtlich zu nehmen. Weil er sie jedoch besser als irgendein anderer zu kennen glaubte, konnte Florentino Ariza nicht begreifen, wie eine Frau mit so läppischen Fähigkeiten, die dazu noch im Bett unaufhörlich von ihrer Trauer um den verstorbenen Ehemann redete, derart begehrt sein konnte. Die einzige Erklärung, die ihm einfiel und die niemand widerlegen konnte, war, daß die Witwe Nazaret an Zärtlichkeit überreichlich zu bieten hatte, was ihr an Kriegskunst mangelte. Mit der Zeit sahen sie sich seltener, während sie ihr Herrschaftsgebiet ausdehnte und er, auf der Suche nach Linderung seines alten Leids, bei anderen versprengten Herzen sein Terrain erkundete. Am Ende vergaßen sie einander ohne Schmerz.

Es war Florentino Arizas erstes Bettverhältnis. Statt aber miteinander eine dauerhafte Verbindung einzugehen, wie seine Mutter es sich erträumt hatte, nutzten es beide, um sich ins Leben zu stürzen. Florentino Ariza entwickelte Methoden, die man einem so schmächtigen und verschlossenen Mann, der sich dann noch wie ein Greis aus einer anderen Zeit kleidete, nicht zugetraut hätte. Er hatte jedoch zwei Vorteile auf seiner Seite. Der eine war sein sicherer Blick, mit dem er sogleich und selbst inmitten einer Menschenmenge die Frau erkannte, die auf ihn gewartet hatte, doch selbst dann umwarb er sie vorsichtig, denn nichts schien ihm so beschämend und demütigend wie ein Korb. Der andere Vorteil war, daß die Frauen in ihm sofort den einsamen, liebesbedürftigen Mann erkannten, einen Zukurzgekommenen von der Straße, dessen Ergebenheit eines geprügelten Hundes sie schwach werden ließ, so daß sie sich ihm bedingungslos hingaben, ohne etwas zu erbitten, ohne etwas zu erwarten, außer dem beruhigten Gewissen, ihm etwas Gutes getan zu haben. Dies waren seine einzigen Waffen, und mit ihnen schlug er historische, aber absolut geheime Schlachten, die er mit der Gewissenhaftigkeit eines Notars verschlüsselt in ein Heft eintrug, das unter allen anderen an seinem Titel, der alles sagte, zu erkennen war: Sie. Die erste Eintragung machte er über die Witwe Nazaret. Fünfzig Jahre später, als Fermina Daza von der Fessel des Ehesakraments befreit war, hatte er etwa fünfundzwanzig Hefte mit sechshundertzweiundzwanzig Eintragungen über dauerhaftere Liebschaften gefüllt, die unzähligen flüchtigen Abenteuer ausgenommen, die ihm nicht einmal eine barmherzige Notiz wert waren.

Florentino Ariza war nach sechs Monaten eines ausschweifenden Liebeslebens mit der Witwe Nazaret selbst davon überzeugt, daß er seine Qualen wegen Fermina Daza überstanden hatte. Er glaubte es nicht nur, sondern sprach es auch während ihrer nahezu zwei Jahre dauernden Hochzeitsreise mehrmals Tránsito Ariza gegenüber aus, und glaubte es mit einem Gefühl grenzenloser Befreiung immer noch, als er ohne jede Vorahnung im Herzen, plötzlich, an einem Sonntag seines schlechten Sterns, sie am Arm ihres Mannes aus dem Hochamt kommen sah, umgeben von der Neugier und den Schmeicheleien ihrer neuen Welt. Dieselben Damen von Rang und Namen, die sie zunächst als neureiche Kleinbürgerin verachtet und über sie gespottet hatten, liefen sich jetzt die Hacken ab, damit sie sich als eine der Ihren fühlen könnte, und berauschten sich an ihrem Liebreiz. Sie hatte ihre Rolle einer verheirateten Dame von Welt mit einer solchen Selbstverständlichkeit übernommen, daß Florentino Ariza einen Augenblick überlegen mußte, bevor er sie erkannte. Sie war eine andere geworden: Die beherrschte Haltung einer Erwachsenen, die hochhackigen Stiefelchen, der Hut mit dem kleinen Schleier und der bunten Feder eines orientalischen Vogels, alles an ihr war anders und geläufig, als habe es von Anbeginn an zu ihr gehört. Sie erschien ihm schöner und jugendlicher als je zuvor, aber auch unerreichbarer denn je, er begriff aber nicht warum, bis er die Wölbung ihres Bauches unter der Seidentunika sah – sie war im sechsten Monat schwanger. Am meisten beeindruckte ihn jedoch, daß sie und ihr Mann ein bewunderungswürdiges Paar abgaben und beide sich auf eine so leichtfüßige Art in der Welt bewegten, daß sie über den Klippen der Wirklichkeit zu schweben schienen. Florentino Ariza verspürte weder Eifersucht noch Zorn, sondern eine tiefe Selbstverachtung. Er fühlte sich arm, häßlich, minderwertig und nicht nur ihrer, sondern jeder Frau auf Erden unwürdig.

Sie war also wieder da. Sie hatte auch nach der Rückkehr keinerlei Grund, den Richtungswechsel in ihrem Leben zu bereuen. Im Gegenteil. Es gab immer weniger denkbare Gründe, erst recht nicht, nachdem sie die Mühen der ersten Jahre überlebt hatte. Was in ihrem Fall um so bemerkenswerter war, da sie die Hochzeitsnacht noch in den Nebeln der Unschuld erreicht hatte. Ein wenig hatten sich diese schon im Laufe ihrer Reise durch die Provinz der Kusine Hildebranda gelichtet. In Valledupar hatte sie endlich begriffen, warum die Hähne die Hennen verfolgen, wurde Zeugin der brutalen Begattungszeremonie der Esel, sah, wie Kälber geboren wurden, und hörte die Kusinen ganz unbefangen davon sprechen, welche Paare in der Familie noch miteinander schliefen und welche wann und warum damit aufgehört hatten, obgleich sie weiterhin zusammenlebten. Damals war sie in die einsamen Liebesspiele eingeweiht worden und hatte das seltsame Gefühl gehabt, etwas zu entdecken, das ihre Instinkte von jeher gekannt hatten. Zunächst gab sie sich diesen Vergnügungen im Bett hin, mit angehaltenem Atem, um sich in dem Schlafzimmer, das sie mit einem halben Dutzend Kusinen teilte, nicht zu verraten. Später trieb sie es beidhändig mit gelöstem Haar auf dem Badezimmerboden ausgestreckt und rauchte dabei ihre ersten Viehtreiberstumpen. Stets hatte sie Gewissensbisse, die sie erst nach der Heirat überwand, und immer tat sie es in allergrößter Heimlichkeit, während ihre Kusinen sich damit brüsteten, wie oft sie es pro Tag schafften, und sich sogar über Art und Ausmaß ihrer Orgasmen ausließen. Trotz des Zaubers jener Initiationsriten hing sie weiterhin dem Glauben an, daß der Verlust der Unschuld ein blutiger Opfergang sei.

So verging für sie die Hochzeitsfeier, eine der aufsehenerregendsten gegen Ende des letzten Jahrhunderts, in Erwartung des Entsetzlichen. Die Angst vor der Hochzeitsreise machte ihr viel mehr zu schaffen als der gesellschaftliche Skandal wegen ihrer Eheschließung mit einem Galan, wie es zu jener Zeit keinen zweiten gab. Seitdem das Aufgebot in der Kathedrale bei jedem Hochamt bekanntgegeben wurde, erhielt Fermina Daza wieder anonyme Briefe, manche sogar mit Morddrohungen, doch sie achtete kaum darauf, denn alle Angst, zu der sie fähig war, richtete sich auf die bevorstehende Vergewaltigung. Das war, wenn auch unbeabsichtigt, die richtige Art, mit anonymen Briefen in einer Gesellschaft umzugehen, die sich durch den Hohn der Geschichte daran gewöhnt hatte, angesichts vollendeter Tatsachen klein beizugeben. So wuchs Fermina Daza, je unumstößlicher die Hochzeit feststand, all das zu, was gegen sie sprach. Sie bemerkte es an dem mählichen Wandel in den Reaktionen der bleichen, von Arthritis und Ressentiments gebeugten Frauen, die eines Tages die Vergeblichkeit ihrer Intrigen einsahen und unangemeldet am Parque de los Evangelios wie in ihrem eigenen Haus auftauchten, mit Kochrezepten und gutgemeinten Geschenken. Tránsito Ariza kannte jene Welt, obwohl sie erst diesmal etwas davon am eigenen Leib erfuhr. Sie wußte, daß ihre Kundinnen am Vorabend großer Feste wieder bei ihr auftauchten und sie um den Gefallen baten, doch die Tonkrüge auszugraben und ihnen den verpfändeten Schmuck für einen erhöhten Zinssatz 24 Stunden lang auszuleihen. Seit langer Zeit hatte es sich nicht mehr so wie diesmal abgespielt, die Tonkrüge leerten sich, damit die Damen mit den langen Namen ihre Sanktuarien des Schattens verlassen und im eigenen ausgeliehenen Schmuck bei einer Hochzeit glänzen konnten, die von keiner anderen gegen Ende des Jahrhunderts an Prunk übertroffen wurde und der Doktor Rafael Nuñez als Trauzeuge zum letzten Ruhm verhalf, war dieser doch dreimaliger Präsident der Republik, Philosoph, Dichter und Verfasser der Nationalhymne, wie man damals schon in einigen neueren Lexika nachlesen konnte. Fermina Daza trat vor den Altar, geleitet von ihrem Vater, dem der Frack an diesem einen Tag einen trügerischen Hauch von Respektabilität verlieh. Sie heiratete für alle Ewigkeit vor dem Hochaltar der Kathedrale in einer Messe, die von drei Bischöfen gemeinsam um elf Uhr vormittags am Tag der Heiligen Dreifaltigkeit zelebriert wurde, und verschwendete nicht einen barmherzigen Gedanken an Florentino Ariza, der zu jener Stunde im Fieber phantasierte und ihretwegen verging, ausgesetzt auf einem Schiff, das ihn nicht ins Land des Vergessens tragen sollte. Während der Zeremonie und später auf dem Fest stand ihr ein Lächeln wie mit weißer Schminke fixiert im Gesicht, eine seelenlose Grimasse, die von einigen als höhnisches Triumphlächeln gedeutet wurde, tatsächlich aber das unzureichende Mittel war, die Angst der frischgetrauten Jungfrau zu überspielen.

Glücklicherweise lösten unvorhergesehene Umstände und das Verständnis des Ehemannes in den ersten drei Nächten schmerzlos ihre Probleme. Die göttliche Vorsehung schien hier zu walten. Das Schiff der Compagnie Générale Transatlantique, dessen Fahrplan durch das schlechte Wetter im Karibischen Meer durcheinandergeraten war, gab nur drei Tage im voraus bekannt, daß die Abfahrt um 24 Stunden vorverlegt würde, so daß man nicht, wie geplant, am Tag nach der Hochzeit mit Kurs auf La Rochelle in See stechen würde, sondern bereits in der Hochzeitsnacht.

Niemand glaubte, daß es sich dabei nicht um eine weitere elegante Überraschung der Hochzeitsfeier handelte, denn das Fest endete nach Mitternacht an Bord des erleuchteten Überseedampfers mit einer Kapelle aus Wien, die auf jener Fahrt erstmals die neuesten Walzer von Johann Strauß zum besten gab. So mußten mehrere champagnerselige Trauzeugen von ihren besorgten Gattinnen an Land geschleift werden, da sie sich schon bei den Stewards nach freien Kabinen erkundigt hatten, um die Feier bis Paris fortzusetzen. Die letzten, die von Bord gingen, sahen Lorenzo Daza, den Frack in Fetzen, mitten auf der Straße vor der Hafenkneipe sitzen. Er stieß Klageschreie aus wie die Araber, wenn sie ihre Toten beweinen, und saß in einer fauligen Wasserlache, die auch eine Tränenpfütze hätte sein können.

Weder in der ersten stürmischen Nacht auf See, noch in den folgenden Nächten gemächlicher Fahrt, noch sonst jemals in ihrem sehr langen Eheleben fanden die barbarischen Handlungen statt, die Fermina Daza befürchtet hatte. Die erste Nacht wurde für sie, trotz der Größe des Schiffes und der Luxusausstattung der Kabine, zu einer schreckensvollen Wiederholung jener Nacht, die sie auf dem Schoner von Riohacha verbracht hatte. Ihr Mann war ihr ein aufopfernder Arzt, der nicht einen Augenblick schlief, um sie trösten zu können, aber das war auch alles, was ein so vorzüglicher Arzt gegen die Seekrankheit tun konnte. Der Sturm legte sich jedoch am dritten Tag, nachdem sie den Hafen von La Guaira hinter sich gelassen hatten, und da waren sie bereits so lange zusammen gewesen und hatten so viel miteinander geredet, daß sie sich wie alte Freunde fühlten. In der vierten Nacht, als beide ihre alltäglichen Gepflogenheiten wieder aufnahmen, wunderte sich Doktor Juvenal Urbino darüber, daß seine junge Frau nicht vor dem Schlafengehen betete. Sie war ehrlich: Die Heuchelei der

Nonnen habe in ihr einen Widerwillen gegen die Riten erzeugt, doch ihr Glaube sei davon unberührt, und sie habe gelernt, ihn im Stillen zu bewahren. Sie sagte: »Ich ziehe es vor, mich mit Gott direkt zu verständigen.« Er erkannte ihre Gründe an, und seitdem praktizierte jeder die gleiche Religion auf seine Art. Ihre Verlobungszeit war kurz, doch für die Zeit wenig förmlich gewesen, da Doktor Urbino sie jeden Abend bei ihr zu Hause allein hatte sehen dürfen. Allerdings hätte sie nie erlaubt, daß er ihr vor dem bischöflichen Segen auch nur die Fingerspitzen berührte, aber er versuchte es gar nicht. Es war in der ersten ruhigen Nacht auf See, sie lagen auf dem Bett, waren jedoch noch angezogen, als er mit den Zärtlichkeiten begann, und zwar mit so viel Feingefühl, daß der Vorschlag, man solle sich doch die Nachthemden anziehen, ihr nur natürlich erschien. Sie ging in das Bad, um sich auszukleiden, löschte jedoch erst noch die Lampen in der Kabine und stopfte, bevor sie wieder herauskam, Lappen in die Türritzen, um in vollkommener Dunkelheit zurück ins Bett zu gelangen. Dabei sagte sie gutgelaunt:

»Was willst du, Doktor. Es ist schließlich das erste Mal, daß ich mit einem Unbekannten schlafe.«

Doktor Juvenal Urbino spürte, wie sie, ein kleines verängstigtes Tier, neben ihn schlüpfte und versuchte, sich so weit weg von ihm wie nur möglich hinzulegen, und das in einer Koje, in der kaum zwei Platz fanden, ohne sich zu berühren. Er nahm ihre Hand, die kalt war und vor Angst verkrampft, verschränkte seine Finger in ihre und begann ihr fast flüsternd von seinen Erinnerungen an andere Seereisen zu erzählen. Sie lag angespannt da, denn als sie vom Bad ins Bett zurückgekommen war, hatte sie gemerkt, daß er sich inzwischen ganz ausgezogen hatte, und das ließ ihre Angst vor dem nächsten Schritt wieder aufleben. Doch der nächste

Schritt ließ mehrere Stunden auf sich warten, da Doktor Urbino sehr leise weitererzählte, während er Millimeter um Millimeter das Vertrauen ihres Körpers eroberte. Er erzählte ihr von Paris, von der Liebe in Paris, von den Liebespärchen in Paris, die sich auf der Straße küßten, im Omnibus und auf den blühenden Terrassen der Cafés, die dem feurigen Hauch und den schmachtenden Ziehharmonikaklängen des Sommers geöffnet waren, und wie die Pärchen sich im Stehen an den Seinequais liebten, ohne von jemandem gestört zu werden. Während er aus dem Dunkel zu ihr sprach, strich er mit den Fingerkuppen über die Biegung ihres Halses, streichelte ihr den Seidenflaum der Arme, den scheuen Bauch, und als er spürte, daß sich die Anspannung gelöst hatte, unternahm er einen ersten Versuch, ihr das Nachthemd hochzuschieben, doch sie hinderte ihn daran, mit einer für ihren Charakter typischen Anwandlung. »Das kann ich allein«, sagte sie. Sie zog es tatsächlich aus und lag dann so regungslos da, daß Doktor Urbino hätte glauben können, sie sei schon nicht mehr da, wäre nicht die Wärme ihres Körpers in der Finsternis gewesen.

Nach einer Weile nahm er wieder ihre Hand, die jetzt warm war und locker, aber noch feucht von einem zarten Tau. Wieder lagen sie eine Weile schweigend und reglos da, er lauerte auf eine Gelegenheit für den nächsten Schritt, und sie wartete darauf, ohne zu wissen, aus welcher Richtung er kommen würde, während ihrer beider immer heftiger werdender Atem die Dunkelheit weitete. Er ließ die Hand plötzlich los und wagte den Schritt ins Unbekannte: Er feuchtete sich die Kuppe des Herzensfingers mit der Zunge an und berührte kaum die nichtsahnende Brustwarze, und sie fühlte einen tödlichen Stromstoß, als hätte er einen freiliegenden Nerv berührt. Sie war dankbar für die Dunkelheit, in der er die flammende Röte nicht sehen konnte, die ihr bis in den Kopf schoß. »Nur ruhig«, sagte er sehr ruhig. »Vergiß nicht, daß ich sie schon kenne.« Er spürte, wie sie lächelte, und ihre Stimme war sanft und neu in der Finsternis.

»Ich erinnere mich nur zu gut daran«, sagte sie, »und meine Wut ist noch nicht verraucht.«

Da wußte er, daß sie das Kap der Guten Hoffnung umschifft hatten, und er nahm wieder ihre Hand, groß und weich, und bedeckte sie mit Waisenkindküßchen, erst die rauhe Mittelhand, die langen hellseherischen Finger, die durchsichtigen Nägel und dann die Schicksalshieroglyphen in ihrer verschwitzten Handfläche. Sie wußte nicht, wie ihre Hand auf seine Brust gelangt war und dort etwas fand, was sie nicht identifizieren konnte. »Das ist ein Skapulier«, sagte er. Sie strich ihm über das Brusthaar und griff dann mit allen fünf Fingern ins Gestrüpp, um es mit der Wurzel auszureißen. »Fester«, sagte er. Sie versuchte es, gerade so fest, daß sie ihm nicht wehtat, und dann war es ihre Hand, die seine im Dunkeln verlorene suchte. Doch er ließ sich nicht die Finger verschränken, sondern umfaßte ihr Handgelenk und führte ihre Hand mit einer unsichtbaren, doch genau gelenkten Kraft an seinem Körper entlang, bis sie den glühenden Hauch eines nackten Tieres spürte, das, ohne körperähnliche Formen zu haben, doch begehrlich aufgerichtet war. Anders als er es sich vorgestellt hatte, anders auch als sie es sich vorgestellt hätte, zog sie die Hand nicht zurück, ließ sie auch nicht bewegungslos dort liegen, wo er sie hingelegt hatte, sondern empfahl sich mit Leib und Seele der Jungfrau Maria, biß, da sie fürchtete, über ihre eigene Tollheit zu lachen, die Zähne zusammen und begann, den sich aufbäumenden Feind tastend zu erkunden, erforschte seine Größe, die Kraft seines Schaftes, die Spannweite seiner Flügel, war erschreckt über seine Bestimmtheit, zugleich jedoch von seiner Einsamkeit gerührt. Sie eignete sich ihn mit einer minuziösen Neugier an, die ein weniger erfahrener Mann mit Zärtlichkeit verwechselt hätte. Er beschwor seine letzten Kräfte, um dem Schwindel der tödlichen Prüfung zu widerstehen, bis sie das Ding mit kindlicher Unbekümmertheit fallen ließ, einfach so, als werfe sie es in den Abfall.

»Ich habe nie begriffen, wie dieser Apparat gebaut ist«, sagte sie.

Woraufhin er ihr das auf seine lehrmeisterliche Weise erklärte, wobei er ihre Hand an die Stellen führte, die er gerade erwähnte, und sie ließ sich gehorsam wie eine Musterschülerin führen. In einem günstigen Augenblick bemerkte er, daß das alles bei Licht leichter sei. Er wollte es schon anzünden, doch sie fiel ihm in den Arm und sagte: »Ich sehe besser mit den Händen.« In Wirklichkeit hätte sie gerne Licht gehabt, aber sie wollte es ohne Aufforderung von irgend jemand selbst anzünden, und so geschah es auch. Da sah er sie in Fötalhaltung und mit dem Laken bedeckt in der plötzlichen Helligkeit liegen. Doch dann sah er, wie sie sich wieder ohne Ziererei das Tier ihrer Neugier griff. Sie drehte und wendete es mit einem Interesse, das schon aufhörte, rein wissenschaftlich zu sein, und sagte zusammenfassend: »Es muß schon sehr häßlich sein, um häßlicher als das der Frauen zu sein.« Er gab ihr recht und wies auf schwerwiegendere Unzulänglichkeiten als die Häßlichkeit hin. Er sagte: »Es ist wie mit dem ältesten Sohn, man arbeitet sein Lebtag für ihn, opfert alles für ihn, und in der Stunde der Wahrheit tut er dann, was er will.« Sie untersuchte es weiter, fragte, wozu dies und wozu jenes gut sei, und als sie sich ausreichend informiert glaubte, wog sie es auf beiden Händen, um sich zu beweisen, daß es nicht einmal vom Gewicht her der Rede wert sei, und ließ es mit einer geringschätzigen Geste fallen.

»Ich finde außerdem, daß zuviel Überflüssiges dran ist«, sagte sie.

Er war verblüfft. So hatte ursprünglich sein Dissertationsthema gelautet: »Vom Vorteil einer Vereinfachung des menschlichen Organismus.« Dieser erschien ihm veraltet, mit vielen sinnlosen oder verdoppelten Funktionen, die für andere Zeitalter des Menschengeschlechts unabdingbar gewesen waren, jedoch nicht mehr für unseres. Ja: Er könnte einfacher und damit weniger verletzlich sein. Er folgerte: »Das ist etwas, was selbstverständlich nur Gott machen kann, es wäre aber nicht schlecht, es zumindest theoretisch zu durchdenken.« Sie lachte amüsiert und so unbefangen, daß er die Gelegenheit nutzte, sie zu umarmen und ihr den ersten Kuß auf den Mund zu geben. Sie kam ihm entgegen, und er fuhr fort, sie zu küssen, auf Wange, Nase, Lider, während er die Hand unter das Bettlaken gleiten ließ und ihr den runden, glatthaarigen Venushügel streichelte: der Venushügel einer Japanerin. Sie schob seine Hand nicht weg, hielt die ihre aber in Alarmbereitschaft, für den Fall, daß er einen Schritt weitergehen sollte.

»Wir wollen die medizinische Lehrstunde nicht fortsetzen«, sagte sie.

»Nein,« sagte er, »das hier wird eine Liebesstunde.«

Dann zog er ihr das Laken weg, und sie wehrte sich nicht, sondern beförderte es sogar mit einem schnellen Beinstoß aus der Koje. Sie ertrug die Hitze nicht mehr. Ihr Körper war wellenförmig und elastisch, doch sehr viel herber, als er angezogen wirkte, und er hatte den Eigengeruch eines Bergtieres, weshalb sie unter allen Frauen der Welt zu erkennen war. Wehrlos dem vollen Licht ausgesetzt, stieg ihr ein Schwall kochenden Blutes ins Gesicht, und das einzige, was ihr einfiel, um es zu verbergen, war, sich ihrem Mann an den Hals zu hängen und ihn gründlich zu küssen, sehr fest, bis beide in dem Kuß alle Luft zum Atmen aufgebraucht hatten.

Ihm war wohl bewußt, daß er sie nicht liebte. Er hatte sie geheiratet, weil ihm ihr stolzes Wesen gefiel, ihre Ernsthaftigkeit, ihre Kraft, und eine Prise Eitelkeit war auch bei ihm im Spiel gewesen, doch während sie ihn nun zum ersten Mal küßte, überzeugte er sich davon, daß nichts sie daran hinderte, eine gute Liebe zu entwickeln. In jener ersten Nacht, in der sie bis zum Morgengrauen über alles sprachen, sprachen sie darüber nicht, und sie sollten niemals darüber sprechen. Aber auf lange Sicht hin hatte keiner von beiden sich geirrt.

Als sie bei Tagesanbruch einschliefen, war sie noch immer Jungfrau, sollte es aber nicht mehr lange sein. In der Nacht darauf, nachdem er ihr unter dem Sternenhimmel der Karibik beigebracht hatte, Wiener Walzer zu tanzen, ließ sie ihn nach sich ins Bad gehen, und als er in die Kabine zurückkam, lag sie schon nackt im Bett und erwartete ihn. Sie war es, die dann die Initiative ergriff, und sie gab sich ihm ohne Angst hin, ohne Schmerz, im Übermut eines Abenteuers auf hoher See, und es gab keine Spuren einer blutigen Zeremonie, außer der Ehrenrose auf dem Laken. Beide machten es gut, es war fast ein Wunder, und sie machten es weiter gut bei Nacht und bei Tag und während der restlichen Reise jedes Mal besser, und als sie La Rochelle erreichten, waren sie aufeinander eingespielt wie ein altes Liebespaar.

Sie blieben in Europa, mit Paris als Standquartier, und machten von dort aus kürzere Reisen durch die Nachbarländer. In jener Zeit liebten sie sich täglich und an den Wintersonntagen, wenn sie bis zur Mittagszeit im Bett balgten, mehrmals am Tag. Er war ein triebstarker Mann, zudem gut in Übung, und sie war nicht die Frau, die sich von irgend jemand übervorteilen ließ, also mußten sie sich im Bett mit der geteilten Macht zufriedengeben. Nach drei Monaten fiebrigen Liebeslebens war ihm klar, daß einer von ihnen unfruchtbar sein mußte, und so unterzogen sich beide strengen Untersuchungen im Hospital de la Salpêtrière, wo er seine Assistenzzeit absolviert hatte. Es war ein mühseliges, aber fruchtloses Unterfangen. Als sie es jedoch am wenigsten erwarteten, und ohne jegliche medizinische Hilfestellung, ereignete sich das Wunder. Bei ihrer Heimkehr war Fermina Daza im sechsten Monat schwanger und glaubte, die glücklichste Frau auf Erden zu sein. Der von beiden so ersehnte Sohn wurde ohne irgendwelche Auffälligkeiten im Zeichen des Wassermanns geboren und nach dem an der Cholera gestorbenen Großvater getauft.

Es war unmöglich auszumachen, ob es Europa oder die Liebe gewesen war, die sie verändert hatte, da sie das eine wie das andere zur gleichen Zeit erlebt hatten. Beide Ehepartner waren von Grund auf anders geworden, nicht nur zueinander, sondern zu aller Welt, wie Florentino Ariza bemerkte, als er sie zwei Wochen nach ihrer Rückkehr aus der Messe kommen sah, an jenem Sonntag seines Unglücks. Sie waren mit einer neuen Vorstellung vom Leben zurückgekehrt, voll beladen mit Neuem aus der Alten Welt und bereit, den Ton anzugeben. Er mit Neuheiten aus Literatur, Musik und vor allem aus seiner Wissenschaft. Er hatte *Le Figaro* abonniert, um nicht den Anschluß an die Wirklichkeit zu verlieren, und die *Revue des Deux Mondes*, um in der Poesie auf dem laufenden zu bleiben. Er hatte auch mit seinem Pariser Buchhändler eine Vereinbarung getroffen, daß dieser ihn mit den Neuerscheinungen der meistgelesenen Schriftsteller, darunter Anatole France und Pierre Loti, sowie mit den neuen Büchern seiner Lieblingsautoren, darunter Remy de Gourmont und Paul Bourget, versorgte, keinesfalls aber mit denen von Emile Zola, der ihm, trotz seines mutigen Auftritts im Dreyfus-Prozeß, unerträglich erschien. Derselbe Buchhändler verpflichtete sich, ihm per

Post die reizvollsten Partituren aus dem Ricordi-Katalog zu schicken, vor allem Kammermusik, damit er sich dem von seinem Vater wohlverdienten Ruf des bedeutendsten Musikförderers der Stadt würdig erweisen konnte.

Fermina Daza, die sich stets gegen das Diktat der Mode aufgelehnt hatte, brachte sechs Schrankkoffer mit Kleidern für alle Jahreszeiten mit. Die großen Modehäuser hatten sie nicht überzeugt. Sie war mitten im Winter in den Tuilerien gewesen, als die Kollektion von Worth, dem unumgänglichen Tyrannen der Haute couture, vorgestellt worden war, und hatte nichts als eine Bronchitis davongetragen, die sie sechs Tage ans Bett fesselte. Laferrière erschien ihr weniger prätentiös und gewalttätig, doch ihre weise Entscheidung bestand darin, all das an sich zu raffen, was ihr in Ramschläden gefiel, obwohl ihr Mann entsetzt beteuerte, es handele sich um Kleider von Toten. Sie brachte auch Mengen italienischer Schuhe ohne Markennamen mit, die sie den berühmten und extravaganten Modellen von Ferry vorzog, sowie einen Sonnenschirm von Dupuy, rot wie das Höllenfeuer, der unseren schreckhaften Gesellschaftschronisten viel zu schreiben gab. Sie kaufte nur einen einzigen Hut von Madame Reboux, füllte aber einen Koffer mit Büscheln künstlicher Kirschen, Sträußchen von allen nur auftreibbaren Filzblumen, Bündeln von Straußenfedern, Federkronen von Pfauen, ganzen Fasanen, Kolibris und einer reichen Auswahl an exotischen Vögeln, die im Anflug, im Schrei oder in tiefster Agonie präpariert worden waren: alles, was in den vergangenen zwanzig Jahren dazu gedient hatte, die immergleichen Hüte anders aussehen zu lassen. Sie brachte eine Sammlung von Fächern aus verschiedenen Ländern der Welt mit, jeder war anders und für eine andere Gelegenheit passend. Sie brachte eine betörende Duftessenz mit, die sie unter vielen in der Parfümerie des

Bazar de la Charité ausgesucht hatte, bevor dessen Asche von den Frühlingswinden verweht wurde, benutzte sie jedoch nur einmal, da sie sich selbst mit dem neuen Parfum fremd war. Sie brachte auch ein Kosmetiketui mit, *dernier cri* auf dem Markt der Verführung, und sie war die erste Frau, die es auf Feste mitnahm, zu einer Zeit, als schon die Tatsache, sich in der Öffentlichkeit zu schminken, als anstößig galt.

Außerdem brachten sie drei unauslöschliche Erinnerungen mit: die beispiellose Uraufführung von *Hoffmanns Erzählungen* in Paris, den fürchterlichen Brand fast aller Gondeln vor dem Markusplatz, den sie mit schmerzerfülltem Herzen vom Fenster ihres Hotels in Venedig aus miterlebt hatten, und eine flüchtige Vision von Oscar Wilde im ersten Januarschnee. Aber zwischen diesen und so vielen anderen Erinnerungen bewahrte Doktor Juvenal Urbino eine, bei der er immer bedauerte, sie nicht mit seiner Frau teilen zu können, denn sie stammte noch aus seiner Junggesellenzeit als Student in Paris. Es war die Erinnerung an Victor Hugo, der bei uns eine rührende Berühmtheit jenseits seiner Werke genoß, weil jemand erzählt hatte, er habe, was tatsächlich aber niemand gehört hatte, gesagt, unsere Verfassung sei nicht für ein Land von Menschen, sondern für eines von Engeln geschaffen. Seither erfreute er sich einer besonderen Verehrung, und die meisten unserer zahlreichen Landsleute, die nach Frankreich reisten, verzehrten sich danach, ihn zu sehen. Ein halbes Dutzend Studenten, darunter Juvenal Urbino, hatten eine Zeitlang Wache vor seiner Residenz an der Avenue Eylau bezogen sowie in den Cafés, wo er angeblich bestimmt auftauchen sollte, aber nie auftauchte, und am Ende hatten sie ihn im Namen der Engel der Verfassung von Rionegro schriftlich um eine Privataudienz gebeten. Sie erhielten nie eine Antwort. An irgendeinem

Tag, als Juvenal Urbino zufällig am Jardin du Luxembourg entlangging, sah er ihn am Arm einer jungen Frau, die ihn führte, den Senat verlassen. Hugo war ihm sehr alt vorgekommen, er konnte sich nur mühsam vorwärtsbewegen, Bart und Haare waren weniger leuchtend als auf den Bildern, und er steckte in einem Mantel, der einem korpulenteren Mann zu gehören schien. Juvenal Urbino wollte sich dieses Erinnerungsbild nicht durch einen aufdringlichen Gruß zerstören: Er begnügte sich mit der beinahe unwirklichen Vision, die ihn sein ganzes Leben lang begleiten sollte. Als er verheiratet und unter Voraussetzungen nach Paris zurückkehrte, die ihm erlaubt hätten, Victor Hugo einen förmlichen Besuch abzustatten, war dieser bereits gestorben.

Zum Trost bewahrten Juvenal und Fermina die gemeinsame Erinnerung an einen verschneiten Nachmittag, als sie auf eine Menschengruppe aufmerksam wurden, die vor einer kleinen Buchhandlung am Boulevard des Capucines dem schlechten Wetter trotzte. Oscar Wilde war in der Buchhandlung. Als er endlich herauskam, wahrhaft elegant, aber sich dessen vielleicht allzu bewußt, umringte ihn die Gruppe, um sich von ihm seine Bücher signieren zu lassen. Doktor Urbino war nur stehengeblieben, um ihn zu sehen, doch seine impulsive Frau wollte den Boulevard überqueren, damit der Dichter seine Unterschrift auf das einzige setze, was ihr mangels eines Buches passend erschien: ihr wunderschöner Gazellenlederhandschuh, lang, glatt, zart und von der gleichen Farbe wie ihre Haut einer Jungvermählten. Sie war sich sicher, daß ein so feinsinniger Mann solch eine Geste zu schätzen wisse. Doch ihr Mann widersetzte sich energisch, und als sie versuchte, es trotz seiner Argumente zu tun, glaubte er, die Schande nicht überleben zu können.

»Wenn du diese Straße überquerst«, sagte er, »dann wirst du mich hier später tot auffinden.«

Es war einfach ihr Naturell. Seit der Hochzeit war noch kein Jahr vergangen, doch sie bewegte sich mit der gleichen Unbefangenheit, mit der sie als Kind durch den kleinen Ort San Juan de la Ciénaga gelaufen war, durch die Welt, als sei ihr das in die Wiege gelegt worden. Ihre Leichtigkeit im Umgang mit Fremden verblüffte ihren Mann, wie ihre geheimnisvolle Gabe, sich auf spanisch, wo auch immer und mit wem auch immer, zu verständigen. »Sprachen muß man beherrschen, wenn man etwas verkaufen will«, sagte sie schalkhaft. »Aber wenn man etwas kaufen will, versteht einen jedermann.« Es war schwierig, sich jemanden vorzustellen, der sich schneller und mit so viel Fröhlichkeit ins Pariser Alltagsleben eingefügt hätte, das sie in der Erinnerung, trotz des ewigen Regens, lieben lernte. Als sie jedoch erschöpft von so vielen Erfahrungen in kurzer Zeit heimkehrte, müde vom Reisen und schläfrig von der Schwangerschaft, fragte man sie am Hafen als erstes, wie denn die Wunder Europas auf sie gewirkt hätten, worauf sie in karibischer Unbekümmertheit die vielen Monate der Seligkeit mit vier Worten abtat:

»Viel Lärm um nichts.«

An dem Tag, als Florentino Ariza im Vorhof der Kathedrale Fermina Daza sah, im sechsten Monat schwanger und ihrer neuen Rolle einer Dame von Welt vollauf gewachsen, faßte er den erbitterten Entschluß, sich einen Namen zu machen und Vermögen zu erringen, um ihrer würdig zu sein. Über das Hindernis, daß sie verheiratet war, zerbrach er sich nicht weiter den Kopf, denn er hatte, als hinge das von ihm ab, gleichzeitig entschieden, daß Doktor Juvenal Urbino sterben müsse. Er wußte weder wann noch wie, ging aber davon aus wie von einem zwangsläufigen Ereignis, auf das er in aller Ruhe und Gelassenheit warten wollte, und sei es bis ans Ende der Zeiten.

Er fing ganz von vorne an. Ohne Anmeldung erschien er im Büro des Onkels León XII., Generaldirektor und Präsident des Vorstands der Karibischen Flußschiffahrtskompanie, und eröffnete ihm, er sei bereit, sich ganz seinen Vorstellungen unterzuordnen. Der Onkel war noch darüber verärgert, wie Florentino Ariza die gute Stellung eines Telegraphisten in Villa de Leyva ausgeschlagen hatte, ließ sich dann jedoch von seiner Überzeugung leiten, daß die Menschen nicht immer an dem Tag geboren werden, an dem ihre Mütter sie zur Welt bringen, sondern daß das Leben sie dazu zwingt, sich noch einmal oder auch mehrere Male selbst zu gebären. Im übrigen war die Witwe des Bruders ein Jahr zuvor unversöhnt, doch ohne Erben, gestorben. Also stellte er den umherirrenden Neffen ein.

Diese Entscheidung war typisch für Don León XII. Loayza. Unter der Schale des seelenlosen Geschäftsmannes verbarg sich ein genialischer Kauz, der fähig war, in der

Wüste von La Guajira eine Limonadenquelle hervorsprudeln zu lassen oder auch einen Begräbniszug in Tränen zerfließen lassen konnte, wenn er herzergreifend *In questa tomba scura* sang. Mit seinem Lockenkopf und seinen Faunslippen fehlten ihm nur noch Leier und Lorbeerkranz, um dem brandstiftenden Nero der christlichen Mythologie zu gleichen. Die verbleibenden freien Stunden zwischen der Verwaltung seiner morschen Schiffe, die sich nur dank einer Nachlässigkeit des Schicksals noch über Wasser hielten, und der Bewältigung der von Tag zu Tag größer werdenden Probleme der Flußschiffahrt widmete er der Erweiterung seines lyrischen Repertoires. Er tat nichts lieber, als auf Beerdigungen zu singen. Er hatte die Stimme eines Galeerensklaven, keinerlei akademische Gesangsausbildung, doch eine erstaunliche Registerbreite. Man hatte ihm einmal erzählt, daß Enrico Caruso mit der bloßen Kraft seiner Stimme eine Vase zerspringen lassen konnte, und so versuchte León XII. über Jahre es ihm sogar bei Fensterscheiben gleichzutun. Seine Freunde brachten ihm die zartesten Vasen mit, die sie auf ihren Reisen durch die Welt auftreiben konnten, und richteten besondere Feste aus, damit er sich seinen Herzenswunsch erfüllen könne. Es gelang ihm nie. Im Donnerhall seiner Stimme verbarg sich stets ein kleiner Funke Zärtlichkeit, der die Herzen seiner Zuhörer springen ließ wie der große Caruso die Kristallamphoren, und das machte ihn auch auf Beerdigungen so begehrt. Außer bei einer, wo er den sinnigen Einfall hatte, *When wake up in Glory* zu singen, ein Trauergospel aus Louisiana von bewegender Schönheit, dann aber vom Kaplan, der kein Verständnis für diese lutheranische Einmischung in seine Kirche hatte, zum Schweigen gebracht wurde.

So wurde León XII. Loayza zwischen Opernarien und neapolitanischen Serenaden dank seines kreativen Talents und seines unbesiegbaren Unternehmungsgeistes in der Blütezeit der Flußschiffahrt zu einem ihrer großen Männer. Wie seine verstorbenen Brüder war er aus dem Nichts gekommen. Dennoch hatten alle drei das erreicht, was sie sich vorgenommen hatten, trotz des Makels, uneheliche Söhne zu sein, die obendrein nicht einmal anerkannt worden waren. Sie waren die Crème der sogenannten Ladentisch-Aristokratie, deren Tempel der Club de Comercio war. Doch selbst als er über die Mittel verfügte, um wie der römische Kaiser zu leben, dem er glich, wohnte Onkel León XII., weil es beruflich bequemer war, in der Altstadt, und zwar so bescheiden und in einem so einfachen Haus, daß er nie den ungerechtfertigten Ruf, ein Geizhals zu sein, los wurde. Sein einziger Luxus war sogar noch einfacher: ein Haus am Meer, zwei Meilen von seinen Büros entfernt, mit nur sechs rustikalen Hockern möbliert, einem Krugschrank und einer Hängematte auf der Terrasse, in die er sich sonntags zum Nachdenken legte. Als jemand ihm vorwarf, reich zu sein, definierte er es besser als jeder andere: »Nein, nicht reich,« sagte er, »ich bin ein armer Schlucker mit Geld, und das ist nicht dasselbe.«

Diese eigentümliche Wesensart, die jemand in einer Rede einmal als luziden Wahnsinn gepriesen hatte, befähigte Onkel León XII., auf einen Blick in Florentino Ariza das zu sehen, was weder zuvor noch je danach jemand in ihm sehen wollte. Von dem Tag an, da dieser mit seinem düsteren Äußeren und seinen nutzlosen siebenundzwanzig Jahren auf der Suche nach einer Anstellung in den Geschäftsräumen erschienen war, stellte er ihn mit der Härte eines Kasernenhofdrills auf die Probe, die den Tapfersten hätte brechen können. Es gelang ihm jedoch nicht, den Neffen einzuschüchtern. Worauf Onkel León XII. jedoch nie kam, war, daß Florentino Arizas Durchhaltevermögen nicht aus der

Not zu überleben und auch nicht aus einer vom Vater geerbten Dickfelligkeit erwuchs, sondern aus dem Ehrgeiz der Liebe, den kein Hindernis auf dieser oder einer anderen Welt hätte aufhalten können.

Die ersten Jahre waren für Florentino Ariza die schlimmsten. Man hatte ihn zum Schreiber der Generaldirektion ernannt, ein Posten, der ihm wie auf den Leib geschnitten schien. Lothario Thugut hatte Onkel León XII., dessen Musiklehrer er einmal gewesen war, empfohlen, dem Neffen Schreibarbeiten zu übertragen, da er unermüdlich und en gros Literatur konsumiere, wenn auch weniger von der guten als von der schlechtesten Sorte. Onkel León XII. nahm es mit der angeblich mangelhaften Qualität der Lektüre seines Neffen nicht so genau, da Lothario Thugut auch von ihm behauptete, er sei sein schlechtester Gesangschüler gewesen, obwohl er doch auf den Friedhöfen sogar die Grabsteine zum Weinen brachte. Jedenfalls hatte der Deutsche in einer Hinsicht recht, die er selbst nicht bedacht hatte, Florentino Ariza schrieb nämlich alles und jedes mit einer solchen Leidenschaft, daß sogar seine offiziellen Schriftstücke Liebesbotschaften zu sein schienen. Seine Frachtbriefe reimten sich, so sehr er sich auch bemühte, das zu verhindern, und seine Geschäftsbriefe hatten einen lyrischen Unterton, der ihre Autorität in Frage stellte. Der Onkel erschien eines Tages persönlich mit einem Packen Briefe bei ihm, die er nicht als seine eigenen hatte unterzeichnen mögen. Er gab ihm eine letzte Gelegenheit, seine Haut zu retten.

»Wenn du nicht in der Lage bist, einen Geschäftsbrief zu schreiben, kommst du zum Müllsammeln auf die Mole«, sagte er.

Florentino Ariza nahm die Herausforderung an. Er machte die größten Anstrengungen, um sich die irdische

Schlichtheit der Handelsprosa anzueignen, indem er Beispiele aus Notariatsarchiven mit ebensoviel Eifer nachahmte wie früher die Modedichter. Das war die Zeit, in der er seine freien Stunden am Portal de los Escribanos verbrachte und den schreibunkundigen Verliebten dabei half, ihre parfümierten Liebesbriefe zu verfassen, um sich die vielen Worte der Liebe, die in den Zollberichten keine Verwendung fanden, von der Seele zu schreiben. Nach sechs Monaten war es ihm jedoch trotz allem Einsatz nicht gelungen, seinem hartnäckig singenden Schwan den Hals umzudrehen. Daher gab er sich, als der Onkel León XII. ihn zum zweiten Mal zurechtwies, geschlagen, allerdings nicht ohne Hochmut.

»Das einzige, was mich interessiert, ist die Liebe«, sagte er.

»Nur schade«, sagte der Onkel, »daß es ohne Flußschifffahrt keine Liebe gibt.«

Er löste die Drohung ein, ihn zum Müllsammeln auf die Mole zu schicken, gab ihm jedoch sein Wort, ihn Sprosse um Sprosse auf der Leiter des beruflichen Erfolgs emporklettern zu lassen, bis er seinen Platz gefunden hätte. So geschah es. Florentino Ariza war von keiner Arbeit, so hart oder erniedrigend sie auch sein mochte, unterzukriegen. Selbst der elende Lohn demoralisierte ihn nicht, noch verlor er auch nur einen Augenblick lang die ihm eigene Gleichmut angesichts der Dreistigkeit seiner Vorgesetzten. Aber er war auch nicht unbedarft: Wer sich ihm in den Weg stellte, spürte bald die Folgen von Florentino Arizas verheerender Zielstrebigkeit, die sich, keinerlei Rücksicht kennend, hinter seinem hilflosen Auftreten verbarg. So wie Onkel León XII. es geplant und gewünscht hatte – Florentino Ariza sollte kein Geheimnis des Unternehmens verborgen bleiben –, durchlief dieser in dreißig Jahren alle Posten mit einer Aufopferung und Zähigkeit, die jeder Prüfung standhielten. Alle

Arbeiten erledigte er erstaunlich sachkundig und verfolgte dabei jeden einzelnen Faden in jener geheimnisvollen Webkette, die so viel mit dem Handwerk der Poesie gemeinsam hatte, verdiente sich jedoch nicht die von ihm am meisten ersehnte Kriegsauszeichnung, nämlich einen, nur einen einzigen annehmbaren Geschäftsbrief verfaßt zu haben. Ohne es anzustreben, ohne es auch nur zu ahnen, gab er mit seinem Leben dem Vater recht, der bis zum letzten Atemzug immer wieder behauptet hatte, daß es weder hartnäckigere Steinmetze noch luzidere und gefährlichere Geschäftsführer gäbe als die Dichter und niemand einen größeren Realitätssinn habe als sie. Das berichtete zumindest Onkel León XII., der Florentino Ariza in den Mußestunden des Herzens gern von dessen Vater erzählte und ihm von diesem eher das Bild eines Träumers denn das eines Geschäftsmannes vermittelte.

Er erzählte ihm, Pío Quinto Loayza habe die Büros für lustvollere Zwecke als für die Arbeit genutzt und es immer so eingerichtet, daß er sonntags mit dem Vorwand, ein Schiff empfangen oder abfertigen zu müssen, das Haus verlassen konnte. Mehr noch: Er hatte im Hof zwischen den Lagerschuppen einen ausrangierten Kessel mit einer Dampfsirene montieren lassen, die jemand Schiffssignale pfeifen ließ, für den Fall, daß seine Frau zuhause auf ein solches Zeichen wartete. Bei genauerem Nachdenken war sich Onkel León XII. auch sicher, daß Florentino Ariza an einem Nachmittag in sonntäglicher Schwüle auf dem Schreibtisch eines der nur notdürftig verschlossenen Büros gezeugt worden war, während die Ehefrau daheim den Abschiedsruf eines Schiffes hörte, das nie ablegte. Als sie davon erfuhr, war es bereits zu spät, um dem Gatten die Infamie heimzuzahlen. Er war gestorben. Sie überlebte ihn um etliche Jahre, zerfressen von der Bitterkeit, keinen Sohn zu haben, und flehte in ihren Gebeten Gott um die ewige Verdammnis des Bastards an.

Das Bild des Vaters schüchterte Florentino Ariza ein. Seine Mutter sprach von ihm als einem bedeutenden Mann, der nicht zum Geschäftsleben berufen gewesen und nur deshalb beim Flußhandel gelandet sei, weil sein älterer Bruder ein enger Mitarbeiter des deutschen Kommodore Juan B. Elbers gewesen sei, eines Pioniers der Flußschiffahrt. Die drei waren natürliche Söhne einer gemeinsamen Mutter, die von Beruf Köchin war und jedes ihrer Kinder von einem anderen Mann empfangen hatte. Alle führten den Nachnamen der Mutter und als Vornamen den eines willkürlich aus dem Kirchenkalender ausgewählten Papstes, mit Ausnahme von Onkel León XII., der den Namen des zur Zeit seiner Geburt amtierenden Papstes trug. Florentino hieß der allen gemeinsame Großvater mütterlicherseits, der Name hatte also eine ganze Generation von Päpsten übersprungen, um bis zu dem Sohn von Tránsito Ariza zu gelangen.

Florentino Ariza bewahrte getreulich ein Heft, in das sein Vater Liebesgedichte, darunter auch einige von Tránsito Ariza inspirierte, geschrieben hatte und dessen Seiten mit blutenden Herzen verziert waren. Zweierlei erstaunte ihn. Zum einen der Charakter der väterlichen Handschrift, die der seinen aufs Haar glich, obgleich er sich die in einem Handbuch ausgesucht hatte, weil sie ihm am besten gefiel, zum anderen war er erstaunt, einer Sentenz zu begegnen, die er für die eigene hielt, die aber lange vor seiner Geburt von seinem Vater in das Heft geschrieben worden war: *Am Sterben schmerzt mich allein, daß man nicht aus Liebe stirbt.*

Er hatte auch die einzigen beiden Fotos seines Vaters gesehen. Das eine war in Santa Fé aufgenommen worden, er war darauf noch sehr jung, etwa im Alter von Florentino Ariza, als dieser es zum ersten Mal sah, steckte in einem Mantel wie in einem Bärenfell und lehnte sich gegen einen Denkmalssockel, von dessen Statue nur noch die Gamaschen übriggeblieben waren. Der Kleine mit dem Kapitänsmützchen, der neben ihm stand, war Onkel León XII. Auf dem anderen Foto war sein Vater inmitten einer Gruppe von Kämpfern in wer weiß welchem der vielen Kriege zu sehen, er hatte das längste Gewehr von allen und einen Schnurrbart, der sogar auf dem Bild nach Pulver roch. Er war Liberaler und Freimaurer wie seine Brüder, wünschte aber dennoch, daß sein Sohn ins Priesterseminar eintrat. Florentino Ariza sah die Ähnlichkeit, die ihnen nachgesagt wurde, nicht, dabei war Pio Quinto sogar ebenfalls, wie Onkel León XII. erzählte, der Lyrismus seiner Schriftstücke vorgeworfen worden. Jedenfalls schien er ihm weder auf den Bildern ähnlich zu sehen, noch stimmten diese mit seinen eigenen Erinnerungen überein oder mit dem von der Liebe geschönten Bild, das seine Mutter von dem Vater zeichnete, geschweige denn mit jenem, das Onkel León XII. mit seiner geistreichen Bosheit verzerrt hatte. Florentino Ariza entdeckte die Ähnlichkeit jedoch viele Jahre später, als er sich einmal vor dem Spiegel kämmte, und erst da begriff er, daß ein Mann dann, wenn er feststellt, daß er seinem Vater ähnelt, zu altern beginnt.

Er hatte keine Erinnerung an den Vater in der Calle de las Ventanas. Er glaubte zu wissen, daß dieser eine Zeitlang, ganz am Anfang seiner Liebschaft mit Tránsito Ariza, dort geschlafen, nach Florentinos Geburt aber die Mutter nicht mehr besucht hatte. Der Taufschein war bei uns über viele Jahrzehnte das einzige gültige Personalpapier, und in Florentino Arizas, in der Gemeindekirche von Santo Toribio ausgestellt, stand nur, daß er der natürliche Sohn einer ledigen natürlichen Tochter sei, die Tránsito Ariza heiße. Auf dem Papier erschien der Name des Vaters nicht, der dennoch bis zu seinem letzten Tag heimlich den Unterhalt des Sohnes bestritten hatte. Durch diese Herkunft blieben

Florentino Ariza die Türen des Seminars verschlossen, sie bewahrte ihn aber in der blutigsten Epoche unserer Kriege auch vor dem Militärdienst, da er der einzige Sohn einer Ledigen war.

Jeden Freitag nach der Schule postierte er sich vor den Geschäftsräumen der Karibischen Flußschiffahrtskompanie und schaute in ein Buch mit Tierabbildungen, das sich schon vom vielen Durchblättern auflöste. Der Vater kam und ging, ohne ihn anzusehen, hinein, gekleidet in einen jener Tuchanzüge, die Tránsito Ariza später für den Sohn umarbeiten mußte, und mit einem Gesicht, das genau den Darstellungen des Evangelisten Johannes auf den Altarbildern glich. Wenn er nach vielen Stunden wieder herauskam, gab er ihm das Unterhaltsgeld für eine Woche und trug Sorge, nicht einmal vom Kutscher dabei gesehen zu werden. Sie sprachen nicht miteinander, nicht nur weil der Vater es nicht versuchte, sondern auch weil Florentino Ariza entsetzliche Angst vor ihm hatte. Eines Tages, als er sehr viel länger als sonst auf ihn gewartet hatte, gab ihm der Vater die Münzen und sagte:

»Nimm und komm nie wieder.«

Es war das letzte Mal, daß er ihn sah. Mit der Zeit sollte er dann aber erfahren, daß sein Onkel Léon XII., der etwa zehn Jahre jünger als sein Bruder war, Tránsito Ariza auch weiterhin das Geld gebracht hatte. Dieser hatte sich auch um sie gekümmert, als Pío Quinto an einer falsch behandelten Kolik starb, ohne irgendwelche schriftlichen Verfügungen zu hinterlassen oder die Zeit zu haben, zugunsten des einzigen Sohnes vorzusorgen: Er war ein Sohn der Straße.

Das Drama Florentino Arizas während seiner Zeit als Schreiber der Karibischen Flußschiffahrtskompanie bestand darin, daß er seinen Hang zum Lyrischen nicht überwinden konnte, da er nicht aufhörte, an Fermina Daza zu denken.

Er lernte es nie, etwas zu schreiben, ohne dabei an sie zu denken. Später, als man ihn auf andere Posten geschoben hatte, blieb ihm innerlich so viel Liebe übrig, daß er nicht wußte, was er damit anfangen sollte, und so schenkte er sie den schreibunkundigen Verliebten, denen er am Portal de los Escribanos kostenlos ihre Briefe verfaßte. Dorthin ging er gleich nach der Arbeit. Er zog sich mit seinen gemessenen Bewegungen den Gehrock aus, hängte ihn über die Stuhllehne, streifte sich die Ärmelschoner über, die Hemdsärmel sollten nicht schmutzig werden, knöpfte die Weste auf, um besser denken zu können, und munterte oft bis tief in die Nacht hinein die Hilflosen mit hinreißenden Briefen auf.

Manchmal kam auch irgendeine arme Frau zu ihm, die Schwierigkeiten mit ihrem Sohn hatte, oder ein Kriegsveteran, der unbedingt seinen Pensionsanspruch geltend machen wollte, oder jemand, der beraubt worden war und seine Beschwerde bei der Regierung vorbringen wollte, doch so sehr Florentino Ariza sich auch bemühte, er vermochte sie nicht zufriedenzustellen, denn das einzige, womit er überzeugen konnte, das waren Liebesbriefe. Er stellte seinen neuen Kunden nicht einmal Fragen, es genügte ihm, ihre Augen zu sehen, um sich ihren Zustand zu eigen zu machen, und er füllte dann Bogen um Bogen mit überwältigender Liebe, alles nach der unfehlbaren Formel, dabei an Fermina Daza und nur an sie zu denken. Nach Ablauf des ersten Monats mußte er ein Vorbestellungssystem einführen, um nicht von den Wünschen der Liebenden überrollt zu werden.

Seine liebste Erinnerung aus jener Zeit war die an ein schüchternes junges Mädchen, fast ein Kind noch, das ihn zitternd darum bat, einen soeben empfangenen, unwiderstehlichen Brief für sie zu beantworten, den Florentino Ariza sogleich erkannte: Er hatte ihn am Nachmittag zuvor selbst geschrieben. Er antwortete in einem anderen Stil, der dem Gefühl und dem Alter des Mädchens gemäß war, und mit einer Schrift, welche die ihre hätte sein können, denn er hatte für jede Gelegenheit und jeden Charakter eine eigene Schrift parat. Er schrieb den Brief und stellte sich dabei vor, was Fermina Daza geantwortet hätte, wenn sie ihn so geliebt hätte, wie jenes schutzlose Geschöpf seinen Verehrer liebte. Zwei Tage darauf mußte er die Antwort des Verliebten in der Schrift, dem Stil und in der Gefühlslage verfassen, die er ihm im ersten Brief zugeschrieben hatte, und war so schließlich in einen fiebrigen Briefwechsel mit sich selbst verstrickt. Es war noch kein Monat vergangen, da kamen beide getrennt zu ihm, um ihm für das zu danken, was er selbst im Brief des jungen Mannes vorgeschlagen hatte und worauf er dann in der Antwort des Mädchens hingebungsvoll eingegangen war: Sie wollten heiraten.

Als sie ihren ersten Sohn bekommen hatten, stellte sich zufällig bei einem Gespräch heraus, daß ihre Briefe vom selben Schreiber verfaßt worden waren, und so kamen sie zum ersten Mal gemeinsam ans Portal, um Florentino Ariza zum Paten des Kindes zu berufen. Dieser war derart begeistert von den sichtbaren Folgen seiner Träumereien, daß er sich selbst die kaum vorhandene Zeit stahl, um einen *Sekretär der Liebenden* zu schreiben, der poetischer und ausführlicher angelegt war als jener Briefsteller, den man für zwanzig Centavos an den Portalen kaufen konnte und den die halbe Stadt auswendig kannte. Er ordnete alle denkbaren Situationen, in denen er und Fermina Daza sich hätten begegnen können, und entwarf für jede einzelne Station des Briefwechsels so viele Muster, wie Alternativen möglich waren. Am Ende hatte er etwa tausend Briefe in drei Bänden gesammelt, Klötze wie das Lexikon von Covarrubias, aber kein Drucker der Stadt ging das Wagnis ein, sie zu veröffentlichen, und so endeten sie zusammen mit anderen Papieren aus der Vergangenheit irgendwo auf dem Speicher des Hauses, da Tránsito Ariza es rundweg ablehnte, ihre Schätze in den Tonkrügen zu heben, um die Ersparnisse eines ganzen Lebens für eine verlegerische Wahnsinnstat aufs Spiel zu setzen. Jahre später, als Florentino Ariza selbst über die Mittel verfügte, das Buch zu veröffentlichen, mußte er sich die schmerzliche Tatsache eingestehen, daß Liebesbriefe aus der Mode gekommen waren. Während er die ersten Gehversuche in der Karibischen Flußschiffahrtskompanie machte und am Portal de los Escribanos unentgeltlich Briefe verfaßte, gewannen Florentino Arizas Jugendfreunde die Gewißheit, ihn nach und nach unwiederbringlich zu verlieren. Und so war es. Noch nach seiner Rückkehr von der Reise auf dem Fluß hatte er sich mit einigen von ihnen in der Hoffnung getroffen, damit die Erinnerung an Fermina Daza abzuschwächen, damals spielte er mit ihnen Billard, ging zu seinen letzten Tanzereien, gab sich dafür her, unter den Mädchen ausgelost zu werden, gab sich für alles her, was ihm geeignet schien, aus sich wieder den zu machen, der er gewesen war. Später, als Onkel León XII. ihn endgültig angestellt hatte, spielte er im Club de Comercio mit seinen Kollegen aus dem Kontor Domino. Diese begannen ihn als einen der Ihren anzusehen, als er von nichts anderem mehr als der Reederei sprach, die er nicht mit ihrem vollen Namen, sondern mit den Initialen bezeichnete: Die K. F. K. Er änderte sogar seine Eßgewohnheiten. Statt sich wie bisher gleichgültig und unregelmäßig zu Tisch zu setzen, aß er nun bis zum Ende seiner Tage bescheiden und gleichförmig: eine große Tasse schwarzen Kaffees zum Frühstück, eine Portion gekochten Fisch mit weißem Reis zum Mittagessen und vor dem Zubettgehen eine Tasse Milchkaffee und ein Stück Käse. Schwarzen Kaffee trank er zu jeder Tageszeit, wo und wie auch immer, bis zu dreißig Täßchen täglich von einem an Rohöl erinnernden Aufguß, den er sich am liebsten selbst zubereitete und stets in einer Thermosflasche in greifbarer Nähe hatte. Er war ein anderer geworden, trotz seines festen Vorsatzes und seiner inständigen Bemühungen, derselbe zu bleiben, der er vor dem tödlichen Zusammenstoß mit der Liebe gewesen war. Tatsache war, daß er es nie wieder werden sollte. Die Rückeroberung von Fermina Daza war das einzige Ziel seines Lebens, und er war so sicher, es früher oder später zu erreichen, daß er Tránsito Ariza dazu überredete, die Renovierung des Hauses fortzusetzen, damit es im Augenblick des Wunders, das jederzeit eintreten konnte, zu Fermina Dazas Empfang bereit wäre. Im Unterschied zur Reaktion auf sein verlegerisches Vorhaben mit dem *Sekretär der Liebenden* ging Tránsito Ariza nun auf ihn ein und noch viel weiter: Sie kaufte das Haus in bar und begann mit der vollständigen Renovierung. Sie machten aus dem ehemaligen Schlafraum ein Empfangszimmer, bauten im ersten Stock ein Schlafzimmer für die Eheleute und eines für die Kinder, die sie bekommen würden, zwei großzügig geschnittene, helle Räume, und legten im Hof der alten Tabakfaktorei einen weitläufigen Garten mit Rosen aller Sorten an, denen sich Florentino Ariza persönlich in seinen morgendlichen Mußestunden widmete. Unverändert blieb allein der Kurzwarenladen, ein Zeugnis der Dankbarkeit gegenüber der Vergangenheit. Den Hinterraum, in dem Florentino Ariza geschlafen hatte, ließen sie so, wie er immer gewesen war, mit der Hängematte und dem Schreibtisch, auf dem sich die Bücher unordentlich stapelten, er selbst aber zog in den als Elternschlafzimmer vorgesehenen Raum im oberen Stockwerk. Dies war der geräumigste und kühlste des Hauses, er hatte eine Terrasse zum Innenhof, auf der es sich nachts angenehm in der Meeresbrise und den Duftschwaden der Rosenstöcke sitzen ließ. Es war auch der Raum, der Florentino Arizas Trappistenstrenge am ehesten entsprach. Die gekalkten Wände waren rauh und ungeschmückt, und es gab keine anderen Möbel als eine Sträflingspritsche, einen Nachttisch mit einer Kerze, die in einem Flaschenhals steckte, einen alten Schrank und eine Wasserkanne mit dem dazugehörigen Untersetzer und der Waschschüssel.

Die Umbauarbeiten dauerten fast drei Jahre und fielen mit einer vorübergehenden Erholung der Stadt dank des Aufschwungs in der Flußschiffahrt und beim Zwischenhandel zusammen, eben jene Faktoren, die auch die Bedeutung der Stadt in der Kolonialzeit gemehrt und sie zwei Jahrhunderte lang zum Tor Amerikas gemacht hatten. Es war aber auch die Zeit, in der sich bei Tránsito Ariza die ersten Symptome ihrer unheilbaren Krankheit zeigten. Ihre Stammkundinnen kamen, immer älter, blasser und schwieriger, in den Kurzwarenladen, und sie erkannte sie nicht, nachdem sie doch ein halbes Leben mit ihnen umgegangen war, oder aber sie verwechselte die Angelegenheiten der einen mit denen der anderen. Das war schlimm bei Geschäften wie den ihren, bei denen man, um die fremde und die eigene Ehre zu schützen, keine Verträge unterschrieb und das Ehrenwort beiderseits als hinreichende Garantie galt. Zunächst schien es, als werde sie allmählich taub, bald aber wurde offenkundig, daß ihr Gedächtnis leck geschlagen war. Also löste sie das Pfandgeschäft auf. Der Schatz in den Tonkrügen reichte aus, um das Haus fertig instand zu setzen und einzurichten, und dann blieben ihr noch immer viele der wertvollsten alten Schmuckstücke der Stadt, deren Eigentümer nicht die Mittel hatten, sie wieder auszulösen.

Florentino Ariza hatte damals allzu viele gleichzeitige Verpflichtungen, dennoch mangelte es ihm nie an Unternehmungsgeist, um als Gelegenheitsjäger sein Revier auszuweiten. Nach dem erratischen Erlebnis mit der Witwe Nazaret, das ihm den Weg zu den Gassenliebschaften geebnet hatte, jagte er noch mehrere Jahre lang die verwaisten Nachtvögelinnen, immer in der Hoffnung, seinen Schmerz um Fermina Daza zu lindern. Später konnte er dann nicht mehr entscheiden, ob seine Gewohnheit, ohne Hoffnung zu vögeln, ein Seelenbedürfnis oder schlicht ein Laster des Leibes war. Er ging immer seltener in das Stundenhotel, nicht nur, weil seine Interessen einen neuen Kurs genommen hatten, sondern auch, weil er nicht wollte, daß man ihn dort bei anderen als den alltäglichen und keuschen Beschäftigungen, die man an ihm kannte, sähe. In drei dringenden Fällen griff er jedoch auf das einfache Mittel einer Epoche zurück, die er nicht selbst durchlebt hatte: Er verkleidete die Freundinnen, die Angst hatten, erkannt zu werden, als Männer, und sie gingen dann zusammen mit dem trunkenen Gehabe von überfälligen Nachtschwärmern in die Absteige. Bei mindestens zwei Gelegenheiten hatten Zeugen beobachtet, wie er mit seinem angeblichen Begleiter nicht in die Bar, sondern auf ein Zimmer ging, was Florentino Arizas schon reichlich angekratztem Ruf den Gnadenstoß gab. Schließlich ging er nicht mehr hin, und die wenigen Male, die er es noch tat, nicht, um Versäumtes nachzuholen, sondern um, ganz im Gegenteil, eine Zuflucht zu finden, wo er sich von seinen Exzessen erholen konnte.

Er hatte es nötig. Kaum hatte er um fünf Uhr nachmittags das Büro verlassen, machte er sich wie ein Sperber auf Hühnerfang. Am Anfang gab er sich mit dem zufrieden, was die Nacht ihm bot. Er riß Dienstmädchen in den Parks auf, Schwarze auf dem Markt, Bogotanerinnen an den Stränden und Nordamerikanerinnen auf den Schiffen aus New Orleans. Er nahm sie mit zu den Klippen, wo nach Sonnenuntergang die halbe Stadt das gleiche trieb wie er, oder er führte sie dorthin, wo es gerade ging oder auch nicht ging, denn bei nicht wenigen Gelegenheiten mußte er sich hastig in einen dunklen Hauseingang verdrücken, um hinter dem Tor irgendwie das, was noch möglich war, zu erledigen.

Der Leuchtturm war ihm stets als Refugium lieb gewesen, und er dachte noch sehnsüchtig daran, als er nach Einbruch des Alters schon alles hinter sich hatte, denn es war ein Ort, wo man gut glücklich sein konnte, besonders nachts, und er meinte, mit jedem Kreisen des Leuchtfeuers sei etwas von seinen damaligen Liebschaften zu den Seefahrern gedrungen. Also erschien er immer wieder dort, häufiger als an jedem anderen Platz, und sein Freund, der Leuchtturmwärter, empfing ihn entzückt mit dem Gesicht eines Trottels, was für die verschreckten Vögelchen das beste Unterpfand für Diskretion war. Unterhalb des Leuchtturms lag, dem Donnern der Brandung nah, die gegen die Klippen schlug, ein Haus, in dem die Liebe an Leidenschaft gewann, da sie dort etwas von einem Schiffbruch hatte. Doch nach Einbruch der Nacht zog Florentino Ariza den Leuchtturm vor, denn von dort aus war die ganze Stadt und der Lichterschwarm der Fischer auf dem Meer und sogar auf den fernen Lagunen zu sehen.

Aus jener Epoche stammten seine eher schlichten Theorien über den Zusammenhang zwischen dem Körperbau einer Frau und ihrer Liebesfähigkeit. Er mißtraute dem sinnlichen Typus, jenen Frauen, die aussahen, als könnten sie einen Kaiman roh verschlingen, dann aber im Bett besonders passiv zu sein pflegten. Er zog den entgegengesetzten Typ vor: Diese mageren Fröschchen, denen auf der Straße nachzuschauen sich niemand Mühe machte, von denen nichts übrigzubleiben schien, wenn sie sich auszogen, die wegen des Knackens ihrer Knöchelchen beim ersten Stoß Mitleid erweckten und die dennoch den großmäuligsten

Rammler derart zurichten konnten, daß er reif für die Mülltonne war. Er hatte sich Notizen über diese voreiligen Beobachtungen gemacht, hatte er doch die Absicht, einen praktischen Ergänzungsband zum *Sekretär der Liebenden* zu schreiben, doch dieses Projekt erlitt das gleiche Schicksal wie das vorangegangene, nachdem Ausencia Santander ihn mit der Weisheit einer alten Hündin gebeutelt und umgedreht, auf den Kopf gestellt, durchgezogen und untergemangelt hatte, ihn neu geboren, aus seinen theoretischen Virtuosenstückchen Kleinholz gemacht und ihm das einzige beigebracht hatte, was man für die Liebe lernen muß: daß man dem Leben nichts beibringen kann.

Ausencia Santander hatte zwanzig Jahre lang eine konventionelle Ehe geführt, von der ihr drei Kinder geblieben waren, die ihrerseits geheiratet und Kinder bekommen hatten, so daß sie sich rühmte, die beste Großmutter der Stadt im Bett zu sein. Es wurde nie geklärt, ob nun sie ihren Mann verlassen oder ob dieser sie verlassen hatte oder ob beide einander gleichzeitig verlassen hatten, als er zu seiner ständigen Geliebten zog und sie sich frei fühlte, am hellichten Tage Rosendo de la Rosa, einen Flußdampferkapitän, den sie schon viele Male nachts durch die Hintertür eingelassen hatte, am Haupteingang zu empfangen. Und dieser war es dann, der, ohne es sich weiter zu überlegen, Florentino Ariza dort einführte.

Er brachte ihn zum Mittagessen mit. Außerdem schleppte er eine Korbflasche mit hausgebranntem Schnaps und erstklassige Zutaten für einen kunstgerechten Sancocho an, einen Eintopf, wie er nur aus Hofhühnern, zartknochigem Fleisch, Schweinen aus der Wuhle sowie Gemüse und Suppengrün aus den Flußdörfern in aller Ruhe zubereitet werden konnte. Florentino Ariza zeigte sich zunächst jedoch weniger von den Leckerbissen der Küche und der Üppigkeit der Hausherrin als von der Schönheit des Hauses begeistert. Es gefiel ihm, so wie es war, hell und kühl, mit vier großen Fenstern zum Meer hin und dem vollständigen Panorama der Altstadt im Hintergrund. Ihm gefiel die Vielzahl und der Glanz der Dinge, handwerkliche Meisterstücke aller Art, die Kapitän Rosendo de la Rosa von jeder Reise mitgebracht hatte, bis auch kein einziges mehr Platz hatte, und die dem Salon ein zugleich verwirrendes und strenges Aussehen gaben. Auf der Terrasse zum Meer saß in seinem Hängereifen ein malaysischer Kakadu, sein Gefieder war von einem unwahrscheinlichen Weiß, und er strahlte eine nachdenkliche Ruhe aus, die zu denken gab: das schönste Tier, das Florentino Ariza je gesehen hatte.

Kapitän Rosendo de la Rosa begeisterte sich an der Begeisterung seines Gastes und erzählte ihm ausführlich die Geschichte jedes einzelnen Gegenstandes. Dabei trank er nur schlückchenweise, doch unablässig seinen Schnaps. Er schien aus Beton zu sein: riesig, der ganze Körper war mit Ausnahme des Kopfes behaart, er hatte einen breitquastigen Schnurrbart und eine Stimme wie eine Ankerwinde, die nur ihm gehören konnte, und war von ausgesuchter Höflichkeit. Kein Organismus hätte jedoch seinen Trinkgewohnheiten standhalten können. Er hatte die halbe Korbflasche geleert, als er sich zu Tisch setzen wollte und dabei unter einem verzögerten Klirren der Zerstörung auf das Tablett mit den Gläsern und Flaschen schlug. Ausencia Santander mußte Florentino Arizas Hilfe erbitten, um diesen erschlafften Körper eines gestrandeten Wals ins Bett zu schleifen und den Schlafenden zu entkleiden. Erleuchtet von einem Blitz der Inspiration, für den sie der Konjunktion ihrer Gestirne dankten, zogen sich dann beide, ohne sich vorher abgesprochen zu haben, im Nebenzimmer aus, und von da an immer wieder, mehr als sieben Jahre lang, wenn der Kapitän auf

Fahrt war. Überraschungen drohten nicht, denn als guter Schiffer hatte der Kapitän die Angewohnheit, sogar im Morgengrauen seine Ankunft im Hafen mit der Schiffssirene anzukündigen, erst drei lange Töne für die Ehefrau und die neun Kinder, dann zwei stockende und melancholische für die Geliebte.

Ausencia Santander war fast fünfzig Jahre alt, und es war ihr auch anzusehen, aber ihr Instinkt für die Liebe war so ausgeprägt, daß keine technischen Anweisungen oder wissenschaftlichen Theorien ihn hätten verbilden können. Florentino Ariza wußte vom Schiffsfahrplan, wann er sie besuchen durfte, und kam, wann immer er Lust hatte, stets ohne Anmeldung, zu jeder Tages- oder Nachtzeit, und wurde kein einziges Mal nicht von ihr erwartet. Sie öffnete ihm die Tür, so wie ihre Mutter sie bis zum siebten Lebensjahr aufgezogen hatte: vollständig nackt, aber mit einem Organdyband im Haar. Sie ließ ihn keinen Schritt weitergehen, bevor sie ihm nicht die Kleider ausgezogen hatte, weil sie seit jeher der Meinung gewesen war, daß es Unglück bringe, einen angekleideten Mann im Haus zu haben. Dies war ein ständiger Streitpunkt zwischen ihr und Kapitän Rosendo de la Rosa, denn dieser hing dem Aberglauben an, nackt zu rauchen bringe Unglück, so daß er zuweilen lieber die Liebe verschob, als daß er seine unvermeidliche kubanische Zigarre ausmachte. Florentino Ariza hingegen war durchaus aufgeschlossen für die Reize der Nacktheit, und Ausencia Santander nahm ihm, kaum hatte er die Tür hinter sich zugezogen, die Kleider ab und ließ ihm erst gar nicht Zeit, sie zu begrüßen oder Hut und Brille abzulegen. Sie küßte ihn und ließ sich küssen: rhythmische Küßchen. Sie knöpfte ihn von unten nach oben auf, zuerst die Knöpfe vom Hosenschlitz, einen nach dem anderen, Kuß für Kuß, dann die Gürtelschnalle und zuletzt die Weste und das Hemd, bis sie ihn wie einen bei lebendigem Leibe aufgeschlitzten Fisch vor sich hatte. Dann setzte sie ihn in den Salon, zog ihm die Stiefel aus, zog an den Beinen der Hose, um sie ihm zusammen mit der knöchellangen Unterhose auszuziehen, und löste zuletzt die Gummistrumpfbänder an den Waden, um ihm die Socken abzustreifen. Florentino Ariza hörte dann auf, sie zu küssen und sich küssen zu lassen, um das einzige zu tun, was ihm bei dieser regelmäßigen Zeremonie oblag: Er löste die Kette der Taschenuhr aus dem Westenknopfloch, legte die Brille ab und steckte beides in seine Stiefel, um sicherzugehen, daß er es später nicht vergaß. Diese Vorsichtsmaßnahme traf er immer ganz gewissenhaft, wenn er sich in einem fremden Haus entkleidete.

Kaum war er damit fertig, fiel sie auch schon, ohne ihm für irgend etwas Zeit zu lassen, über ihn her, meistens noch auf dem Sofa, wo sie ihn gerade entkleidet hatte, und nur selten im Bett. Sie schlüpfte unter ihn und nahm sich den ganzen Mann für sich alleine, auf sich selbst zurückgeworfen tastete sie sich mit geschlossenen Augen durch ihre absolute innere Dunkelheit, rückte vor, wich zurück, korrigierte ihren unsichtbaren Kurs auf der Suche nach einer noch intensiveren Passage, nach einer anderen Weise, den schleimigen Salzsee, der aus ihrem Leib floß, ohne Schiffbruch zu befahren, sie fragte und gab sich, wie eine Hornisse surrend, in ihrem heimatlichen Dialekt die Antwort, wo in der Finsternis dieses Etwas denn sei, das nur sie kenne und nur für sich ersehne, bis sie, ohne auf irgend jemand zu warten, aufgab, sich in einer jubelnden Explosion des endgültigen Sieges, die die Welt erbeben ließ, allein in ihren Abgrund stürzte. Florentino Ariza blieb erschöpft, unvollkommen zurück, er trieb in der Lache ihres gemeinsamen Schweißes mit dem Gefühl, nichts weiter als ein Werkzeug der Lust zu sein. Er sagte: »Du gehst mit mir um, als sei ich einer mehr.«

Sie stieß ihr Lachen eines freien Weibes aus und sagte: »Ganz im Gegenteil: als ob du nur einer weniger wärest.« So blieb ihm der Eindruck, daß sie in geizender Gier alles an sich riß, sein Stolz begehrte auf, und er verließ das Haus mit dem Entschluß, nicht wiederzukommen. Doch irgendwann wachte er plötzlich grundlos auf, mit dieser ungeheuren Scharfsicht der Einsamkeit inmitten der Nacht, und die Erinnerung an die selbstversunkene Liebe von Ausencia Santander offenbarte sich ihm als das, was sie war: eine Leimrute des Glücks. Er verabscheute und begehrte diese Frau zugleich, und es gab kein Entkommen.

An irgendeinem Sonntag, zwei Jahre nachdem sie sich kennengelernt hatten, nahm sie ihm, als er kam, statt ihn auszuziehen, zuerst die Brille ab, um ihn besser küssen zu können, und auf diese Weise erfuhr Florentino Ariza, daß sie begonnen hatte, ihn zu lieben. Obwohl er sich vom ersten Tag an in diesem Haus, das er nun schon wie sein eigenes liebte, so wohl gefühlt hatte, war er niemals länger als zwei Stunden dort geblieben, keinmal zum Schlafen und nur einmal zum Essen, weil sie ihn in aller Form dazu eingeladen hatte. Er kam tatsächlich nur, um das zu tun, weshalb er kam, brachte als einziges Geschenk stets eine einzelne Rose mit und verschwand dann bis zur nächsten unvorhersehbaren Gelegenheit. An dem Sonntag aber, als sie ihm, um ihn zu küssen, die Brille abgenommen hatte, verbrachten sie, teils aus diesem Grund, teils weil sie nach geruhsamer Liebe eingeschlafen waren, den ganzen Nachmittag zusammen im riesigen Bett des Kapitäns. Als er von der Siesta aufwachte, hatte Florentino Ariza noch die Erinnerung an das Kreischen des Kakadus im Ohr, dessen blecherne Schrille in umgekehrtem Verhältnis zu dessen Schönheit stand.

Doch die Stille war durchsichtig in der Vier-Uhr-nachmittags-Hitze, und im Fenster des Schlafzimmers konnte man im Gegenlicht der Nachmittagssonne die Silhouette der Altstadt mit ihren vergoldeten Kuppeln sehen, das Meer stand bis Jamaika in Flammen. Ausencia Santander streckte die abenteuerlustige Hand aus, um das ruhende Tier zu ertasten, doch Florentino Ariza schob sie beiseite. »Nicht jetzt«, sagt er, »ich habe ein seltsames Gefühl, als würden wir beobachtet.« Sie störte den Kakadu abermals mit ihrem glücklichen Lachen auf. »Diese Ausrede schluckt nicht einmal Jonas Weib.« Sie also schon gar nicht, nahm sie jedoch als eine gute Ausrede hin, und beide liebten sich eine ganze Weile schweigend, ohne das Liebesspiel wieder zu beginnen. Um fünf Uhr, die Sonne stand noch hoch, sprang sie, nackt bis in die Ewigkeit und mit dem Organdyband im Haar, aus dem Bett und wollte in der Küche etwas zu trinken holen. Doch noch bevor sie einen Schritt aus dem Schlafzimmer getan hatte, stieß sie einen Schrei des Entsetzens aus.

Sie wollte es nicht glauben. Das einzige, was sich noch im Haus befand, waren die Deckenlampen. Alles übrige, die Möbel von Meisterhand, die indischen Teppiche, die Statuen und Gobelins, die unzähligen Nippes aus Edelsteinen, Gold und Silber, alles, was aus ihrem Haus eines der wohnlichsten und besteingerichteten der Stadt gemacht hatte, alles, selbst der heilige Kakadu, war verschwunden. Man hatte das Inventar, ohne sie bei der Liebe zu stören, über die Terrasse zum Meer abgeschleppt. Zurückgeblieben waren die leeren Räume mit den vier geöffneten Fenstern und ein breit auf die Rückwand gepinselter Spruch: »Das kommt vom Ficken.« Kapitän Rosendo de la Rosa konnte nicht begreifen, warum Ausencia Santander weder den Diebstahl anzeigte, noch versuchte, Verbindung mit den Hehlern aufzunehmen, und auch nicht zuließ, daß je wieder über ihr Mißgeschick gesprochen wurde.

Florentino Ariza besuchte sie auch weiterhin in dem ausgeplünderten Haus, dessen Mobiliar sich auf drei Lederhocker beschränkte, die von den Dieben in der Küche vergessen worden waren, und auf das Schlafzimmer, in dem sie sich aufgehalten hatten. Aber er besuchte sie nicht mehr so häufig wie früher, nicht wegen der Trostlosigkeit des Hauses, wie sie annahm und ihm vorwarf, sondern wegen der zu Anfang des Jahrhunderts neu eingerichteten Maultierstraßenbahn, die für ihn ein gefundenes Nest für flügge Vögelinnen war. Er nahm die Straßenbahn viermal täglich, zweimal, um ins Büro, und zweimal, um zurück nach Hause zu fahren, und es gelang ihm, während er zuweilen wirklich las, meistens aber nur zu lesen vorgab, zumindest erste Kontakte für eine spätere Verabredung herzustellen. Als sein Onkel León XII. ihm viel später eine Kutsche zur Verfügung stellte, die von zwei hellbraunen Maultieren mit vergoldeten Schabracken gezogen wurde, ganz ähnlich denen des Präsidenten Rafael Nuñez, sollte er sich nach den Zeiten der Straßenbahn zurücksehnen, waren es doch für seine Streifzüge als Falkner die fruchtbarsten gewesen. Er hatte recht: Es gab keinen ärgeren Feind heimlicher Liebschaften als eine Kutsche, die vor der Tür wartete. Also ließ er seine fast immer bei sich zu Hause versteckt stehen und ging zu Fuß auf Vogelfang, damit nicht einmal die Furchen der Räder im Staub von seinen Streifzügen zurückblieben. Deshalb dachte er mit so viel Wehmut an die von den schäbigen und aufgescheuerten Maultieren gezogene Straßenbahn, in der schon ein verstohlener Blick genügte, um zu wissen, wo Liebe zu finden war. Zwischen den vielen bewegenden Erinnerungen konnte er jedoch die an ein schutzloses Vögelchen nicht verdrängen, dessen Namen er nicht kannte und mit dem zusammen er nicht mehr als eine halbe wilde Nacht verlebt hatte, genug aber, um ihm für den Rest seines Lebens das unschuldige Durcheinander des Karnevals zu vergällen.

Sie war ihm in der Straßenbahn aufgefallen, weil sie ganz unbeirrt vom Lärm des Volksfestes wirkte. Sie konnte nicht älter als zwanzig sein und war offenbar nicht in Karnevalsstimmung, es sei denn, sie hätte eine Invalidin darstellen wollen. Sie hatte sehr helles, langes, glattes Haar, das ihr lose über die Schultern fiel, und trug ein Hängerkleid aus einfachem Leinen ohne jegliche Verzierung. Sie wirkte teilnahmslos inmitten der Straßenmusik, des händeweise in die Luft geworfenen Reispuders und all der Farbspritzen, die auch die Fahrgäste in der vorbeifahrenden Straßenbahn bekleckst, während die Maultiere, in jenen drei tollen Tagen mit Blumenhüten geschmückt, von Stärkemehl weiß eingestäubt waren. Florentino Ariza nutzte den Trubel aus und lud sie zu einem Eis ein, da er glaubte, mehr sei bei ihr nicht drin. Sie sah ihn an und war nicht überrascht. »Ich nehme das sehr gerne an, aber ich warne Sie, ich bin verrückt.« Er lachte über den Einfall und nahm sie auf den Balkon des Eisladens mit, um den Zug der Karnevalskarossen zu sehen. Dann setzte er sich eine Kapuze aus dem Leihhaus auf, und sie mischten sich unter die Tanzenden auf der Plaza del la Aduana, und beide hatten ihre Freude miteinander wie ein frischgeborenes Pärchen, denn im Getöse der Nacht schlug ihre Gleichgültigkeit ins Gegenteil um: Sie tanzte, als sei das ihr Beruf, war kühn und voller Einfälle beim Feiern und von hinreißendem Zauber.

»Du weißt ja nicht, auf was du dich mit mir eingelassen hast«, schrie sie und schüttete sich im Fieber des Karnevals vor Lachen aus. »Ich bin eine Irre aus der Klapsmühle.«

Für Florentino Ariza bedeutete jene Nacht eine Rückkehr zu den unschuldigen Ausschweifungen seiner Jünglingsjahre, als die Liebe ihn noch nicht unglücklich gemacht hatte.

Doch er wußte, mehr durch abschreckende Beispiele denn aus eigener Erfahrung, daß ein so müheloses Glück nicht von Dauer sein konnte. Bevor also der Trubel nachließ, wie stets nach der Prämierung der besten Kostüme, schlug er dem Mädchen vor, gemeinsam den Tagesanbruch vom Leuchtturm aus zu betrachten. Sie ging freudig darauf ein, wollte aber die Preisverleihung abwarten.

Florentino Ariza blieb die Gewißheit, daß diese Verzögerung ihm das Leben gerettet hatte. Tatsächlich gab das Mädchen ihm gerade ein Zeichen für den Aufbruch zum Leuchtturm, als zwei Wärter und eine Krankenschwester des Irrenhauses Divina Pastora sie ergriffen. Sie suchten sie schon seit drei Uhr nachmittags, als sie ausgebrochen war, und alle Ordnungskräfte suchten mit. Sie hatte einem Wärter die Kehle durchschnitten und zwei weitere mit einer Machete, die sie dem Gärtner abgenommen hatte, schwer verletzt, denn sie wollte zum Karnevalstanz. Niemand war aber darauf gekommen, daß sie beim Tanzen auf der Straße sein könne und nicht in irgendeinem der vielen Häuser versteckt, die sie bis auf die Zisternen durchsucht hatten.

Es war nicht leicht, sie abzuführen. Sie wehrte sich mit einer Gartenschere, die sie im Mieder verborgen hatte, und sechs Männer waren nötig, um ihr die Zwangsjacke unter begeistertem Klatschen und Pfeifen der auf der Plaza de la Aduana zusammengeballten Menschenmenge anzulegen, die glaubte, die blutige Festnahme sei eine der vielen Farcen des Karnevals. Florentino Ariza war innerlich zerrissen, und vom Aschermittwoch an lief er mit einer Schachtel englischer Pralinen vor der Anstalt Divina Pastora auf der Straße auf und ab. Er blieb immer wieder stehen, um die Insassinnen an den Fenstern zu beobachten, die ihm, durch seine Pralinenschachtel in Unruhe versetzt, allerlei Unflätigkeiten und Schmeicheleien zuriefen, und hoffte, daß auch die

Gesuchte durch die Gitterstäbe hinausschauen könnte. Doch er sah sie nie. Monate später, er stieg eben aus der Maultierbahn, bettelte ihn ein kleines Mädchen, das mit seinem Vater unterwegs war, um eine Schokoladenkugel aus der Schachtel an, die er in der Hand hielt. Der Vater wies das Kind zurecht und bat Florentino Ariza um Entschuldigung. Er aber gab dem Kind die ganze Schachtel und dachte, daß diese Geste ihn von aller Bitterkeit erlösen könnte. Den Vater beruhigte er, indem er ihm leicht auf die Schulter klopfte.

»Das war für eine Liebe, die zum Teufel ist.«

Wie eine Entschädigung des Schicksals war, daß Florentino Ariza in der Maultierbahn auch Leona Cassiani kennenlernte, die wahre Frau seines Lebens, obwohl weder er noch sie das je wußten und sie nie miteinander schliefen. Er hatte sie auf der Heimfahrt in der Fünf-Uhr-Straßenbahn regelrecht erspürt, bevor er sie sah. Es war ein körperlicher Blick, der ihn wie ein Finger berührt hatte. Er hob die Augen und sah sie, die sich am anderen Ende deutlich von den übrigen Fahrgästen abhob. Sie wandte den Blick nicht ab. Im Gegenteil, sie hielt dem seinen mit einer solchen Schamlosigkeit stand, daß er nichts anderes denken konnte als das, was er dachte: schwarz, jung, hübsch, aber zweifellos eine Nutte. Er schloß sie aus seinem Leben aus, denn er konnte sich nichts Unwürdigeres vorstellen, als für die Liebe zu zahlen. Das tat er nie.

Florentino Ariza stieg an der Plaza de los Coches, der Endstation der Straßenbahn, aus und machte sich hastig durch das Labyrinth der kleinen Geschäfte davon, da seine Mutter ihn um sechs Uhr erwartete. Als er dann aus der Menge wieder auftauchte, hörte er hinter sich auf dem Pflaster das Geklapper der Absätze einer leichten Frau, und er schaute zurück, um sich von dem zu überzeugen, was er schon wußte: Sie war es. Sie war wie die Sklavinnen auf alten Stichen angezogen, trug einen Volantrock, den sie mit einer Gebärde wie beim Tanz hob, um über die Pfützen zu schreiten, hatte einen Ausschnitt, der die Schultern freiließ, mehrere Reihen bunter Ketten und einen weißen Turban. Er kannte diese Sorte aus dem Stundenhotel. Bei ihnen kam es häufig vor, daß sie um sechs Uhr abends noch beim Frühstück saßen und ihnen dann nichts anderes übrig blieb, als ihre Reize so zu benutzen wie ein Straßenräuber sein Messer, sie trieben damit den ersten, dem sie auf der Straße begegneten, in die Enge: Schwanz oder Leben. Auf der Suche nach einem endgültigen Beweis änderte Florentino Ariza die Richtung und bog in die leere El Candilejo-Gasse ein. Die Frau folgte ihm in immer kürzerem Abstand. Da blieb er stehen, drehte sich um, stützte sich mit beiden Händen auf seinen Regenschirm und schnitt ihr so auf dem Gehsteig den Weg ab. Kurz vor ihm blieb sie stehen.

»Du irrst dich, meine Hübsche«, sagte er, »ich gebe nichts her.«

»Aber gewiß doch«, sagte sie, »das sieht man dir an.«

Florentino Ariza mußte an einen Ausspruch seines Patenonkels, des Hausarztes der Familie, denken, den er als Kind im Zusammenhang mit seiner chronischen Verstopfung gehört hatte: »Die Welt teilt sich in solche, die gut scheißen, und solche, die schlecht scheißen.« Auf diesem Dogma hatte der Arzt eine ganze Charaktertheorie aufgebaut, die er für treffsicherer hielt als die Astrologie. Mit den Lehren der Jahre stellte Florentino Ariza jedoch eine andere These auf: »Die Welt teilt sich in solche, die vögeln, und solche, die nicht vögeln.« Letzteren mißtraute er. Wenn sie aus dem Gleis gerieten, war es für sie etwas so Ungewöhnliches, daß sie sich mit der Liebe brüsteten, als hätten sie die soeben erfunden. Jene aber, die es häufig trieben, lebten für nichts anderes. Sie fühlten sich so wohl dabei, daß sie wie ein Grab schwiegen, da sie wußten, daß ihr Leben von der Diskretion abhängig war. Sie sprachen niemals über ihre Heldentaten, vertrauten sich niemandem an, gaben sich zerstreut, bis sie in den Ruf kamen, impotent, frigide oder aber, wie im Fall von Florentino Ariza, verkappte Schwule zu sein. Doch sie gefielen sich in dieser Fehleinschätzung, da sie ihnen auch Schutz gewährte. Sie bildeten eine verschworene Geheimloge, deren Mitglieder einander auf der ganzen Welt, ohne eine gemeinsame Sprache zu benötigen, erkannten. So überraschte Florentino Ariza die Antwort des Mädchens nicht: Sie gehörte dazu und wußte daher auch, daß er wußte, daß sie es wußte.

Es war der Irrtum seines Lebens, und sein Gewissen sollte ihn täglich und stündlich daran erinnern. Denn das, worum sie ihn bitten wollte, war nicht Liebe, schon gar nicht käufliche Liebe, sondern irgendeine Arbeit, welche auch immer, bei der Karibischen Flußschiffahrtskompanie. Florentino Ariza war so beschämt von seinem eigenen Verhalten, daß er sie zum Personalchef mitnahm und dieser ihr dann einen niederen Posten in der Allgemeinen Abteilung gab, wo sie ernsthaft, bescheiden und aufopferungsvoll drei Jahre lang arbeitete.

Seit ihrer Gründung lagen die Büros der K. F. K. gegenüber vom Kai des Flußhafens, der weder etwas mit dem Überseehafen am anderen Ende der Bucht noch mit der Anlegestelle des Marktes in der Bucht von Las Ánimas zu tun hatte. Sie befanden sich in einem Holzgebäude mit einem Satteldach aus Zinkplatten, an dessen Fassade sich ein einziger langer Balkon entlangzog, an den vier Seiten gab es mehrere drahtvergitterte Fenster, durch die die Schiffe am Kai wie Bilder an der Wand zu sehen waren. Als die deutschen Vorbesitzer das Gebäude errichtet hatten, waren die

Zinkdächer rot und die Holzwände leuchtend weiß gestrichen gewesen, so daß der Bau selbst fast wie ein Flußdampfer aussah. Später wurde alles blau gestrichen, und zu der Zeit, als Florentino Ariza in der Firma zu arbeiten begann, war das Gebäude ein staubiger Schuppen von undefinierbarer Farbe, auf dessen rostigen Dachplatten sich die Flicken aus neueren Weißblechstücken abhoben. Hinter dem Gebäude, in einem gekalkten und mit Maschendraht umzäunten Hof, standen zwei große Lagerschuppen neueren Datums, und ganz am Ende lag ein toter Wasserarm, schmutzig und übelriechend, in dem die Abfälle von einem halben Jahrhundert Flußschiffahrt dahinfaulten: die Wracks historischer Schiffe, von den primitiven mit einem einzigen Schornstein, die noch von Simón Bolívar eingeweiht worden waren, bis hin zu ein paar neueren Dampfern, die sogar schon elektrische Ventilatoren in den Kabinen hatten. Die meisten von ihnen waren verschrottet worden, damit man das Material auf anderen Schiffen verbauen konnte, viele aber waren noch in einem so guten Zustand, daß es denkbar schien, sie mit einem neuen Anstrich auf Fahrt zu schicken, ohne erst die Leguane zu verscheuchen oder die wuchernden Pflanzen mit den großen gelben Blüten abzuhacken, die den Schiffen ein noch nostalgischeres Aussehen verliehen.

Im ersten Stock des Gebäudes war die Verwaltungsabteilung in kleinen, aber bequemen und wie Schiffskabinen ausgestatteten Büros untergebracht, die nicht von Architekten, sondern von Schiffsingenieuren entworfen worden waren. Am Ende des Gangs arbeitete Onkel León XII. wie jeder Angestellte in einem Büro wie alle anderen auch, mit dem einzigen Unterschied, daß er morgens eine Glasvase mit irgendwelchen wohlriechenden Blumen auf seinem Schreibtisch vorfand. Im Erdgeschoß war die Passagierabteilung, der Wartesaal mit einfachen Bänken und einer Theke für die

Ausgabe der Fahrscheine und die Abfertigung des Gepäcks. Ganz hinten lag die Allgemeine Abteilung, deren Name schon etwas von der Unbestimmtheit ihrer Aufgaben verriet. Dort versandeten Problemfälle, die im übrigen Unternehmen ungelöst geblieben waren. Und dort saß auch Leona Cassiani, verloren hinter einem Schulpult, zwischen Haufen aufgeschichteter Maissäcke und lauter Papieren, die nicht zu erledigen waren, bis eines Tages der Onkel León XII. persönlich auftauchte, um sich, zum Teufel noch mal, etwas für die Allgemeine Abteilung einfallen zu lassen, damit aus dieser etwas Nützliches würde. Nach drei Stunden Fragen, theoretischen Erörterungen und konkreten Erkundigungen unter den vollzählig versammelten Angestellten kehrte er zurück in sein Büro, niedergedrückt von der Gewißheit, keinerlei Lösung für so viele Probleme gefunden zu haben, sondern vielmehr neue und vielfältige Probleme für keine Lösung.

Am Tag darauf fand Florentino Ariza, als er in sein Büro kam, ein Memorandum von Leona Cassiani vor mit der inständigen Bitte, er möge es durchlesen und, falls es ihm angezeigt erscheine, an seinen Onkel weiterleiten. Sie war die einzige, die während der Inspektion am vergangenen Nachmittag kein Wort gesagt hatte. Sie hatte sich bewußt so verhalten, wie es ihrer untergeordneten Stellung entsprach, wies jedoch in ihrem Memorandum darauf hin, daß sie es nicht aus Desinteresse getan habe, sondern aus Achtung vor der Hierarchie in der Abteilung. Das Memorandum war von beunruhigender Einfachheit. Onkel León XII. hatte sich eine grundlegende Neuorganisation vorgenommen, Leona Cassiani dagegen dachte in die umgekehrte Richtung, da sie von der simplen Logik ausging, daß die Allgemeine Abteilung nicht eigentlich existierte: Sie war der Papierkorb für verwickelte, aber unbedeutende Probleme, die sich die anderen Abteilungen vom Hals schafften. Die Lösung war demzufolge, die Allgemeine Abteilung aufzulösen und die Probleme an die Abteilungen, aus denen sie kamen, zurückzuleiten, damit sie dort erledigt würden.

Onkel León XII. wußte nicht einmal, wer Leona Cassiani war, und konnte sich nicht erinnern, bei der Versammlung am vergangenen Nachmittag jemanden gesehen zu haben, der sie hätte sein können, als er aber das Memorandum gelesen hatte, ließ er sie in sein Büro kommen und redete zwei Stunden lang hinter verschlossenen Türen mit ihr. Sie sprachen über alles mögliche, denn das war seine Methode, Leute kennenzulernen. Das Memorandum war ein Zeugnis gesunden Menschenverstandes, und die vorgeschlagene Lösung brachte dann tatsächlich das gewünschte Ergebnis. Doch Onkel León XII. interessierte nicht das, er interessierte sich für Leona Cassiani. Besonders bemerkenswert erschien ihm, daß sie nach der Primarschule als einzige Ausbildung die Hutmacherschule besucht hatte. Außerdem lernte sie gerade daheim nach einer Schnellmethode im Selbstunterricht Englisch und nahm seit drei Monaten abends Stunden in Maschineschreiben, ein neuer, zukunftsträchtiger Beruf, wie es zuvor von der Telegraphie und noch früher bei der Dampfmaschine gesagt worden war.

Als sie nach dem Gespräch das Büro verließ, hatte Onkel León XII. schon begonnen, sie so zu nennen, wie er sie nun immer nennen sollte: Namensvetterin Leona. Er beschloß, die konfliktreiche Abteilung mit einem Federstrich zu löschen und die Probleme zu verteilen, damit sie, Leona Cassianis Vorschlag entsprechend, von denen gelöst würden, die sie erzeugten. Für sie erfand er einen Posten, der keinen Namen und keine spezifischen Funktionen hatte, praktisch aber der einer persönlichen Assistentin war. An jenem Nachmittag, nachdem die Allgemeine Abteilung sang- und klanglos beerdigt worden war, fragte Onkel León XII. seinen Neffen, wo er denn Leona Cassiani aufgetrieben habe, und dieser antwortete wahrheitsgemäß.

»Dann steig wieder in die Straßenbahn und bring mir alle her, die du von dieser Sorte findest«, sagte der Onkel, »zwei oder drei mehr, und wir heben deine Galeone.«

Florentino Ariza hatte das als einen der für seinen Onkel León XII. typischen Scherze angesehen, am nächsten Tag jedoch war die Kutsche weg, die man ihm sechs Monate zuvor zugeteilt hatte und die man ihm jetzt nahm, damit er in der Straßenbahn weiter nach verborgenen Talenten suche. Leona Cassiani legte ihrerseits sehr bald die anfänglichen Skrupel ab und holte alles aus sich heraus, was sie mit so viel List in den ersten drei Jahren verborgen gehalten hatte. Nach drei weiteren Jahren hatte sie alles unter Kontrolle, und in den vier darauffolgenden gelangte sie bis vor die Tür der Geschäftsführung, weigerte sich jedoch, dort einzutreten, weil sie gerade noch eine Stufe unter Florentino Ariza stand. Bis dahin war sie an seine Weisungen gebunden gewesen und wollte das auch weiterhin sein, obwohl es in Wirklichkeit anders aussah: Florentino Ariza selbst bemerkte nie, daß er ihre Anweisungen befolgte. Und doch war es so: Er richtete sich einfach nach dem, was sie vorschlug, um ihm zu helfen, die Fallen seiner verborgenen Feinde in der Generaldirektion zu umgehen.

Leona Cassiani hatte ein teuflisches Talent, Geheimnisse auszunutzen, und war immer im rechten Augenblick am rechten Ort. Sie war dynamisch, schweigsam und von einer sanften Klugheit. Wenn es aber nötig war, zeigte sie, so leid es ihr auch tat, ihren wahren Charakter, und der war stahlhart. Sie setzte ihn aber nie für sich selbst ein. Ihr einziges Ziel war, Florentino Ariza um jeden Preis die Stufen zum Erfolg freizuräumen, und sei es mit Blut, damit er so weit aufsteigen konnte, wie er sich es selbst, die eigene Kraft überschätzend, vorgenommen hatte. Sie hätte es so oder so getan, denn ihr Drang zur Macht war unbezähmbar, Tatsache aber ist, daß sie es bewußt nur aus Dankbarkeit tat. Sie ging so zielstrebig vor, daß selbst Florentino Ariza die Übersicht über ihre Machenschaften verlor und in einem glücklosen Augenblick versuchte, ihr den Weg abzuschneiden, weil er glaubte, sie versuche es bei ihm. Leona Cassiani verwies ihn an seinen Platz:

»Irren Sie sich nicht«, sagte sie zu ihm. »Ich zieh mich aus all dem hier zurück, wann immer Sie wollen, aber überlegen Sie es sich gut.«

Florentino Ariza, der es sich tatsächlich nicht überlegt hatte, überlegte es sich nun, so gut er konnte, und streckte die Waffen vor ihr. Bei jenem schmutzigen Krieg in einer ständig von Krisen geschüttelten Firma, aufgerieben von den Verstrickungen bei seiner ruhelosen Falkenjagd und der immer ungewisseren Hoffnung auf Fermina Daza, hatte der unerschütterliche Florentino Ariza tatsächlich keinen Augenblick des inneren Friedens gehabt angesichts des faszinierenden Schauspiels, das diese mutige Schwarze, beschmutzt von Scheiße und Liebe, im Kampffieber bot. Das ging so weit, daß es ihn manchmal insgeheim schmerzte, daß sie nicht das war, was er an jenem Abend geglaubt hatte, als er sie kennenlernte, dann hätte er sich nämlich mit seinen Prinzipien den Arsch abwischen und mit ihr vögeln können, und sei es für Klumpen reinen Goldes. Denn Leona Cassiani sah immer noch so aus wie an jenem Nachmittag in der Straßenbahn, sie trug die gleichen aufreizenden Kleider einer entlaufenen Negersklavin, ihre verrückten Turbane, ihre Ohrringe und ihre beinernen Armreifen, reihenweise Ketten und an jedem Finger Ringe mit falschen Steinen: eine Löwin der Straße. Die Jahre hatten ihr äußerlich nur gut getan. Sie glitt in einer glänzenden Reife dahin, ihre weiblichen Reize waren noch beunruhigender, und ihre körperliche Ausstrahlung einer Afrikanerin hatte sich noch verdichtet. Florentino Ariza hatte zehn Jahre lang keinen weiteren Annäherungsversuch bei ihr gemacht, so hart büßte er seinen ursprünglichen Irrtum ab, und sie hatte ihm bei allem geholfen, nur darin nicht.

Eines Nachts, als er bis spät gearbeitet hatte, wie er es nach dem Tod seiner Mutter häufig tat, sah er im Hinausgehen Licht in Leona Cassianis Büro. Er öffnete ohne Anklopfen die Tür, und da saß sie: allein am Schreibtisch, vertieft, ernsthaft, mit einer neuen Brille, die ihrem Gesicht etwas Akademisches gab. Florentino Ariza wurde in einem seligen Schauer gewahr, daß sie beide allein im Hause waren, die Molen lagen verlassen da, die Stadt schlief, auf dem finsteren Meer ruhte ewige Nacht, traurig tutete ein Schiff, das noch über eine Stunde entfernt war. Florentino Ariza stützte sich mit beiden Händen auf den Regenschirm, so wie er es in der Gasse El Candilejo getan hatte, um ihr den Weg zu versperren, nur tat er es jetzt, damit sie nicht bemerkte, wie weich seine Knie waren.

»Sag mir eins, Löwin meines Herzens«, sagte er, »wann finden wir hier endlich heraus?«

Sie nahm ohne jede Überraschung die Brille ab, vollkommen beherrscht, und blendete ihn mit ihrem Sonnenlächeln. Sie hatte ihn nie geduzt.

»Ach, Florentino Ariza«, sagte sie, »seit zehn Jahren sitze ich nun schon hier und warte darauf, daß du mich das fragst.«

Nun war es zu spät: Die Möglichkeit hatte sie in der Maultierbahn begleitet, hatte stets mit ihr zusammen auf eben dem Stuhl, auf dem sie jetzt saß, gesessen, doch jetzt war sie für immer gegangen. Die Wahrheit war, daß sie ihn, nach so vielen insgeheim für ihn begangenen Hundsföttereien, nach so vieler für ihn erledigter Schmutzarbeit, im Leben überholt und ihn nun trotz der zwanzig Jahre, die er ihr voraus war, weit hinter sich gelassen hatte: Sie war für ihn gealtert. Sie liebte ihn so sehr, daß sie es vorzog, ihn weiter zu lieben, statt ihn zu täuschen, auch wenn sie ihm das auf brutale Weise beibringen mußte.

»Nein«, sagte sie. »Das wäre für mich, als schliefe ich mit dem Sohn, den ich nie gehabt habe.«

Florentino Ariza blieb der Stachel, nicht das letzte Wort gehabt zu haben. Er war der Meinung, daß eine Frau, die nein sagt, darauf wartet, daß man sie bestürmt, bevor sie sich endgültig entscheidet, aber mit ihr war es anders: Er konnte nicht das Risiko eingehen, sich ein zweites Mal zu irren. Er zog sich mit Haltung und sogar mit einem gewissen Charme zurück, was ihm nicht leicht fiel. In jener Nacht verflüchtigte sich aber ohne Bitterkeit jedweder Schatten, der zwischen sie hätte fallen können, und Florentino Ariza begriff endlich, daß man der Freund einer Frau sein kann, ohne mit ihr zu schlafen.

Leona Cassiani war der einzige Mensch, bei dem Florentino Ariza in Versuchung kam, das Geheimnis um Fermina Daza zu lüften. Die wenigen Personen, die es kannten, begannen es zwangsläufig zu vergessen. Drei von ihnen hatten es zweifellos mit ins Grab genommen: seine Mutter, die es schon lang vor ihrem Tod aus dem Gedächtnis gelöscht hatte; Gala Placidia, die ein geruhsames Alter bei jener Frau verlebt hatte, der sie gedient hatte und die ihr fast eine Tochter gewesen war; und die unvergeßliche Escolástica Daza, die ihm den ersten Liebesbrief seines Lebens im Gebetbuch gebracht hatte und die nach so vielen Jahren nicht mehr am Leben sein konnte. Lorenzo Daza, von dem er zu jener Zeit nicht wußte, ob er lebte oder tot war, konnte das Geheimnis vielleicht Schwester Franca de la Luz entdeckt haben, als er versuchte, Ferminas Ausschluß von der Schule zu verhindern, es war aber wenig wahrscheinlich, daß diese beiden es weiter verbreitet hatten. Hinzu kamen noch elf Telegraphisten aus der fernen Provinz von Hildebranda Sánchez, durch deren Hände die Telegramme mit den vollständigen Namen und Adressen gegangen waren, und dann Hildebranda Sánchez selbst und ihr Gefolge ungezähmter Kusinen.

Florentino Ariza wußte allerdings nicht, daß Doktor Juvenal Urbino mitgerechnet werden mußte. Hildebranda Sánchez hatte ihm das Geheimnis bei einem ihrer vielen Besuche während der ersten Jahre offenbart. Doch sie hatte es so beiläufig und in einem so unpassenden Moment getan, daß es bei Doktor Urbino, nicht wie sie dachte, in ein Ohr hinein- und durchs andere wieder hinausgegangen war, sondern erst in gar keines hinein.

Hildebranda hatte Florentino Ariza als einen der heimlichen Dichter erwähnt, die ihrer Meinung nach eine Chance hätten, den Dichterwettbewerb der Blumenspiele zu gewinnen. Doktor Urbino konnte sich nur mit Mühe an ihn erinnern, woraufhin sie, was nicht unbedingt nötig gewesen wäre, allerdings ohne einen Funken von Bosheit sagte, daß er der einzige feste Verehrer gewesen sei, den Fermina Daza vor ihrer Heirat gehabt habe. Sie sagte es ihm in der Überzeugung, es habe sich dabei um etwas so Unschuldiges und Unerhebliches gehandelt, daß es eher rührend sei. Doktor Urbino erwiderte, ohne sie anzusehen: »Ich wußte nicht, daß der Kerl ein Dichter ist.« Und löschte ihn augenblicklich aus dem Gedächtnis, schon deshalb, weil ihn sein Beruf an den ethischen Gebrauch des Vergessens gewöhnt hatte.

Florentino Ariza stellte fest, daß, mit Ausnahme seiner Mutter, die Geheimnisträger zu Fermina Dazas Welt gehörten. In seiner Welt war es nur er selbst, er allein trug das Gewicht dieser drückenden Last, die er oftmals mit jemandem hätte teilen mögen, doch bis dahin war ihm niemand eines so großen Vertrauens würdig erschienen. Leona Cassiani war die einzig denkbare Person, er wußte nur noch nicht, wie und bei welcher Gelegenheit. Darüber dachte er gerade an jenem drückend heißen Sommernachmittag nach, als Doktor Juvenal Urbino die steilen Treppen der K. F. K. hochstieg. Bei jeder Stufe machte er eine Pause, um die Drei-Uhr-Mittagshitze zu überleben, und erschien keuchend und mit durchgeschwitztem Anzug in Florentino Arizas Büro und sagte mit letzter Puste: »Ich glaube, über uns braut sich ein Zyklon zusammen.« Florentino Ariza hatte ihn oft dort gesehen, wenn Doktor Juvenal Urbino seinen Onkel León XII. aufsuchen wollte, aber nie so deutlich wie dieses Mal gespürt, daß diese unerwünschte Erscheinung etwas mit seinem Leben zu tun hatte.

Das war zu der Zeit, als auch Doktor Juvenal Urbino alle beruflichen Hürden genommen hatte und nun, fast wie ein Bettler, mit dem Hut in der Hand von Tür zu Tür ging, um Spenden für seine künstlerischen Initiativen zu sammeln. Einer seiner verläßlichsten und freigebigsten Spender war immer Onkel León XII. gewesen, der in jenem Augenblick gerade bei seiner täglichen zehnminütigen Siesta im gefederten Schreibtischsessel eingeschlafen war. Florentino Ariza bat Doktor Juvenal Urbino, doch so lange in seinem Büro zu warten, das mit dem von Onkel León verbunden war und gewissermaßen als Vorzimmer diente.

Sie hatten sich bei verschiedenen Gelegenheiten gesehen, aber nie einander so gegenübergesessen, und Florentino Ariza verspürte wieder einmal den Selbstekel dessen, der sich minderwertig fühlt. Es waren zehn endlose Minuten, und er stand dreimal in der Hoffnung auf, der Onkel sei vor der Zeit aufgewacht, und trank inzwischen eine ganze Thermosflasche schwarzen Kaffees leer. Doktor Urbino nahm nicht eine einzige Tasse an. Er sagte: »Kaffee ist Gift.« Und plaudernd knüpfte er ein Thema an das andere, ohne sich überhaupt darum zu kümmern, ob man ihm zuhörte. Die natürliche Vornehmheit Doktor Urbinos war Florentino Ariza ebenso unerträglich wie der Fluß und die Treffsicherheit seiner Worte, der verborgene Hauch von Kampfer, der ihn umgab, sein persönlicher Charme, die leichte und elegante Art, mit der er noch die oberflächlichsten Sätze, nur dadurch, daß er sie aussprach, wesentlich erscheinen ließ. Auf einmal wechselte der Arzt abrupt das Thema.

»Lieben Sie Musik?«

Er traf Florentino Ariza unvorbereitet. Tatsächlich ging dieser zu jedem Konzert und jeder Opernvorstellung, die in der Stadt gegeben wurden, fühlte sich aber nicht in der Lage, ein kritisches oder wohlinformiertes Gespräch darüber zu führen. Ihm ging die Musik ins Blut, die gerade Mode war, besonders die sentimentalen Walzer, deren Ähnlichkeit mit denen, die er selbst als Jüngling komponiert hatte, oder auch mit seinen heimlichen Versen unbestreitbar war. Er brauchte die Walzer nur einmal im Vorbeigehen zu hören, und dann gab es nächtelang keine Himmelsmacht mehr, die ihm den Ohrwurm aus dem Kopf hätte bringen können. Aber das wäre keine ernsthafte Antwort auf die ernsthafte Frage eines Kenners gewesen.

»Ich liebe Gardel«, sagte er.

Doktor Urbino begriff. »Ich verstehe«, sagte er, »der ist jetzt modern.« Und er wich auf eine Aufzählung seiner neuen, zahlreichen Projekte aus, die wie immer ohne öffentliche Gelder durchgeführt werden mußten. Er wies ihn auf die im Vergleich zu den glanzvollen Stücken des vergangenen Jahrhunderts nunmehr quälende Minderwertigkeit der

Schauspiele hin, die man jetzt noch anbieten könnte. Tatsächlich verkaufe er nun schon ein ganzes Jahr lang Abonnements, um das Trio Cortot-Casals-Thibaud ins Teatro de la Comedia zu bringen, aber in der Regierung gäbe es keinen einzigen, der wisse, wer das sei, während jedoch gerade in diesem Monat die Aufführungen von Kriminalstücken der Theaterkompanie Ramón Carralt ausverkauft seien, ebenso die Vorstellung der Kompanie für Operetten und Zarzuelas von Don Manolo de la Presa und die Santanelas, unsägliche mimisch-phantastische Verwandlungskünstler, die bei einem phosphoreszierenden Blitz die Kleider auf der Bühne wechselten. Danyse D'Altaine, die sich als ehemalige Tänzerin der Folies Bergère ausgäbe, habe ebenfalls ein volles Theater, wie auch der gräßliche Ursus, ein baskischer Kraftmensch, der mit einem Kampfstier Leib an Leib rang. Man durfte sich allerdings nicht beklagen, denn schließlich waren es die Europäer selbst, die wieder einmal das schlechte Beispiel eines barbarischen Krieges gaben, gerade als wir in Frieden zu leben begannen nach neun Bürgerkriegen in einem halben Jahrhundert, die bei genauer Rechnung auch ein einziger hätten sein können: immer derselbe.

Was Florentino Ariza an jener gewinnenden Rede am meisten aufhorchen ließ, war die Aussicht, daß die von Juvenal Urbino einst initiierten Blumenspiele, die viele Jahre lang mit größter Resonanz stattgefunden hatten, wieder belebt werden könnten. Er mußte sich auf die Zunge beißen, um ihm nicht zu erzählen, daß er regelmäßig an jenem jährlichen Wettbewerb teilgenommen hatte, der selbst das Interesse von namhaften Dichtern aus dem ganzen Land und sogar aus anderen Ländern der Karibik geweckt hatte.

Die Unterhaltung war eben in Gang gekommen, als die dampfend heiße Luft plötzlich abkühlte und Orkanböen aus wechselnden Richtungen Türen und Fenster schüttelten und knallen ließen, und das Büro ächzte wie ein Segelschiff im Sturm. Doktor Juvenal Urbino schien es nicht wahrzunehmen. Er machte irgendeine beiläufige Bemerkung über die launischen Juni-Zyklone und sprach plötzlich übergangslos von seiner Frau. Sie sei nicht nur seine begeisterte Mitarbeiterin, sondern auch die Seele seiner Unternehmungen. Er sagte: »Ohne sie wäre ich nichts.« Florentino Ariza hörte ihm ruhig zu, bestätigte alles mit einem leichten Kopfnicken und wagte nicht, etwas zu sagen, so sehr fürchtete er, seine Stimme könne ihn verraten. Nach zwei oder drei weiteren Sätzen von Doktor Urbino begriff er jedoch, daß diesem neben so vielen anstrengenden Verpflichtungen noch genug Zeit blieb, seine Frau fast ebensosehr anzubeten wie er selbst, und diese Erkenntnis verstörte ihn. Doch er konnte nicht so reagieren, wie er es gern gewollt hätte, denn sein Herz spielte ihm einen jener üblen Streiche, die sich nur das Herz einfallen lassen kann. Es offenbarte ihm, daß er und jener Mann, in dem er immer seinen persönlichen Feind gesehen hatte, Opfer ein und desselben Schicksals waren und sich das Los einer gemeinsamen Leidenschaft teilten: zwei Ochsen, die in das gleiche Joch gespannt waren. Zum ersten Mal in den endlosen siebenundzwanzig Jahren, die er nun schon wartete, gab es Florentino Ariza unwillkürlich einen schmerzlichen Stich, daß dieser bewunderungswürdige Mensch sterben mußte, damit er glücklich sein konnte.

Der Zyklon zog vorüber, doch seine steifen Nordostwinde würfelten innerhalb von fünfzehn Minuten die an den Sümpfen gelegenen Viertel durcheinander und verursachten in der halben Stadt Schäden. Doktor Juvenal Urbino, wieder einmal zufrieden mit der Großzügigkeit des Onkels León XII., wartete nicht das Ende des Unwetters ab und nahm in seiner Zerstreutheit Florentino Arizas Regenschirm mit, den dieser ihm geliehen hatte, um bis zur Kutsche zu kommen. Den störte das nicht. Im Gegenteil, es machte ihm Spaß, sich auszumalen, was Fermina Daza denken würde, wenn sie erführe, wer der Besitzer des Regenschirms war. Er war noch mitgenommen von der Erschütterung dieser Begegnung, als Leona Cassiani in sein Büro kam, und so erschien es ihm eine einzigartige Gelegenheit, ihr das Geheimnis ohne langes Hin und Her zu entdecken, also das Furunkel aufplatzen zu lassen, das ihn nicht leben ließ: jetzt oder nie. Zunächst fragte er sie, was sie von Doktor Juvenal Urbino halte. Sie antwortete ihm, ohne weiter zu überlegen: »Ein Mann, der viel bewegt, vielleicht zu viel, aber ich glaube, keiner weiß so recht, was er denkt.« Dann überlegte sie, während sie mit ihren scharfen großen Zähnen einer großen Schwarzen an dem Radiergummistöpsel ihres Bleistiftes nagte, und zuckte schließlich mit den Achseln, um eine Angelegenheit abzuschließen, die sie nicht weiter berührte.

»Vielleicht unternimmt er so viel, um nicht denken zu müssen«, sagte sie.

Florentino Ariza versuchte, sie beim Thema zu halten.

»Mich schmerzt, daß er sterben muß.«

»Jedermann muß sterben«, sagte sie.

»Ja«, sagte er, »aber dieser mehr als jedermann.«

Sie begriff nichts, sie zuckte wieder mit den Achseln, wortlos, und ging. Da wußte Florentino Ariza, daß er in einer noch ungewissen Nacht der Zukunft, mit Fermina Daza auf einem glücklicken Lager vereint, ihr erzählen würde, daß er das Geheimnis seiner Liebe nicht einmal dem einzigen Menschen entdeckt habe, der sich das Recht erworben hätte, es zu kennen. Nein: Er würde es niemals preisgeben, auch nicht Leona Cassiani, nicht weil er den Schrein für sie nicht öffnen wollte, in dem er das Geheimnis ein halbes Leben lang so gut verwahrt hatte, sondern weil er nun merkte, daß er den Schlüssel dazu verloren hatte.

Nicht diese Erkenntnis bewegte ihn jedoch an jenem Nachmittag am stärksten. Die Sehnsucht nach seinen jungen Jahren ergriff ihn, die lebhafte Erinnerung an die Blumenspiele, die an jedem 15. April im ganzen Antillenraum ihren Widerhall fanden. Stets hatte er zu den Teilnehmern gehört, doch immer, wie auch sonst bei fast allem, heimlich. Er hatte sich seit dem Eröffnungswettbewerb immer wieder mit Texten beteiligt, war aber bei der Ehrung nie auch nur erwähnt worden. Aber das machte ihm nichts aus, weil er nicht aus Ehrgeiz, einen Preis zu gewinnen, teilnahm, sondern weil dieser Wettstreit für ihn einen zusätzlichen Reiz bot: Bei der ersten Veranstaltung hatte Fermina Daza die Aufgabe gehabt, die versiegelten Briefe zu öffnen und die Namen der Sieger bekanntzugeben, und seitdem stand fest, daß sie es auch in den folgenden Jahren tun würde.

Im Dämmerlicht der Sperrsitzreihen versteckt, mit einer lebendigen Kamelie, die kraft seiner Aufregung im Knopfloch des Revers pulsierte, sah Florentino Ariza, wie Fermina Daza am Abend des ersten Wettbewerbs die drei versiegelten Umschläge auf der Bühne des alten Nationaltheaters öffnete. Er fragte sich, was in ihrem Herzen geschähe, sollte sie entdecken, daß er der Gewinner der goldenen Orchidee war. Er war sich sicher, daß sie die Schrift erkennen würde und in dem Augenblick dann der Sticknachmittage unter den Mandelbäumen des kleinen Platzes gedenken würde, des Duftes der welken Gardenien in seinen Briefen, des vertrauten Walzers an die bekränzte Göttin in den windigen Stunden des Morgengrauens. Nichts dergleichen geschah. Schlimmer noch: Die Goldene Orchidee, die begehrteste Auszeichnung der nationalen Poesie, wurde einem chinesischen Einwanderer zuerkannt. Der öffentliche Skandal, den jene unerhörte Entscheidung hervorrief, brachte den Poesiewettbewerb ins Zwielicht. Die Jury hatte jedoch gerecht und einstimmig entschieden und konnte sich mit dem ausgezeichneten Sonett rechtfertigen.

Niemand glaubte, daß der prämiierte Chinese der Verfasser war. Er war gegen Ende des vergangenen Jahrhunderts auf der Flucht vor der Geißel des Gelbfiebers, das Panama während des Baus der Eisenbahn von Ozean zu Ozean heimgesucht hatte, ins Land gekommen, gemeinsam mit vielen anderen, die bis zu ihrem Tod hier blieben, chinesisch lebten, sich chinesisch vermehrten und einander so ähnlich sahen, daß niemand sie auseinanderhalten konnte. Am Anfang waren es nicht mehr als zehn gewesen, einige von ihnen hatten ihre Frauen, ihre Kinder und ihre eßbaren Hunde dabei, aber nach wenigen Jahren hatten sie dank neuer, unerwarteter Chinesen, die, ohne Spuren in den Zollarchiven zu hinterlassen, ins Land kamen, die vier Gassen des Hafenviertels überschwemmt. Manche der jungen Männer verwandelten sich mit solcher Eile in ehrwürdige Patriarchen, daß niemand sich erklären konnte, woher sie die Zeit nahmen zu altern. Das Volksempfinden teilte sie in zwei Klassen ein: die bösen Chinesen und die guten Chinesen. Die bösen waren die der finsteren Hafenkneipen, wo man wie ein König speisen, aber auch plötzlich am Tisch bei einem Gericht aus Rattenfleisch und Sonnenblumen sterben konnte. Diese Lokale standen in dem Ruf, nur Deckadressen für Mädchenhandel und Schiebergeschäfte zu sein. Die guten Chinesen waren die in den Wäschereien. Diese Erben einer heiligen Wissenschaft lieferten die Hemden sauberer ab als neu und mit Kragen und Manschetten wie frischgepreßte Hostien. Es war einer dieser guten Chinesen, der bei dem Dichterwettbewerb der Blumenspiele zweiundsiebzig gut gerüstete Rivalen schlug.

Niemand verstand den Namen, als Fermina Daza ihn

unsicher vorlas. Nicht nur, weil es ein ungewöhnlicher Name war, sondern weil sowieso niemand genau wußte, wie die Chinesen heißen. Doch man mußte nicht lange darüber grübeln, da der preisgekrönte Chinese hinten aus dem Parkett mit jenem engelhaften Lächeln auftauchte, das die Chinesen an sich haben, wenn sie früh nach Hause kommen. Er war so siegessicher gewesen, daß er zur Entgegennahme des Preises im gelben Seidenhemd der Frühlingsfeste gekommen war. Er nahm die Goldene Orchidee, achtzehn Karat, entgegen und küßte sie selig, umtost vom Spott der Ungläubigen. Er ließ sich nicht stören. Er wartete mitten auf der Bühne, unbeirrbar, wie der Apostel einer Göttlichen Vorsehung, die weniger dramatisch als die unsere vorgeht, und las in der ersten Stille das prämiierte Gedicht. Niemand verstand ihn. Als dann eine erneute Woge des Spotts verebbt war, las es Fermina Daza noch einmal mit ihrer heiseren, verlockenden Stimme, und vom ersten Vers an erfüllte Staunen den Saal. Es war ein Sonett reinsten parnassischen Stils, vollkommen gearbeitet und vom Hauch einer Inspiration durchweht, die das Wirken von Meisterhand verriet. Die einzige mögliche Erklärung war, daß einer der großen Dichter sich jenen Scherz ausgedacht haben könnte, um sich über die Blumenspiele lustig zu machen, und daß der Chinese, entschlossen, das Geheimnis mit in den Tod zu nehmen, sich dazu hergegeben hatte. *El Diario del Comercio*, unsere traditionsreichste Zeitung, bemühte sich, die Ehre der Stadt mit einem gelehrsamen und eher unverdaulichen Essay über die alte Tradition und den kulturellen Einfluß der Chinesen in der Karibik zu retten und betonte deren verdientes Recht, an den Blumenspielen teilzunehmen. Der Verfasser des Aufsatzes zweifelte nicht daran, daß der Autor des Sonetts tatsächlich der war, der es zu sein behauptete, und rechtfertigte dies von vornherein mit der Überschrift: *Jeder Chinese ist ein Dichter.* Die Urheber der Verschwörung, wenn es eine solche gegeben hatte, verfaulten mit dem Geheimnis in ihren Gräbern. Der mit dem Preis ausgezeichnete Chinese starb, ohne etwas zugegeben zu haben, in einem orientalischen Alter und wurde mit der Orchidee und seiner Bitterkeit begraben, das einzige, was er sich im Leben ersehnt hatte, nicht erreicht zu haben, nämlich die Anerkennung als Dichter. Anläßlich seines Todes erinnerte die Presse an den vergessenen Vorfall, das Sonett wurde mit einer Jugendstilvignette, auf der schwellende Jungfrauen mit goldenen Füllhörnern zu sehen waren, abgedruckt, und die Schutzgötter der Poesie nützten die Gelegenheit, die Dinge ins Lot zu rücken: Die neue Generation fand das Sonett so schlecht, daß keiner mehr daran zweifelte, daß der verstorbene Chinese es tatsächlich verfaßt hatte.

Für Florentino Ariza verband sich jener Skandal stets mit der Erinnerung an eine füllige Unbekannte, die damals neben ihm gesessen hatte. Er hatte sie zu Beginn der Veranstaltung bemerkt, sie dann aber in der Angst der Erwartung vergessen. Aufgefallen war ihm ihre perlmuttweiße Haut, dieser Duft einer glücklichen Dicken und das massige Brustfleisch einer Sopransängerin, das von einer künstlichen Magnolie gekrönt war. Sie hatte ein sehr enges Kleid aus schwarzem Samt angezogen, schwarz wie ihre sehnsüchtigen, warmen Augen und schwärzer noch war ihr Haar, das im Nacken von einem Zigeunerkamm zusammengehalten wurde. Sie trug schwere Ohrgehänge, eine Kette im gleichen Stil und an mehreren Fingern ebensolche Ringe, alle mit funkelnden Steinen besetzt, und hatte auf der rechten Wange ein Muttermal aufgemalt. Im Trubel des Schlußapplauses sah sie Florentino Ariza ehrlich betrübt an.

»Glauben Sie mir, es tut mir von Herzen leid«, sagte sie zu ihm.

Florentino Ariza erschrak, nicht wegen des Beileids, das er tatsächlich verdiente, sondern vor Staunen, weil jemand sein Geheimnis kannte. Sie erklärte es ihm: »Ich habe es gemerkt, als die Umschläge geöffnet wurden, da begann die Blume an Ihrem Revers zu zittern.« Sie zeigte ihm die Plüschmagnolie, die sie in der Hand hielt, und öffnete ihm ihr Herz:

»Deshalb habe ich meine abgenommen«, sagte sie.

Sie war ob der Niederlage den Tränen nah, doch Florentino Ariza, mit dem Spürsinn des nächtlichen Jägers, munterte sie auf.

»Lassen Sie uns irgendwohin gehen, wo wir zusammen weinen können«, schlug er ihr vor.

Er begleitete sie nach Hause. Vor der Tür und angesichts der Tatsache, daß es schon fast Mitternacht war und niemand mehr auf der Straße, überredete er sie dazu, ihn zu einem Brandy einzuladen, damit sie sich gemeinsam die Alben mit den Zeitungsausschnitten und Fotos von öffentlichen Ereignissen aus mehr als zehn Jahren ansehen konnten, die sie angeblich besaß. Der Trick war schon damals alt, diesmal jedoch nicht absichtlich eingesetzt, denn sie selbst hatte auf dem Rückweg vom Nationaltheater ihre Alben erwähnt. Sie traten in die Wohnung. Als erstes bemerkte Florentino Ariza vom Salon aus, daß die Tür zum einzigen Schlafzimmer offenstand und den Blick auf ein breites, prachtvolles Bett mit einer Brokatüberdecke und mit Bronzeblattwerk verziertem Kopf- und Fußende freigab. Diese Aussicht verwirrte ihn. Sie mußte es bemerkt haben, denn sie ging durch den Salon und schloß die Schlafzimmertür. Dann bat sie ihn auf ein Kanapee aus geblümtem Kretonne, wo eine Katze schlief, und legte auf den davorstehenden Tisch ihre gesammelten Alben. Florentino Ariza begann, ohne Hast darin zu blättern, und dachte dabei weniger an das, was er sah, als an die Schritte, die vor ihm lagen, und als er plötzlich den Blick hob, bemerkte er, daß sich ihre Augen mit Tränen gefüllt hatten. Er gab ihr den guten Rat, so viel zu weinen, wie sie wolle, ohne Scheu, denn nichts erleichtere so sehr wie das Weinen, legte ihr jedoch nahe, dafür das Mieder zu lockern. Und beeilte sich dann, ihr zu helfen, da das Korsett mit einer langen Naht über Kreuz laufender Bänder auf dem Rücken zusammengehalten wurde. Er mußte diese Arbeit nicht zu Ende führen, da das Korsett sich schließlich durch den inneren Druck allein löste, worauf das galaktische Busenwerk nach Belieben atmen konnte.

Florentino Ariza, der selbst bei weniger komplizierten Gelegenheiten stets von der Angst der ersten Mals beherrscht war, wagte nun, ihr mit den Fingerkuppen sacht den Hals zu streicheln, woraufhin sie sich wimmernd wie ein schmollendes kleines Mädchen wand, aber nicht aufhörte zu weinen. Da küßte er sie an die gleiche Stelle, sanft wie zuvor mit den Fingern, und kam nicht dazu, es ein zweites Mal zu tun, da sie ihren gewaltigen und begehrlich heißen Leib ganz zu ihm herüberwälzte und beide umarmt auf den Boden rollten. Die Katze auf dem Sofa wachte mit einem Kreischen auf und sprang auf sie. Sie suchten sich tastend wie eilige Anfänger und fanden sich irgendwie, wälzten sich auf den auseinanderfallenden Alben, noch angezogen, durchgeschwitzt und mehr darauf bedacht, den wütenden Krallen der Katze zu entgehen, als auf die mißlingenden Umarmungen zu achten. In der Nacht darauf trieben sie es mit noch blutenden Wunden und dann immer wieder, mehrere Jahre lang.

Als er einsah, daß er sie zu lieben begonnen hatte, war sie eine reife Frau, und sein dreißigster Geburtstag stand bevor. Sie hieß Sara Noriega und hatte in ihrer Jugend ein Quentchen Ruhm erhascht, als sie mit einer Gedichtsammlung über die Liebe der Armen, die nie veröffentlicht wurde, einen Wettbewerb gewann. Sie war Lehrerin für Bürgerkunde an staatlichen Schulen und lebte von ihrem Gehalt in einem Mietshaus des buntgemischten Pasaje de los Novios im alten Getzemani-Viertel. Sie hatte gelegentlich Liebhaber gehabt, doch keinen mit Heiratsambitionen, da ein Mann aus ihren Kreisen und ihrer Zeit schwerlich eine Frau heiratete, mit der er geschlafen hatte. Auch nährte sie solche Hoffnungen nicht mehr, nachdem ihr erster offizieller Verlobter, den sie mit der an Wahnsinn grenzenden Leidenschaft ihrer achtzehn Jahre geliebt hatte, sich eine Woche vor dem Hochzeitstermin abgesetzt und sie allein in der Vorhölle der hintergangenen Bräute – oder der benutzten Ledigen, wie man damals sagte – zurückgelassen hatte. Von dieser ersten, grausamen und flüchtigen Erfahrung blieb ihr dennoch keinerlei Bitterkeit, sondern die leuchtende Gewißheit, daß sich das Leben – mit oder ohne Ehe, ohne Gott oder ohne Gesetz – nur lohnt, wenn man einen Mann im Bett hat. Am besten gefiel Florentino Ariza an ihr, daß sie, um beim Liebesakt die höchste Wonne zu erreichen, an einem Schnuller saugen mußte. Sie hatten schließlich ein ganzes Arsenal von allen auf dem Markt erhältlichen Größen, Formen und Farben zusammen, und Sara Noriega hängte sie ans Kopfende des Bettes, um sie in den Augenblicken größter Not auch blind zu finden.

Obwohl sie so frei war wie er und vielleicht nichts dagegen gehabt hätte, daß ihr Verhältnis publik wurde, legte es Florentino Ariza von Anfang an als heimliches Abenteuer an. Er schlüpfte fast immer erst spät in der Nacht durch den Dienstboteneingang herein und verschwand kurz vor Morgengrauen auf Zehenspitzen. Sowohl er wie sie wußten, daß in einem Haus, in dem so viele Menschen wohnten wie in jenem, die Nachbarn schließlich und endlich besser Bescheid wissen mußten, als sie vorgaben. Aber auch wenn es nicht mehr als eine Formalität war, es war nun einmal Florentino Arizas Art und sollte es den Rest seines Lebens über bleiben. Er machte nie einen Fehler, weder bei ihr noch bei anderen, und beging niemals eine Indiskretion. Er übertrieb nicht: Nur bei einer einzigen Gelegenheit hatte er eine kompromittierende Spur oder etwas Schriftliches hinterlassen, und das hätte ihn das Leben kosten können. Immer verhielt er sich so, als sei er tatsächlich auf ewig Fermina Dazas Mann, ein untreuer, aber beharrlicher Ehemann, der pausenlos darum kämpfte, sich von seinen Fesseln zu befreien, ihr jedoch nicht den Ärger eines Ehebruchs zumuten wollte.

Eine derartige Verschlossenheit mußte Fehlschlüsse in Kauf nehmen. Selbst Tránsito Ariza starb in der Überzeugung, daß der in Liebe gezeugte und für die Liebe aufgezogene Sohn seit seiner unglücklichen Jugenderfahrung gegen jede Art von Liebe immun sei. Weniger gutwillige Personen, die ihn näher kannten und von seinem geheimnistuerischen Wesen und seiner Schwäche für wunderliche Kleidung und seltsame Lotionen wußten, hatten den Verdacht, daß er zwar nicht gegen die Liebe, wohl aber gegen Frauen immun sei. Florentino Ariza war das bekannt, doch unternahm er nie etwas, um es richtigzustellen. Auch Sara Noriega kümmerte sich nicht darum. Wie die anderen unzähligen Frauen, die er geliebt hatte, und selbst diejenigen, die, ohne ihn zu lieben, sich und ihm Lust verschafft hatten, akzeptierte sie ihn als das, was er in Wirklichkeit war: ein Gelegenheitsfreier.

Er tauchte schließlich zu jeder Tageszeit in ihrer Wohnung auf, vor allem sonntags morgens, das waren die geruhsamsten Stunden. Sie ließ dann stehen und liegen, was immer sie gerade tat, und widmete sich mit ganzem Leib dem

Versuch, ihn in dem riesigen verschnörkelten Bett glücklich zu machen, das stets für ihn bereit stand und in dem sie niemals liturgische Formalien duldete. Florentino Ariza konnte nicht begreifen, wie eine Ledige ohne Vergangenheit in Männersachen so weise sein konnte und wie sie es schaffte, ihren sanften Körper mit soviel Leichtigkeit und Zärtlichkeit wie ein Tümmler im Wasser zu bewegen. Sie verteidigte sich damit, daß die Liebe mehr als alles andere eine natürliche Gabe sei. Sie sagte: »Entweder wird man wissend geboren, oder man lernt es nie.« Florentino Ariza wand sich nachträglich vor Eifersucht, er meinte, sie habe sich vielleicht doch mehr herumgetrieben, als sie zugab, mußte aber solche Gefühle hinunterschlucken, da er schließlich ihr wie allen anderen gesagt hatte, sie sei seine erste und einzige Geliebte. Er mußte sich auch mit anderen Dingen abfinden, die ihm noch weniger gefielen, so mit der wildgewordenen Katze im Bett, der Sara Noriega die Krallen abfeilte, die sie ihnen sonst während der Liebe ins Fleisch geschlagen hätte.

Fast ebensogern wie bis zur Erschöpfung im Bett zu toben, huldigte sie nach der Liebe ermattet der Poesie. Sie hatte nicht nur ein erstaunliches Gedächtnis für die sentimentale Lyrik ihrer Zeit, die für zwei Centavos als lose Blätter auf der Straße verkauft wurde, sondern heftete die Gedichte, die ihr am besten gefielen, auch mit Stecknadeln an die Wand, um sie jederzeit mit erhobener Stimme vorlesen zu können. Sie hatte von den Bürgerkundetexten eine Version in Elfsilbern gereimt, ähnlich jener, die für die Rechtschreibung an den Schulen benutzt wurde, konnte jedoch nicht die offizielle Zulassung für den Unterricht durchsetzen. Ihre deklamatorischen Anfälle waren so heftig, daß sie manchmal, noch während sie sich liebten, schreiend weiterrezitierte und Florentino Ariza ihr gewaltsam den Schnuller in den Mund schieben mußte, wie man es bei Kindern macht, die aufhören sollen zu weinen.

In der Blütezeit ihrer Beziehung hatte sich Florentino Ariza gefragt, welcher der beiden Zustände denn Liebe sei, der turbulente im Bett oder der geruhsame an den Sonntagnachmittagen, und Sara Noriega beruhigte ihn mit dem einfachen Argument, alles, was sie nackt machten, sei Liebe. Sie sagte: »Seelische Liebe von der Taille aufwärts und körperliche Liebe von der Taille abwärts.« Diese Definition erschien ihr wie geschaffen für ein Gedicht über die aufgeteilte Liebe, das sie vierhändig schrieben und das Sara Noriega unter ihrem Namen bei den fünften Blumenspielen einreichte, in der Überzeugung, daß bis dahin noch niemand ein so originelles Gedicht eingesandt hatte. Doch wieder ging sie leer aus.

Als Florentino Ariza sie danach heimbegleitete, war sie wütend. Aus einem unerklärlichen Grund war sie davon überzeugt, daß nur wegen einer Intrige von Fermina Daza ihr Gedicht nicht prämiiert worden war. Florentino Ariza hörte ihr nicht richtig zu. Er war seit der Übergabe des Preises in düsterer Stimmung, denn er hatte Fermina Daza lange nicht gesehen, und an jenem Abend schien ihm nun, daß sie einen tiefgreifenden Wandel durchgemacht hatte. Zum ersten Mal sah man ihr auf einen Blick an, daß sie Mutter war. Für ihn war das keine Neuigkeit, denn er wußte, daß der Sohn bereits zur Schule ging. Zuvor war ihm jedoch ihre mütterliche Reife nie so offenkundig erschienen wie an jenem Abend, einmal wegen ihres Taillenumfangs und ihren ein wenig kurzatmigen Schritten, aber auch wegen der Brüche in ihrer Stimme, als sie die Liste der Preisträger verlas.

Auf der Suche nach Dokumenten, die seine Erinnerungen belegten, blätterte er, während Sara Noriega etwas zum

Essen zubereitete, wieder in den Alben der Blumenspiele. Er sah Bilder aus Zeitschriften, vergilbte Erinnerungspostkarten, wie sie an den Portalen verkauft wurden, und es war für ihn so etwas wie ein gespenstischer Rückblick auf den Trugschluß seines eigenen Lebens. Bis dahin hatte ihn die Fiktion aufrechterhalten, daß es die Welt war, die vorüberging, die Sitten gingen vorüber, die Mode: alles außer Fermina Daza. Doch in jener Nacht sah er zum erstenmal bewußt, wie ihr Leben verstrich, und auch sein eigenes, während er nichts tat, als zu warten. Nie hatte er irgend jemandem von ihr erzählt, denn er wußte, daß er nicht in der Lage war, ihren Namen auszusprechen, ohne daß seine Lippen für alle sichtbar erbleichten. In jener Nacht aber, als er wie an so vielen Nachmittagen sonntäglicher Langeweile die Alben durchblätterte, landete Sara Noriega einen jener zufälligen Treffer, die das Blut gefrieren ließen.

»Sie ist eine Hure«, sagte sie.

Sie sagte es im Vorbeigehen, als sie auf einem Bild Fermina Daza im Kostüm eines schwarzen Panthers auf einem Maskenball sah, und sie mußte keinen Namen nennen, Florentino Ariza wußte, wer gemeint war. Eine Enthüllung befürchtend, die ihn fürs Leben um den Verstand bringen würde, beeilte sich Florentino Ariza, eine behutsame Verteidigung vorzubringen. Er bemerkte, daß er Fermina Daza nicht näher kenne, da er nie über die förmlichen Begrüßungen hinausgelangt sei, auch keinerlei Kenntnis von ihrem Privatleben habe, sie aber für eine bewunderungswürdige Frau halte, die, aus dem Nichts aufgestiegen, dank eigener Verdienste geadelt sei.

»Dank einer Vernunftehe mit einem Mann, den sie nicht liebt«, unterbrach ihn Sara Noriega. »Das sind die erbärmlichsten Huren.«

Weniger krude, doch mit der gleichen moralischen Strenge hatte Florentino Ariza das schon von seiner Mutter zu hören bekommen, als diese versucht hatte, ihn über sein Unglück hinwegzutrösten. Im Mark getroffen, fiel ihm keine passende Entgegnung auf Sara Noriegas Gnadenlosigkeit ein, und er versuchte, dem Thema zu entrinnen. Doch Sara Noriega ließ nicht locker, bis sie sich alles, was sie gegen Fermina Daza hatte, von der Seele geredet hatte. Durch einen Blitz der Intuition, den sie nicht hätte erklären können, war sie davon überzeugt, daß diese Frau die Drahtzieherin der Verschwörung war, die sie um den Preis gebracht hatte. Es gab keinerlei Grund für diese Annahme: Sie kannten sich nicht, sie waren sich nie begegnet, und Fermina Daza hatte keinen Einfluß auf den Wettbewerb, wenngleich sie über die Geheimnisse der Entscheidungsfindung informiert war. Sara Noriega sagte abschließend: »Wir Frauen haben den sechsten Sinn.« Und beendete damit den Wortwechsel.

Von diesem Augenblick an sah Florentino Ariza sie mit anderen Augen. Auch für sie gingen die Jahre dahin. Ihre Üppigkeit welkte ohne Glanz, sie vertrödelte ihre Liebe mit Geschluchze, und auf ihren Lidern begannen sich die Schatten alter Bitterkeit abzuzeichnen. Sie war eine Blume von gestern. Außerdem hatte sie im Zorn der Niederlage den Überblick über die getrunkenen Brandys verloren. Sie war in dieser Nacht nicht in Form. Während sie den aufgewärmten Kokosreis aßen, versuchten sie auseinanderzuklauben, wie groß ihr jeweiliger Beitrag zu dem durchgefallenen Gedicht gewesen war, um festzustellen, wie viele Blütenblätter der Goldenen Orchidee jedem von ihnen zugestanden hätten. Es war nicht das erste Mal, daß sie sich mit Wettbewerben in Haarspalterei die Zeit vertrieben, doch er nützte diese Gelegenheit, um die gerade erfahrene Kränkung auszuleben, und sie verstrickten sich in einen kleinlichen

Streit, der allen Groll aus fast fünf Jahren geteilter Liebe wieder aufwühlte.

Als noch zehn Minuten bis Mitternacht fehlten, stieg Sara Noriega auf einen Stuhl, um die Pendeluhr aufzuziehen. Sie stellte die Uhr nach Gefühl, vielleicht, weil sie ihm indirekt zu verstehen geben wollte, daß es Zeit war zu gehen. Da verspürte Florentino Ariza das dringende Bedürfnis, diese Beziehung mit einem klaren Schnitt zu beenden, und suchte nur noch nach einer Gelegenheit, selbst die Initiative ergreifen zu können, so wie es immer sein Bestreben war. Er flehte zu Gott, daß Sara Noriega ihn dazu aufforderte, in ihrem Bett zu bleiben, um ihr dann zu sagen, nein, zwischen ihnen sei alles zu Ende. Er bat sie, sich zu ihm zu setzen, als sie die Uhr fertig aufgezogen hatte. Sie ließ sich jedoch lieber im Besuchersessel nieder, um auf Distanz zu bleiben. Florentino Ariza hielt ihr daraufhin den in Brandy getauchten Zeigefinger hin, damit sie ihn ablutschte, wie sie es zu anderen Zeiten beim Vorspiel gern getan hatte. Sie wich ihm aus.

»Nicht jetzt«, sagte sie. »Ich erwarte Besuch.«

Seit er von Fermina Daza abgewiesen worden war, hatte Florentino Ariza gelernt, sich immer die letzte Entscheidung vorzubehalten. Unter weniger bitteren Umständen hätte er Sara Noriega weiter beharrlich zugesetzt, in der Gewißheit, die Nacht munter mit ihr im Bett zu beenden, denn er war davon überzeugt, daß eine Frau, die einmal mit einem Mann ins Bett gegangen ist, es wieder tun wird, wann immer er will, vorausgesetzt, daß er sie jedes Mal zu beglükken weiß. Alles hatte er wegen dieser Überzeugung ertragen, hatte selbst bei den schmutzigsten Liebesgeschäften über alles hinweggesehen, nur um keiner von einer Frau geborenen Frau die Gelegenheit zu geben, die letzte Entscheidung zu treffen. In jener Nacht fühlte er sich jedoch so gedemütigt, daß er auf einen Zug den Brandy austrank, alles nur mögliche tat, um sich seinen Groll anmerken zu lassen, und dann grußlos ging. Sie sahen sich nie wieder.

Florentino Arizas Verhältnis mit Sara Noriega war eines seiner längsten und beständigsten gewesen, wenn auch nicht das einzige, das er in jenen fünf Jahren hatte. Als ihm klar geworden war, daß er sich vor allem im Bett bei ihr wohl fühlte, jedoch niemals Fermina Daza durch sie würde ersetzen können, nahm die Zahl seiner Nächte als einsamer Jäger wieder zu, wobei er seine Kräfte und seine Zeit bis aufs letzte erschöpfte. Sara Noriega gelang jedoch das Wunder, ihm eine Zeitlang Linderung zu verschaffen. Zumindest konnte er leben, ohne Fermina Daza zu sehen, anders als früher, als er zu jedweder Tageszeit das, was er gerade tat, unterbrach, um sie auf dem ungewissen Kurs seiner Ahnungen zu suchen, auf den unwahrscheinlichsten Straßen und an unwirklichen Orten, wo sie unmöglich sein konnte, und ziellos durch die Gegend streifte, mit einem Verlangen in der Brust, das ihm keine Ruhepause gönnte, bis er sie nicht wenigstens einen Augenblick gesehen hatte. Der Bruch mit Sara Noriega störte die schlafenden Sehnsüchte jedoch erneut auf, und er fühlte sich wieder so wie an jenen endlosen Lesenachmittagen auf der Bank unter den Mandelbäumen, nur war alles jetzt durch das Wissen um den unerläßlichen Tod von Doktor Juvenal Urbino noch schlimmer.

Florentino Ariza wußte schon seit langem, daß er dazu ausersehen war, eine Witwe glücklich zu machen und von ihr glücklich gemacht zu werden, und das beunruhigte ihn nicht. Im Gegenteil: Er war darauf vorbereitet. So wie er sie auf seinen einsamen Streifzügen kennengelernt hatte, mußte er schließlich glauben, die Welt sei voll von glücklichen Witwen. Er hatte gesehen, wie sie angesichts der Leiche des Gatten vor Schmerz wahnsinnig wurden, wie sie flehentlich baten, man möge sie lebendig im selben Sarg begraben, damit sie sich nicht ohne ihren Mann den Wechselfällen der Zukunft stellen müßten, aber in dem Maße, wie sie sich mit der Realität ihrer neuen Lage abfanden, sah man sie mit frischergrünter Vitalität aus der Asche emporsteigen. Zunächst lebten sie noch wie Parasiten des Schattens in ihren leeren großen Häusern, sie wurden die Vertrauten ihrer Dienstmädchen, die Geliebten ihrer Kopfkissen und hatten nach so vielen Jahren steriler Gefangenschaft nichts zu tun. Sie verschwendeten die überzähligen Stunden, indem sie fehlende Knöpfe an die Kleider des Toten annähten, wozu sie aus Zeitmangel früher nie gekommen waren, sie bügelten wieder und wieder seine Hemden mit den Manschetten und den Paraffinkragen, damit sie immer untadelig aussähen. Sie legten weiter seine Seife ins Badezimmer, den Bettüberzug mit seinem Monogramm aufs Bett, den Teller und das Besteck auf seinen Platz am Tisch, für den Fall, daß er unangekündigt, wie es im Leben seine Art gewesen war, aus dem Tod zurückkehrte. Doch bei jenen Messen der Einsamkeit wurde ihnen langsam bewußt, daß sie wieder Herrinnen ihres freien Willens waren, nachdem sie nicht nur auf ihren Familiennamen, sondern auch auf die eigene Identität verzichtet hatten, und das alles im Tausch gegen eine Sicherheit, die auch nicht mehr gewesen war als eine ihrer vielen bräutlichen Illusionen. Nur sie wußten, wie schwer der Mann wog, den sie leidenschaftlich liebten und der sie vielleicht ebenfalls liebte, den sie aber bis zum letzten Atemzug weiter hatten aufziehen müssen. Sie hatten ihn gestillt, ihm die schmutzigen Windeln gewechselt und ihn mit mütterlichen Listen abgelenkt, um ihm die entsetzliche Angst davor zu nehmen, morgens hinausgehen und der Wirklichkeit ins Auge sehen zu müssen. Wenn sie ihn dann aber aus dem Haus gehen sahen, von ihnen selbst dazu angestiftet, die Welt zu verschlingen, dann waren sie es, die mit der Angst zurückblieben, der Mann könne niemals wiederkehren. Das war das Leben. Die Liebe, wenn es sie gab, war eine Sache für sich: ein anderes Leben.

In der erholsamen Muße der Einsamkeit aber entdeckten die Witwen, daß die einzig würdige Lebensform war, auf den eigenen Körper zu hören, nur aus Hunger zu essen, ohne Lüge zu lieben, zu schlafen, ohne sich schlafend zu stellen, um so der unanständigen gesetzlichen Liebe zu entgehen. Endlich hatten sie das Recht auf ein Bett ganz für sich allein, in dem niemand ihnen die Hälfte des Lakens, die Hälfte ihrer Atemluft, die Hälfte ihrer Nacht streitig machte, und der Körper befriedigte sich schließlich an den eigenen Träumen und wachte allein auf. Bei Morgengrauen traf der flüchtige Jäger Florentino Ariza auf sie, wenn sie aus der Fünf-Uhr-Messe kamen, trauerschwarz behängt, den Schicksalsraben auf der Schulter. Sobald sie Florentino Ariza im Licht des anbrechenden Tages ausmachten, überquerten sie die Straße, wechselten mit kleinen, hastigen Schritten den Gehsteig, denn die bloße Tatsache, an einem Mann vorbeizugehen, hätte ihre Ehre beflecken können. Dennoch war er davon überzeugt, daß eine untröstliche Witwe mehr als jede andere Frau den Keim des Glücks in sich tragen konnte.

Die vielen Witwen seines Lebens, angefangen bei der Witwe Nazaret, hatten ihm eine klare Vorstellung davon gegeben, wie glückliche Ehefrauen nach dem Tod ihrer Männer sind. Was zunächst für ihn nicht mehr als eine Illusion gewesen war, verwandelte sich ihm, dank dieser Frauen, zu einer Möglichkeit, die mit Händen zu greifen war. Er sah keinen Grund dafür, daß Fermina Daza nicht auch eine solche Witwe sein könnte, vom Leben vorbereitet, ihn so zu nehmen, wie er war, ohne Schuldgefühle wegen des toten Ehemannes, entschlossen, mit ihm dies andere Glück, zweimal glücklich zu sein, zu entdecken, mit einer Liebe für den täglichen Gebrauch, die aus jedem Augenblick ein Wunder des Lebens machen würde, und mit einer anderen Liebe, die ihr allein gehörte und durch die Immunität des Todes vor jeder Ansteckung gefeit war.

Vielleicht hätte er sich nicht dermaßen an diesen illusorischen Erwägungen begeistert, wenn er geahnt hätte, wie fern Fermina Daza ihnen stand, die gerade erst den Horizont einer Welt zu erkennen begann, in der alles, außer dem Unglück, eingeplant war. Reich zu sein hatte zu jener Zeit viele Vorteile, natürlich auch viele Nachteile, doch die halbe Welt sehnte sich danach, schien es doch die wahrscheinlichste Möglichkeit, ewig zu dauern. Fermina Daza hatte Florentino Ariza in einer Anwandlung von Reife abgewiesen, die sie sogleich mit Mitleidsqualen zahlen mußte, doch daran, daß ihre Entscheidung richtig gewesen war, hatte sie nie gezwcifelt. In jenem Augenblick hatte sie sich nicht erklären können, aus welchen verborgenen Gründen der Vernunft ihre Hellsicht erwachsen war, viele Jahre später jedoch, schon am Vorabend des Alters, erkannte sie plötzlich und unwillkürlich diese Gründe bei einem zufälligen Gespräch über Florentino Ariza. Allen Anwesenden war seine Stellung als Kronprinz der Karibischen Flußschifffahrtskompanie, die gerade ihre Blütezeit erlebte, bekannt, alle waren sich sicher, daß sie ihn oft gesehen und sogar oft mit ihm zu tun gehabt hatten, doch keiner konnte ihn sich in der Erinnerung vergegenwärtigen. Da ging Fermina Daza auf, was sie unbewußt daran gehindert hatte, ihn zu lieben. Sie sagte: »Es ist, als sei er keine Person, sondern ein Schatten.« So war es: Der Schatten von jemand, den niemand je kennengelernt hatte. Während sie jedoch der Belagerung durch Doktor Urbino, der als Mann das genaue

Gegenteil war, standhielt, quälte sie das Gespenst der Schuld, das einzige Gefühl, das sie einfach nicht ertragen konnte. Wenn sie spürte, daß es sie überkam, bemächtigte sich ihrer eine Art Panik, die sie nur beherrschen konnte, wenn sie jemanden fand, der ihr Gewissen erleichterte. Schon als kleines Mädchen hatte sie sich, wenn ein Teller in der Küche kaputtging, wenn jemand hinfiel oder wenn sie sich selbst einen Finger in der Tür klemmte, erschreckt dem nächsten Erwachsenen zugewandt und ihn schnell angeklagt: »Das ist deine Schuld.« Dabei kam es ihr in Wirklichkeit gar nicht darauf an, wer der Schuldige war, noch wollte sie sich der eigenen Unschuld vergewissern, ihr genügte es, sie festgestellt zu haben.

Es war ein so unübersehbares Gespenst, daß Doktor Urbino beizeiten erkannte, wie sehr es die Harmonie seines Heims bedrohte, so daß er, sobald er es nahen spürte, seiner Frau hastig versicherte: »Mach dir keine Sorgen, Liebes, es war meine Schuld.« Denn nichts fürchtete er so sehr wie die plötzlichen und endgültigen Entscheidungen seiner Frau, und er war überzeugt davon, daß sie immer einem Schuldgefühl entsprangen. Ihre Verstörung darüber, Florentino Ariza abgewiesen zu haben, konnte jedoch nicht mit einer tröstenden Phrase aufgehoben werden. Noch mehrere Monate lang vermißte Fermina Daza beim Öffnen des Balkonfensters das einsame Gespenst, das ihr auf dem leeren kleinen Platz aufgelauert hatte, sie sah zu dem Baum, der der seine gewesen war, auf die verborgenste Bank, auf die er sich zum Lesen hingesetzt, wo er an sie gedacht, um sie gelitten hatte, und mußte dann mit einem Seufzer das Fenster wieder schließen: »Der arme Mann.« Sie litt sogar unter der Enttäuschung, daß er nicht so beharrlich war, wie sie erwartet hatte, aber da war es schon zu spät, etwas an der Vergangenheit zu ändern, und so spürte sie zuweilen auch die verspätete Sehnsucht nach einem Brief, der nie ankam. Als sie dann vor der Entscheidung stand, Juvenal Urbino zu heiraten, geriet sie in eine schwerere Krise, da ihr klar wurde, daß sie keine triftigen Gründe hatte, ihn vorzuziehen, nachdem sie ohne triftige Gründe Florentino Ariza abgewiesen hatte. In Wirklichkeit liebte sie den Arzt sowenig wie den frühen Verlobten, kannte ihn im übrigen längst nicht so gut, und auch seine Briefe waren nicht so fiebrig wie die des anderen, noch hatte er ihr so viele anrührende Beweise seiner Entschlossenheit gegeben. In Wahrheit hatte Juvenal Urbino nie im Namen der Liebe um sie geworben, und es war zumindest merkwürdig, daß ein praktizierender Katholik wie er ihr nur irdische Güter anbot: Sicherheit, Ordnung, Glück – Posten, die, zusammengezählt, als Summe vielleicht der Liebe ähnelten: fast der Liebe. Aber Liebe war es nicht, und diese Zweifel verstärkten ihre Verwirrung, denn andererseits war sie sich auch nicht sicher, ob es wirklich die Liebe war, dic sie am nötigsten zum Leben brauchte.

Am meisten sprach gegen Doktor Urbino auf alle Fälle seine mehr als verdächtige Ähnlichkeit mit dem Traumprinzen, den Lorenzo Daza sich so sehnlichst für seine Tochter wünschte. Es war unmöglich, ihn nicht als die Kreatur einer väterlichen Verschwörung anzusehen, auch wenn er es in Wirklichkeit nicht war. Fermina Daza hielt ihn jedenfalls dafür, nachdem sie ihn zum zweitenmal zu einem nicht bestellten Arztbesuch das Haus hatte betreten sehen. Die Gespräche mit der Kusine Hildebranda verwirrten sie vollends. Da diese selbst in der Situation des Opfers war, neigte sie dazu, sich mit Florentino Ariza zu identifizieren, und vergaß dabei sogar, daß Lorenzo Daza sie womöglich nur hatte kommen lassen, damit sie ihren Einfluß zugunsten von Doktor Urbino geltend machte. Gott wußte, wie schwer es Fermina Daza fiel, ihre Kusine nicht zu begleiten, als diese zum Telegraphenamt ging, um Florentino Arizas Bekanntschaft zu machen. Auch sie hätte ihn gern noch einmal gesehen, um ihn mit ihren Zweifeln zu konfrontieren, mit ihm unter vier Augen zu reden, ihn gründlich kennenzulernen, um sicherzugehen, daß ihre impulsive Entscheidung damals sie nicht in eine noch folgenschwerere stürzen würde, nämlich die Kapitulation in ihrem Privatkrieg mit dem Vater. Doch im entscheidenden Augenblick ihres Lebens legte sie sich dann fest, nicht weil sie in irgendeiner Weise die männliche Schönheit des Verehrers, noch seinen legendären Reichtum oder seinen frühen Ruhm oder sonst irgendeines seiner realen Verdienste in Betracht zog, sondern von der Angst getrieben war, angesichts dieser unwiederbringlichen Gelegenheit und ihres heranrückenden einundzwanzigsten Geburtstags, den sie sich insgeheim als Grenze gesetzt hatte, um sich danach dem Schicksal zu ergeben. Eine Minute genügte ihr, um die Entscheidung zu treffen, wie es in den Gesetzen Gottes und der Menschen vorgesehen war: bis zum Tode. Dann verflüchtigten sich alle Zweifel, und sie konnte ohne Gewissensbisse das tun, was die Vernunft ihr als das Anständigste empfahl: Ohne Tränen wischte sie die Erinnerung an Florentino Ariza aus, löschte sie vollständig und ließ dann in dem Raum, den dieser Mann in ihrer Erinnerung eingenommen hatte, eine Mohnwiese erblühen. Alles, was sie sich zugestand, war ein Seufzer, tiefer als gewöhnlich, der letzte: »Der arme Mann!« Die ärgsten Zweifel setzten jedoch ein, als sie von der Hochzeitsreise zurückgekehrt war. Kaum hatten sie alle Koffer geöffnet, die Möbel ausgepackt und die elf Kisten geleert, die sie mitgebracht hatte, um von dem alten Palais des Marqués de Casalduero als Hausherrin Besitz zu nehmen, als sie in einem tödlichen Schwindel bemerkte, daß sie im falschen Haus gefangen saß und, schlimmer noch, mit dem richtigen

Mann. Um dort herauszukommen, brauchte sie sechs Jahre, die schlimmsten ihres Lebens, in denen sie an der Bitterkeit von Doña Blanca, ihrer Schwiegermutter, und der geistigen Beschränktheit der Schwägerinnen verzweifelte, die nur deshalb nicht in eine Klosterzelle gegangen waren, um bei lebendigem Leibe zu verfaulen, weil sie diese schon in sich trugen.

Doktor Urbino, der sich damit abgefunden hatte, der Sippe seinen Tribut zu zahlen, stellte sich Fermina Dazas Bitten gegenüber taub. Er vertraute auf die Weisheit Gottes und die unendliche Anpassungsfähigkeit seiner Frau, daß die Dinge ins Lot kämen. Ihn schmerzte der Verfall seiner Mutter, deren Lebensfreude in einer anderen Zeit selbst den Niedergeschlagensten Lebenswillen eingeflößt hatte. Tatsächlich hatte diese schöne, intelligente Frau, die eine in ihren Kreisen keineswegs verbreitete menschliche Sensibilität auszeichnete, fast vierzig Jahre lang mit Herz und Hand ihr gesellschaftliches Paradies zusammengehalten. Die Witwenschaft hatte sie aber so sehr verbittert, daß sie ein anderer Mensch zu sein schien, sie sah aufgedunsen aus und war sauertöpfisch und menschenfeindlich geworden. Die einzige mögliche Erklärung für ihren Verfall war ihr Groll darüber, daß der Ehemann sich willentlich für eine Bande Neger aufgeopfert hatte, wie sie es ausdrückte, wo doch das einzige gerechtfertigte Opfer gewesen wäre, für sie zu überleben. Jedenfalls hatte das Eheglück der Fermina Daza solange gedauert wie ihre Hochzeitsreise, und der einzige, der ihr helfen konnte, den endgültigen Schiffbruch abzuwenden, verharrte vor Angst gelähmt im Banne der mütterlichen Gewalt. Ihm und nicht den schwachsinnigen Schwägerinnen und der halbverrückten Schwiegermutter gab Fermina Daza die Schuld an der Todesfalle, in der sie gefangen saß. Zu spät kam ihr der Verdacht, daß sich hinter der beruflichen Autorität und der weltmännischen Ausstrahlung des Mannes, den sie geheiratet hatte, ein unrettbarer Schwächling verbarg: ein armer Teufel, den nur das gesellschaftliche Gewicht seines Namens mutig machte.

Sie nahm Zuflucht zu dem neugeborenen Sohn. Als sie ihn aus ihrem Leib gleiten spürte, war sie erleichtert gewesen, sich von etwas zu befreien, das nicht zu ihr gehört hatte. Sie war über sich selbst entsetzt gewesen, als sie feststellen mußte, daß sie nicht die geringste Zuneigung zu dieser Leibesfrucht verspürte, ein nacktes Stück Fleisch, mit Talg und Blut verschmiert und einer um den Hals geschlungenen Nabelschnur, das ihr die Hebamme zeigte. Doch in der Einsamkeit des Palais lernte sie ihn kennen, sie erkannten einander, und sie entdeckte mit inniger Freude, daß man Kinder nicht liebt, weil man sie geboren hat, sondern weil man mit ihnen Freundschaft schließt, wenn man sie aufzieht. Schließlich ertrug sie im Haus ihres Unglücks nichts und niemanden außer dem Sohn. Die Einsamkeit, der friedhofsähnliche Garten, die träge Zeit in den riesigen fensterlosen Gemächern, das alles machte sie schwermütig. Sie fühlte, wie sich ihr die Nächte von den Schreien der Verrückten im nahen Irrenhaus dehnten; allmählich verlor sie den Verstand. Sie fand es beschämend, täglich den Tisch für Bankette mit gestickten Tischtüchern, Silberbesteck und Begräbniskandelabern zu decken, damit fünf Gespenster abends eine Tasse Milchkaffee und Quarkgebäck zu sich nahmen. Sie verabscheute das Rosenkranzbeten bei Einbruch der Dämmerung, das gezierte Benehmen bei Tisch, die ständige Kritik an ihrer Art, das Besteck zu halten, an ihren geheimnisvollen großen Schritten einer Frau von der Straße, an ihrer Zirkuskleidung und sogar an ihrer bäuerlichen Art, wie sie den Ehemann behandelte und das Kind stillte, ohne die Brust mit einer Mantilla zu bedecken. Als sie nach neuester englischer Sitte ihre ersten Einladungen zum Fünf-Uhr-Tee mit Buttergebäck und Blumenkonfitüre gab, verbat sich Doña Blanca, daß in ihrem Hause statt der üblichen Schokolade mit geschmolzenem Käse und Jukkabrotscheiben Medikamente getrunken würden, mit denen man das Fieber ausschwitzte. Nicht einmal die Träume waren vor ihr sicher. Eines Morgens, als Fermina Daza erzählte, sie habe von einem Unbekannten geträumt, der nackt durch die Salons im Palais spaziert sei und händevoll Asche ausgestreut habe, schnitt ihr Doña Blanca schroff das Wort ab.

»Eine anständige Frau kann so etwas nicht träumen.«

Zu dem Gefühl, sich stets in einem fremden Haus zu bewegen, kamen zwei größere Übel. Das eine war, daß es fast täglich Auberginen in jeder nur denkbaren Form gab, eine Kost, von der Doña Blanca aus Achtung vor dem toten Gatten nicht abließ und die Fermina Daza sich zu essen weigerte. Sie verabscheute Auberginen seit ihrer Kindheit, noch bevor sie diese probiert hatte, da sie immer der Meinung gewesen war, sie hätten die Farbe von Gift. Nur mußte sie in diesem Fall zugeben, daß etwas in ihrem Leben sich zum Besseren gewendet hatte, denn fünfjährig hatte sie genau das bei Tisch geäußert, worauf ihr Vater sie gezwungen hatte, das ganze für sechs Personen gedachte Gericht aufzuessen. Sie hatte geglaubt, sterben zu müssen, zuerst wegen der Würgeanfälle bei den passierten Auberginen und dann wegen des Bechers Rizinusöl, der ihr gewaltsam eingeflößt wurde, damit sie von dem Strafgericht genas. Beides hatte sich in ihrer Erinnerung wegen des Geschmacks und wegen der Angst vor dem Gift zu einem einzigen Abführmittel vermischt, und so mußte sie bei den abscheulichen Mittagessen im Palais des Marqués de Casalduero den Blick abwenden, damit ihr das kulinarische Angebot nicht wegen der eisigen Übelkeit des Rizinusöls wieder hochkam.

Das andere Unglück war die Harfe. Eines Tages hatte Doña Blanca höchst absichtsvoll bemerkt: »Ich glaube nicht an anständige Frauen, die nicht Klavier spielen können.« Das war ein Befehl, gegen den sogar ihr Sohn aufzubegehren suchte, da er selbst die besten Jahre seiner Kindheit mit der Galeerenstrafe der Klavierstunden verbracht hatte, auch wenn er dann als Erwachsener dafür hätte dankbar sein können. Es erschien ihm unzumutbar, daß seine Frau im Alter von fünfundzwanzig Jahren und mit dem ihr eigenen Charakter zur gleichen Strafe verdammt sein sollte. Alles, was er seiner Mutter abringen konnte, war jedoch, daß diese das Klavier durch eine Harfe ersetzte, und zwar mit dem kindischen Argument, diese sei das Instrument der Engel. So kam es, daß aus Wien die großartige Harfe geschickt wurde, die wie aus Gold aussah und auch so klang und später eine der wertvollsten Reliquien des Stadtmuseums darstellte, bis dieses mit dem gesamten Inventar in Flammen aufging. Fermina Daza unterwarf sich dieser Luxusstrafe und versuchte mit letzter Aufopferung den Schiffbruch abzuwenden. Sie fing mit einem Maestro für Meisterschüler an, der zu diesem Zweck aus der Stadt Mompox geholt wurde, aber nach vierzehn Tagen überraschend starb, und nahm dann noch mehrere Jahre lang Unterricht beim Musikmeister des Seminars, dessen Totengräberatem die Arpeggien verzerrte.

Sie staunte selbst über ihre Gehorsamkeit. Denn obgleich sie es weder vor dem Richterstuhl ihres Gewissens noch bei den dumpfen Streitereien zugab, die sie mit ihrem Mann in den früher der Liebe gewidmeten Stunden ausfocht, hatte sie sich schneller, als sie es selbst geglaubt hatte, in das Geflecht der Konventionen und Vorurteile ihrer neuen Welt verstrickt. Am Anfang hatte sie einen rituellen Spruch, mit dem sie ihr Recht auf eine eigene Meinung bekräftigte: »Zum

Teufel mit dem Fächer, es sind windige Zeiten.« Später jedoch wachte sie eifersüchtig über ihre schwerverdienten Privilegien und begann, Schande und Spott zu fürchten, so daß sie sogar bereit war, Demütigungen zu ertragen, in der Hoffnung, daß Gott sich endlich Doña Blancas erbarmen möge, die diesen ihrerseits unermüdlich darum anflehte, sie doch sterben zu lassen.

Doktor Urbino rechtfertigte seine eigene Schwäche mit Argumenten aus Krisenzeiten, ohne sich auch nur zu fragen, ob diese nicht gegen seine Kirche gerichtet waren. Er gab nicht zu, daß die Konflikte mit seiner Frau ihren Ursprung in der beklemmenden Luft des Hauses hatten, sondern machte dafür die Ehe an sich verantwortlich: eine absurde Erfindung, die nur dank Gottes unendlicher Gnade bestehen konnte. Es widersprach jeder wissenschaftlichen Vernunft, daß zwei, die sich kaum kannten, Personen, die nicht irgendwie miteinander verwandt waren, einen unterschiedlichen Charakter, unterschiedliche Bildung und dazu noch ein anderes Geschlecht hatten, plötzlich dazu verpflichtet waren, zusammenzuleben, im selben Bett zu schlafen und zwei Schicksale gemeinsam zu haben, die sich womöglich noch in unterschiedliche Richtungen entwickelten. Er pflegte zu sagen: »Das Problem der Ehe ist, daß sie jede Nacht nach der Umarmung endet und jeden Morgen vor dem Frühstück wieder neuaufgebaut werden muß.« Schlimmer noch war es in ihrer Ehe, aus zwei gegnerischen Klassen hervorgegangen, und das in einer Stadt, die noch von der Rückkehr der Vizekönige träumte. Der einzig mögliche Kitt war etwas so Unwahrscheinliches und schwer Greifbares wie die Liebe, wenn es sie gab, und in ihrem Fall hatte es sie bei der Hochzeit nicht gegeben, und das Schicksal hatte nicht mehr getan, als sie mit der Wirklichkeit zu konfrontieren, gerade als sie im Begriff waren, sich ihre Liebe zu erfinden.

So sah ihrer beider Leben zur Zeit der Harfe aus. Weit zurück lagen die köstlichen Zufälle, wenn sie, während er gerade badete, hereinkam, und er trotz der Streitereien, der giftigen Auberginen und trotz der verrückten Schwestern und der Mutter noch genug Liebe hatte, um sie zu bitten, ihn abzuseifen. Sie machte sich mit den Resten von Liebe daran, die ihr noch aus Europa geblieben waren, und beide ließen sich nach und nach von den Erinnerungen umgarnen, wurden weich, ohne es zu wollen, liebten sich, ohne es zu sagen, und vergingen schließlich vor Liebe auf dem Boden, die Haut voll von duftendem Schaum, und hätten dabei die Dienstmädchen in der Waschküche über sie reden hören können: »Die kriegen keine Kinder mehr, weil sie nicht mehr aufeinandersteigen.« Ab und zu, wenn sie von einem ausgelassenen Fest heimkamen, streckte sie die hinter der Tür lauernde Sehnsucht mit einem Prankenschlag nieder, und dann ereignete sich eine wundersame Explosion, alles war wie früher, und fünf Minuten lang wurden sie wieder das schamlose Liebespaar des Honigmonds.

Doch von solchen seltenen Gelegenheiten abgesehen, war einer immer müder als der andere, wenn es Zeit wurde, zu Bett zu gehen. Sie trödelte im Badezimmer, wo sie sich mit parfümiertem Papier ihre Zigaretten drehte, allein rauchte und sich wieder ersatzweise mit sich selbst verlustierte, wie damals bei sich daheim, als sie jung und frei war und allein über ihren Körper bestimmen konnte. Immer hatte sie Kopfweh, oder es war immer zu heiß, oder sie stellte sich schlafend, oder sie hatte wieder einmal die Regel, die Regel, immer die Regel. Das führte dazu, daß Doktor Urbino, um sich einmal ohne Beichte Luft zu machen, in der Vorlesung die Behauptung wagte, daß Frauen nach zehnjähriger Ehe bis zu dreimal wöchentlich ihre Periode hätten.

Im für sie schwersten Jahr mußte sich Fermina Daza,

Unglück über Unglück, einer früher oder später unvermeidlichen Entdeckung stellen: der Wahrheit über die märchenhaften und ihr stets unbekannten Geschäfte ihres Vaters. Der Provinzgouverneur, der Juvenal Urbino in sein Büro kommen ließ, um ihn von den Machenschaften seines Schwiegervaters in Kenntnis zu setzen, faßte diese in einem Satz zusammen: »Es gibt kein göttliches oder menschliches Gesetz, das dieser Kerl nicht mit Füßen getreten hätte.« Einige seiner übelsten Gaunereien hatte er im Windschatten der Macht seines Schwiegersohns vollbracht, so daß es nicht ohne weiteres glaubhaft war, daß dieser und seine Frau nicht darüber Bescheid gewußt hatten. Doktor Urbino war klar, daß es allein seinen Ruf zu schützen galt, denn der allein bedeutete noch etwas, also legte er seinen ganzen Einfluß in die Waagschale, und es gelang ihm, mit seinem Ehrenwort den Skandal zu vertuschen. Lorenzo Daza verließ mit dem ersten Schiff das Land, um niemals wiederzukehren. Er fuhr in seine Heimat, als handele es sich um eine jener kleinen Reisen, die man hin und wieder unternimmt, um dem Heimweh etwas vorzumachen, doch dieser äußerliche Schein trog nicht ganz: Schon seit einiger Zeit war er immer auf die Schiffe aus seiner Heimat gestiegen, nur um ein Glas Wasser aus den Fässern zu trinken, die an den Quellen seines Geburtsortes gefüllt worden waren. Er ging, ohne klein beizugeben, beteuerte weiter seine Unschuld und versuchte den Schwiegersohn noch davon zu überzeugen, daß er das Opfer einer politischen Verschwörung sei. Er ging und weinte um die Kleine, wie er Fermina Daza seit ihrer Heirat nannte, weinte um den Enkel, um das Land, in dem er reich und frei geworden war und die Heldentat vollbracht hatte, durch trübe Geschäfte aus der Tochter eine vornehme Dame gemacht zu haben. Er ging, gealtert und siech, lebte jedoch noch sehr viel länger, als irgendeines seiner Opfer es ihm gewünscht hätte. Fermina Daza konnte einen Seufzer der Erleichterung nicht unterdrücken, als sie die Nachricht von seinem Tod empfing, und sie trug keine Trauer für ihn, um Fragen aus dem Weg zu gehen, weinte jedoch in stummer Wut mehrere Monate lang, wenn sie sich zum Rauchen ins Badezimmer einschloß, und wußte nicht weshalb, denn sie weinte um ihn.

Besonders absurd an der Situation der beiden Eheleute war, daß sie in der Öffentlichkeit niemals so glücklich wirkten wie in jenen Jahren des Verhängnisses. Tatsächlich waren es nämlich die Jahre ihrer größten Siege über die unterschwellige Feindseligkeit einer Umgebung, die sich nicht dazu bequemen wollte, sie so zu akzeptieren, wie sie waren: anders und neuartig und daher gefährlich für die traditionelle Ordnung. Dies war jedoch für Fermina Daza der einfachere Teil gewesen. Das Leben in der großen Welt, das sie so unsicher gemacht hatte, bevor sie es kannte, war nicht mehr als ein System atavistischer Pakte, banaler Zeremonien und vorhersehbarer Worte, mit denen man sich in der Gesellschaft gegenseitig unterhielt, um sich nicht umzubringen. Das vorherrschende Merkmal jenes Paradieses der provinziellen Oberflächlichkeit war die Angst vor dem Unbekannten. Sie hatte es einfacher definiert: »Das Problem des gesellschaftlichen Lebens ist, mit der Angst fertig zu werden, und das Problem des ehelichen Lebens ist, mit dem Überdruß fertig zu werden.« Sie hatte es plötzlich entdeckt, mit der Deutlichkeit einer Offenbarung, als sie, die endlose Brautschleppe hinter sich herschleifend, in den weitläufigen Saal des Club Social trat, wo es eng wurde vom Dunst so vieler Blumen und dem Schmelz der Walzer im Tumult schwitzender Männer und bebender Frauen, die sie alle ansahen und noch nicht wußten, wie sie jene blendende Gefahr bannen sollten, die ihnen die Außenwelt schickte.

Sie war eben einundzwanzig geworden und hatte ihr Haus nur für den Schulunterricht verlassen, doch es genügte ihr, in die Runde zu schauen, um zu begreifen, daß ihre Gegner nicht von Haß beherrscht, sondern von Angst gelähmt waren. Statt sie aus ihrer eigenen Angst heraus noch mehr in Schrecken zu versetzen, erbarmte Fermina Daza sich ihrer und half ihnen dabei, sie kennenzulernen. Niemand war anders, als sie ihn sich wünschte, und so ging es ihr auch mit den Städten, die ihr nicht besser oder schlechter erschienen, sondern so, wie ihr Herz sie erschaffen hatte. Paris sollte sie – trotz des ständigen Regens, der durchtriebenen Händler und der homerischen Unflätigkeiten der Kutscher – stets als die schönste Stadt der Welt erinnern, nicht weil Paris das wirklich war oder nicht war, sondern weil es für sie mit der Sehnsucht nach ihren glücklichsten Jahren verbunden blieb. Doktor Urbino setzte seinerseits die gleichen Waffen ein, die gegen ihn benutzt wurden, nur verwendete er sie intelligenter und mit wohlberechneter Feierlichkeit. Nichts geschah ohne die beiden: die Bürgerparaden, die Blumenspiele, die künstlerischen Ereignisse, die Wohltätigkeitstombolas, die patriotischen Kundgebungen, die erste Ballonfahrt. Sie waren überall und fast immer von Anbeginn dabei und allen voran. Niemand konnte sich in ihren unglücklichen Jahren vorstellen, daß es glücklichere Menschen geben könne oder eine harmonischere Ehe als die ihre.

Das vom Vater verlassene Haus wurde Fermina Daza zu einer Zufluchtsstätte vor der erstickenden Atmosphäre im Familienpalais. Sobald sie sich aus der Öffentlichkeit zurückziehen konnte, stahl sie sich zum Parque de los Evangelios und empfing dort die neuen Freundinnen und auch einige alte aus der Schule und den Malstunden: ein unschuldiger Ersatz für die Untreue. Sie verbrachte friedliche Stunden wie eine ledige Mutter mit all dem, was ihr noch von ihren Kindheitserinnerungen geblieben war. Sie kaufte sich wieder duftende Raben, sammelte Katzen von der Straße auf und übergab sie der Fürsorge von Gala Placidia, die schon alt und etwas vom Rheuma behindert war, aber noch Schwung genug hatte, das Haus neu zu beleben. Fermina Daza öffnete wieder das Nähzimmer, wo Florentino Ariza sie zum ersten Mal gesehen hatte, wo Doktor Juvenal Urbino sie, um ihr Herz zu erkunden, die Zunge hatte herausstrecken lassen, und verwandelte es in ein Heiligtum der Vergangenheit. Eines Nachmittags schloß sie den Balkon, ehe ein winterlicher Wolkenbruch niederging, und sah dabei Florentino Ariza im gekürzten Anzug des Vaters, das offene Buch im Schoß, auf seiner Bank unter den Mandelbäumen sitzen, doch sie sah nicht den Mann, dem sie zu jener Zeit mehrmals zufällig begegnet war, sondern Florentino Ariza in dem Alter, in dem er ihr im Gedächtnis geblieben war. Sie fürchtete, diese Vision sei eine Ankündigung des Todes, und das machte sie traurig. Sie ging soweit zu überlegen, ob sie nicht vielleicht mit ihm glücklich geworden wäre, mit ihm allein in jenem Haus, das sie so liebevoll für ihn instand gesetzt hatte, wie er das seine für sie, und die bloße Überlegung erschreckte sie, ließ sie doch erkennen, welches Ausmaß ihr Unglück erreicht hatte. Da nahm sie ihre letzten Kräfte zusammen und zwang den Ehemann, mit ihr zu diskutieren, ohne Ausflüchte, sich ihr zu stellen, mit ihr zu kämpfen, mit ihr zusammen vor Wut über den Verlust des Paradieses zu weinen, bis sie die letzten Hähne krähen hörten, das Licht durch die Spitzengardinen des Palais' drang und die Sonne aufflammte und der von so vielem Reden unempfindlich gewordene Mann, von der schlaflosen Nacht erschöpft, mit einem vom vielen Weinen gekräftigten Herzen sich die Schnürsenkel der Halbstiefel festzurrte, alles festzurrte, was ihm noch von einem Mann geblieben war, und zu ihr sagte, ja, meine Liebste, sie führen weg, um die Liebe zu suchen, die ihnen in Europa verlorengegangen sei: gleich morgen und für immer. Es war ein so sicherer Entschluß, daß er mit dem Banco del Tesoro, der Bank, die seinen gesamten Besitz verwaltete, die sofortige Auflösung des umfangreichen Familienvermögens vereinbarte, das seit Urzeiten in Geschäften aller Art, in Investitionen und ehrwürdigen und trägen Papieren, breitgestreut angelegt war und von dem nur er genau wußte, daß es nicht so unmäßig war, wie die Legende behauptete: gerade genug, um nicht daran denken zu müssen. Was es wert war, sollte in geprägtes Gold verwandelt und nach und nach auf seine Banken im Ausland überwiesen werden, bis ihm und seiner Frau in diesem unbarmherzigen Heimatland keine Handbreit Erde, um darauf tot niederzufallen, mehr bliebe.

Florentino Ariza aber existierte tatsächlich, allem zum Trotz, was zu glauben sie sich vorgenommen hatte. Er stand am Kai des französischen Überseedampfers, als sie mit Mann und Sohn in dem Landauer mit den goldenen Pferden vorfuhr, und er sah sie aussteigen, wie er sie so oft bei öffentlichen Veranstaltungen gesehen hatte: vollkommen. Sie kamen mit dem Sohn, der so erzogen war, daß man bereits absehen konnte, wie er als Erwachsener sein würde: wie er dann auch war. Juvenal Urbino grüßte Florentino Ariza mit einem fröhlichen Hutschwenken: »Wir brechen zur Eroberung Flanderns auf.« Fermina Daza nickte ihm zu, und Florentino Ariza nahm den Hut ab, machte eine leichte Verbeugung, und sie sah ihn an, ohne jede Anwandlung von Mitleid ob der vorzeitigen Verheerungen auf seinem Schädel. Er war so, wie sie ihn sehen wollte: der Schatten von jemandem, den sie nie gekannt hatte.

Auch Florentino Ariza durchlebte nicht gerade seine beste Zeit. Zu der täglich intensiver werdenden Arbeit, dem

Überdruß seines heimlichen Jägerdaseins und der schwülen Stille der Jahre kam die endgültige Krise von Tránsito Ariza, deren Gedächtnis schließlich bar jeder Erinnerung war: fast leer. Das ging so weit, daß sie sich ihm manchmal zuwandte, wenn sie ihn wie immer in seinem Sessel lesen sah, und ihn staunend fragte: »Und du, wessen Sohn bist du?« Er antwortete ihr immer mit der Wahrheit, doch sofort unterbrach sie ihn wieder.

»Dann sag mir mal, Sohn«, fragte sie ihn, »wer bin ich?«

Sie war so dick geworden, daß sie sich nicht mehr bewegen konnte, und verbrachte den Tag in dem Kurzwarenladen, wo es nichts mehr zu verkaufen gab, dort putzte sie sich heraus, sobald sie mit den ersten Hähnen aufgestanden war, bis zum Morgengrauen des nächsten Tages, denn sie schlief nur wenige Stunden. Sie setzte sich Blumenkränze auf den Kopf, malte sich die Lippen an, puderte Gesicht und Arme und fragte schließlich jeden, der gerade in der Nähe war, wie sie denn nun aussähe. Die Nachbarn wußten, daß sie immer die gleiche Antwort erwartete: »Du bist die Cucarachita Martínez.« Allein mit dieser Identität, die von einer Figur aus einem Kindermärchen geliehen war, gab sie sich zufrieden. Sie wiegte sich dann weiter, fächerte sich mit einem Strauß langer rosa Federn, bis sie wieder von vorne begann: der Kranz aus Papierblumen, Moschus auf die Lider, Karmin auf die Lippen, krustenweise weiße Schminke aufs Gesicht. Und wieder die Frage an den, der in der Nähe war. »Wie seh' ich aus?« Als sie in der Nachbarschaft zur Königin des Spotts geworden war, ließ Florentino Ariza eines Nachts den Ladentisch und die Schubladenschränke des alten Kurzwarenladens abbauen, die Tür zur Straße schließen, und er richtete den Raum so ein, wie sie ihm das Schlafzimmer von Cucarachita Martínez beschrieben hatte. Sie fragte nie wieder, wer sie sei.

Auf Anregung von Onkel León XII. hatte er eine ältere Frau gesucht, die sich um sie kümmern sollte, doch die Arme war häufiger schläfrig als wach, und zuweilen schien es, als vergesse auch sie, wer sie war. Also blieb Florentino Ariza, wenn er aus dem Büro kam, so lange im Haus, bis es ihm gelang, die Mutter zum Schlafen zu bringen. Er spielte nicht mehr Domino im Club del Comercio und traf auch lange Zeit nicht mehr die wenigen alten Freundinnen, mit denen er weiter Umgang gepflegt hatte, denn in seinem Herzen war nach der alptraumartigen Begegnung mit Olimpia Zuleta etwas Einschneidendes vor sich gegangen.

Es hatte Florentino Ariza wie ein Blitz getroffen. Er hatte gerade den Onkel León XII. heimgebracht, mitten in einem jener Oktoberunwetter, die uns krankenhausreif machen, als er von der Kutsche aus ein schmales, sehr behendes Mädchen entdeckte, in einem Kleid voller Organdyvolants, das schon fast wie ein Brautkleid aussah. Er sah, wie sie bestürzt hin und her lief, hinter dem Regenschirm her, den der Wind ihr entrissen hatte und nun zum Meer hin trieb. Er nahm sie in seiner Kutsche mit und machte einen Umweg, um sie nach Hause zu bringen, zu einer ehemaligen Eremitenklause, die hergerichtet war, um am offenen Meer zu leben. Der Hof voller Taubenschläge war schon von der Straße aus zu sehen. Sie erzählte ihm während der Fahrt, daß sie vor knapp einem Jahr einen Töpferwarenhändler vom Markt geheiratet habe. Florentino Ariza hatte den Mann oft auf den Schiffen seiner Reederei beim Ausladen von Kisten mit allerlei verkäuflichem Krimskrams und einem Käfig aus Korb gesehen, wie ihn die Mütter auf den Flußschiffen benutzen, um die Säuglinge zu transportieren, den der Händler aber voll Tauben hatte. Olimpia Zuleta schien zur Familie der Wespen zu gehören, nicht nur wegen der hohen Hinterbacken und der winzigen Brüste, sondern wegen ihrer ganzen Erscheinung: das Haar aus Kupferdraht, die Sommersprossen, die runden, lebhaften Augen, die ungewöhnlich weit auseinanderstanden, und das feine Stimmchen, das sie nur benutzte, um kluge und amüsante Dinge zu sagen. Florentino Ariza erschien sie eher witzig als attraktiv, und er vergaß sie, sobald er sie vor ihrem Haus abgesetzt hatte, in dem sie mit ihrem Mann, dessen Vater und anderen Verwandten lebte.

Einige Tage später sah er den Mann wieder im Hafen, diesmal lud er Ware ein statt aus, und als das Schiff ablegte, hörte Florentino Ariza deutlich die Stimme des Teufels im Ohr. An diesem Nachmittag fuhr er, nachdem er Onkel León XII. heimbegleitet hatte, wie zufällig an Olimpia Zuletas Haus vorbei und sah ihr über den Zaun zu, während sie die aufgeregt flatternden Tauben fütterte. Er rief ihr aus der Kutsche zu: »Was kostet eine Taube?« Sie erkannte ihn und antwortete fröhlich: »Sie sind unverkäuflich.« Er fragte sie: »Was macht man dann, um eine zu bekommen?« Sie hörte nicht auf, den Tauben Futter zu streuen, und antwortete: »Man nimmt die Täubnerin in der Kutsche mit, wenn man sie verloren in einem Wolkenbruch trifft.« So kam Florentino Ariza an jenem Abend mit einem Dankesgeschenk von Olimpia Zuleta nach Hause: eine Brieftaube mit einem Metallring am Bein.

Am nächsten Nachmittag, wieder zur Fütterungszeit, sah die schöne Täubnerin, daß die weggeschenkte Taube in den Taubenschlag zurückgekehrt war, und dachte, sie sei entflogen. Doch als sie sich den Vogel griff, um ihn zu untersuchen, entdeckte sie, daß ein zusammengerolltes Zettelchen im Beinring steckte: eine Liebeserklärung. Es war das erste Mal, daß Florentino Ariza eine schriftliche Spur hinterließ, und es sollte nicht das letzte Mal sein, doch diesmal war er noch so vorsichtig gewesen, nicht zu unterzeichnen. Als er am Nachmittag darauf, es war Mittwoch, gerade sein Haus betreten wollte, überreichte ihm ein Junge die Taube in einem Käfig mit der auswendig aufgesagten Botschaft, das hier schickt Ihnen die Frau von den Tauben, und sie läßt Ihnen sagen, daß Sie die Taube bitte im geschlossenen Käfig halten sollen, sonst fliegt sie wieder weg, und dies ist das letzte Mal, daß sie sie Ihnen zurückgibt. Florentino Ariza wußte nicht, wie er das deuten sollte: entweder hatte die Taube den Brief unterwegs verloren, oder die Täubnerin hatte beschlossen, sich dumm zu stellen, oder aber sie schickte ihm die Taube, damit er sie ihr wieder zusandte. In letzterem Fall wäre es jedoch natürlich gewesen, ihm die Taube mit einer Antwort zu schicken.

Am Samstagvormittag, nachdem er es sich lange überlegt hatte, ließ er die Taube wieder mit einem Brief ohne Unterschrift fliegen. Diesmal mußte er nicht bis zum nächsten Tag warten. Derselbe Junge brachte sie ihm nachmittags in einem anderen Käfig mit der Botschaft zurück, hier schickt sie Ihnen noch einmal die Taube, die Ihnen wieder weggeflogen ist und die sie Ihnen vorgestern aus Anstand zurückgeschickt hat und diesmal aus Mitleid, aber jetzt ist es wirklich so, wenn sie noch mal wegfliegt, schickt sie sie nicht wieder. Tránsito Ariza beschäftigte sich bis spät mit der Taube, holte sie aus dem Käfig, wiegte sie in den Armen, versuchte sie mit Kinderliedern zum Schlafen zu bringen und entdeckte plötzlich, daß sie im Fußring ein Zettelchen trug mit einer einzigen Zeile darauf: *Ich nehme keine anonymen Briefe an.* Florentino Ariza las das mit rasendem Herzen, als ob dies der Höhepunkt seines ersten Abenteuers sei, und von Ungeduld geschüttelt, konnte er in dieser Nacht kaum schlafen. Sehr früh am nächsten Morgen, noch bevor er ins Büro ging, ließ er die Taube wieder mit einem Liebesbriefchen frei, gut leserlich mit seinem vollen Namen unterschrieben, und steckte die frischeste, glühendste und duftendste Rose seines Gartens mit in den Ring.

Es war nicht so einfach. Nach drei Monaten Belagerung antwortete die schöne Täubnerin immer noch das gleiche: »Ich bin nicht eine von denen.« Sie nahm die Botschaften jedoch weiter an und kam auch zu den Verabredungen, die Florentino Ariza so arrangierte, daß sie wie zufällige Begegnungen wirkten. Er war nicht wiederzuerkennen: Der Liebhaber, der nie das Gesicht zeigte, der liebesgierigste und zugleich der geizigste, der nichts gab, aber alles verlangte, der nicht zuließ, daß irgend jemand eine Spur in seinem Herzen hinterließ, der verstohlene Jäger kam aus seiner Deckung und gab sich im Überschwang von signierten Briefen und galanten Geschenken zu erkennen und drehte unvorsichtige Runden um das Haus der Täubnerin, in zwei Fällen sogar, als der Ehemann weder auf Reisen noch auf dem Markt war. Es war das einzige Mal seit den Zeiten der ersten Leidenschaft, daß Florentino Ariza sich von einem Liebespfeil getroffen fühlte.

Sechs Monate nach der ersten Begegnung trafen sie sich endlich in der Kabine eines Flußdampfers, der zum Neuanstrich am Flußkai lag. Es war ein wundervoller Nachmittag. Olimpia Zuleta gab sich, ganz flattrige Täubnerin, fröhlich der Liebe hin und blieb dann zufrieden stundenlang nackt in beschaulicher Ruhe liegen, was für sie ebensoviel von der Liebe hatte wie die Liebe selbst. Die Kabine war ausgeräumt, erst halb gestrichen, und den Geruch des Terpentins konnte man gut als Erinnerung an einen glücklichen Nachmittag davontragen. Plötzlich, einer unbegreiflichen Eingebung folgend, öffnete Florentino Ariza eine Farbbüchse, die von der Koje aus zu erreichen war, tauchte den Zeigefinger in die Farbe und malte auf den Venushügel der schönen Täubnerin einen Pfeil, der blutend nach Süden zeigte, und schrieb ihr auf den Bauch: *Das ist meine Muschi.* In der gleichen Nacht zog sich Olimpia Zuleta, ohne an die Aufschrift zu denken, vor ihrem Mann aus. Der sagte kein Wort, atmete nicht einmal anders, nichts, sondern ging, während sie sich das Nachthemd überzog, ins Bad, holte sein Rasiermesser und trennte ihr mit einem einzigen Schnitt die Kehle durch.

Florentino Ariza erfuhr es erst viele Tage später, als der flüchtige Ehemann festgenommen wurde und den Zeitungen die Gründe für das Verbrechen und seine Durchführung schilderte. Viele Jahre lang dachte Florentino Ariza voller Angst an die unterzeichneten Briefe, zählte die Haftjahre des Mörders mit, der ihn von seinen Geschäften auf den Schiffen gut kannte, fürchtete dabei jedoch nicht so sehr den Schnitt des Rasiermessers am Hals als das Mißgeschick, Fermina Daza könne so von seiner Untreue erfahren. Es war in jenen Jahren des Wartens, als eines Tages wegen eines für die Jahreszeit ungewöhnlichen Regenschauers die Frau, die Tránsito Ariza versorgte, länger als vorgesehen auf dem Markt blieb und diese, als sie dann zurückkam, tot vorfand. Tránsito Ariza saß überschminkt und blumengeschmückt wie immer im Schaukelstuhl und hatte so lebendige Augen und ein derart maliziöses Lächeln, daß die Betreuerin erst nach zwei Stunden merkte, daß sie tot war. Kurz zuvor hatte Tránsito Ariza ihre Besitztümer an Gold und Schmuck aus den unter dem Bett vergrabenen Krügen an die Kinder der Nachbarschaft verteilt und ihnen gesagt, sie könnten alles wie Bonbons essen; später war es dann nicht mehr möglich, einige der wertvollsten Stücke zurückzubekommen. Florentino Ariza begrub seine Mutter in der ehemaligen Hacienda »La Mano de Dios«, die damals noch als Cholerafriedhof bekannt war, und pflanzte einen Rosenstrauch auf ihr Grab.

Bei einem seiner ersten Friedhofsbesuche entdeckte er,

daß Olimpia Zuleta ganz in der Nähe begraben lag. Sie hatte keinen Grabstein, doch Name und Datum waren mit dem Finger in den frischen Zement über dem Grab geschrieben worden, und voller Grauen dachte er, dies sei der blutige Hohn des Ehemanns. Als der Rosenstrauch blühte, legte er ihr, wenn niemand zu sehen war, eine Rose aufs Grab, und später pflanzte er dort einen Steckling ein, den er vom Rosenstrauch der Mutter geschnitten hatte. Beide Rosenbüsche wucherten so fröhlich, daß Florentino Ariza eine Baumschere und andere Gartengeräte mitbringen mußte, um sie zurechtzustutzen. Aber auf die Dauer überstieg das seine Kräfte: Nach ein paar Jahren hatten sich die Rosen wie Unkraut zwischen den Gräbern ausgebreitet, und seitdem hieß der gute alte Pestfriedhof im Volksmund Rosenfriedhof, bis irgendein Bürgermeister, der weniger realistisch als die Bürger war, in einer Nacht mit den Rosen aufräumte und ein republikanisches Schild in den Torbogen am Eingang hängte: Städtischer Friedhof.

Der Tod der Mutter warf Florentino Ariza wieder ganz auf seine manischen Pflichtübungen zurück: das Büro, die genau geregelten Begegnungen mit seinen chronischen Geliebten, die Dominopartien im Club del Comercio, dazu die gleichen alten Liebesromane und die sonntäglichen Friedhofsbesuche. Es war der Rost der Routine, der, geschmäht zwar und gefürchtet, ihn vor dem Bewußtsein seines Alters bewahrt hatte. An einem Sonntag im Dezember aber, als die Rosen auf den Gräbern bereits über die Baumscheren gesiegt hatten, sah er die Schwalben auf den Leitungen für das erst kürzlich eingeführte elektrische Licht sitzen, und da wurde ihm auf einen Schlag klar, wieviel Zeit seit dem Tod seiner Mutter und seit der Ermordung von Olimpia Zuleta verstrichen war und wieviel mehr noch seit jenem anderen Nachmittag in einem fernen September, als er einen Brief von

Fermina Daza bekommen hatte, in dem sie ihm schrieb, ja, sie werde ihn ewiglich lieben. Bisher hatte er sich so verhalten, als ob die Zeit nicht für ihn, sondern nur für die anderen verstriche. Erst in der vergangenen Woche hatte er auf der Straße eines der vielen Paare getroffen, die dank der von ihm geschriebenen Briefe geheiratet hatten, und dabei den ältesten Sohn, der sein Patenkind war, nicht erkannt. Er überspielte die Peinlichkeit mit dem geläufigen Ausruf: »Verflixt, das ist ja schon ein Mann!« Er selbst war, auch als ihm sein Körper bereits die ersten Alarmsignale gegeben hatte, immer noch der alte, schließlich hatte er stets die eiserne Gesundheit der Kränklichen gehabt. Tránsito Ariza hatte gern behauptet: »Mein Sohn hat nichts außer der Cholera gehabt.« Natürlich verwechselte sie die Cholera mit der Liebe, und das schon lange bevor sich ihr Gedächtnis getrübt hatte. Sie irrte sich jedenfalls, denn der Sohn hatte in aller Stille sechs Tripper gehabt, von denen der Arzt allerdings behauptete, es seien nicht sechs gewesen, sondern immer ein und derselbe, der nach jeder verlorenen Schlacht wieder auflebte. Außerdem hatte er einmal Bubo, vier Feigwarzen und sechsmal Blasengrind gehabt, doch weder ihm noch sonst einem Mann wäre es je in den Sinn gekommen, darin Krankheiten und nicht Schlachttrophäen zu sehen.

Eben erst vierzig geworden, hatte er den Arzt wegen unbestimmter Schmerzen an verschiedenen Stellen des Körpers aufsuchen müssen. Dieser hatte ihm nach vielen Untersuchungen gesagt: »So was kommt mit dem Alter.« Er kam von den Untersuchungen stets nach Hause, ohne sich auch nur die Frage zu stellen, ob das alles etwas mit ihm zu tun habe. Denn der einzige Bezugspunkt in seiner Vergangenheit war die ephemere Liebesgeschichte mit Fermina Daza, und nur was mit ihr zu tun hatte, tauchte in der Buchführung seines Lebens auf. So ging er an dem Nachmittag, als er die

Schwalben auf den Stromleitungen sah, seine Vergangenheit durch, fing bei seinen ältesten Erinnerungen an, ließ seine Gelegenheitsliebschaften Revue passieren, gedachte der unzähligen Klippen, die er hatte umschiffen müssen, um die Führungsposition zu erreichen, der unsäglichen Zwischenfälle, vor die ihn seine verbissene Entschlossenheit gestellt hatte, Fermina Daza zu der Seinen und sich zu dem Ihren zu machen, ohne Rücksicht und gegen jeden Widerstand, und erst da entdeckte er, daß sein Leben verging. Ein Schüttelfrost tief aus den Eingeweiden ließ ihn erschauern und nahm ihm die Besinnung, so daß er die Gartengeräte fallenlassen und sich an die Friedhofsmauer lehnen mußte, um nicht vom ersten Prankenschlag des Alters niedergestreckt zu werden.

»Verdammt«, rief er entsetzt, »das ist alles dreißig Jahre her!«

So war es. Dreißig Jahre, die natürlich auch für Fermina Daza vergangen waren, für sie aber die angenehmsten und konstruktivsten ihres Lebens gewesen waren. Die Tage des Grauens im Palais Casalduero hatte sie in den Abfalleimer der Erinnerung geworfen. Sie lebte, ganz Herrin ihres Schicksals, in ihrem neuen Haus in La Manga, zusammen mit einem Mann, den sie, vor die Wahl gestellt, wieder allen anderen Männern der Welt vorgezogen hätte, mit einem Sohn, der die Familientradition am Medizinischen Institut fortsetzte, und einer Tochter, die ihr selbst im selben Alter so sehr glich, daß der Eindruck, sich wiederholt zu sehen, sie manchmal beunruhigte. Dreimal war sie nach Europa gefahren seit jener unglückseligen Reise, von der sie niemals hatte zurückkehren wollen, um nicht in ständigem Grauen zu leben.

Gott mußte damals jemandes Gebet endlich erhört haben: Nach zwei Jahren Aufenthalt in Paris, als Fermina Daza und Juvenal Urbino gerade erst begonnen hatten, die Überreste ihrer Liebe aus den Trümmern zu bergen, weckte sie um Mitternacht ein Telegramm mit der Nachricht, Doña Blanca de Urbino sei schwer erkrankt, und dieses Telegramm wurde fast von dem folgenden mit der Todesnachricht eingeholt. Sie kehrten sofort zurück. Fermina Daza verließ das Schiff in einem Trauergewand, dessen weiter Schnitt ihren Zustand nicht verbergen konnte. Sie war tatsächlich wieder schwanger, und diese Neuigkeit war Anlaß für einen Gassenhauer, dessen Refrain den Rest des Jahres über in aller Munde war: »Was wartet auf die Schöne wohl in Paris, daß sie stets guter Hoffnung heimkehrt.« Trotz des anzüglichen Textes ließ Doktor Juvenal Urbino noch Jahre später das Lied bei Festen des Club Social spielen, um seinen Sinn für Humor unter Beweis zu stellen.

Das noble Palais jenes Marqués de Casalduero, von dessen Leben und Wappen es niemals sichere Kunde gegeben hatte, wurde zunächst für einen angemessenen Preis an das Städtische Schatzamt verkauft und später für ein Vermögen an die Zentralregierung weiterverkauft, als ein holländischer Forscher Grabungen durchführen ließ, um zu beweisen, daß dort das wahre Grab von Christoph Kolumbus lag: das fünfte. Doktor Urbinos Schwestern zogen sich ohne Gelübde ins Kloster der Salesianerinnen zurück, und Fermina Daza wohnte in dem alten Haus ihres Vaters, bis die Villa in La Manga fertiggestellt war. Die betrat sie mit festem Schritt, sie trat ein, um zu befehlen, stellte die englischen Möbel von der Hochzeitsreise auf und dazu passende, die sie nach der Versöhnungsreise kommen ließ, und begann auch sogleich das Haus mit allerlei exotischen Tieren zu bevölkern, die sie selbst auf den Antillenschonern gekauft hatte. Sie betrat das Haus mit dem zurückgewonnenen Ehemann, einem wohlerzogenen Sohn und einer Tochter, die vier Monate nach der Rückkehr geboren war und Ofelia getauft wurde. Doktor Urbino seinerseits begriff, daß es unmöglich war, die Frau so vollständig zurückzuerobern, wie er sie auf der Hochzeitsreise für sich gehabt hatte, denn den Teil ihrer Liebe, der ihm fehlte, hatte sie zusammen mit ihrer besten Zeit ihren Kindern gegeben, aber er lernte, mit den Resten zu leben und glücklich zu sein. Die so ersehnte Harmonie fand ihre Krönung dort, wo es am wenigsten zu erwarten gewesen war. Auf einem Galadiner wurde ein köstliches Gericht aufgetragen, das Fermina Daza nicht identifizieren konnte. Sie fing mit einer großen Portion an, doch es schmeckte ihr so gut, daß sie sich noch einmal reichlich auftat, und als sie gerade bedauerte, sich aus Gründen der Schicklichkeit nicht ein drittes Mal nehmen zu können, erfuhr sie, daß sie soeben mit ungeahntem Genuß zwei gehäufte Teller Auberginenpüree gegessen hatte. Sie verlor mit Anstand: Von diesem Tag an kamen auf dem Landsitz in La Manga fast so häufig Auberginen in jeder Zubereitungsform auf den Tisch wie im Palais de Casalduero, und alle aßen sie so gern, daß Doktor Juvenal Urbino sich in seinen Mußestunden des Alters das Vergnügen erlaubte, noch eine Tochter haben zu wollen, um ihr einen im Hause wohlgelittenen Namen zu geben: Aubergine Urbino.

Fermina Daza wußte zu jener Zeit bereits, daß das Privatleben, anders als das öffentliche Leben, wetterwendisch und unberechenbar ist. Es fiel ihr nicht leicht, wirkliche Unterschiede zwischen Kindern und Erwachsenen auszumachen, doch letztendlich zog sie die Kinder wegen ihres sicheren Urteils vor. Kaum hatte sie das Kap der Reife umschifft und jede Selbsttäuschung hinter sich gelassen, wurde ihr langsam ernüchternd bewußt, nie das geworden zu sein, was sie sich ersehnt hatte, als sie im Parque de los Evangelios jung war, sondern statt dessen etwas, was sie sich so nie eingestanden hätte: eine Luxusdienerin. In Gesellschaft war sie schließlich die Beliebteste, Umschmeicheltste und daher auch die Gefürchtetste, dagegen wurde sie nirgends so hart gefordert und nirgends wurde ihr so wenig verziehen wie bei der Führung des Haushalts. Sie hatte stets das Gefühl, ein vom Ehemann geliehenes Leben zu leben: als absolute Herrscherin über ein weites Reich des Glücks, das von ihm und allein für ihn aufgebaut worden war. Sie wußte, daß er sie über alles liebte, mehr als sonst jemanden in der Welt, er liebte sie aber nur für sich: Ihm war sie zu heiligem Dienst verpflichtet.

Wenn sie etwas verdroß, dann die lebenslängliche Fron der täglichen Mahlzeiten. Das Essen mußte nicht nur pünktlich auf dem Tisch stehen, es mußte exquisit sein und genau das, was er ungefragt zu essen wünschte. Wenn sie doch einmal fragte, eine der vielen sinnlosen Zeremonien des häuslichen Rituals, hob er nicht einmal den Blick von der Zeitung und antwortete: »Irgend etwas.« Er meinte das wirklich und sagte es in seiner freundlichen Art, denn man konnte sich keinen Ehemann vorstellen, der weniger despotisch gewesen wäre. Zur Essenszeit aber durfte es dann nicht irgend etwas sein, sondern genau das, was er gerade wünschte, und mußte allen Ansprüchen genügen: Das Fleisch durfte nicht nach Fleisch schmecken, der Fisch nicht nach Fisch, das Schwein nicht nach Krätze, das Hähnchen nicht nach Federn. Auch wenn es nicht Spargelzeit war, mußte man, koste es, was es koste, welche auftreiben, damit er sich an den Dämpfen seines duftenden Urins erfreuen konnte. Nicht ihm gab sie die Schuld, sondern dem Leben. Er aber war ein unerbittlicher Repräsentant des Lebens. Beim leisesten Zweifel schob er den Teller beiseite und sagte: »Dieses Essen ist nicht mit Liebe zubereitet.« In diesem Zusammenhang war er zu phantastischen Höhenflügen der Inspiration fähig. Einmal gab er, kaum daß er von dem Kamillentee genippt hatte, die Tasse mit einem einzigen Satz zurück: »Das Zeug schmeckt nach Fenster.« Sie wie auch die Dienstmädchen waren verblüfft, denn wer hatte schon von jemandem gehört, der ein aufgebrühtes Fenster getrunken hätte, als sie jedoch alle in dem Bemühen, ihn zu verstehen, den Tee probierten, begriffen sie: Er schmeckte nach Fenster.

Er war ein perfekter Ehemann: Nie hob er etwas vom Boden auf, er löschte kein Licht, schloß keine Tür. In morgendlicher Dunkelheit hörte sie ihn, wenn einmal ein Knopf an seiner Kleidung fehlte, sagen: »Man bräuchte zwei Ehefrauen, eine zum Lieben und die andere zum Knöpfeannähen.« Tag für Tag stieß er beim ersten Schluck Kaffee und beim ersten Löffel dampfender Suppe einen herzzerreißenden Schrei aus, der schon niemanden mehr erschreckte, und machte dann sofort seinem Ärger Luft: »Wenn ich eines Tages abhaue, dann wißt ihr warum. Ich habe es satt, immer mit verbrannter Zunge rumzulaufen.« Er behauptete, nie gebe es so leckere und ausgefallene Gerichte wie an den Tagen, an denen er nicht mitessen konnte, weil er ein Abführmittel genommen hatte, und war davon überzeugt, es handele sich um eine Perfidie seiner Frau, so daß er schließlich nur noch dann Abführmittel nahm, wenn auch sie eines schluckte.

Sie hatte seine Verständnislosigkeit satt und brachte einen ungewöhnlichen Geburtstagswunsch vor: Er solle einen Tag lang den Haushalt übernehmen. Er ging amüsiert darauf ein und übernahm bei Tagesanbruch tatsächlich die Herrschaft über das Haus. Er tischte ein prächtiges Frühstück auf, hatte aber vergessen, daß sie keine Spiegeleier vertrug und keinen Milchkaffee trank. Dann gab er Anweisungen für das Geburtstagsmahl mit acht geladenen Gästen und bestimmte, wie das Haus hergerichtet werden mußte, und er strengte sich so sehr an, den Haushalt besser als sie zu führen, daß er noch bevor es Mittag war, ohne eine Geste der Beschämung kapitulieren mußte. Vom ersten Augenblick an merkte er, daß er vor allem in der Küche keinerlei Ahnung davon hatte, wo was war. Die Dienstmädchen ließen ihn nach jedem einzelnen Gegenstand alles durchwühlen, denn sie spielten das Spiel mit. Um zehn Uhr war noch keine Entscheidung für das Mittagessen getroffen, weil das Haus noch nicht geputzt und das Schlafzimmer noch nicht gemacht war, das Bad blieb ungewischt, er vergaß, Toilettenpapier hinzulegen, die Bettwäsche zu wechseln und den Kutscher die Kinder abholen zu lassen, und außerdem brachte er die Aufgaben des Personals durcheinander: Er befahl der Köchin, die Betten zu machen, und ließ die Zimmermädchen kochen. Um elf, kurz vor der Ankunft der Gäste, herrschte im Haus ein derartiges Chaos, daß Fermina Daza das Kommando wieder übernahm, sie lachte sehr, aber nicht so triumphal, wie sie es sich gewünscht hätte, sondern mitleidig gerührt über die Unfähigkeit ihres Mannes in häuslichen Dingen. Getroffen brachte er das immergleiche Argument vor: »Zumindest war ich nicht so schlecht, wie du es wärst, solltest du einmal versuchen, Kranke zu heilen.« Doch die Lektion war lehrreich und nicht nur für ihn. Im Laufe der Jahre kamen beide auf unterschiedlichen Wegen zu dem weisen Schluß, daß es unmöglich war, auf andere Weise zusammenzuleben oder sich auf andere Weise zu lieben: Nichts auf dieser Welt war schwieriger als die Liebe.

In der Mitte ihres neuen Lebens begegnete Fermina Daza Florentino Ariza bei diversen öffentlichen Anlässen, und je höher dieser beruflich aufstieg, desto häufiger. Schließlich sah sie ihn mit einer solchen Unbefangenheit, daß sie in ihrer Zerstreutheit mehr als einmal vergaß, ihn zu grüßen. Sie hörte oft von ihm reden, denn sein behutsamer, doch unaufhaltsamer Aufstieg in der K.F.K. war ein Dauerthema in der

Geschäftswelt. Sie sah, wie seine Manieren geschliffener wurden, seine Schüchternheit läuterte sich in eine Form von rätselhafter Ferne, die leichte Gewichtszunahme stand ihm gut, die Langsamkeit des Alters kam ihm entgegen, und er hatte gelernt, seinen kahlen Schädel mit Würde zu tragen. Das einzige, was weiterhin Zeit und Mode trotzte, war seine düstere Aufmachung: die unzeitgemäßen Gehröcke, der immer gleiche Hut, die Dichterschleifen aus dem Kurzwarenladen der Mutter an Stelle von Krawatten, der bedrohliche Regenschirm. Fermina Daza gewöhnte sich allmählich daran, ihn mit anderen Augen zu sehen, und brachte ihn schließlich nicht mehr mit jenem sanftmütigen Jüngling in Verbindung, der sich, um sie anzuhimmeln, unter die gelb aufwirbelnden Blätter im Parque de los Evangelios gesetzt hatte. Jedenfalls sah sie ihn nie ohne Anteilnahme und freute sich stets, wenn sie gute Nachrichten über ihn hörte, weil diese sie nach und nach von ihrer Schuld entlasteten.

Als sie ihn schon ganz aus ihrer Erinnerung gelöscht zu haben glaubte, tauchte er jedoch da wieder auf, wo sie ihn am wenigsten vermutet hätte, in ein Gespenst ihrer Sehnsüchte verwandelt. Es war wie ein erster Anflug von Alter, daß sie, wann immer sie es vor dem Regen donnern hörte, das Gefühl beschlich, etwas Unwiederbringliches sei in ihrem Leben geschehen. Es war die unheilbare Wunde des einsamen, steinigen und pünktlichen Donners, der im Oktober täglich um drei Uhr mittags in der Sierra von Villanueva widerhallte, eine Erinnerung, die mit den Jahren immer frischer wurde. Denn während die neuen Erinnerungen sich nach wenigen Tagen in ihrem Gedächtnis vermengten, wurden die an die legendäre Reise durch die Provinz der Kusine Hildebranda, dank der perversen Genauigkeit der Nostalgie, so lebendig, als seien sie von gestern. Sie dachte an Manaure in der Sierra, mit seiner einzigen Straße, schnurgerade und grün, an die Glücksvögel dort, an das Gespensterhaus, in dem sie aufgewacht war, das Nachthemd durchnäßt von den nicht versiegenden Tränen von Pedra Morales, die viele Jahre zuvor in eben dem Bett, in dem sie schlief, vor Liebe gestorben war. Sie erinnerte sich an den Geschmack der Guayaven, die nie wieder so wie damals schmecken sollten, an diese intensiven Vorahnungen, deren Raunen sich mit dem des Regens vermengte, an die topasfarbenen Abende in San Juan del César, als sie mit dem Hofstaat ihrer übermütigen Kusinen spazierenging und die Zähne zusammenbiß, damit ihr das Herz nicht überlief, während sie sich dem Telegraphenamt näherten. Sie verkaufte ohne große Umstände das Haus des Vaters, weil sie den Schmerz der Jugend nicht ertragen konnte, den Blick vom Balkon auf den verlassenen kleinen Platz, den sibyllinischen Duft der Gardenien in heißen Nächten und das Erschrecken vor ihrem Bild als altmodische Dame, das an dem Nachmittag aufgenommen worden war, als sich ihr Schicksal entschied. Wo immer auch die Erinnerung an jene Zeiten sie hintrieb, stieß sie auf Florentino Ariza. Sie behielt jedoch stets die nötige Übersicht, um sich klarzumachen, daß es sich weder um Liebeserinnerungen noch um Reue handelte, sondern um das Abbild eines Kummers, der eine Tränenspur hinterlassen hatte. Ohne es zu wissen, stand sie vor der gleichen Falle des Mitgefühls, die so vielen arglosen Opfern Florentino Arizas' zum Verhängnis geworden war.

Sie klammerte sich an ihren Mann. Und das gerade zu einer Zeit, da er selbst sie am meisten brauchte, weil er sich benachteiligt durch einen Vorsprung von zehn Jahren allein durch die Nebel des Alters vorantastete, obendrein belastet mit der noch ärgeren Benachteiligung, ein Mann und schwächer als sie zu sein. Am Ende kannten sie einander so gut, daß sie noch vor ihrem dreißigsten Hochzeitstag ein einziges geteiltes Wesen zu sein schienen und es ihnen peinlich war, wie oft sie unbeabsichtigt die Gedanken des anderen errieten oder dem anderen in der Öffentlichkeit mit dem, was er gerade sagen wollte, zuvorkamen. Gemeinsam hatten sie den alltäglichen Verständnismangel durchgestanden, die plötzlichen Haßanwandlungen, die gegenseitigen Gemeinheiten und das wunderbare und siegreiche Aufblitzen ehelicher Vertrautheit. Es war die Zeit, in der sie sich am innigsten liebten, ohne Hast und ohne Exzesse, und beide waren sich ihrer unwahrscheinlichen Siege über alle Widrigkeiten bewußter geworden und dafür dankbar. Das Leben sollte ihnen selbstverständlich noch weitere, tödliche Prüfungen auferlegen, doch das war schon nicht mehr wichtig: Sie hatten das andere Ufer erreicht.

Die Feiern anläßlich der Jahrhundertwende wurden von einem Programm neuartiger Veranstaltungen begleitet, darunter als denkwürdigste die erste Ballonfahrt, die ebenfalls eine Frucht des unerschöpflichen Unternehmungsgeists von Doktor Juvenal Urbino war. Die halbe Stadt kam an der Plaza del Arsenal zusammen, um den Start des riesigen Ballons aus Seidentaft in den Nationalfarben zu bestaunen, der die erste Luftpost nach San Juan de la Ciénaga dreißig Meilen Luftlinie weit beförderte. Doktor Juvenal Urbino und seine Frau, die auf der Weltausstellung in Paris das Wunder des Fliegens kennengelernt hatten, stiegen als erste in den Korb, nach ihnen der Flugingenieur und sechs Ehrengäste. Sie hatten einen Brief des Provinzgouverneurs an die Stadtbehörde von San Juan de la Ciénaga bei sich, in dem für die Nachwelt festgehalten wurde, daß dies die erste Post war, die durch die Lüfte befördert wurde. Ein Reporter des *Diario del Comercio* fragte Doktor Juvenal Urbino, was denn seine letzten Worte seien, falls er bei dem Abenteuer umkommen sollte, und dieser dachte nicht lange über die Antwort nach, die ihm viele Anfeindungen eintragen sollte:

»Meiner Meinung nach«, sagte er, »geht das neunzehnte Jahrhundert für die ganze Welt zu Ende, nur nicht für uns.«

In der staunenden Menschenmenge verloren, die, während der Ballon an Höhe gewann, die Nationalhymne sang, mußte Florentino Ariza einem Mann innerlich recht geben, dessen Kommentar er im Tumult hörte: Das sei kein Abenteuer für eine Frau und schon gar nicht für eine in Fermina Dazas Alter. Letztendlich war es dann doch nicht so gefährlich. Oder nicht so gefährlich wie deprimierend. Der Ballon trieb langsam durch einen Himmel von einem unglaublichen Blau und erreichte ohne Zwischenfälle seinen Bestimmungsort. Sie flogen ruhig mit einem sanften und günstigen Wind in geringer Höhe über die Ausläufer der verschneiten Höhenzüge und dann über das weite Meer der Ciénaga Grande.

Wie Gott selbst sahen sie vom Himmel aus die Ruinen des alten und heroischen Cartagena de las Indias, der schönsten Stadt der Welt, von ihren Einwohnern wegen der Cholera in Panik verlassen, nachdem sie drei Jahrhunderte lang Piratenüberfällen und jeder Art von Belagerung durch die Engländer standgehalten hatte. Sie sahen die unversehrten Stadtmauern, die zugewucherten Straßen, die von den Bougainvilleen verschlungenen Festungen, die Marmorpaläste mit den Goldaltären und den Vizekönigen, die pestkrank in ihren Rüstungen verfault waren.

Sie flogen über die Pfahlbauten von den Trojas de Cataca, die in irrwitzigen Farben angestrichen waren, über die Zuchtställe für eßbare Leguane und die Seegärten mit den herabhängenden Balsaminen und Astromelien. Hunderte nackter Kinder warfen sich, vom allgemeinen Geschrei aufgescheucht, ins Wasser, sprangen von den Dächern oder den Kanus, die sie mit erstaunlichem Geschick manövrierten, und tauchten wie die Maifische, um die Wohltätigkeitspakete mit Kleidung, Hustensaftflaschen und Nahrungsmitteln zu ergattern, die ihnen die schöne Dame mit dem Federhut aus dem Korb des Ballons zuwarf.

Sie flogen über den schattigen Ozean der Bananenplantagen, deren Stille wie ein tödlicher Dunst zu ihnen aufstieg, und Fermina Daza erinnerte sich daran, wie sie mit drei oder vier Jahren einmal durch so einen finsteren Wald spaziert war, an der Hand ihrer Mutter, die selbst fast noch wie ein Kind zwischen all den anderen wie sie in Musselin gekleideten Frauen mit den weißen Sonnenschirmen und den Schleierhüten gewirkt hatte. Der Ingenieur des Ballons, der inzwischen die Welt durchs Fernrohr betrachtet hatte, sagte plötzlich: »Die scheinen tot zu sein.« Er reichte Doktor Juvenal Urbino das Fernrohr, und der sah die Ochsenkarren zwischen den Saatfeldern, die Streckenwärterhäuschen an der Eisenbahnlinie, die eisigen Wasserreservoirs, und wo immer er den Blick hinrichtete, menschliche Körper liegen. Jemand sagte, die Cholera wüte in den Dörfern von Ciénaga Grande. Doktor Urbino sah weiter durchs Fernrohr.

»Das muß eine ganz besondere Erscheinungsform der Cholera sein«, meinte er, »denn jeder Tote hat einen Fangschuß im Genick.« Wenig später überflogen sie ein Meer von Schaum und landeten problemlos auf einem Sandstreifen, dessen vom Salz rissiger Boden wie Feuer brannte. Dort standen die Honoratioren, vor der Sonne nur durch einen gewöhnlichen Regenschirm geschützt, die Primarschüler schwenkten ihre Fähnchen im Takt der Hymnen, die Schönheitsköniginnen warteten mit verwelkten Blumen und Kronen aus Goldpappe, dazu die zu jener Zeit beste Blaskapelle der Karibikküste, die Papayera des blühenden Städtchens Gayra. Fermina Daza wünschte sich als einziges ihren Geburtsort wiederzusehen, um ihn mit ihren ältesten Erinnerungen zu vergleichen, doch das wurde ihr und den anderen wegen der Choleragefahr nicht erlaubt. Doktor Urbino überreichte den historischen Brief, der dann später zwischen anderen Papieren verlorengehen und nie mehr gefunden werden sollte, während das ganze Komitee in der Glut der Reden kurz vor dem Erstickungstod stand. Am Ende wurden sie auf Maultieren bis zu der Schiffanlegestelle Pueblo Viejo gebracht, wo die Lagune ins Meer überging, denn dem Ingenieur war es nicht gelungen, den Ballon wieder aufsteigen zu lassen. Fermina Daza war sicher, als kleines Kind mit ihrer Mutter dort in einem von Ochsen gezogenen

Wagen vorbeigefahren zu sein. Als Erwachsene hatte sie ihrem Vater mehrmals davon erzählt, doch der beharrte bis zu seinem Tode darauf, daß sie sich daran unmöglich erinnern könne.

»Ich selbst erinnere mich sehr gut an diese Reise, und es war auch alles genau so«, sagte er, »sie fand aber mindestens fünf Jahre vor deiner Geburt statt.«

Die Teilnehmer der Ballonexpedition kehrten drei Tage später, mitgenommen von einer stürmischen Nacht auf See, in den Ausgangshafen zurück und wurden dort wie Helden empfangen. In der Menge verloren, war natürlich auch Florentino Ariza dabei, der in Fermina Dazas Antlitz die Spuren des Entsetzens erkannte. Am gleichen Nachmittag noch sah er sie jedoch bei einer Radsportvorführung wieder, die ebenfalls unter der Schirmherrschaft ihres Mannes stand, und es war ihr keine Spur von Müdigkeit anzumerken. Sie lenkte ein erstaunliches Veloziped, das mit einem sehr hohen Vorderrad, auf dem sie saß, und einem sehr kleinen Hinterrad, das ihr kaum als Stütze diente, schon fast einem Zirkusgefährt ähnelte. Sie trug eine Pluderhose mit roten Biesen und erregte damit die Entrüstung der älteren Damen und das Staunen der Herren, niemand aber blieb angesichts ihrer Geschicklichkeit gleichgültig.

Zuweilen sah Florentino Ariza plötzlich dieses flüchtige Bild vor sich, wie viele andere aus so vielen Jahren, Bilder, die dann ebenso wieder verschwanden und in seinem Herzen eine Fülle von unruhigem Verlangen hinterließen. Doch sie waren das Maß seines Lebens, denn er hatte die Zeit weniger streng am eigenen Leib gespürt als an Fermina Dazas unmerklichen Veränderungen, wenn er sie jeweils wiedersah.

Eines Abends ging er in den Mesón de Don Sancho, ein anspruchsvolles altes Restaurant, und setzte sich in die abgelegenste Ecke, wie es seine Art war, wenn er dort allein und wie ein Vögelchen zu Abend aß. Da sah er plötzlich im großen Wandspiegel Fermina Daza, sie saß mit ihrem Mann und zwei anderen Paaren an einem Tisch, und zwar in einem Winkel, in dem er sie in vollem Glanz gespiegelt sehen konnte. Sie war ihm ausgeliefert und führte dabei das Gespräch mit einem Charme und einem Lachen, das wie Feuerwerk aufblitzte, und ihre Schönheit erschien unter den Kristalltränen der Lüster noch leuchtender: Alice war erneut durch den Spiegel getreten.

Florentino Ariza konnte sie, mit angehaltenem Atem, nach Lust beobachten, er sah sie essen, kaum vom Wein kosten, sah sie mit dem vierten Don Sancho der Sippe scherzen, verlebte mit ihr von seinem einsamen Tisch aus einen Augenblick ihres Lebens und bewegte sich über eine Stunde lang ungesehen im verbotenen Bezirk ihres Privatlebens. Er trank noch vier weitere Tassen Kaffee, um die Zeit zu strecken, bis er sie inmitten der Gruppe hinausgehen sah. Sie kamen so dicht an ihm vorüber, daß er Fermina Dazas Geruch in den Duftströmen der Parfums ihrer Begleiter ausmachen konnte.

Von dieser Nacht an belagerte er fast ein Jahr lang zäh den Besitzer des Restaurants, bot ihm Geld an und Vergünstigungen und was immer dieser am meisten in seinem Leben ersehnte, nur damit er ihm den Spiegel verkaufte. Es war kein leichtes Unterfangen, da der alte Don Sancho an die Legende glaubte, daß der kostbare, von einem Wiener Kunsttischler geschnitzte Rahmen das Pendant von einem anderen Spiegel war, der einst Marie Antoinette gehört hatte und spurlos verschwunden war: zwei einzigartige Kostbarkeiten. Als Don Sancho endlich nachgab, hängte Florentino Ariza den Spiegel bei sich zu Hause auf, nicht wegen des meisterhaften Rahmens, sondern wegen der umrahmten

Fläche, die zwei Stunden lang von dem geliebten Bild ausgefüllt gewesen war.

Fast immer, wenn Florentino Ariza sie sah, schritt Fermina Daza am Arm ihres Mannes einher, sie bewegten sich in vollkommenem Einklang und mit der erstaunlichen Leichtigkeit von siamesischen Zwillingen, die nur durchbrochen wurde, wenn sie ihn begrüßten. Tatsächlich pflegte ihm Doktor Juvenal Urbino mit freundschaftlicher Wärme die Hand zu drücken und erlaubte sich sogar gelegentlich, ihm auf die Schulter zu klopfen. Sie hingegen hielt ihn mit einer unpersönlichen Förmlichkeit auf Distanz und machte nie auch nur die kleinste Geste, aus der er hätte schließen können, daß sie sich seiner aus ihrer unverheirateten Zeit erinnerte. Sie lebten in zwei auseinanderstrebenden Welten, während er jedoch jede Anstrengung unternahm, die Entfernung zu verkürzen, tat sie keinen einzigen Schritt, der nicht in die entgegengesetzte Richtung geführt hätte. Viel Zeit mußte verstreichen, ehe er den Gedanken wagte, daß diese Gleichgültigkeit womöglich nur ein Panzer gegen die Angst war. Das kam ihm plötzlich bei der Taufe des ersten Flußschiffs in den Sinn, das auf einer Werft am Ort gebaut worden war, der erste offizielle Anlaß auch, bei dem Florentino Ariza als Vizepräsident der K. F. K. den Onkel León XII. vertrat. Das Zusammentreffen dieser Umstände verlieh dem Festakt eine besondere Feierlichkeit, und daher fehlte auch niemand, der im Leben der Stadt von irgendwelcher Bedeutung war.

Florentino Ariza widmete sich gerade seinen Gästen im großen Salon des Schiffes, das noch nach frischer Farbe und flüssigem Teer roch, als sich am Kai eine Applaussalve entlud und die Kapelle zu einem Triumphmarsch ansetzte. Er mußte seine Unruhe, die fast schon so alt war wie er selbst, beherrschen, als er sah, wie die schöne Frau seiner

Träume einer Königin gleich in prachtvoller Reife am Arm ihres Ehemannes die in Paradeuniform angetretene Ehrengarde abschritt, im Regen der Papierschlangen und frischen Blütenblätter, die aus den Fenstern auf sie herabgeworfen wurden. Beide dankten winkend für die Ovationen, doch Fermina Daza, von den hochhackigen Schuhen und den Fuchsschwänzen um ihren Hals bis zu dem glockenförmigen Hut ganz in imperiales Gold gekleidet, war so blendend, daß sie allein in der Menschenmenge zu sein schien.

Florentino Ariza erwartete sie zusammen mit den Provinzhonoratioren auf der Kommandobrücke, inmitten von dröhnender Musik und Raketen und des dreimaligen sonoren Tutens der Schiffssirenen, das den Kai in nassen Dampf hüllte. Juvenal Urbino begrüßte die zum Empfang Erschienenen mit der ihm eigenen Natürlichkeit, die jedem das Gefühl gab, gerade für ihn hege der Arzt eine besondere Zuneigung: erst den Kapitän in Galauniform, dann den Erzbischof, dann den Provinzgouverneur und seine Gattin sowie den Bürgermeister mit der seinigen, dann den Garnisonskommandanten, der kürzlich aus der Andenregion hierher versetzt worden war. Hinter dem stand, in schwarzes Tuch gekleidet und beinahe unsichtbar zwischen so vielen Würdenträgern, Florentino Ariza. Nachdem sie den Garnisonskommandanten begrüßt hatte, schien Fermina Daza vor Florentino Arizas ausgestreckter Hand zu zögern. Der Offizier, der sie schon einander vorstellen wollte, fragte sie, ob sie sich kennten. Sie sagte weder ja noch nein, sondern reichte Florentino Ariza mit einem Salonlächeln die Hand. Das hatte sich bereits bei zwei früheren Gelegenheiten so abgespielt und sollte auch noch mehrmals auf diese Weise ablaufen. Florentino Ariza nahm es stets als ein für Fermina Dazas Charakter typisches Verhalten hin. An jenem Nachmittag jedoch fragte er sich in seiner unendlichen

Bereitschaft zur Hoffnung, ob eine derart eingefleischte Gleichgültigkeit nicht aufgesetzt sein könnte, um Liebesqualen zu überspielen.

Der bloße Gedanke störte sein Verlangen auf. Wieder strich er um Fermina Dazas Anwesen, mit der gleichen Sehnsucht wie viele Jahre zuvor durch den Parque de los Evangelios, allerdings nicht mit der Absicht, von ihr gesehen zu werden, sondern nur, um sie zu sehen und noch auf der Welt zu wissen. Doch war es jetzt nicht leicht, unbemerkt zu bleiben. Das Viertel La Manga lag auf einer nur zum Teil besiedelten Insel, von der Altstadt durch einen Kanal grünen Wassers getrennt und mit Icaco-Gestrüpp bewachsen, das in der Kolonialzeit den Sonntagspärchen Unterschlupf geboten hatte. In jüngster Zeit war die alte Steinbrücke der Spanier abgetragen und für die Maultierbahn eine neue Brücke aus Ziegelsteinen und mit Ballonlaternen gebaut worden. Am Anfang hatten die Bewohner von La Manga unter einer Belästigung zu leiden, die bei der Bebauung des Gebiets nicht bedacht worden war, sie schliefen nämlich in unmittelbarer Nähe des ersten Elektrizitätswerkes der Stadt, dessen Vibrationen einem ständigen Erdbeben gleichkamen. Nicht einmal Doktor Urbino mit all seinem Einfluß konnte erreichen, daß das Werk an einen Ort verlegt wurde, wo es niemanden störte. Doch dann kam ihm seine erwiesene Komplizenschaft mit der göttlichen Vorsehung zustatten. Eines Tages platzte in einer furchterregenden Explosion der Dampfkessel des Werks, flog über die Neubauten hinweg und dann über die halbe Stadt und zertrümmerte den Kreuzgang des ehemaligen Klosters von San Julián el Hospitalario. Das verfallene alte Gebäude war zu Anfang jenes Jahres aufgegeben worden, der Kessel erschlug jedoch vier Sträflinge, die bei Einbruch der Dunkelheit aus dem Ortsgefängnis ausgebrochen waren und sich in der Kapelle versteckt hielten.

Dieser friedliche Vorort mit seiner hübschen amourösen Tradition war, als er sich in ein Luxusviertel verwandelte, für schwierige Liebschaften allerdings nicht mehr geeignet. Die Straßen waren im Sommer staubig, matschig im Winter und das ganze Jahr über öde. Die wenigen Häuser lagen in schattigen Gärten verborgen, und mit ihren Mosaikterrassen statt der vorspringenden Balkons von ehedem schienen sie wie mit Absicht die heimlichen Liebespärchen zu entmutigen. Zum Glück kam zu jener Zeit die Mode auf, gegen Abend in den alten, neuerdings nur noch von einem Pferd gezogenen Droschken Spazierfahrten zu unternehmen. Die Rundfahrt endete auf einer Anhöhe, von der aus man noch besser als vom Leuchtturm die zerrissenen Oktobersonnenuntergänge genießen konnte. Auch die stillen Haie waren zu sehen, die vor dem Strand der Seminaristen lauerten, und donnerstags der Überseedampfer, riesig und weiß und fast mit Händen zu greifen, wenn er den Hafenkanal passierte. Florentino Ariza pflegte sich nach einem harten Bürotag eine der leichten Kutschen zu mieten, schlug jedoch nicht, wie in den heißen Monaten üblich, das Verdeck zurück, sondern blieb, auf seinem Sitz im Fond im Schatten verborgen, stets allein, und er gab dem Kutscher willkürliche Ziele an, um ihn nicht auf Hintergedanken zu bringen. Das einzige, was ihn an der Spazierfahrt wirklich interessierte, war der zwischen den schattigen Bananen- und Mangohainen halb versteckte Parthenon aus rosa Marmor, eine wenig glückliche Kopie der idyllischen Landsitze auf den Baumwollplantagen Louisianas. Kurz vor fünf kamen Fermina Dazas Kinder nach Hause. Florentino Ariza sah sie in der Familienkutsche eintreffen, sah dann später Doktor Juvenal Urbino zu seinen routinemäßigen Hausbesuchen ausfahren, erhaschte jedoch in fast einem Jahr solcher Fahrten nicht einmal einen Schimmer dessen, was er ersehnte.

Eines Nachmittags, als er, obwohl gerade der erste verheerende Regenguß des Junis niederging, eine seiner einsamen Spazierfahrten unternahm, rutschte das Pferd im Schlamm aus und stürzte. Florentino Ariza bemerkte entsetzt, daß sie sich gerade vor dem Anwesen von Fermina Daza befanden, und redete beschwörend auf den Kutscher ein, ohne zu bedenken, daß seine Verstörung ihn verraten könnte.

»Nicht hier, bitte«, schrie er ihn an. »Überall, nur nicht hier!«

Von seinem Drängen verwirrt, versuchte der Kutscher das Pferd auf die Beine zu bringen, ohne es zuvor abzuschirren, worauf die Achse des Wagens brach. Florentino Ariza kroch irgendwie aus der Kutsche und ertrug die Schmach, dort im unerbittlichen Regen zu stehen, bis Vorbeifahrende sich erboten, ihn heimzubringen. Während er noch wartete, sah ihn ein Dienstmädchen der Urbinos bis zu den Knien im Schlamm waten, brachte ihm einen Regenschirm und empfahl ihm, sich auf der Terrasse unterzustellen. Florentino Ariza hätte nicht im kühnsten seiner Träume mit so einem Glücksfall gerechnet, wäre an jenem Nachmittag aber lieber gestorben, als sich von Fermina Daza in einem solchen Zustand sehen zu lassen.

Als sie noch in der Altstadt wohnten, gingen Juvenal Urbino und seine Familie sonntags zu Fuß zur Acht-Uhr-Messe in die Kathedrale, ein eher weltlicher als religiöser Akt. Nach ihrem Umzug fuhren sie mehrere Jahre lang mit der Kutsche zur Messe und blieben dann manchmal noch in der Stadt, um sich mit Freunden unter den Palmen des Parks zu treffen. Als aber in La Manga die Kirche des Seminars mit Privatstrand und eigenem Friedhof gebaut wurde, besuchten sie nur noch bei hoch feierlichen Anlässen die Kathedrale. Florentino Ariza, der von diesen Veränderungen nichts ahnte, wartete mehrere Sonntage im Café de la Parroquia und überwachte nach den drei Messen den Ausgang des Gotteshauses. Später bemerkte er seinen Irrtum und ging in die neue Kirche, die noch bis vor wenigen Jahren in Mode war, und traf dort auch Juvenal Urbino und seine Kinder, die an den vier Augustsonntagen pünktlich um acht Uhr erschienen. Fermina Daza war jedoch nicht bei ihnen. An einem dieser Sonntage besuchte Florentino Ariza den neuen angrenzenden Friedhof, in dem die Bewohner von La Manga gerade ihre prunkvollen Pantheons erbauen ließen, und sein Herz machte einen Sprung, als er im Schatten der großen Ceibas den allerprunkvollsten entdeckte, bereits fertiggestellt, mit gotischen Fenstern, Marmorengeln und Grabplatten, auf denen in goldenen Lettern die Namen der ganzen Familie standen. Natürlich auch der von Doña Fermina Daza de Urbino de la Calle und daneben der des Ehemannes, dazu ein gemeinsamer Grabspruch: *Auch im Frieden des Herrn vereint.*

Das restliche Jahr über nahm Fermina Daza an keiner offiziellen oder geselligen Veranstaltung mehr teil, nicht einmal an den Weihnachtsfeiern, bei denen sie und ihr Mann sonst eine repräsentative Rolle gespielt hatten. Am deutlichsten spürbar war ihre Abwesenheit jedoch bei der Eröffnung der Opernsaison. In der Pause überraschte Florentino Ariza eine Gruppe, die, ohne Fermina Daza namentlich zu erwähnen, zweifellos über sie sprach. Es hieß, jemand hätte sie gesehen, wie sie im vergangenen Juni mitten in der Nacht auf einen Überseedampfer der Cunard-Linie nach Panama gestiegen sei und daß sie einen dunklen Schleier getragen habe, damit man ihr nicht die Verheerungen der beschämenden Krankheit, die sie verzehrte, ansähe. Jemand fragte, was für ein schreckliches Leiden sich denn an eine so einflußreiche Dame wage, und bekam eine galletriefende Antwort:

»Eine so vornehme Dame kann nur schwindsüchtig sein.«

Florentino Ariza wußte, daß die Reichen seiner Heimat keine kurzen Krankheiten hatten. Entweder starben sie plötzlich, meistens am Vorabend eines größeren Festes, das dann durch die Trauer verdorben wurde, oder sie verloschen allmählich, in langwierigen und widerwärtigen Krankheiten, deren Verlauf schließlich in allen Einzelheiten öffentlich bekannt wurde. Der Rückzug nach Panama war im Leben der Reichen fast so etwas wie ein obligater Bußgang. Dort unterzogen sie sich dem, was Gott ihnen auferlegt hatte, im Hospital der Adventisten, einem riesigen weißen Schuppen, verloren in den vorgeschichtlichen Regenfällen von Darién, wo den Kranken das Zeitgefühl für das bißchen Leben, das sie noch vor sich hatten, abhanden kam und niemand in den einsamen Zimmern mit Segeltuchbahnen vor den Fenstern sicher wußte, ob der Karbolgeruch der Gesundheit oder dem Tode zuzurechnen war. Diejenigen, die genasen, kamen mit prachtvollen Geschenken beladen heim, die verteilten sie freigebig und mit einer gewissen Unruhe, gleichsam um Verzeihung heischend für die Taktlosigkeit, noch am Leben zu sein. Manche kehrten zurück, den Unterleib von barbarischen Narben überzogen, die wie mit Schusterzwirn genäht aussahen, sie hoben die Hemden, um Gästen diese Narben zu zeigen, verglichen sie mit denen anderer, die erstickt an den Ausschweifungen des Glücks gestorben waren, und erzählten für den Rest ihres Lebens wieder und wieder von den Engeln, die ihnen im Chloroformrausch erschienen waren. Niemand kannte hingegen die Visionen derer, die nicht zurückkehrten, zu denen die traurigsten gehörten: In den Pavillon der Schwindsüchtigen verbannt, starben sie eher an der Tristesse des Regens als an den Beschwerden ihrer Krankheit.

Vor die Wahl gestellt, hätte Florentino Ariza nicht gewußt, was er sich für Fermina Daza wünschte. Jedenfalls hätte er die Wahrheit allem anderen vorgezogen, selbst wenn sie unerträglich gewesen wäre, doch sosehr er auch suchte, er fand sie nicht. Es erschien ihm unvorstellbar, daß ihm keiner auch nur ein Indiz nennen konnte, das die gehörte Version bestätigte. In der Welt der Flußdampfer, seiner Welt, gab es kein Geheimnis, das gewahrt, und kein vertrauliches Bekenntnis, das für sich behalten werden konnte. Über die Frau mit dem schwarzen Schleier hatte jedoch keiner etwas gehört. Niemand wußte auch nur das Geringste, und das in einer Stadt, wo man über alles Bescheid wußte und vieles sogar bekannt wurde, bevor es geschehen war. Vor allem wenn es die Reichen betraf. Für das Verschwinden von Fermina Daza aber hatte keiner eine Erklärung. Florentino Ariza drehte weiter seine Runden in La Manga, hörte ohne religiöse Inbrunst Messen in der Basilika des Seminars, nahm an öffentlichen Veranstaltungen teil, die ihn in einer anderen Gemütsverfassung niemals interessiert hätten, aber die Zeit verstrich und ließ das Gerücht immer glaubwürdiger erscheinen. Im Haus der Urbinos schien, abgesehen vom Fehlen der Mutter, alles normal zu sein.

Bei so vielen Nachforschungen erfuhr er auch Neuigkeiten, die er gar nicht suchte, etwa die, daß Lorenzo Daza in seinem spanischen Geburtsort gestorben war. Florentino Ariza erinnerte sich daran, ihn viele Jahre lang bei den lauten Schachschlachten im Café de la Parroquia gesehen zu haben, mit seiner vom vielen Reden verwüsteten Stimme, zunehmend fetter und grober werdend, während er im Treibsand eines schlechten Alters versank. Sie hatten seit dem unerfreulichen Anisfrühstück im vergangenen Jahrhundert nicht wieder miteinander gesprochen, und Florentino Ariza war davon überzeugt, daß Lorenzo Daza sich mit ebensoviel Groll wie er selbst daran erinnerte, auch noch nachdem er für die Tochter die gute Partie erreicht hatte, die ihm zum einzigen Lebenszweck geworden war. Entschlossen, eine eindeutige Information über den Gesundheitszustand von Fermina Daza zu erhalten, ging Florentino Ariza jedoch wieder ins Café de la Parroquia, um sie von ihrem Vater zu bekommen. Das war etwa zu der Zeit, als dort das historische Turnier ausgetragen wurde, bei dem sich Jeremiah de Saint-Amour allein zweiundvierzig Gegnern stellte. Damals erfuhr Florentino Ariza, daß Lorenzo Daza gestorben war, und es freute ihn von Herzen, obwohl er wußte, der Preis für diese Freude war unter Umständen, weiterhin ohne die Wahrheit leben zu müssen. Schließlich nahm er hin, daß Fermina Daza sich im Siechen-Spital aufhielt, und sein einziger Trost war ein Sprichwort: Kranke Frauen leben ewig. In seinen mutlosen Tagen beruhigte er sich mit dem Gedanken, daß ihn die Nachricht von Fermina Dazas Tod ohnehin von allein erreichen würde.

Sie sollte ihn nie erreichen. Fermina Daza hielt sich nämlich lebendig und gesund auf der Hacienda ihrer Kusine Hildebranda Sánchez auf, die dort, eine halbe Meile entfernt von dem Städtchen Flores de María, der Welt entrückt lebte. Fermina Daza war ohne Skandal im Einvernehmen mit ihrem Mann gegangen, hilflos wie Halbwüchsige waren sie in die einzige ernsthafte Krise verwickelt, die sie in einer über fünfundzwanzig Jahre stabilen Ehe durchmachten. Sie waren davon in der Ruhe ihrer reifen Jahre überrumpelt worden, als sie sich mit ihren großen und wohlgeratenen Kindern schon vor jeglichem Hinterhalt des Mißgeschicks sicher fühlten; vor ihnen hatte offen die Zukunft gelegen, ohne Bitterkeit das Altern zu erlernen. Für beide war es etwas so Unvorhergesehenes gewesen, daß sie es nicht mit Geschrei, Tränen und Mittelspersonen lösen wollten, wie es in der Karibik üblich war, sondern mit der Weisheit der europäischen Nationen, da sie aber weder ganz von hier noch von dort waren, tappten sie am Ende in einer kindischen Situation herum, die nirgendwohin gehörte. Zuletzt hatte sie beschlossen zu gehen, ohne überhaupt zu wissen, warum oder wozu, bloß aus Wut, und, gelähmt von seinem Schuldbewußtsein, war er nicht in der Lage gewesen, ihr das auszureden.

Fermina Daza hatte sich tatsächlich um Mitternacht mit größter Diskretion, das Gesicht hinter einem Trauerschleier verborgen, eingeschifft, allerdings nicht auf einem Überseedampfer der Cunard-Linie mit Kurs auf Panama, sondern auf das fahrplanmäßige Boot nach San Juan de la Ciénaga, ihre Geburtsstadt, in der sie bis zur Pubertät gelebt hatte und nach der sie mit den Jahren ein immer unerträglicheres Heimweh verspürte. Gegen den Willen des Ehemanns und gegen die Sitten der Zeit nahm sie als Begleitung nur eine fünfzehnjährige Pflegetochter mit, die bei den Dienstboten im Haus aufgewachsen war, ihre Reise war aber den Kapitänen der Schiffe und den jeweiligen Hafenbehörden gemeldet worden. Als sie spontan die Entscheidung getroffen hatte, eröffnete sie den Kindern, daß sie zur Erholung drei Monate zu der Tante Hildebranda führe, war aber entschlossen, dort zu bleiben. Doktor Juvenal Urbino kannte ihren standhaften Charakter nur zu gut und war so betrübt, daß er es demütig als Strafe Gottes für seine schwere Schuld akzeptierte. Die Lichter des Schiffes waren jedoch noch nicht außer Sicht, als beide ihr Unvermögen bereuten.

Obwohl sie einen förmlichen Briefwechsel über das Befinden der Kinder und andere häusliche Angelegenheiten aufrechterhielten, vergingen fast zwei Jahre, ohne daß weder der eine noch der andere einen für ihren Stolz gangbaren Weg zurückgefunden hätte. Im zweiten Jahr kamen die Kinder in den Schulferien nach Flores de María, und Fermina Daza unternahm das Unmögliche, um den Anschein zu erwecken, daß sie mit ihrem neuen Leben zufrieden war. Dies war zumindest der Schluß, den Juvenal Urbino aus den Briefen des Sohnes zog. Außerdem war in jenen Tagen der Erzbischof von Riohacha auf einer Hirtenreise in dieser Gegend unterwegs. Er kam unter einem Pallium auf seinem berühmten weißen Maultier mit den goldbestickten Schabracken angeritten. Ihm folgten Pilger aus abgelegenen Regionen, Akkordeonspieler, fliegende Händler mit Eßwaren und Amuletten, und die Hacienda war drei Tage lang von Invaliden und Hilflosen belagert, die in Wirklichkeit nicht wegen der gelehrten Predigten und des vollständigen Sündenablasses kamen, sondern auf die Gunst des Maultiers hofften, von dem es hieß, daß es hinter dem Rücken seines Herrn Wunder vollbringe. Der Bischof hatte seit seiner Zeit als einfacher Priester im Haus der Urbinos de la Calle verkehrt und setzte sich eines Mittags von seinem Jahrmarkttroß ab, um im Gutshaus bei Hildebranda zu speisen. Nach dem Essen, bei dem nur von irdischen Angelegenheiten die Rede war, zog er Fermina Daza beiseite und wollte ihre Beichte hören. Sie weigerte sich, höflich, aber bestimmt, und betonte ausdrücklich, sie habe nichts zu bereuen. Obwohl sie es nicht in dieser Absicht gesagt hatte, zumindest nicht bewußt, dachte sie sich später, daß ihre Antwort schon dahingelangen würde, wo sie hin sollte.

Doktor Juvenal Urbino pflegte nicht ohne einen gewissen Zynismus zu behaupten, seine Frau, nicht er sei schuld an jenen zwei bitteren Jahren seines Lebens, wegen ihrer schlechten Angewohnheit, an den Kleidungsstücken, die sie selbst oder die Familie ausgezogen hatten, zu schnüffeln, um dann vom Geruch her zu entscheiden, ob diese, wenngleich auf den ersten Blick sauber, nicht doch gewaschen werden müßten. Sie hatte das schon als Kind getan und nie gedacht, daß es besonders auffiele, bis ihr Mann es dann noch in der Hochzeitsnacht bemerkt hatte. Er merkte auch, daß sie sich mindestens dreimal am Tag im Bad einschloß, um zu rauchen, doch das erschien ihm nicht weiter auffällig, denn die Frauen in seinen Kreisen schlossen sich gern gruppenweise ein, um über Männer zu reden, zu rauchen und sogar billigen Fusel zu trinken, bis sie stockbesoffen am Boden lagen. Die Gewohnheit aber, alle Wäschestücke, die sie auf ihrem Weg fand, zu beschnüffeln, erschien ihm nicht nur unpassend, sondern sogar gesundheitsgefährdend. Sie faßte seine Bemerkungen als Scherz auf, wie alles, über das sie nicht diskutieren wollte, und meinte nur, Gott habe ihr die Nase nicht bloß als Verzierung in ihr Goldamselgesicht gesetzt. Eines Morgens, sie war gerade beim Einkaufen, hatten die Dienstboten die ganze Nachbarschaft auf der Suche nach dem dreijährigen Sohn in Aufregung versetzt, der in keinem Winkel des Hauses zu finden war. Sie war während der allgemeinen Panik eingetroffen, hatte wie ein Spürhund zwei oder drei Runden gedreht und den schlafenden Sohn in einem Kleiderschrank gefunden, wo ihn niemand vermutet hatte. Als ihr verblüffter Mann sie später fragte, wie sie ihn denn aufgestöbert habe, antwortete sie:

»Ich bin dem Kackegeruch nachgegangen.«

In Wirklichkeit gebrauchte sie den Geruchssinn nicht nur für die schmutzige Wäsche oder um verlorene Kinder wiederzufinden: Er war ihr Orientierungssinn in allen Lebensbereichen, vor allem in Gesellschaft. Juvenal Urbino hatte dies im Laufe seiner Ehe beobachten können, besonders zu Anfang, als man sie noch für einen Eindringling in einem Kreis hielt, der sie seit drei Jahrhunderten ausgeschlossen hatte, in dem sie sich aber dennoch wie zwischen spitzen Korallenriffen bewegte, ohne mit jemandem zusammenzustoßen, und das mit einer Weltläufigkeit, die nur einem übernatürlichen Instinkt geschuldet sein konnte. Diese beängstigende Fähigkeit, die ihren Ursprung in tausendjähriger Weisheit, aber auch in einem Herz aus Kieselstein haben konnte, erfuhr an einem bösen Sonntag ihre Unglücksstunde, als Fermina Daza vor der Messe aus reiner Routine an den Kleidern schnüffelte, die ihr Mann am Abend zuvor getragen hatte, wobei sie das beunruhigende Gefühl beschlich, einen anderen Mann im Bett gehabt zu haben.

Sie roch erst an Jackett und Weste, während sie die Uhrkette aus dem Knopfloch löste und den Füller, die Brieftasche und ein paar lose Münzen aus den Taschen nahm und auf den Toilettentisch legte, dann beschnüffelte sie das Oberhemd, während sie die Krawattenklemme abnahm und die Topasmanschettenknöpfe aus den Manschetten sowie den Goldknopf aus dem Zelluloidkragen entfernte, dann roch sie an der Hose, als sie den Schlüsselbund mit den elf Schlüsseln und das Taschenmesser mit Perlmuttintarsien herausnahm, und roch zuletzt an den Unterhosen, den Socken und dem Leinentaschentuch mit eingesticktem Monogramm. Es gab nicht den Hauch eines Zweifels: An jedem einzelnen Stück haftete ein in so vielen Jahren gemeinsamen Lebens nie wahrgenommener Geruch, und da er nicht von Blumen oder künstlichen Essenzen herrührte, konnte er nur von etwas kommen, das zur menschlichen Natur gehörte. Sie sagte nichts, entdeckte den Geruch auch nicht täglich wieder, schnüffelte nun aber nicht mehr an der Kleidung ihres Mannes, um zu erfahren, ob sie gewaschen werden mußte, sondern mit einer unerträglichen inneren Unruhe, die sich ihr bis in die Eingeweide fraß.

Fermina Daza wußte nicht, wo sie innerhalb der täglichen Routine ihres Mannes den Geruch der Kleidung einordnen sollte. Zwischen der Morgenvorlesung und dem Mittagessen konnte es nicht sein, da sie davon ausging, daß keine halbwegs vernünftige Frau sich zu dieser Tageszeit einer eiligen Liebe hingeben würde, schon gar nicht mit einem Besucher, während sie eigentlich das Haus fegen, die Betten machen, Einkäufe erledigen und das Mittagessen kochen mußte, vielleicht noch mit der Angst, eines ihrer Kinder könne, von einem Steinwurf verletzt, vorzeitig aus der Schule heimgeschickt werden und sie dann um elf Uhr vormittags dabei ertappen, wie sie nackt unter einem Arzt im ungemachten Bett lag. Andererseits wußte Fermina Daza, daß ihr Mann sich nur nachts und am liebsten bei völliger Dunkelheit der Liebe hingab, allenfalls noch vor dem Frühstück beim Zwitschern der ersten Vögel. Danach, sagte er, sei die Anstrengung des Aus- und Anziehens größer als der Genuß einer Liebe am Morgen. Also konnte es nur während eines Hausbesuchs zur Verseuchung der Wäsche kommen oder aber in irgendeinem den Schach- oder Kinoabenden gestohlenen Moment. Letzteres war schwer zu klären, da Fermina Daza, anders als viele ihrer Freundinnen, zu stolz war, dem Ehemann nachzuspionieren oder jemand zu bitten, es für sie zu tun. Im übrigen war die Zeit der Hausbesuche, die für die Untreue am geeignetsten schien, auch am leichtesten zu kontrollieren, da Doktor Juvenal Urbino genauestens über jeden einzelnen seiner Patienten Buch führte, den Stand der Honorarabrechnung inbegriffen, und zwar von dem Augenblick an, da er ihn zum ersten Mal aufsuchte, bis zu der Stunde, in der er ihn mit einem letzten Kreuz und einem Spruch für das Wohlergehen der Seele von dieser Welt verabschiedete.

Im Laufe von drei Wochen hatte Fermina Daza ein paar Tage lang nicht den Geruch an der Kleidung festgestellt, ihn plötzlich wieder gerochen, als sie es am wenigsten erwartete, und hatte ihn dann, aufdringlicher denn je, mehrmals hintereinander bemerkt, obwohl an einem dieser Tage ein Familienfest gewesen war und sie sich keinen Augenblick lang getrennt hatten. Eines Nachmittags stand sie dann in der Praxis ihres Mannes, gegen ihre Gewohnheit und auch gegen ihre Absicht, so als sei es nicht sie, sondern eine andere, die da etwas tat, was sie selbst nie getan hätte, nämlich mit einer zierlichen Lupe aus Bengalen die verschlungenen Notizen von den Hausbesuchen der letzten Monate zu entziffern. Es war das erste Mal, daß sie allein das von Kreosotgerüchen erfüllte Arbeitszimmer betrat, das vollgestopft war mit in Häute unbekannter Tiere gebundenen Büchern, mit vergilbten Bildern von Schulklassen, Ehrenpergamenten, Astrolabien und Phantasiedolchen, die er in all den Jahren gesammelt hatte. Dieses heimliche Allerheiligste ihres Mannes hatte sie immer für den einzigen Bereich seines Privatlebens angesehen, zu dem sie, da er in die Liebe nicht mit einbezogen war, keinen Zutritt hatte, also war sie nur ein paarmal, immer mit ihm zusammen, dort gewesen, und stets nur wegen eiliger Angelegenheiten. Sie fühlte sich nicht berechtigt, allein den Raum zu betreten, schon gar nicht, um Nachforschungen anzustellen, die ihr ungehörig erschienen. Doch nun stand sie dort. Sie wollte die Wahrheit herausfinden und suchte sie mit einer Begierde, die der entsetzlichen Angst, sie zu finden, kaum entsprach, sie wurde von einem unbeherrschbaren Sturmwind getrieben, der mächtiger war als ihr angeborener Stolz, mächtiger auch als ihre Würde: eine überwältigende Qual.

Sie konnte sich keine Klarheit verschaffen, da die Patienten ihres Mannes, gemeinsame Freunde ausgenommen, auch zu seinem Herrschaftsmonopol gehörten, Personen ohne Identität, die nicht an ihren Gesichtern, sondern an ihren Schmerzen zu erkennen waren, nicht an ihrer Augenfarbe oder ihren Herzensergießungen, sondern an der Größe ihrer Leber, dem Belag ihrer Zunge, den Sedimenten ihres Urins und an den Halluzinationen ihrer Fiebernächte. Es waren Menschen, die an ihren Mann glaubten, die glaubten, durch ihn zu leben, während sie tatsächlich für ihn lebten und am Ende auf den in seiner Handschrift unter den medizinischen Befund geschriebenen Spruch reduziert wurden: *Geh unbesorgt, auf Gottes Wegen ist Gottes Segen.* Nach zwei unnützen Stunden verließ Fermina Daza das Arbeitszimmer mit dem Gefühl, einer unsittlichen Versuchung nachgegeben zu haben.

Von ihrer Phantasie angestachelt, begann sie die Veränderungen an ihrem Mann zu beobachten. Er schien ihr auszuweichen, zeigte sich appetitlos bei Tisch und im Bett, neigte zu Aufregung und ironischen Repliken und glich daheim nicht mehr dem ruhigen Mann von ehedem, sondern einem eingesperrten Löwen. Zum ersten Mal in ihrer Ehe überwachte sie seine Verspätungen, kontrollierte ihn auf die Minute, log ihn an, um ihm unliebsame Wahrheiten zu entlocken, und war dann tödlich getroffen von seinen Widersprüchen. Eines Nachts wachte sie erschreckt von etwas Gespenstischem auf, ihr Mann betrachtete sie in der Dunkelheit, mit haßerfüllten Augen wie ihr schien. Eine ähnliche Erschütterung hatte sie in der Blüte ihrer Jugend erfahren, als sie am Fußende ihres Bettes Florentino Ariza stehen sah, nur war jene Erscheinung nicht von Haß, sondern von Liebe bestimmt gewesen. Außerdem handelte es sich diesmal nicht um ein Hirngespinst. Es war zwei Uhr morgens, ihr Mann war wach und hatte sich im Bett aufgerichtet, um sie im Schlaf zu betrachten, als sie ihn jedoch fragte, weshalb er das mache, stritt er es ab. Er legte den Kopf wieder auf das Kissen und sagte:

»Das mußt du geträumt haben.«

Nach dieser Nacht und auch wegen anderer Episoden in jener Zeit, bei denen Fermina Daza nicht genau bestimmen konnte, wo die Wirklichkeit aufhörte und wo der Wahn begann, machte sie die erstaunliche Entdeckung, daß sie im Begriff war, verrückt zu werden. Schließlich fiel ihr auf, daß ihr Mann weder an Fronleichnam noch an irgendeinem der vergangenen Sonntage zur Kommunion gegangen war und auch keine Zeit für die geistigen Exerzitien des Jahres gefunden hatte. Als sie ihn fragte, worauf diese erstaunlichen Veränderungen in seiner geistigen Gesundheit zurückzuführen seien, erhielt sie eine ungeduldige Antwort. Dies war der entscheidende Hinweis, denn seit seiner ersten Kommunion im Alter von acht Jahren hatte er niemals versäumt, an einem so bedeutsamen Tag das heilige Abendmahl zu empfangen. Also konnte sie davon ausgehen, daß ihr Mann nicht nur in Todsünde lebte, sondern sogar entschlossen war, darin zu verharren, da er die Hilfe seines Beichtvaters nicht in Anspruch nahm. Sie hätte nie gedacht, daß man so sehr wegen etwas leiden konnte, das wohl alles andere war als Liebe, doch sie selbst führte es nun vor und entschied daher, daß ihr, wollte sie nicht daran sterben, nur der Ausweg blieb, diese Natternbrut, die ihr die Eingeweide vergiftete, mit Feuer auszutreiben. So geschah es. Eines Nachmittags setzte sie sich zum Strümpfestopfen auf die Terrasse, wo ihr Mann sich nach der Siesta gerade dem Ende seiner Lektüre näherte. Plötzlich unterbrach sie ihre Arbeit, schob die Brille auf die Stirn und sprach ihn ohne das geringste Anzeichen von Schärfe an:

»Doktor.«

Er war in die Lektüre von *L'île des pingouins* versenkt, einen Roman, den in jenen Tagen jedermann las, und antwortete, ohne aufzutauchen: *Oui.* Sie insistierte:

»Sieh mich an.«

Er tat es, schaute sie an, ohne sie im Nebel seiner Lesebrille zu sehen, mußte diese aber nicht erst abnehmen, um sich in der Glut ihrer Augen zu verbrennen.

»Was ist los?« fragte er.

»Das weißt du besser als ich«, sagte sie.

Sie sagte nichts mehr. Sie schob die Brille wieder auf die Nase und stopfte weiter Strümpfe. Da wußte Doktor Juvenal Urbino, daß die langen Stunden der Seelenangst zu Ende waren. Anders als erwartet, löste dieser Moment keine seismische Erschütterung in seinem Herzen aus, statt dessen brach Frieden ein. Es war die große Erleichterung, daß eher früher als später das geschehen war, was früher oder später geschehen mußte: Das Phantom von Señorita Barbara Lynch hatte endlich das Haus betreten.

Doktor Juvenal Urbino hatte sie vor vier Monaten kennengelernt, als sie in der Ambulanz des Hospitals de la Misericordia darauf wartete, an die Reihe zu kommen, und ihm war sofort klargeworden, daß etwas Unwiderrufliches in seinem Leben geschehen war. Sie war eine hochgewachsene, elegante Mulattin mit starken Knochen und einer Haut von der Farbe und der sanften Beschaffenheit der Melasse. An jenem Morgen trug sie ein rotes Kleid mit weißen Tupfen, dazu einen Hut aus dem gleichen Stoff mit breiter Krempe, der ihr bis über die Augen Schatten spendete. Sie schien von eindeutigerem Geschlecht zu sein als der Rest der Menschheit. Doktor Urbino hatte keinen Ambulanzdienst, ging aber, wenn er dort vorbeikam und genug Zeit hatte, stets hinein, um seine ehemaligen Schüler daran zu erinnern, daß es keine bessere Medizin gibt als eine gute Diagnose. Daher konnte er es sich so einrichten, daß er bei der Untersuchung der unerwarteten Mulattin zugegen war, achtete aber darauf, daß seine Schüler keine Geste an ihm bemerkten, die nicht zufällig hätte sein können, er schaute die Frau kaum an, merkte sich jedoch genau ihre Personalien. An jenem Abend ließ er nach dem letzten Hausbesuch die Kutsche zu der Adresse fahren, die sie bei der Untersuchung angegeben hatte, und tatsächlich, da war sie und genoß die frische Luft auf der Terrasse.

Es war ein typisches Antillenhaus, bis zum Zinkdach gelb gestrichen, mit Segeltuchbahnen vor den Fenstern und Schalen voller Nelken und Farne, die über der Eingangstür hingen. Das Haus stand auf Holzpfeilern im Salzschlamm von Mala Crianza, und ein Trupial sang in seinem Käfig, der an das vorgezogene Dach gehängt war. Auf der anderen Straßenseite war eine Primarschule, und die herausstürmenden Kinder zwangen den Kutscher, das Pferd fest an die Kandare zu nehmen, damit es nicht scheute. Ein glücklicher Zufall, denn er gab Señorita Barbara Lynch Zeit, den Doktor zu erkennen. Sie begrüßte ihn wie einen alten Bekannten, lud ihn zu einer Tasse Kaffee ein, bis der Tumult vorüber sei, was er ganz gegen seine Gewohnheit freudig annahm, während er ihr zuhörte, wie sie über sich erzählte, und das war das einzige, was ihn seit jenem Morgen interessierte, und auch das einzige, was ihn, ohne eine friedliche Minute, in den nächsten Monaten interessieren sollte. Bei irgendeiner Gelegenheit, er war damals gerade frisch verheiratet gewesen, hatte ihm ein Freund in Gegenwart seiner Frau prophezeit, er werde sich früher oder später einer verrückten Leidenschaft stellen müssen, die auch die Stabilität seiner Ehe gefährden könne. Er, der sich selbst zu kennen glaubte und wußte, wie fest er moralisch verwurzelt war, hatte über die Prognose gelacht. Nun gut: Jetzt hatte sie sich erfüllt.

Señorita Barbara Lynch, Doktorin der Theologie, war die einzige Tochter des Pastors Jonathan B. Lynch, eines protestantischen Geistlichen, der, schwarz und eingefallen, auf einem Maultier durch die ärmlichen Weiler der Marisma ritt und die Botschaft einer der vielen Götter predigte, die Doktor Juvenal Urbino klein schrieb, um sie von seinem Gott zu unterscheiden. Sie sprach ein gutes Spanisch mit einem Stolpersteinchen in der Syntax, das ihren Charme immer wieder betonte. Im Dezember würde sie ihren achtundzwanzigsten Geburtstag feiern, vor kurzem erst hatte sie sich von einem anderen Pastor scheiden lassen, einem Schüler ihres Vaters, mit dem sie zwei Jahre lang eine schlechte Ehe geführt hatte, und sie verspürte nicht den Wunsch, einen solchen Fehler noch einmal zu machen. Sie sagte: »Ich habe keine Liebe außer meinem Trupial.« Doktor Urbino aber war ein zu ernsthafter Mann, um anzunehmen, daß sie dies mit aller Absicht gesagt hatte. Im Gegenteil: Er fragte sich verstört, ob so viele günstige Bedingungen auf einmal nicht eine Falle Gottes sein könnten, um ihn später mit Zinsen zur Kasse zu bitten, doch diesen Gedanken schob er sogleich als theologischen Unfug beiseite, der seinem verwirrten Zustand zuzuschreiben war.

Bevor er sich verabschiedete, machte er noch eine beiläufige Bemerkung über die ärztliche Untersuchung am Morgen, wohl wissend, daß ein Kranker nichts lieber tut, als über seine Leiden zu sprechen, und sie sprach so glänzend über die ihren, daß er ihr versprach, am nächsten Tag Punkt vier Uhr zu einer eingehenderen Untersuchung wiederzukommen. Sie erschrak: Sie wußte, daß ein Arzt dieser Klasse ihre finanziellen Möglichkeiten überstieg, doch er beruhigte sie: »In diesem Beruf richten wir es so ein, daß die Reichen für die Armen mitbezahlen.« Dann trug er in sein Notizbuch ein: *Señorita Barbara Lynch, Marisma de la Mala Crianza, Sonnabend 16 Uhr.* Monate später sollte Fermina Daza diese Eintragung sowie die hinzugekommenen Einzelheiten über Diagnose, Therapie und Krankheitsverlauf lesen. Der Name fiel ihr auf, und sie meinte zunächst, es könne sich um eine dieser aus der Bahn geworfenen Sängerinnen von den Obstfrachtern aus New Orleans handeln, doch die Adresse sprach eher dafür, daß sie aus Jamaika stammte, also eine Schwarze war, und Fermina Daza schloß sie ohne Schmerz aus den Vorlieben ihres Mannes aus.

Doktor Juvenal Urbino kam am Sonnabend zehn Minuten früher zu der Verabredung, als Señorita Lynch noch dabei war, sich für seinen Empfang umzuziehen. Seit seinen Pariser Jahren, als er zu mündlichen Prüfungen hatte antreten müssen, hatte er nicht mehr eine solche innere Anspannung verspürt. In einem zarten Seidenunterrock auf dem Bett ausgestreckt, war Señorita Lynch von nicht endender Schönheit. Alles an ihr war groß und intensiv: ihre Sirenenschenkel, ihre auf kleiner Flamme glühende Haut, ihre erstarrten Brüste, ihr leuchtendes Zahnfleisch mit den vollkommenen Zähnen, und ihr ganzer Körper verströmte Gesundheit, jenen menschlichen Geruch, den Fermina Daza an den Kleidern ihres Mannes wahrnahm. Barbara Lynch hatte die Ambulanz aufgesucht, weil sie an etwas litt, was sie selbst humorvoll als krumme Koliken bezeichnete, und Doktor Urbino war der Ansicht, das sei ein Symptom, dem man nachgehen müsse. Also tastete er ihre inneren Organe mit mehr Absicht als Umsicht ab, vergaß darüber seine ärztliche Weisheit und stellte überrascht fest, daß diese wundervolle Kreatur innerlich eben so schön war wie äußerlich, und er gab sich dann den Wonnen des Tastsinns hin, nun schon nicht mehr der bestqualifizierte Arzt der Karibikküste, sondern ein armer Kerl, der vom Aufruhr seiner Instinkte gepeinigt wurde. Nur einmal war ihm in seinem strengen Berufsleben etwas Ähnliches passiert, und das war für ihn der Tag seiner größten Schande gewesen, denn die Patientin hatte empört seine Hand weggeschoben, sich im Bett aufgesetzt und gesagt: »Sie können bekommen, was sie wollen, aber so nicht.« Señorita Lynch hingegen überließ sich seinen Händen, und als sie dann keinen Zweifel mehr daran hatte, daß der Arzt schon nicht mehr an seine Wissenschaft dachte, sagte sie:

»Ich dachte, das ließe die Ethik nicht zu.«

Er war so schweißdurchnäßt, als stiege er angekleidet aus einem Teich, und trocknete sich Hände und Gesicht mit einem Handtuch ab.

»Die Ethik«, sagte er, »meint, daß Ärzte aus Stein sind.«

Sie reichte ihm dankbar eine Hand.

»Die Tatsache, daß ich das geglaubt habe, bedeutet nicht, daß man es nicht tun kann«, sagte sie. »Denk nur, was das für eine arme Schwarze wie mich bedeutet, wenn ein so bekannter Mann ein Auge auf mich wirft.«

»Ich habe nicht einen Augenblick aufgehört, an Sie zu denken«, sagte er.

Das war ein so zitterndes Geständnis, daß es schon bedauernswert wirkte. Aber sie erlöste ihn von allem Übel mit einem Lachen, das den Schlafraum erleuchtete.

»Das weiß ich, seitdem ich dich im Hospital gesehen habe, Doktor«, sagte sie. »Ich bin zwar schwarz, aber blöd bin ich nicht.«

Es war alles andere als leicht. Fräulein Lynch beanspruchte für sich einen guten Ruf, Sicherheit und Liebe, in dieser Reihenfolge, und glaubte, das auch alles verdient zu haben. Sie gab Doktor Urbino Gelegenheit, sie zu umgarnen, er durfte jedoch, selbst wenn sie allein zu Hause war, nicht weiter vordringen. Das Äußerste, was sie erlaubte, war ein abermaliges Abtasten und Abhören mit allen Verstößen gegen die Ethik, die er wollte, aber ausziehen ließ sie sich nicht. Er seinerseits kam nicht von dem Köder los, nach dem er geschnappt hatte, und wiederholte fast täglich seine Sturmangriffe. Aus praktischen Gründen war eine dauerhafte Beziehung zu Señorita Lynch für ihn so gut wie unmöglich, doch er war zu schwach, sich rechtzeitig zu bremsen, wie er später auch zu schwach sein sollte, weiterzugehen. Er hatte seine Grenze erreicht.

Pastor Lynch führte kein geregeltes Leben, irgendwann zog er mit seinem Maultier los, das auf der einen Seite mit Bibeln und evangelischen Missionsschriften und auf der anderen mit Proviant beladen war, und kehrte meist dann zurück, wenn man ihn am wenigsten erwartete. Ein weiterer Nachteil war die gegenüberliegende Schule. Denn die Kinder leierten ihre Lektionen mit Blick auf die Straße herunter und hatten dabei die beste Aussicht auf das Haus gegenüber und seine von sechs Uhr früh an weit geöffneten Fenster und Türen, sie sahen wie Señorita Lynch den Vogelkäfig am Vordach befestigte, damit der Trupial die Unterrichtslektionen lernte, sie sahen, wie sie, einen bunten Turban auf dem Kopf, bei der Hausarbeit die Lektionen mit ihrer leuchtenden karibischen Stimme mitsang und wie sie später, allein im Vorraum sitzend, englische Vesperpsalme anstimmte.

Die beiden mußten also einen Zeitpunkt abpassen, wenn die Kinder nicht dort waren, und da gab es nur zwei Möglichkeiten: zwischen zwölf und zwei Uhr in der Mittagspause – zu der Zeit war jedoch auch der Doktor beim Mittagessen – oder am späten Nachmittag, wenn die Kinder heimgingen. Das war von jeher die beste Zeit für dergleichen gewesen, aber der Doktor hatte dann bereits seine Hausbesuche beendet, so daß ihm nur noch wenige Minuten blieben, bis er bei seiner Familie zum Abendessen erscheinen mußte. Das dritte Problem, für ihn das schwerwiegendste, war sein Status. Um dort hinzugelangen, mußte er die Kutsche nehmen, die jedermann kannte und die dann stets vor der Tür stand. Wie fast alle seine Freunde vom Club Social hätte er den Kutscher zum Komplizen machen können, doch das lag außerhalb seiner Denkgewohnheiten. So kam es, daß, als die Besuche bei Fräulein Lynch allzu auffällig wurden, der livrierte Kutscher der Familie sogar selbst die Frage wagte, ob er nicht besser später wiederkommen sollte, um den Doktor abzuholen, damit der Wagen nicht so lange vor der Tür stände. Juvenal Urbino schnitt ihm scharf, wie es sonst nicht seine Art war, das Wort ab.

»Seit ich dich kenne, ist dies das erste Mal, daß ich dich etwas sagen höre, was dir nicht zusteht«, sagte er zu ihm. »Nun gut, ich will es nicht gehört haben.«

Es gab keine Lösung. In einer Stadt wie dieser war es unmöglich, eine Krankheit geheimzuhalten, wenn der Wagen des Arztes vor der Tür stand. Manchmal, wenn es die Entfernung erlaubte, entschloß sich der Arzt sogar, zu Fuß zu seinen Patienten zu gehen, oder nahm eine Mietdroschke, um bösartigen oder voreiligen Vermutungen keine Nahrung zu geben. Solche Täuschungsmanöver nützten jedoch nicht viel, da es durch die Rezepte möglich war, die Wahrheit in den Apotheken zu entschlüsseln, so daß Doktor Urbino gelegentlich sogar falsche Medikamente zusammen mit den richtigen verschrieb, zum Schutz der Kranken und ihres heiligen Rechts, in Frieden mit dem Geheimnis ihrer Krankheiten zu sterben. Er hatte auch mehrere Möglichkeiten, auf ehrenhafte Weise die Anwesenheit seines Wagens vor dem Haus von Señorita Lynch zu rechtfertigen, allerdings nicht über einen längeren Zeitraum hinweg und schon gar nicht so lange, wie er es gewünscht hätte: das ganze Leben.

Die Welt wurde ihm zur Hölle. Nachdem das erste verrückte Verlangen gestillt war, wurden sich beide der Gefahren bewußt. Doktor Urbino war jedoch nie entschieden genug, es auf einen Skandal ankommen zu lassen. In seinen Fieberdelirien versprach er alles und jedes, wenn aber dann alles vorüber war, wurde es wieder auf später verschoben. Je mehr sein Verlangen nach ihrer Nähe wuchs, wuchs auch die Angst, sie zu verlieren, so daß die Begegnungen immer gehetzter und komplizierter wurden. Er dachte an nichts anderes. Er wartete auf den Abend, und die Sehnsucht wurde ihm unerträglich, er vergaß andere Verpflichtungen, er vergaß alles außer dieser Frau, doch sobald sich sein Wagen der Marisma de la Mala Crianza näherte, flehte er zu Gott, ein Hindernis möge ihn im letzten Augenblick dazu zwingen, an dem Haus vorbeizufahren. Er fuhr in einem derartig verstörten Zustand dorthin, daß er sich manchmal darüber freute, bereits von der Ecke aus den watteweißen Kopf von Pastor Lynch zu sehen, der auf der Terrasse saß, und im Wohnraum seine Tochter, die den Kindern des Viertels mit den gesungenen Evangelien den Katechismus beibrachte. Erleichtert fuhr er dann nach Hause, um das Schicksal nicht noch weiter herauszufordern, später aber machte ihn die Sehnsucht wahnsinnig, den ganzen Tag über sollte für ihn wie alle Tage fünf Uhr nachmittags sein.

Diese Liebschaft wurde untragbar, als der Wagen vor der Tür zum vertrauten Anblick geworden war, und nach Ablauf von drei Monaten war sie nur noch lächerlich. Sie hatten keine Zeit, miteinander zu reden, also begab sich Señorita Lynch, sobald sie den verwirrten Liebhaber eintreten sah, ins Schlafzimmer. Vorsorglich zog sie sich an den Tagen, an denen sie ihn erwartete, etwas Weites an, einen wunderhübschen jamaikanischen Rock mit rotgeblümten Volants, darunter keine Unterwäsche, nichts, weil sie meinte, ihm die Angst nehmen zu können, wenn sie es ihm nur leicht genug machte. Doch er verdarb alles, was sie aufbot, um ihn glücklich zu machen. In Schweiß gebadet, folgte er ihr, hechelnd, stürmte ins Schlafzimmer und warf alles von sich, den Spazierstock, den Arztkoffer, den Panamahut, er liebte sie in Panik, die Hosen um die Knöchel gerollt, die Jacke zugeknöpft, damit ihm nichts in den Weg kam, die goldene Uhrkette in der Weste, in Schuhen, mit allem, und mehr noch darauf aus, so schnell wie möglich wieder zu gehen, als seiner Lust nachzukommen. Sie hatte nichts davon, betrat gerade erst ihren Tunnel der Einsamkeit, wenn er sich schon wieder zuknöpfte, erschöpft, als habe er auf der Trennlinie zwischen Leben und Tod den absoluten Liebesakt vollbracht, während er in Wirklichkeit gerade all das geschafft hatte, was der Liebesakt mit einer Turnübung gemeinsam hat. Doch er hatte sich an seine Ordnung gehalten: die genaue Zeit, um bei einer Routinebehandlung eine intravenöse Spritze zu geben. Dann fuhr er nach Hause zurück, beschämt von der eigenen Schwäche, wäre am liebsten gestorben, verfluchte sich, weil ihm der Mut fehlte, Fermina Daza darum zu bitten, ihm die Hosen herunterzuziehen und ihn mit nacktem Hintern in ein glühendes Kohlebecken zu setzen. Er aß nicht zu Abend, betete ohne Überzeugung, gab vor, im Bett seine Siestalektüre fortzusetzen, während seine Frau eine Runde um die andere durch das Haus machte und die Welt in Ordnung brachte, bevor sie zu Bett ging. Während ihm der Kopf aufs Buch fiel, tauchte er allmählich ein in das unausweichliche Mangrovendickicht der Barbara Lynch, in ihren Dunst eines ruhenden Waldes, in ihr Bett, um darin zu vergehen, und konnte dann an nichts anderes mehr denken, als an den kommenden Nachmittag, fünf Minuten vor fünf, sie erwartete ihn auf dem Bett mit nichts als diesem dunklen Buschwerk unter ihrem Rock einer lebenslustigen Jamaikanerin: ein Teufelskreis.

Seit ein paar Jahren schon wurde ihm die Schwere seines Körpers zunehmend bewußt. Er erkannte die Symptome. Er hatte in Abhandlungen darüber gelesen, hatte sie im wirklichen Leben bei älteren Patienten bestätigt gesehen, die plötzlich ohne ernstlichen Krankheitsbefund anfingen, perfekte Syndrome wie nach dem Lehrbuch zu beschreiben, die sich dennoch als Einbildungen erwiesen. Sein Lehrer für Kinderheilkunde in La Salpêtrière hatte ihm als ehrlichste Fachrichtung die Pädiatrie empfohlen, weil Kinder nur erkranken, wenn ihnen tatsächlich etwas fehlt, und weil sie sich dem Arzt nicht mit überkommenen Aussagen mitteilen, sondern durch konkrete Symptome realer Krankheiten. Die Erwachsenen hingegen haben von einem gewissen Alter an entweder Symptome ohne die dazugehörigen Krankheiten oder etwas noch Schlimmeres: schwere Krankheiten mit den Symptomen von harmlosen. Er hielt sie mit Palliativa hin und ließ der Zeit Zeit, bis sie sich in der Abfallgrube des Alters daran gewöhnt hatten, mit ihren Gebrechen zu leben, und diese dann nicht mehr spürten. Doktor Juvenal Urbino wäre jedoch nie auf den Gedanken gekommen, daß ein Arzt in seinem Alter, der glaubte, alles gesehen zu haben, nicht mit der Unruhe fertig werden könnte, sich krank zu fühlen, ohne es wirklich zu sein. Oder schlimmer noch: aus reinem wissenschaftlichen Vorurteil nicht an eine Krankheit zu glauben, obwohl er womöglich krank war. Schon mit vierzig hatte er, halb im Ernst, halb scherzhaft vom Katheder aus verkündet: »Alles, was ich im Leben brauche, ist jemand, der mich versteht.« Als er sich jedoch im Labyrinth der Señorita Lynch verloren hatte, war das kein Scherz mehr für ihn.

All die echten oder eingebildeten Symptome seiner älteren Patienten traten gesammelt in seinem Körper auf. Er spürte derart genau seine Leber, daß er ihre Größe hätte angeben können, ohne sie erst abzutasten. Er spürte, daß seine Nieren schnurrten wie eine schlafende Katze, nahm den changierenden Glanz seiner Blase wahr und das Summen des Bluts in den Arterien. Manchmal wachte er vom Luftmangel auf wie ein Fisch auf dem Trockenen. Er hatte Wasser im Herzen. Er spürte, wie dieses einen Augenblick lang aus dem Takt geriet, spürte, daß es um einen Schlag nachhinkte, wie bei den Militärmärschen in der Schule, eins und, eins und, und schließlich spürte er dann, wie es sich erholte, denn

Gott ist groß. Doch statt auf eben die Ablenkungsmittel zurückzugreifen, die er seinen Kranken empfahl, war er starr vor Angst. Es stimmte: Das einzige, was er, auch noch mit achtundfünfzig Jahren, im Leben brauchte, war jemand, der ihn verstand. So wandte er sich Fermina Daza zu, dem Wesen, das ihn am meisten liebte und das er am meisten auf dieser Welt liebte und bei der er sein Gewissen erleichtert hatte.

Denn dazu war es gekommen, nachdem sie ihn bei seiner Nachmittagslektüre unterbrochen und ihn gebeten hatte, ihr in die Augen zu schauen, ein erster Hinweis dafür, daß der Teufelskreis, in dem er sich bewegte, entdeckt worden war. Wie das geschehen war, begriff er allerdings nicht, denn wie hätte er auch auf den Gedanken kommen können, daß Fermina Daza die Wahrheit schlicht und einfach gerochen hatte. Auf jeden Fall war dies nicht die rechte Stadt für Geheimnisse und war es auch nie gewesen. Kurz nachdem die ersten Privattelefone eingerichtet worden waren, gingen wegen anonymer Klatschereien am Telefon mehrere intakt scheinende Ehen zu Bruch, woraufhin viele verängstigte Familien ihren Anschluß abmeldeten oder jahrelang keinen wollten. Doktor Urbino wußte, daß die Selbstachtung seiner Frau zu groß war, um eine anonyme telefonische Indiskretion auch nur zuzulassen, und er konnte sich auch niemanden vorstellen, der so dreist gewesen wäre, ihr persönlich die Geschichte zu stecken. Allerdings fürchtete er sich vor der altmodischen Methode: Ein von unbekannter Hand unter der Tür durchgeschobener Zettel konnte seine Wirkung haben, nicht nur weil er die doppelte Anonymität von Absender und Empfänger wahrte, sondern weil ihm durch seine legendäre Tradition so etwas wie ein metaphysischer Bezug zu den Absichten der göttlichen Vorsehung beizumessen war.

Eifersucht hatte sein Haus nie kennengelernt: In über dreißig Jahren ehelichen Friedens hatte Doktor Urbino sich wiederholt öffentlich damit gebrüstet, daß er, und das traf bis dahin auch zu, einem schwedischen Streichholz gleiche, das sich nur an seiner eigenen Schachtel entzünde. Aber er wußte nicht, wie eine Frau mit dem Stolz, der Würde und dem starken Charakter seiner Frau auf eine erwiesene Untreue reagieren würde. So fiel ihm, nachdem er ihr, ihrer Bitte nachkommend, in die Augen gesehen hatte, nichts Besseres ein, als wieder den Blick zu senken und seine Verwirrung zu überspielen, er gab einfach vor, sich weiterhin in den sanften Mäandern der Insel Alka zu verlieren, während er überlegte, was zu tun sei. Auch Fermina Daza sagte nichts mehr. Als sie die Strümpfe fertig gestopft hatte, warf sie die Sachen achtlos in den Nähkorb, gab in der Küche Anweisungen für das Abendessen und ging ins Schlafzimmer.

Zu diesem Zeitpunkt stand sein Entschluß schon fest, so daß er dann um fünf Uhr nicht zu Señorita Lynch fuhr. Die Versprechen ewiger Liebe, die Hoffnung auf ein diskretes Haus ganz für sie allein, wo er sie ungestört besuchen konnte, ein Glück ohne Hast bis zum Tode, alles, was er ihr in den Flammen der Liebe versprochen hatte, war auf immer und ewig rückgängig gemacht. Das letzte, was Señorita Lynch von ihm bekam, war ein Smaragdstirnreif, den ihr der Kutscher ohne Kommentar, ohne eine Botschaft, ohne eine schriftliche Notiz in einem Schächtelchen überreichte, das in Apothekenpapier eingewickelt war, damit der Kutscher es auch für ein dringend benötigtes Medikament halten konnte. Doktor Urbino sah sie bis zu seinem Lebensende nicht wieder, nicht einmal zufällig, und nur Gott wußte, wieviel Schmerz ihn diese heroische Entscheidung gekostet hatte und wie viele gallige Tränen er eingeschlossen in der Toilette vergießen mußte, um sein Liebesdebakel zu überleben. Um fünf Uhr unterzog er sich, statt zu ihr zu gehen, vor seinem Beichtvater einer tiefen Buße und ging am folgenden Sonntag mit gebrochenem Herzen, doch ruhiger Seele zur Kommunion.

Noch am Abend seines Verzichts wiederholte er, während er sich auszog, vor Fermina Daza die bittere Litanei von seinen morgendlichen Schlafstörungen, den plötzlichen Stichen, der Lust, am Abend zu weinen, er zählte ihr all die verschlüsselten Symptome der heimlichen Liebe auf, als handele es sich um die Leiden des Alters. Er mußte sich jemandem anvertrauen, um nicht zu sterben, um nicht die Wahrheit erzählen zu müssen, schließlich und endlich gehörte es zu den häuslichen Liebesriten, sich in solcher Weise Linderung zu verschaffen. Sie hörte ihm aufmerksam zu, sah ihn dabei aber nicht an, sagte nichts, während sie die Kleider, die er auszog, entgegennahm. Sie roch an jedem Stück ohne eine Geste zu machen, die ihre Wut verraten hätte, knüllte das Kleidungsstück zusammen und warf es in den geflochtenen Wäschekorb. Der Geruch war nicht da, aber was hieß das schon: Morgen kam ein neuer Tag. Bevor er vor dem kleinen Schlafzimmeraltar niederkniete, schloß er die Aufzählung seiner Leiden mit einem tiefen und zudem ehrlichen Seufzer: »Ich glaube, ich sterbe bald.« Sie antwortete ohne mit der Wimper zu zucken:

»Das wäre das beste«, sagte sie. »Dann hätten wir beide unsere Ruhe.«

Jahre zuvor, auf dem Höhepunkt einer gefährlichen Krankheit, hatte er ihr von seinem möglichen Tod gesprochen, und sie war ihm mit der gleichen brutalen Antwort gekommen. Doktor Urbino erklärte es sich mit der den Frauen eigenen Gnadenlosigkeit, dank derer die Erde weiter um die Sonne kreisen kann, weil er damals noch nicht wußte, daß seine Frau stets eine Barrikade des Zorns vor sich aufbaute, wenn man ihr die Angst nicht anmerken sollte, und in diesem Fall die furchtbarste aller Ängste: ihn zu verlieren.

In jener Nacht aber hatte sie ihm von ganzem Herzen den Tod gewünscht, und dieses Wissen machte ihn unruhig. Dann hörte er sie in der Dunkelheit schluchzen, sie biß ins Kissen, damit er es nicht merkte. Das brachte ihn vollends durcheinander, wußte er doch, daß sie nicht ohne weiteres wegen irgendeines Schmerzes des Körpers oder der Seele weinte. Sie weinte nur in großem Zorn, vor allem wenn dieser ihrer panischen Angst vor irgendwelcher Schuld entsprang, und wurde dann um so zorniger, je mehr sie weinte, weil sie sich die Schwäche zu weinen nicht verzeihen konnte. Juvenal Urbino traute sich nicht, sie zu trösten, denn das wäre dem Versuch gleichgekommen, eine von einem Speer durchbohrte Tigerin zu trösten, auch hatte er nicht den Mut, ihr zu sagen, daß an diesem Nachmittag die Gründe für ihr Weinen verschwunden, mit Stumpf und Stiel und für immer aus seinem Gedächtnis gerissen worden waren.

Die Müdigkeit siegte ein paar Minuten lang über ihn. Als er wieder aufwachte, hatte sie ihre schwache Nachttischlampe angezündet. Sie lag immer noch mit offenen Augen da, weinte aber nicht mehr. Etwas Endgültiges war mit ihr geschehen, während er schlief. Die am Grunde ihres Alters in so vielen Jahren abgelagerten Sedimente waren durch die Qualen der Eifersucht aufgewirbelt worden, an die Oberfläche gekommen und hatten sie in einem einzigen Augenblick alt werden lassen. Erschüttert von ihren plötzlichen Falten, ihren welken Lippen, der Asche ihres Haars, wagte er, ihr zu sagen, sie möge doch versuchen zu schlafen, zwei Uhr morgens sei vorbei. Sie sprach mit ihm, ohne ihn anzusehen, doch schon ohne jede Spur von Wut in der Stimme, fast demütig:

»Ich habe ein Recht zu wissen, wer sie ist«, sagte sie.

Und da erzählte er ihr alles, und es war ihm, als ob er sich vom Gewicht der Welt befreie, denn er war davon überzeugt, daß sie es wußte und sich nur noch die Einzelheiten bestätigen lassen wollte. Aber das war natürlich nicht so, deshalb fing sie, während er noch sprach, wieder an zu weinen, und nun nicht mehr mit schüchternen Schluchzern wie am Anfang, sondern mit lockeren Salztränen, die ihr über das Gesicht flossen, im Nachthemd brannten und sie krank machten, denn er hatte nicht das getan, was sie voller Angst gehofft hatte, daß er nämlich alles bis zum Tod abgestritten, sich über die Verleumdung empört, geschrien und geflucht und auf diese Gesellschaft von schlechten Eltern geschissen hätte, die ohne die geringste Scheu die Ehre eines anderen mit Füßen trat, und daß er sich auch angesichts der erdrückenden Beweise seiner Untreue noch unbeirrt gezeigt hätte: wie ein Mann. Als er ihr dann erzählte, daß er am Nachmittag bei seinem Beichtvater gewesen sei, glaubte sie vor Zorn zu erblinden. Seit der Schulzeit war sie davon überzeugt, daß den Kirchenleuten jede von Gott kommende Tugend abging. Dies war eine grundsätzliche Meinungsverschiedenheit innerhalb der Harmonie des Hauses, die sie jedoch ohne Zusammenstöße zu umsteuern vermocht hatten. Daß ihr Mann aber dem Beichtvater erlaubt hatte, sich so weit einzumischen, und zwar nicht nur in seine Intimität, sondern auch in die ihre, war unverzeihlich.

»Dann hättest du es auch gleich einem Schlangenbändiger an den Portalen erzählen können«, sagte sie.

Das war für sie das Ende. Sie war sicher, daß ihre Ehe schon Stadtgespräch geworden war, bevor noch ihr Mann seine Bußgebete beendet hatte, und die damit verbundene

Demütigung war noch weniger zu ertragen als die Schande und die Wut und das Unrecht des Ehebruchs. Und zu allem Übel, verdammt noch mal, mit einer Schwarzen. Er korrigierte: »Mulattin.« Aber da war schon jede Präzisierung überflüssig: Sie war mit ihm fertig.

»Das ist Jacke wie Hose«, sagte sie, »aber jetzt verstehe ich: Es roch nach Negerin.«

Dies geschah an einem Montag. Am Freitag um sieben Uhr abends schiffte sich Fermina Daza begleitet von ihrer Pflegetochter auf dem kleinen Liniendampfer nach San Juan de la Ciénaga ein, mit nur einem Koffer und verschleiertem Gesicht, um Fragen zu vermeiden und sie ihrem Mann zu ersparen. Doktor Juvenal Urbino war nicht am Hafen, das hatten sie nach einer drei Tage dauernden erschöpfenden Aussprache vereinbart, bei der beschlossen worden war, daß Fermina Daza auf die Hacienda der Kusine Hildebranda bei Flores de María fahren sollte, um dort alles mit reichlich Zeit zu überdenken, bevor sie eine endgültige Entscheidung traf. Die Kinder nahmen an, es sei die Reise, die schon oft verschoben worden war und die sie sich selbst seit geraumer Zeit gewünscht hatten. Doktor Urbino richtete es so ein, daß niemand in seiner perfiden kleinen Welt böswillige Vermutungen anstellen konnte, und das gelang ihm so gut, daß Florentino Ariza nur deshalb keine Hinweise auf Fermina Dazas Verschwinden fand, weil es keine gab, und nicht, weil ihm die Möglichkeiten zur Nachforschung gefehlt hätten. Der Ehemann zweifelte nicht daran, daß sie, sobald ihr Zorn verraucht war, heimkehren würde. Sie aber ging in der Gewißheit, daß ihr Zorn nie vergehen würde.

Sie sollte jedoch bald einsehen, daß diese übertriebene Entschiedenheit nicht so sehr eine Folge der Verbitterung als der Sehnsucht gewesen war. Nach der Hochzeitsreise war sie, trotz der zehntägigen Seereise, noch mehrmals nach

Europa gefahren und hatte immer genug Zeit gehabt, glücklich zu sein. Sie kannte die Welt, sie hatte gelernt, anders zu leben und zu denken, war jedoch nach der gescheiterten Ballonfahrt nie wieder in San Juan de la Ciénaga gewesen. Für sie hatte die Rückkehr in die Provinz der Kusine Hildebranda etwas von einer – wenn auch späten – Erlösung. Sie bezog das nicht auf ihr eheliches Mißgeschick, sondern auf lang Zurückliegendes. So tröstete sie in ihrem Unglück schon der Gedanke, für sich die Orte zurückzugewinnen, wo sie als Mädchen gewesen war.

Als sie mit ihrer Pflegetochter in San Juan de la Ciénaga das Schiff verließ, mobilisierte sie alle Reserven ihres Charakters und erkannte die Stadt an, allen Warnungen zum Trotz. Der Ortskommandant für zivile und militärische Belange, dem sie anempfohlen worden war, bat sie zu sich in die offizielle Kutsche, bevor ihr Zug nach San Pedro Alejandrino abfuhr. Dort wollte sie überprüfen, was sie gehört hatte, daß nämlich das Bett, in dem Bolívar gestorben war, so klein war wie das eines Kindes. Zunächst aber sah Fermina Daza ihr großes Dorf erneut in der Zwei-Uhr-mittags-Erstarrung daliegen. Sie sah die Straßen wieder, die mit ihren Pfützen voll grüner Wasserschlieren eher Sandbänken glichen, und sie sah die Häuser der Portugiesen mit den in Stein gemeißelten Wappen am Portikus und den Messingjalousien vor den Fenstern, hinter denen in schattigen Salons die gleichen stockenden und melancholischen Klavieretüden, die ihre frischverheiratete Mutter den Mädchen aus reichem Hause beigebracht hatte, erbarmungslos wieder und wieder geübt wurden. Sie sah die verlassene Plaza baumlos in der Kalkglut, die Reihe der Droschken mit den trauerschwarzen Verdecken und den im Stehen schlafenden Pferden, den gelben Zug nach San Pedro Alejandrino, und an der Ecke der Hauptkirche sah sie das größte und auch das schönste Haus, mit einem Arkadengang aus bemoostem Stein und einem Klosterportal, und sie sah das Fenster des Zimmers, in dem viele Jahre später, wenn sie schon kein Gedächtnis mehr haben würde, um sich seiner zu erinnern, Alvaro geboren werden sollte. Sie dachte an Tante Escolástica, nach der sie noch immer allerorten ohne Hoffnung suchte, und ertappte sich dabei, auch an Florentino Ariza und die Mandelbäume des kleinen Platzes, an seinen Literatenanzug und den Band mit Versen zu denken; das passierte ihr nur selten und dann auch nur, wenn sie sich ihrer unliebsamen Schuljahre erinnerte. Sie hatte trotz mehrerer Runden das einstige Haus der Familie nicht finden können, denn dort, wo sie es vermutete, war nichts außer einer Schweinezucht, und um die Ecke lag die Straße der Bordelle mit Huren aus aller Welt, die ihre Siesta in den Hauseingängen hielten für den Fall, daß die Post etwas für sie brächte. Das war nicht ihr Städtchen.

Gleich zu Beginn der Spazierfahrt hatte sich Fermina Daza das Gesicht halb mit dem Schleier bedeckt, nicht aus Angst, dort erkannt zu werden, wo niemand sie erkennen konnte, sondern wegen des Anblicks der Toten, die vom Bahnhof bis zum Friedhof überall aufgedunsen in der Sonne lagen. Der Ortskommandant sagte: »Das ist die Cholera.« Sie wußte es, denn sie hatte die weißen Krumen an den Mündern der verdorrenden Leichen gesehen, stellte jedoch fest, daß keine, wie zur Zeit der Ballonfahrt, einen Genickschuß aufwies.

»So ist es«, sagte der Offizier. »Auch Gott verbessert seine Methoden.«

Die Entfernung zwischen San Juan de la Ciénaga und der ehemaligen Zuckermühle von San Pedro Alejandrino betrug nur neun Meilen, der gelbe Zug brauchte dafür jedoch den ganzen Tag, weil der Lokomotivführer mit den regelmäßigen Fahrgästen befreundet war, die ihn immer wieder darum baten, den Zug halten zu lassen, um sich die Beine vertreten zu können und auf den Golfplätzen der Bananengesellschaft herumzuspazieren, die Männer badeten nackt in den klaren und eisigen Flüssen, die von den Bergen herabstürzten, und wenn sie hungrig waren, stiegen sie aus, um die frei in den umzäunten Feldern herumlaufenden Kühe zu melken. Fermina Daza erreichte verängstigt ihr Ziel und nahm sich kaum Zeit, die legendären Tamarisken zu bewundern, an denen der todkranke Befreier seine Hängematte aufgehängt hatte, und stellte fest, daß sein Sterbebett nicht nur, wie man ihr erzählt hatte, für einen Mann von so großem Ruhm zu klein gewesen war, sondern sogar für ein Siebenmonatskind. Ein anderer Besucher, der über alles Bescheid zu wissen schien, sagte ihr jedoch, daß das Bett eine unechte Reliquie sei, da man in Wirklichkeit den Vater des Vaterlandes auf dem Boden hatte sterben lassen. Fermina Daza war so deprimiert über all das, was sie sah und hörte, seitdem sie von zu Hause aufgebrochen war, daß sie den Rest der Reise über nicht, wie sie es ersehnt hatte, in Erinnerungen an ihre langvergangene Reise schwelgen konnte, sondern es sogar vermied, durch die Dörfer ihres Heimwehs zu fahren. So erhielt sie sich diese und bewahrte sich selbst vor der Enttäuschung. Sie hörte die Akkordeons noch auf den Nebenwegen, auf denen sie vor der Ernüchterung floh, hörte die Schreie des Hahnenkampfs, die Bleisalven, die sowohl Krieg wie auch Fiesta bedeuten konnten, und wenn es unumgänglich war, ein Städtchen zu durchqueren, bedeckte sie das Gesicht mit dem Schleier, um den Ort weiter so in Erinnerung zu behalten, wie er früher gewesen war.

Nachdem sie lange Zeit der Vergangenheit ausgewichen war, kam sie eines Nachts auf der Hazienda ihrer Kusine Hildebranda an und hätte, als sie diese an der Tür auf sie warten sah, beinahe das Bewußtsein verloren: Es war, als sähe sie sich selbst im Spiegel der Wahrheit. Hildebranda war dick und wirkte verbraucht, an ihr hingen ungebärdige Kinder, die nicht von dem Mann waren, den sie immer noch hoffnungslos liebte, sondern von einem ehemaligen Offizier mit guter Pension, den sie aus Trotz geheiratet hatte und der sie leidenschaftlich liebte. Aber in ihrem ausgelaugten Körper steckte immer noch die alte Hildebranda. Fermina Daza hatte sich von dem ersten Eindruck nach ein paar Tagen auf dem Land und dem Austausch guter Erinnerungen erholt, verließ die Hacienda jedoch nur, um sonntags mit den Enkeln ihrer ungezähmten Komplizinnen von einst zur Messe zu gehen, das waren Gecken auf prächtigen Pferden und schöne junge Mädchen in hübschen Kleidern wie ihre Großmütter im gleichen Alter, sie standen neben ihr auf dem Ochsenwagen und sangen gemeinsam bis zur Missionskirche am Ende des Tals. Sie kam nur durch ein Städtchen, Flores de María, in dem sie bei ihrer vorigen Reise nicht gewesen war, weil sie nicht geglaubt hatte, es könne ihr gefallen, und nun, da sie es kennenlernte, war sie entzückt. Pech für sie oder für das Städtchen war jedoch, daß es später in ihrer Erinnerung nie so aussah, wie es wirklich war, sondern so, wie sie es sich, bevor sie es kennenlernte, vorgestellt hatte.

Doktor Juvenal Urbino beschloß, sie abzuholen, nachdem er den Bericht des Bischofs von Riohacha gehört hatte. Er entnahm diesem, daß das Ausbleiben seiner Frau nicht darauf zurückzuführen war, daß sie nicht heimkehren wollte, sondern auf den Umstand, daß sie nicht wußte, wie sie ihren Stolz überwinden sollte. Also machte er sich unangemeldet auf den Weg, nachdem er einige Briefe mit Hildebranda gewechselt hatte, aus denen er schloß, daß die Sehnsucht seiner Frau sich gewandelt hatte: Jetzt dachte sie nur noch an daheim. Es war elf Uhr vormittags, und Fermina

Daza bereitete in der Küche gerade gefüllte Auberginen zu, als sie die Schreie der Arbeiter hörte, das Wiehern, die Luftschüsse, dann die energischen Schritte im Hausflur und die Stimme des Mannes:

»Besser beizeiten kommen als ewig auf die Einladung warten.«

Sie glaubte, vor Freude zu sterben. Sie hatte keine Zeit, darüber nachzudenken, wusch sich irgendwie die Hände und murmelte: »Danke, lieber Gott, danke, wie gut du bist!« Ihr fiel ein, daß sie wegen dieser verdammten Auberginen, um welche die Kusine Hildebranda sie gebeten hatte, ohne ihr zu sagen, wer zum Mittagessen erwartet würde, noch nicht ihr Bad genommen hatte, dachte, daß sie alt und häßlich sei, das Gesicht sich von der Sonne schälte, daß er bereuen könnte, gekommen zu sein, wenn er sie in dieser Verfassung sähe, verdammt. Doch sie trocknete so gut wie möglich die Hände an der Schürze ab, brachte sich so gut wie möglich in Fasson, und nahm, um ihr verrückt schlagendes Herz zu bändigen, den ganzen Stolz zusammen, mit dem ihre Mutter sie zur Welt gebracht hatte, und dann schritt sie mit ihrem sanften Rotwildgang dem Mann entgegen, das Haupt erhoben, mit klarem Blick und der kriegslustigen Nase, sie war dem Schicksal dankbar für die unendliche Erleichterung, heimkehren zu dürfen, aber das war natürlich nicht so einfach, wie er sich das dachte, denn sie ging zwar glücklich mit ihm, natürlich, war aber auch entschlossen, ihn im stillen für die bitteren Leiden zahlen zu lassen, die sie beinahe das Leben gekostet hatten.

Fast zwei Jahre nach dem Verschwinden Fermina Dazas ereignete sich einer jener unmöglichen Zufälle, die Tránsito Ariza als Hohn Gottes bezeichnet hätte. Florentino Ariza war von der Erfindung des Kinos nicht besonders beeindruckt gewesen, ließ sich damals jedoch widerstandslos von

Leona Cassiani zur spektakulären Erstaufführung des Films *Cabiria* schleppen, der berühmt für seine von dem Dichter Gabriele D'Annunzio geschriebenen Dialoge war. In dem großen zum Himmel offenen Patio von Don Galileo Daconte, wo man in manchen Nächten mehr den Glanz der Sterne als die stummen Leinwandliebschaften genoß, drängte sich ein erlesenes Publikum. Leona Cassiani verfolgte atemlos die dramatischen Ereignisse der Geschichte. Florentino Ariza hingegen war kurz davor, unter der erdrückenden Schwere des Dramas einzunicken. Hinter ihm schien eine Frauenstimme seine Gedanken auszusprechen:

»Du lieber Gott, das ist ja endloser als der Schmerz.«

Das war alles, was sie, vielleicht eingeschüchtert vom Hall ihrer Stimme im Halbdunkel, sagte, der Brauch, Filme mit Klavierbegleitung auszuschmücken, hatte sich hier nämlich noch nicht durchgesetzt, und im dämmrigen Zuschauerraum war nur das regnerische Surren des Projektors zu hören. Florentino Ariza dachte sonst höchstens in ganz schwierigen Situationen an Gott, diesmal aber dankte er ihm von ganzem Herzen. Denn selbst zwanzig Klafter unter der Erde hätte er sofort den matten Metallklang dieser Stimme erkannt, den er seit jenem Nachmittag im Herzen trug, als er sie in der Flut gelber Blätter eines einsamen Platzes hatte sagen hören: »Gehen Sie jetzt, und kommen Sie erst wieder, wenn ich Ihnen Bescheid gebe.« Er wußte, daß sie in der Reihe hinter ihm neben dem unvermeidlichen Ehemann saß, er spürte den lauen und gelassenen Atem und sog liebevoll die von ihrem gesunden Hauch gereinigte Luft ein. Er spürte sie nicht so, wie er sie sich in der Niedergeschlagenheit der letzten Monate vorgestellt hatte, nämlich von Todesmotten zerfressen, sondern beschwor sie wieder in ihrem strahlend glücklichen Lebensalter, mit dem vom Keim des ersten Kindes gewölbten Bauch unter der Tunika der Minerva. Es war ihm, als sähe er sie vor sich, ohne sich umdrehen zu müssen, und die historischen Schrecken, die über die Leinwand fluteten, erreichten ihn nicht. Er ergötzte sich an dem Mandelduft, durch den ein intimer Hauch von ihr zu ihm zurückströmte, und hätte zu gern gewußt, wie sich ihrer Meinung nach die Filmfrauen zu verlieben hatten, damit die Liebe nicht so wehtat wie im Leben. Kurz vor dem Ende wurde ihm in aufblitzendem Jubel bewußt, daß er noch nie jemandem, den er so sehr liebte, so lange derart nah gewesen war.

Als die Lichter angingen, wartete er, bis die anderen aufgestanden waren. Dann erhob er sich ohne Hast, drehte sich, während er seine Weste zuknöpfte, die er stets während der Vorstellung öffnete, zerstreut um, und nun standen die vier so nah beieinander, daß sie sich auf jeden Fall, selbst wenn einer von ihnen es nicht gewünscht hätte, begrüßen mußten. Juvenal Urbino begrüßte zuerst Leona Cassiani, die er gut kannte, und drückte dann Florentino Ariza mit der üblichen Freundlichkeit die Hand. Fermina Daza lächelte beide höflich an, höflich und nicht mehr, doch bewies ihr Lächeln immerhin, daß sie sie gesehen hatte, wußte, wer sie waren, und sie daher auch nicht vorgestellt werden mußten. Leona Cassiani erwiderte das Lächeln mit der Anmut der Mulattin. Florentino Ariza hingegen wußte nicht, wie er sich verhalten sollte, denn Fermina Dazas Anblick machte ihn sprachlos.

Sie war eine andere. In ihrem Gesicht war kein Anzeichen für die schreckliche Modekrankheit oder sonst ein Leiden zu entdecken, und ihr Körper hatte noch das Gewicht und die Grazie ihrer besten Jahre, doch ganz offensichtlich hatten ihr die letzten beiden Jahre so hart zugesetzt wie zehn schlecht gelebte. Das kurze Haar mit dem Flügelschwung auf der Wange stand ihr gut, hatte aber nicht mehr die Farbe von Honig, sondern von Aluminium, und die schönen blattförmigen Augen hatten hinter den Großmuttergläsern die Leuchtkraft eines halben Lebens verloren. Florentino Ariza sah, wie sie sich am Arm des Gatten inmitten der aus dem Kino strömenden Menge entfernte, und wunderte sich darüber, daß sie sich mit einem ärmlichen Schultertuch und Hausschuhen in der Öffentlichkeit sehen ließ. Am stärksten erschütterte ihn jedoch, daß ihr Mann sie am Arm führen mußte, um sie wohlbehalten zum Ausgang zu bringen, und daß sie dennoch die Höhe der Schwelle falsch einschätzte und an der Türstufe beinahe gestürzt wäre.

Florentino Ariza hatte ein feines Gespür für solche Stolpersteine des Alters. Schon in seiner Jugend hatte er in den Parks von seinen Gedichtbänden aufgeschaut, um greise Ehepaare zu beobachten, wenn sie einander beim Überqueren der Straße halfen, und das waren Lehren fürs Leben gewesen, die ihm erlaubten, die Gesetze seines eigenen Alterns zu erahnen. In der Lebensphase, in der sich Doktor Juvenal Urbino an jenem Abend im Kino befand, pflegten die Männer in einer Art herbstlicher Jugend aufzublühen, die ersten grauen Haare gaben ihnen eine neue Würde, sie wirkten geistreich und verführerisch, besonders auf junge Frauen, während ihre angetrauten Frauen sich verwelkt auf ihren Arm stützen mußten, um nicht noch über den eigenen Schatten zu stolpern. Ein paar Jahre später aber stürzten dann die Ehemänner plötzlich in den Abgrund eines infamen körperlichen und geistigen Verfalls, und dann waren es ihre wieder zu Kräften gekommenen Frauen, die sie wie arme Blinde am Arm führen mußten und ihnen, um ihren Mannesstolz nicht zu verletzen, ins Ohr flüsterten, gut aufpassen, da kämen nicht zwei, sondern drei Stufen, da sei eine Pfütze mitten auf der Straße, das Bündel, das dort quer auf dem Gehsteig liege, sei ein toter Bettler, und die sie, als sei dies die einzige Furt im letzten Fluß des Lebens, mühselig über die Straße lotsten. Florentino Ariza hatte sich so oft in diesem Spiegel gesehen, daß seine Angst vor dem Tod nie größer gewesen war als die vor jenem infamen Alter, da er auf den Arm einer Frau angewiesen sein würde. Er wußte, daß er an jenem Tag, aber auch keinen Tag früher, die Hoffnung auf Fermina Daza würde aufgeben müssen.

Die Begegnung raubte ihm den Schlaf. Statt Leona Cassiani im Wagen heimzufahren, geleitete er sie zu Fuß durch die Altstadt, wo ihre Schritte wie Hufeisen auf dem Pflaster hallten. Zuweilen drangen Wortfetzen über die offenen Balkone, Schlafzimmergeflüster, Liebesschluchzer, die durch die gespenstische Akustik in den verschlafenen Gäßchen und den heißen Duft des Jasmins noch verstärkt wurden. Wieder einmal mußte Florentino Ariza seine ganze Kraft aufbieten, um Leona Cassiani nicht seine unterdrückte Liebe zu Fermina Daza zu entdecken. Sie gingen Seite an Seite mit aufeinander abgestimmten Schritten, hatten einander in aller Gelassenheit wie ein altes Liebespaar gern, während sie an die gelungenen Szenen von *Cabiria* und er an sein eigenes Mißgeschick dachte. Auf einem Balkon an der Plaza de la Aduana sang ein Mann, und sein Lied hallte im Umkreis wider, ein Kanon aus verketteten Echos: *Und ich kreuzte durch gewaltige Wogen die See.* In der Straße Santos de Piedra, als er sich vor Leona Cassianis Haus von ihr hätte verabschieden müssen, bat er sie darum, ihn zu einem Brandy einzuladen. Es war das zweite Mal, daß er unter ähnlichen Umständen darum bat. Beim ersten Mal vor zehn Jahren hatte sie ihm geantwortet: »Wenn du so spät mit raufkommst, mußt du für immer bleiben.« Er war nicht hinaufgegangen. Jetzt wäre er jedoch so oder so mitgegangen, selbst wenn er später sein Wort hätte brechen müssen. Leona Cassiani bat ihn aber ohne Bedingungen herein.

So kam er völlig unvorbereitet in das Heiligtum einer noch vor der Blüte gewelkten Liebe. Leona Cassianis Eltern waren gestorben, ihr einziger Bruder hatte in Curaçao ein Vermögen gemacht, und nun lebte sie allein in ihrem Elternhaus. Jahre zuvor, als er die Hoffnung noch nicht aufgegeben hatte, sie zu seiner Geliebten zu machen, hatte Florentino Ariza sie mit Erlaubnis ihrer Eltern gewöhnlich sonntags besucht, manchmal auch abends, bis spät in die Nacht hinein, und dabei nach und nach so viel zur Einrichtung des Hauses beigetragen, daß er sich dort wie in seinem eigenen fühlte. In jener Nacht nach dem Kinobesuch hatte er jedoch das Gefühl, als sei der Salon von der Erinnerung an ihn gereinigt worden. Die Möbel waren umgestellt, an den Wänden hingen andere Bilder, und er dachte, so viele einschneidende Veränderungen könnten nur absichtlich vorgenommen worden sein, um die Gewißheit zu verewigen, daß es ihn nie gegeben habe. Die Katze erkannte ihn nicht wieder. Erschreckt von der Gewalt des Vergessens sagte er: »Sie kann sich nicht mehr an mich erinnern.« Leona Cassiani erwiderte, während sie mit dem Rücken zu ihm die Brandys einschenkte, falls ihm das Sorgen mache, könne er beruhigt schlafen, denn Katzen erinnerten sich an niemanden.

Sie saßen nah nebeneinander zurückgelehnt auf dem Sofa und sprachen über sich, über das, was sie gewesen waren, bevor sie sich an einem Abend, wer wußte noch wann, in der Maultierbahn kennengelernt hatten. Sie verbrachten ihr Leben in angrenzenden Büros, hatten aber bis dahin kaum von etwas anderem als von der täglichen Arbeit gesprochen. Während sie sich nun unterhielten, legte Florentino Ariza ihr eine Hand auf den Oberschenkel, begann sie mit dem Feingefühl des durchtriebenen Verführers zu streicheln, und sie ließ ihn gewähren, antwortete ihm jedoch nicht einmal mit einem höflichen Erschauern. Erst als er weiter vordringen wollte, griff sie nach der forschenden Hand und küßte sie auf die Innenfläche.

»Schön brav sein«, sagte sie. »Mir ist schon seit langem klar, daß du nicht der Mann bist, den ich suche.«

Als sie noch sehr jung gewesen war, hatte ein starker und geschickter Mann, dessen Gesicht sie nie zu sehen bekommen hatte, sie auf den Klippen überrascht und überwältigt, ihr die Kleider in Fetzen vom Leib gerissen und sie rasch und ungestüm genommen. Mit zerschundener Haut hatte sie auf den Steinen gelegen und sich gewünscht, daß dieser Mann ewig bei ihr bliebe, um in seinen Armen vor Liebe zu sterben. Sie hatte sein Gesicht nicht gesehen, seine Stimme nicht gehört, war jedoch sicher, ihn unter Tausenden an seiner Gestalt und seinen Maßen und der Art seiner Liebe erkennen zu können. Seitdem hatte sie jedem, der es hören wollte, gesagt: »Solltest du einmal von einem großen starken Kerl hören, der ein armes schwarzes Mädchen von der Straße an einem fünfzehnten Oktober etwa um halbzwölf Uhr nachts auf dem Steilufer der Ertrunkenen vergewaltigt hat, dann sag ihm, wo er mich finden kann.« Sie sagte das immer noch, aus reiner Gewohnheit, und hatte es schon so vielen gesagt, daß ihr keine Hoffnung mehr bleiben konnte. Florentino Ariza hatte diese Geschichte oft von ihr gehört, gleichsam wie das Abschiedssignal eines Schiffes in der Nacht. Als es zwei Uhr morgens schlug, hatten beide je drei Brandys getrunken, und er wußte, daß er tatsächlich nicht der Mann war, auf den sie wartete, und er war froh, das zu wissen.

»Bravo, Löwin«, sagte er, als er aufbrach, »wir haben den Tiger erlegt.«

Es war nicht das einzige, was in jener Nacht zu Ende ging. Das bösartige Gerücht von der Schwindsüchtigenabteilung hatte ihn schon aus seiner Traumwelt gerissen, da es ihm zusammen mit der Erkenntnis von Fermina Dazas Sterblichkeit den unerträglichen Verdacht vermittelt hatte, sie könnte vor ihrem Mann sterben. Nachdem er sie nun am Kinoausgang stolpern gesehen hatte, ging er von sich aus einen weiteren Schritt auf den Abgrund zu, weil ihm plötzlich klar geworden war, daß nicht sie, sondern er selbst als erster sterben konnte. Dies war eine Vorahnung besonders beklemmender Art, da sie von der Wirklichkeit ausging. Die Jahre des reglosen Wartens und der glückversprechenden Hoffnungen hatte er hinter sich gelassen, am Horizont vor ihm zeichnete sich jedoch nichts anderes ab als das Meer der eingebildeten Krankheiten, des tröpfelnden Harns in schlaflosen Morgenstunden und des täglichen Todes in der Abenddämmerung. Er dachte, daß jeder einzelne der vielen Augenblicke des Tages, die früher seine Bundesgenossen, ja seine eingeschworenen Komplizen gewesen waren, sich nun gegen ihn zu verschwören begann. Vor wenigen Jahren hatte er sich einmal mit dem Herzen voller Angst vor der Macht des Zufalls zu einem gewagten Stelldichein begeben, hatte eine unverriegelte Tür mit frischgeölten Scharnieren vorgefunden, damit er geräuschlos eintreten konnte, und war dennoch im letzten Augenblick zurückgeschreckt, aus Furcht, einer fremden, entgegenkommenden Frau womöglich den nicht mehr behebbaren Schaden zuzufügen, in ihrem Bett zu sterben. Also war der Gedanke nicht aus der Luft gegriffen, daß die auf dieser Erde am meisten geliebte Frau, auf die er von einem Jahrhundert bis ins nächste hinein ohne einen Seufzer der Ernüchterung gewartet hatte, gerade nur noch genug Zeit haben könnte, ihn am Arm über eine Straße von Grabhügeln und windzerzausten Mohnbeeten sicher und wohlbehalten zum anderen Gehsteig, dem des Todes, zu geleiten.

Tatsächlich war Florentino Ariza für die Begriffe seiner

Zeit an den Schranken des Alters gnädig vorbeigekommen. Er war gute sechsundfünfzig Jahre alt, gut gelebte zudem, wie er meinte, waren es doch Jahre der Liebe gewesen. Aber kein Mann dieser Epoche hätte sich der Lächerlichkeit, in seinem Alter jung erscheinen zu wollen, ausgesetzt, selbst wenn er es wirklich war oder sich so fühlte, und nicht alle hätten den Mut aufgebracht, ohne Scham einzugestehen, immer noch wegen einer Kränkung aus dem vergangenen Jahrhundert heimlich zu weinen. Es war keine gute Zeit, um jung zu sein. Für jeden Lebensabschnitt gab es eine Kleiderordnung, die für das Alter aber galt von den Jünglingsjahren bis zum Grab. Es war weniger eine Frage der Jahre als der gesellschaftlichen Würde. Die jungen Leute zogen sich wie ihre Großväter an, bemühten sich mit verfrühten Brillen um Respekt, und der Gehstock war ab dreißig gang und gäbe. Für die Frauen gab es nur zwei Altersstufen: das heiratsfähige Alter, das höchstens bis zum zweiundzwanzigsten Lebensjahr ging, und das Alter der ewigen Jungfern für die Sitzengebliebenen. Die übrigen, die Ehefrauen, die Mütter, die Witwen und die Großmütter, gehörten einer anderen Spezies an, sie berechneten ihr Alter nicht nach den gelebten, sondern nach den bis zum Tod noch zu lebenden Jahren.

Florentino Ariza hingegen stellte sich den Tücken des Alters mit grimmigem Wagemut, obgleich er wußte, daß er das eigentümliche Glück hatte, schon von Kindesbeinen an alt auszusehen. Zunächst war das ein Gebot der Not gewesen. Tránsito Ariza trennte die Anzüge auf, die sein Vater wegwerfen wollte und änderte sie für den Sohn um, so daß dieser die Primarschule in Gehröcken besuchte, die am Boden schleiften, wenn er sich setzte. Dazu trug er ehrwürdige Hüte, die ihm über die Ohren rutschten, obwohl sie mit eingelegten Wattepolstern verkleinert worden waren. Da er außerdem seit dem fünften Lebensjahr die Brille des Kurzsichtigen trug und von der Mutter das Indiohaar geerbt hatte, steif und dick wie Roßhaar, war er von seiner Erscheinung her nur schwer einzuordnen. Glücklicherweise waren die Aufnahmebedingungen der Schulen nach so vielen Regierungswirren in so vielen sich überschneidenden Bürgerkriegen weniger selektiv als zuvor, so daß in den öffentlichen Schulen Kinder von unterschiedlicher Herkunft und sozialem Status zusammengewürfelt saßen. Knaben, die noch im Wachsen begriffen waren, kamen vom Pulver der Barrikaden stinkend in den Unterricht, sie trugen die Rangabzeichen und die Uniformen aufständischer Offiziere, mit Blei in fragwürdigen Schlachten erkämpft, und gut sichtbar im Gürtel die Dienstwaffen. Sie schossen sich bei jedem Streit während der Pausen, bedrohten die Lehrer, wenn sie bei Prüfungen schlechte Noten bekamen, und einer von ihnen, ein Drittkläßler aus dem Colegio La Salle und Oberst der Miliz im Ruhestand, tötete Frater Juan Ermita, den Präfekten des Klosters, mit einem Schuß, weil dieser in der Katechismusstunde geäußert hatte, der liebe Gott sei eingetragenes Mitglied der Konservativen Partei.

Die Söhne der heruntergekommenen großen Familien erschienen hingegen wie altertümliche Prinzen gekleidet zum Unterricht, und ein paar ganz Arme kamen barfuß. Zwischen so vielen sonderlichen Schülern von allenthalben gehörte Florentino Ariza jedenfalls zu den sonderlichsten, fiel aber nun wieder auch nicht so sehr heraus, daß er allzu große Aufmerksamkeit erregt hätte. Das Schlimmste, was ihm einmal jemand auf der Straße nachgerufen hatte, war gewesen: »Wer häßlich ist und arm, dem wird es nur beim Wünschen warm.« Wie auch immer, jene von der Not erzwungene Aufmachung gehörte seitdem und für den Rest seines Lebens zu ihm, entsprach auch seinem rätselhaften

Wesen und düsteren Charakter am besten. Als man ihm den ersten wichtigen Posten bei der K. F. K. übertrug, ließ er sich nach Maß Kleider im Stil seines Vaters schneidern, in seiner Erinnerung ein Greis, der im ehrwürdigen Alter Christi gestorben war: mit dreiunddreißig Jahren. Also wirkte Florentino Ariza immer sehr viel älter, als er war. Das ging so weit, daß Brígida Zuleta, eine flüchtige Geliebte mit losem Mundwerk, die ihm unverblümt die Wahrheit servierte, schon am ersten Tag zu ihm sagte, er gefiele ihr ohne Kleider besser, denn nackt sei er zwanzig Jahre jünger. Er wußte jedoch nie, was er dagegen hätte unternehmen sollen, erstens, weil er sich nach seinem persönlichen Geschmack nicht anders hätte kleiden können, und zweitens, weil kein Zwanzigjähriger damals wußte, wie er sich jugendlicher hätte anziehen können, ohne wieder die kurzen Hosen und die Matrosenmütze aus dem Schrank hervorzukramen. Außerdem konnte er selbst sich nicht von der Altersvorstellung seiner Zeit lösen, und so war es nicht mehr als natürlich, daß ihn, als er Fermina Daza beim Verlassen des Kinos stolpern sah, ein Blitz der Panik durchzuckte: Der elende Tod könne ihn in seinem erbitterten Kampf um die Liebe schlagen.

Schon eine große Schlacht hatte er mit ganzem Einsatz geführt und ruhmlos verloren – gegen den Haarausfall. Als er die ersten Haare entdeckte, die sich in den Zinken des Kammes verfangen hatten, war ihm bewußt geworden, daß er zu einer Hölle verdammt war, deren Qualen jedem, der sie nicht erleidet, unvorstellbar sind. Er leistete jahrelang Widerstand. Es gab keine Pomade und kein Haarwasser, das er nicht ausprobiert hätte, keinen Aberglauben, dem er nicht geglaubt, und kein Opfer, das er nicht auf sich genommen hätte, um jeden Zollbreit seiner Kopfhaut vor der gefräßig sich ausbreitenden Wüstenei zu verteidigen. Er lernte die Empfehlungen des Bristolschen Bauernkalenders auswendig, weil er gehört hatte, daß der Haarwuchs in unmittelbarem Bezug zu den Erntezyklen stünde. Er ließ seinen völlig kahlen Friseur, zu dem er zeit seines Lebens gegangen war, im Stich und suchte statt dessen einen zugezogenen Fremden auf, der nur bei zunehmendem Mond Haare schnitt. Der neue Friseur war gerade erst dabei zu beweisen, daß er eine wahrhaft fruchtbringende Hand besaß, als sich herausstellte, daß er Novizinnen vergewaltigt hatte und im ganzen Antillenraum von der Polizei gesucht wurde; man führte ihn in Ketten ab.

Florentino Ariza hatte schon alle in den Zeitungen der Karibik erschienenen Anzeigen für Glatzköpfe ausgeschnitten, diese zeigten stets zwei Bilder des gleichen Mannes, der erst kahl wie eine Melone, dann behaarter als ein Löwe aussah: vor und nach der Anwendung des unfehlbaren Mittels. Im Laufe von sechs Jahren hatte er hundertzweiundsiebzig ausprobiert, dazu noch andere ergänzende Behandlungsmethoden, die auf den Etiketten der Flaschen empfohlen wurden. Das einzige, was ihm eines der Mittel eintrug, war ein juckendes und übelriechendes Schädelekzem, das von den Medizinmännern aus Martinique als Nordlichtkrätze bezeichnet wurde, da es im Dunkeln phosphoreszierend schimmerte. Zuletzt versuchte er sein Glück mit all den Indianerkräutern, die auf dem Markt feilgeboten wurden, probierte jedes Zaubermittel und jeden Orienttrank aus, der am Portal de los Escribanos zu kaufen war, als er dann aber einsah, wie sehr er betrogen worden war, hatte er schon die Tonsur eines Heiligen. Im Jahr neunzehnhundert, als der Bürgerkrieg der Tausend Tage das Land ausblutete, kam ein Italiener durch die Stadt, der Naturhaarperükken nach Maß anfertigte. Sie kosteten ein Vermögen, und der Hersteller übernahm keinerlei Garantie nach dreimonatigem Gebrauch, dennoch widerstand kaum einer der zahlungsfähigen Glatzköpfe dieser Versuchung. Florentino Ariza gehörte zu den ersten. Er probierte eine Perücke, deren Haar seinem ursprünglichen so ähnlich war, daß er fürchtete, es würde sich bei Stimmungsumschwüngen sträuben, aber er konnte sich dann doch nicht mit dem Gedanken anfreunden, die Haare eines Toten auf dem Kopf zu tragen. Sein einziger Trost war, daß die Beutegier der Glatze ihm keine Zeit ließ, das Grauwerden seines Haars zu erleben. Eines Tages wurde er, als er aus dem Büro kam, von einem der fröhlichen Trunkenbolde am Flußkai inniger umarmt als sonst, unter dem Gejohle der Stauer nahm ihm dieser den Hut ab, gab ihm einen schallenden Kuß auf den Schädel und schrie:

»Was für ein göttlicher Glatzkopf!«

An jenem Abend, er war achtundvierzig Jahre alt, ließ er sich den spärlichen Flaum abschneiden, der ihm noch im Nacken und über den Ohren verblieben war, und nahm sein haarloses Schicksal an. Und zwar so gründlich, daß er sich nun jeden Morgen vor dem Bad nicht nur das Kinn, sondern auch die Schädelpartien, auf denen sich wieder Stoppeln zu zeigen begannen, einschäumte und alles mit seinem Barbiermesser glatt wie einen Kinderpopo rasierte. Damals nahm er den Hut nicht einmal mehr im Büro ab, da die Glatze ihm ein Gefühl von Nacktheit gab, das ihm anstößig erschien. Als er sich dann aber grundsätzlich mit seiner Kahlheit abgefunden hatte, schrieb er ihr männliche Tugenden zu, von denen er gehört hatte und die er bis dahin als Glatzkopfphantasien abgetan hatte. Später schloß er sich dann dem neuen Brauch an, die langen Schläfenhaare auf der rechten Seite über den Schädel zu legen, und blieb für immer dabei. Dennoch trug er auch weiterhin Hüte, und zwar stets im gleichen Trauerstil, selbst dann, als sich die Mode der Tortenhüte, wie man hier die Kreissägen nannte, durchsetzte.

Am Verlust seiner Zähne war indes nicht ein natürliches Verhängnis, sondern die Stümperei eines fahrenden Zahnarztes schuld, der beschlossen hatte, eine gewöhnliche Infektion mit der Wurzel zu beseitigen. Seine Angst vor den pedalbetriebenen Zahnbohrern hatte Florentino Ariza trotz ständiger Schmerzen davon abgehalten, zum Zahnarzt zu gehen, bis er die Qualen nicht länger ertragen konnte. Seine Mutter war erschrocken, als sie nächtelang aus dem Nebenzimmer sein untröstliches Gewimmer hörte, erinnerte es sie doch an das aus jenen vergangenen Zeiten, die sich schon fast im Nebel ihrer Erinnerung aufgelöst hatten, aber als sie ihn den Mund öffnen ließ, um zu sehen, wo ihn die Liebe schmerzte, entdeckte sie, daß er unter eitrigen Fisteln litt.

Onkel León XII. schickte ihn zu Doktor Francis Adonay, einem schwarzen Riesen in Gamaschen und Reithosen, der, die komplette Zahnarztausrüstung in einem Seesack verstaut, auf den Flußschiffen mitreiste und in den Städtchen am Flußlauf als eine Art Handlungsreisender des Schreckens auftauchte. Ein einziger Blick in Florentino Arizas Mund genügte ihm zu der Entscheidung, ihm alle, auch die gesunden, Zähne zu ziehen, um ihn ein für allemal vor neuen Übeln dieser Art zu bewahren. Anders als beim Haarausfall machte ihm diese Pferdekur keine Sorgen, sah man von der verständlichen Angst vor dem Massaker ohne Betäubung ab. Auch der Gedanke, ein künstliches Gebiß zu tragen, mißfiel ihm nicht, erstens, weil in einer seiner nostalgischen Kindheitserinnerungen sich ein Zauberkünstler auf dem Jahrmarkt Ober- und Untergebiß herausnahm, auf den Tisch legte und die Teile dort selbständig sprechen ließ, und zweitens, weil damit die Zahnschmerzen aufhörten, die ihn von Kindheit an fast genauso heftig und grausam wie die Liebesschmerzen gepeinigt hatten. Er hielt das alles nicht wie im Fall der Glatze für einen hinterlistigen Prankenschlag des Alters, weil er davon überzeugt war, daß trotz des vom vulkanisierten Kautschuk säuerlichen Atems seine Erscheinung insgesamt mit einem orthopädischen Lächeln sauberer wirken würde. So lieferte er sich ohne Widerstand den rotglühenden Zangen von Doktor Adonay aus und ertrug die Rekonvaleszenzzeit mit dem Stoizismus eines Lastesels.

Onkel León XII. kümmerte sich um alle Einzelheiten der Operation, als würde sie an ihm selbst vorgenommen, denn er hatte seit einer seiner ersten Fahrten auf dem Magdalena ein ganz besonderes Interesse an künstlichen Gebissen entwickelt. Schuld daran war seine manische Liebe zum Belcanto. In einer Vollmondnacht, etwa auf Höhe des Hafens von Gamarra, wettete er mit einem deutschen Landvermesser, daß er die Tiere des Urwalds mit einer neapolitanischen Romanze, die er von der Kommandobrücke aus singen wollte, aufwecken könne. Es ging knapp aus. In der Dunkelheit des Flusses waren schon das Flattern der Reiher, die Schwanzschläge der Kaimane, die Angst der Alsen, die ans Ufer zu springen suchten, zu hören, bei der höchsten Note aber, als zu befürchten war, daß die Arterien des Sängers von der Macht des Gesanges platzen würden, glitten ihm mit der letzten Atemluft die falschen Zähne aus dem Mund und versanken im Wasser.

Das Schiff mußte drei Tage im Hafen von Tenerife warten, bis ein Notgebiß angefertigt worden war. Es saß perfekt. Auf der Rückfahrt jedoch, als er dem Kapitän zu erklären versuchte, wie er das vorherige Gebiß verloren hatte, pumpte Onkel León XII. die Lunge voll glühender Urwaldluft, stimmte die höchste für ihn erreichbare Note an, hielt sie mit dem letzten Atem, um die Kaimane aufzuscheuchen, die mit starren Augenlidern das Vorbeiziehen der Schiffe beobachteten, und dann versank auch das neue Gebiß in der Strömung. Seitdem hinterlegte er überall, an verschiedenen Plätzen im Haus, in seiner Schreibtischschublade, auf jedem von den drei Schiffen der Reederei, Gebisse. Außerdem steckte er sich, wenn er auswärts aß, ein Hustenpastillenschächtelchen mit einem Ersatzgebiß in die Tasche, weil ihm seines einmal, als er bei einem ländlichen Essen versucht hatte, ein Stück Schwarte zu zerkauen, durchgebrochen war. Onkel León XII. fürchtete, daß sein Neffe Opfer ähnlicher böser Überraschungen werden könnte, und so gab er Doktor Adonay die Order, gleich zwei Gebisse anzufertigen: eins aus billigem Material für den täglichen Gebrauch im Büro, und für die Sonn- und Feiertage ein anderes mit einem Funken Gold am Lachbackenzahn, was dem Gebiß einen zusätzlichen Anflug von Echtheit verleihen sollte. Endlich, an einem von Festtagsglocken aufgerüttelten Palmsonntag, ließ sich Florentino Ariza wieder auf der Straße blicken mit einer neuen Identität, deren makelloses Lächeln ihm das Gefühl gab, ein anderer habe seinen Platz in der Welt eingenommen.

Das war zu der Zeit, als seine Mutter starb und Florentino Ariza allein im Haus zurückblieb. Es war ein passender Winkel für die Art von Liebe, wie er sie pflegte, denn die Calle de las Ventanas war diskret, trotz der vielen Fenster, der Ventanas, die ihr den Namen gaben und die an allzu viele Augen hinter Gardinen denken ließen. Alles war jedoch hergerichtet worden, damit Fermina Daza und nur sie dort glücklich sein könnte, so daß Florentino Ariza in seinen ergiebigsten Jahren lieber viele Gelegenheiten ungenutzt ließ, als sein Haus mit anderen Liebschaften zu beflecken. Glücklicherweise brachte ihm jede Stufe, die er in der K. F. K. aufstieg, neue Privilegien ein, vor allem heimliche Privilegien, und eines der für ihn nützlichsten war, daß er die Geschäftsräume auch nachts oder an Sonn- und Feiertagen mit freundlicher Duldung der Wächter benutzen konnte.

Während seiner Zeit als erster Vizepräsident erledigte er einmal mit einem Mädchen vom Sonntagsdienst gerade eine dringende Vögelei, er saß auf einem Schreibtischstuhl und sie rittlings auf ihm, als sich plötzlich die Tür öffnete. Onkel León XII. steckte nur den Kopf herein, als habe er sich im Büro geirrt, sah über die Brille hinweg seinen entsetzten Neffen an und rief ohne das geringste Staunen: »Caramba! Ganz der Papa!« Und sagte, bevor er die Tür wieder schloß, den Blick ins Leere gerichtet:

»Und Sie, Fräulein, lassen Sie sich bitte nicht stören. Ich schwöre bei meiner Ehre, daß ich Ihr Gesicht nicht gesehen habe.«

Es wurde nicht wieder darüber gesprochen, doch in der darauffolgenden Woche war es dann unmöglich, in Florentino Arizas Büro zu arbeiten. Die Elektriker tauchten am Montag auf, um an der Decke einen Flügelventilator anzubringen. Die Schlosser kamen unangemeldet und brachten mit Kriegsgetöse ein Schloß an der Tür an, damit diese auch von innen abgeschlossen werden konnte. Die Schreiner nahmen Maß und sagten nicht wofür, die Tapezierer kamen mit Kretonne-Mustern, um sie mit der Farbe der Wände zu vergleichen, und in der Woche darauf mußte ein riesiges, zweischläfriges Sofa mit dionysischem Blumenbezug durchs Fenster bugsiert werden, da es nicht durch die Türe paßte. Sie arbeiteten zu den unvorhergesehensten Zeiten, mit einer Unverfrorenheit, die nicht zufällig zu sein schien, und hatten für jeden, der sich beklagte, die gleiche Antwort: »Anordnung der Generaldirektion.« Florentino Ariza erfuhr nie, ob diese Einmischung eine Freundlichkeit des Onkels war, der über den verirrten Liebschaften des Neffen wachte, oder ob dieser ihm auf die ihm eigene Weise vor Augen führen wollte, wie sehr er sich daneben benommen hatte. Auf die Wahrheit kam er nicht, daß Onkel León XII. ihn nämlich ermutigen wollte, weil das Gerücht, der Neffe habe Gewohnheiten, die sich von denen der meisten Männer unterschieden, auch bis zu ihm gedrungen war und ihn geschmerzt hatte, stellte es doch seinen Vorsatz in Frage, ihn zu seinem Nachfolger zu machen.

Anders als sein Bruder hatte León XII. Loayza sechzig Jahre lang eine gute Ehe geführt und brüstete sich damit, nie sonntags gearbeitet zu haben. Er hatte vier Söhne und eine Tochter gehabt und sie alle zu Erben des Imperiums heranziehen wollen, doch das Leben beschied ihm eine Reihe von Zufällen, die in den Romanen seiner Zeit gang und gäbe waren, an die im wirklichen Leben jedoch niemand glauben wollte: Die vier Söhne waren einer nach dem anderen gestorben, sobald sie Führungspositionen erreicht hatten, und die Tochter zeigte keinerlei Neigung zur Flußschiffahrt, sie zog es vor, von dem fünfzig Meter über dem Hudson gelegenen Fenster ihrer Wohnung aus Schiffe zu betrachten und zu sterben. Es gab viele Leute, die den Gerüchten Glauben schenkten, Florentino Ariza, der Mann mit dem düsteren Aussehen und dem Vampir-Regenschirm, habe irgendwie nachgeholfen, um so viele Zufälle zusammentreffen zu lassen.

Seitdem der Onkel sich gegen den eigenen Wunsch, auf ärztliche Verordnung hin, zur Ruhe gesetzt hatte, verzichtete Florentino Ariza freiwillig auf einige Sonntagsliebeleien. Er begleitete nun den Onkel in sein ländliches Refugium, an Bord eines der ersten in der Stadt gesehenen Automobile, dessen Anlaßkurbel eine solche Rückstoßkraft hatte, daß sie dem ersten Fahrer den Arm ausgerenkt hatte. Sie redeten viele Stunden miteinander, das Meer im Rücken, der alte Mann lag in der Hängematte, in die mit Seidengarn sein Name gestickt war, fernab von allem auf einer alten Sklavenhazienda, von deren Astromelienterrassen aus gegen Abend die verschneiten Grate der Sierra zu sehen waren. Für Florentino Ariza und seinen Onkel war es immer schwierig gewesen, über etwas anderes als die Flußschiffahrt zu sprechen, und daran hatte sich auch an jenen ausgedehnten Nachmittagen nichts geändert, als der Tod ein ständiger unsichtbarer Gast war. Eine der immer wiederkehrenden Sorgen von Onkel León XII. war, daß die Flußschiffahrt den Unternehmern aus dem Landesinneren, die mit europäischen Konsortien zusammenarbeiteten, in die Hände fallen könnte. »Das hier ist immer ein Geschäft für uns Männer von der Küste gewesen«, pflegte er zu sagen, »wenn es die Bogotaner in die Hände bekommen, liefern sie es wieder den Deutschen frei Haus.« Diese Sorge entsprach einer seiner politischen Überzeugungen, die er, auch wenn es nicht zum Thema paßte, immer wieder gern kundtat.

»Jetzt werde ich bald hundert Jahre alt und habe erlebt, wie sich alles, sogar der Standort der Gestirne im Universum, verändert hat, aber eines habe ich noch nicht erlebt, nämlich daß sich in diesem Land etwas verändert hätte«, sagte er. »Hier macht man neue Verfassungen, neue Gesetze und alle drei Monate einen neuen Krieg, dennoch leben wir noch immer in der Kolonie.«

Seinen Brüdern von der Freimaurerloge, die alles Übel dem Scheitern des Föderalismus zuschrieben, erwiderte er stets: »Der Krieg der Tausend Tage wurde dreiundzwanzig Jahre vor seinem Ausbruch im Krieg von sechsundsiebzig verloren.« Florentino Ariza, dessen politisches Desinteresse ans Absolute grenzte, lauschte diesen immer häufiger werdenden Litaneien, wie man dem Rauschen des Meeres lauscht. Was aber die Politik des Unternehmens anging, so widersprach er dem Onkel entschieden. Im Gegensatz zu diesem meinte er, daß dem Rückgang bei der Flußschiffahrt, die immer vor dem Ruin zu stehen schien, nur mit dem freiwilligen Verzicht auf das Monopol für die Dampfschifffahrt zu begegnen sei, das der Karibischen Flußschiffahrtskompanie vom Kongreß für neunundneunzig Jahre und einen Tag erteilt worden war. Der Onkel protestierte: »Solche Ideen redet dir nur meine Namensvetterin Leona mit ihrer anarchistischen Neuerungssucht ein.« Das war aber nur die halbe Wahrheit. Florentino Ariza stützte seine Argumente auf die Erfahrungen, die der deutsche Kommodore Juan B. Elbers gemacht hatte, der seinem noblen Erfindungsgeist durch seinen unmäßigen persönlichen Ehrgeiz geschadet hatte. Der Onkel hingegen meinte, Elbers sei nicht wegen der beanspruchten Privilegien gescheitert, sondern an den gleichzeitig eingegangenen unrealistischen Verpflichtungen, bei denen er sich quasi die ganze Verantwortung für die nationale Geographie aufgebürdet hatte: Er hatte die Zuständigkeit für die Schiffbarkeit des Flusses übernommen, für die Hafeneinrichtungen, die Zufahrtswege zu Land und für die Transportmittel. Im übrigen, sagte der Onkel, sei die heftige Opposition des Präsidenten Simón Bolívar nicht von Pappe gewesen.

Die Mehrheit der Geschäftspartner sah in diesen Auseinandersetzungen eine Art Ehestreit, bei dem beide Seiten recht haben. Die Starrköpfigkeit des Alten schien ihnen nur natürlich, nicht weil das Alter ihm den sprichwörtlichen Weitblick getrübt hätte, sondern weil der Verzicht auf das Monopol auf ihn wirken mußte, als werfe er die Trophäen einer historischen Schlacht, die er und seine Brüder in heroischen Zeiten ganz allein gegen mächtige Gegner aus aller Welt geschlagen hatten, auf den Müll. Also widersetzte sich ihm niemand, als er seine Anrechte auf eine Weise festschreiben ließ, daß vor der gesetzlichen Ablauffrist niemand daran rühren konnte. Plötzlich jedoch, als Florentino Ariza bei den besinnlichen Abenden auf der Hazienda schon die Waffen gestreckt hatte, gab Onkel León XII. seine Einwilligung zu dem Verzicht auf das hundertjährige Privileg, mit einer einzigen ehrenwerten Bedingung, es dürfe nicht vor seinem Tode geschehen.

Es war seine letzte Amtshandlung. Er sprach nie wieder von Geschäften, noch ließ er sich je um Rat fragen, noch verlor er eine einzige Locke von seinem Herrscherhaupt oder einen Deut von seiner geistigen Klarheit, tat aber alles nur Mögliche, um von niemandem gesehen zu werden, der ihn hätte bedauern können. Die Tage gingen dahin, während er von der Terrasse aus den ewigen Schnee betrachtete, er wiegte sich sacht in seinem Wiener Schaukelstuhl, neben sich ein Tischchen, auf dem die Dienstmädchen stets einen Topf heißen schwarzen Kaffees für ihn bereithielten, dazu ein Glas Natronwasser mit zwei Gebissen darin, die er allenfalls noch einsetzte, wenn Besuch kam. Er empfing nur ein paar wenige Freunde und sprach allein über eine ferne Vergangenheit, die weiter zurücklag als die Flußschiffahrt. Allerdings hatte er ein neues Gesprächsthema: den Wunsch, daß Florentino Ariza heiratete. Er gab es ihm etliche Male und immer auf die gleiche Weise zu verstehen.

»Wenn ich fünfzig Jahre jünger wäre, würde ich meine Namensvetterin Leona heiraten. Ich kann mir keine bessere Ehefrau vorstellen.«

Florentino Ariza zitterte bei der Vorstellung, die Arbeit so vieler Jahre könne durch diese unvorhergesehene Bedingung im letzten Augenblick zunichte gemacht werden. Dennoch hätte er lieber verzichtet, alles über Bord geworfen, den Tod gewählt, als Fermina Daza zu verraten. Glücklicherweise bestand Onkel León XII. nicht darauf. Als er sein zweiundneunzigstes Lebensjahr vollendet hatte, erkannte er den Neffen als Alleinerben an und zog sich ganz aus dem Unternehmen zurück.

Sechs Monate später wurde Florentino Ariza von allen Teilhabern einstimmig zum Aufsichtsratsvorsitzenden und zum Generaldirektor ernannt. Am Tag der Amtsübernahme bat der alte Löwe im Ruhestand nach dem Glas Champagner um Verständnis, daß er zum Reden nicht aus seinem Schaukelstuhl aufstehe, und improvisierte dann eine kurze Ansprache, die sich eher wie eine Elegie anhörte. Er sagte, sein Leben habe mit einem schicksalhaften Ereignis begonnen und ende auch mit einem solchen. Das erste sei gewesen, daß ihn der Befreier in Turbaco, einer Station auf dessen unglückseliger Reise in den Tod, auf dem Arm gehalten habe. Das andere sei, daß er, allen Hindernissen zum Trotz, die ihm das Schicksal in den Weg gelegt hatte, doch noch einen würdigen Nachfolger für sein Unternehmen gefunden habe. Abschließend versuchte er dem Drama alles Dramatische zu nehmen:

»Als einzige Enttäuschung nehme ich von diesem Leben mit, daß ich auf so vielen Begräbnissen gesungen habe, aber nicht auf meinem eigenen.«

Sagte es und sang, jawohl, *Und es blitzen die Sterne*, den Abschied vom Leben aus *Tosca*, zum Abschluß des Festaktes. Er sang die Arie *a capella*, so war es ihm am liebsten, und mit noch immer fester Stimme. Florentino Ariza war bewegt, ließ es sich jedoch allenfalls bei den Dankesworten am Zittern seiner Stimme anmerken. So wie er alles getan und geplant hatte, was er in seinem Leben getan und geplant hatte, erreichte er den Gipfel seiner Laufbahn und hatte kein anderes Ziel, als sich mit erbitterter Entschlossenheit für den Augenblick am Leben und bei guter Gesundheit zu halten, da sich sein Los im Schatten von Fermina Daza erfüllen sollte.

Er erinnerte sich jedoch nicht nur an Fermina Daza auf dem Fest, das Leona Cassiani an jenem Abend für ihn gab.

Er erinnerte sich an sie alle: an diejenigen, die auf Friedhöfen schliefen und vielleicht durch die Rosen hindurch, die er über ihnen gepflanzt hatte, seiner gedachten, aber auch an jene, die ihren Kopf noch immer auf dasselbe Kissen legten, auf dem der Ehemann mit seinem im Mondlicht vergoldeten Geweih schlief. Da keine von ihnen bei ihm war, wünschte er, wie immer, wenn er verängstigt war, alle gleichzeitig um sich zu haben. Denn selbst in den schwierigsten Zeiten und den schlimmsten Augenblicken seines Lebens hatte er stets eine, wenn auch nur schwache, Verbindung zu den unzähligen Geliebten aus so vielen Jahren aufrechterhalten: Er hatte immer den Lauf ihres Lebens verfolgt.

So erinnerte er sich in dieser Nacht an Rosalba, die Rangälteste von allen, die mit der Trophäe seiner Unschuld von dannen gegangen war, eine Erinnerung, die ihn wie am ersten Tag schmerzte. Er mußte nur die Augen schließen, um sie in ihrem Musselinkleid und ihrem Hut mit den langen Seidenbändern vor sich zu sehen, wie sie an der Reling des Schiffes den Käfig mit dem Kind wiegte. Mehr als einmal in den zahlreichen Jahren seines Lebens hatte er schon alles vorbereitet gehabt, um sich auf die Suche nach ihr zu machen, ohne auch nur zu wissen wo, ohne ihren Nachnamen zu kennen, ohne zu wissen, ob sie es war, die er suchte, doch in der Gewißheit, sie irgendwo inmitten von Orchideenhainen zu finden. Jedesmal aber war die Reise im letzten Augenblick wegen eines tatsächlichen Hinderungsgrundes oder wegen eines plötzlichen Anflugs von Willensschwäche aufgeschoben worden, wenn die Landungsbrücken schon weggezogen werden sollten: und immer aus einem Grund, der etwas mit Fermina Daza zu tun hatte.

Er erinnerte sich an die Witwe Nazaret, die einzige, mit der er das Haus seiner Mutter in der Calle de las Ventanas entweiht hatte, allerdings hatte nicht er, sondern Tránsito

Ariza die Witwe hereingebeten. Für sie brachte er mehr Verständnis auf als für irgendeine andere, denn sie hatte als einzige mehr Zärtlichkeit als genug ausgestrahlt, um Fermina Daza zu ersetzen, auch wenn sie im Bett so träge gewesen war. Doch ihr Hang, wie eine Katze herumzustreunen, war noch unbezähmbarer als die Kraft ihrer Zärtlichkeit gewesen und hatte sie beide zur Untreue verdammt. Dennoch war es ihnen gelungen, diese Liebschaft mit Unterbrechungen fast dreißig Jahre lang aufrechtzuerhalten, ganz nach der Musketier-Devise: *Untreu, aber nicht treulos.* Sie war im übrigen die einzige, für die Florentino Ariza in aller Öffentlichkeit einstand: Als ihn die Nachricht erreichte, sie sei gestorben und solle ein Armenbegräbnis bekommen, ließ er sie auf seine Kosten bestatten und kam als einziger zur Beerdigung.

Er erinnerte sich an andere geliebte Witwen. An Prudencia Pitre, die älteste unter den überlebenden, allgemein bekannt als die Doppelwitwe, weil sie zwei Männer überlebt hatte. Und an die andere Prudencia, die liebliche Witwe Arellano, die ihm die Knöpfe von der Kleidung riß, damit er so lange bei ihr blieb, bis sie sie wieder angenäht hatte. Und an Josefa, die Witwe Zuñiga, die nach ihm verrückt war und ihm im Schlaf einmal mit der Gartenschere beinahe den Pimmel abgeschnitten hätte, der, wenn schon nicht ihr, keiner gehören sollte.

Er erinnerte sich an Ángeles Alfaro, die flüchtige und von ihm am heftigsten geliebte, die für sechs Monate an die Musikschule gekommen war, um Streichinstrumente zu unterrichten, und die, so wie ihre Mutter sie geboren hatte, die Mondnächte mit ihm auf der Dachterrasse verbracht und dabei die schönsten Suiten der ganzen Musik auf dem Cello gespielt hatte, dessen Stimme sich zwischen ihren goldenen Schenkeln in die eines Mannes verwandelte. Von der ersten

Mondnacht an zerrissen sich beide das Herz in einer wilden Anfängerliebe. Doch Ángeles Alfaro verschwand, wie sie gekommen war, mit ihrem sanften Geschlecht und dem Cello einer Sünderin, auf einem mit dem Vergessen beflaggten Überseedampfer, und das einzige, was von ihr auf den Mondterrassen zurückblieb, war ihr Abschiedswinken mit einem weißen Taschentuch, das, einsam und traurig, wie in den Versen der Blumenspiele, einer Taube am Horizont glich. Bei ihr lernte Florentino Ariza, was er schon oft unbewußt durchlitten hatte: daß man in mehrere Personen gleichzeitig verliebt sein kann und, ohne eine zu betrügen, in alle gleich schmerzlich. Verlassen in der Menge am Kai, hatte er sich in aufwallender Wut gesagt: »Das Herz hat mehr Kammern als ein Bordell.« Er war beim Abschied in Tränen aufgelöst gewesen. Kaum war das Schiff jedoch hinter dem Horizont verschwunden, beanspruchte die Erinnerung an Fermina Daza wieder allen Raum.

Er erinnerte sich an Andrea Varón, vor deren Haus er die vergangene Woche verbracht hatte, das orangefarbene Licht im Badezimmerfenster hatte ihm jedoch bedeutet, daß er nicht hereinkommen durfte. Es war ihm jemand zuvorgekommen. Irgend jemand, Mann oder Frau, denn bei solchen Kleinigkeiten hielt sich Andrea Varón im Liebesdurcheinander nicht auf. Von allen auf seiner Liste war sie die einzige, die von ihrem Körper lebte, doch sie verwaltete ihn nach eigenem Gutdünken, ohne Geschäftsführer. In ihren guten Jahren hatte sie als heimliche Kurtisane eine legendäre Karriere gemacht, die ihr den Künstlernamen Unsere liebe Frau von Jedermann einbrachte. Sie hatte Gouverneure und Admirale verrückt gemacht, an ihrer Schulter hatten Helden des Krieges und der Kunst geweint, die nicht so bedeutend waren, wie sie selbst es glaubten, aber auch einige, die es waren. Verbürgt war jedoch, daß Präsident Rafel Reyes ihr nach einer hastigen halben Stunde zwischen zwei Gelegenheitsbesuchen in der Stadt eine Leibrente für hervorragende Dienste im Finanzministerium, wo sie nicht einen Tag angestellt gewesen war, ausgesetzt hatte. Sie teilte ihre Gaben der Lust aus, soweit ihr Körper reichte, und obgleich ihr anstößiges Verhalten allgemein bekannt war, hätte niemand einen einschlägigen Beweis gegen sie vorbringen können, da ihre berühmten Komplizen sie wie das eigene Leben schützten, wohl wissend, daß nicht Andrea Varón, sondern sie selbst bei einem Skandal das meiste zu verlieren hatten. Florentino Ariza hatte ihretwegen gegen seinen heiligen Grundsatz, nie zu zahlen, verstoßen und sie gegen den ihren, es nicht einmal mit dem Ehemann kostenlos zu machen. Sie hatten sich auf den symbolischen Preis von jeweils einem Peso geeinigt, den sie aber nicht entgegennahm und den er ihr auch nicht in die Hand gab, sie steckten ihn in das Sparschwein, bis genug zusammen war, um am Portal de los Escribanos irgend etwas Raffiniertes aus Übersee zu kaufen. Sie war es, die seinen Spülungen bei hartnäckiger Verstopfung eine besondere Sinnlichkeit zuschrieb, und überredete ihn dazu, sie mit ihr zu teilen, sich gemeinsam an ihren verrückten Abenden dieser Behandlung zu unterziehen, um noch mehr Liebe aus der Liebe zu schöpfen.

Er hielt es für einen Glücksfall, daß unter so vielen gewagten Begegnungen allein die mit der verwirrten Sara Noriega ihm einen Tropfen Bitterkeit zu kosten gegeben hatte. Diese Frau beschloß ihr Leben im Irrenhaus Divina Pastora, wo sie senile Verse von so hemmungsloser Obszönität deklamierte, daß sie isoliert werden mußte, damit sie nicht die anderen Verrückten restlos irre machte. Als er dann jedoch die ganze Verantwortung für die K. F. K. übernommen hatte, blieb ihm nicht mehr viel Zeit und auch nicht genügend Schwung, Fermina Daza durch irgend jemand anderes ersetzen zu wollen: Er wußte, daß sie unersetzbar war. Nach und nach war er der Routine verfallen, nur noch die Bewährten zu besuchen, schlief mit ihnen, sofern sie ihm nutzten, sofern es ihm möglich war und solange sie lebten. An dem Pfingstsonntag, an dem Juvenal Urbino starb, war ihm nur noch eine geblieben, eine einzige, gerade vierzehn Jahre alt und begabt wie zuvor keine andere, um ihn vor Liebe verrückt zu machen.

Sie hieß América Vicuña. Zwei Jahre zuvor war sie aus dem Küstenstädtchen Puerto Padre gekommen, von ihren Eltern Florentino Ariza anvertraut, der erwiesenermaßen ein Blutsverwandter von ihr war und nun ihr Betreuer sein sollte. Sie kam mit einem Regierungsstipendium für die Lehrerausbildung, mit ihrem Bettzeug in einem Bündel und ihrem Blechköfferchen, das einer Puppe zu gehören schien, und als sie mit ihrem goldenen Zopf und den weißen Stiefelchen vom Schiff stieg, beschlich ihn die ungeheuerliche Ahnung, daß sie viele sonntägliche Siestas zusammen verleben würden. Sie war in jeder Hinsicht noch ein Kind, mit scharfen Zähnchen und aufgestoßenen Knien von der Primarschulzeit, doch er sah ihr sogleich an, was für eine Sorte Frau sie sehr bald sein würde, und erzog sie sich in einem gemächlichen Jahr der Zirkussamstage, der Parksonntage mit Eis, der kindgerechten Abende, mit denen er sich ihr Vertrauen, ihre Zuneigung gewann, und so nahm er sie mit der sanften List eines gütigen Großvaters an die Hand und führte sie zu seiner geheimen Liebeshöhle. Für sie geschah es plötzlich: Die Himmelstore öffneten sich ihr. Sie erblühte wie durch eine Explosion und schwebte in einer Vorhölle der Wonne, ein wirksamer Ansporn übrigens für ihre Studien, sie hielt sich nämlich in ihrer Klasse stets auf dem ersten Platz, um sich nicht um den Ausgang am Wochenende zu bringen. Für Florentino Ariza war sie der geschütztеste Winkel in der Bucht des Alters. Nach so vielen Jahren der Liebe nach System hatte der fade Geschmack der Unschuld für ihn den Zauber einer erfrischenden Perversion.

Sie ergänzten sich. Sie verhielt sich so, wie sich ein kleines Mädchen verhält, das bereit ist, das Leben an der Hand eines ehrwürdigen Mannes zu entdecken, den nichts aus der Fassung zu bringen vermag, und er verhielt sich so, als sei er das, was er sein ganzes Leben lang unter keinen Umständen hatte sein wollen: ein seniler Liebhaber. Er setzte sie nie mit Fermina Daza gleich, obwohl die Ähnlichkeit das nahegelegt hätte, nicht nur wegen ihres Alters und der Schuluniform, des Zopfes, ihres Rotwildgangs, sogar wegen ihres stolzen und unberechenbaren Charakters. Mehr noch: Die Vorstellung einer möglichen Stellvertreterin, die ihm bei seinem Liebeswerben noch reizvoll erschienen war, verlor sich vollkommen. Sie gefiel ihm um ihrer selbst willen, und er liebte sie schließlich um ihrer selbst willen mit dem genüßlichen Fieber der Abenddämmerung. Sie war die einzige, bei der er drastische Vorkehrungen gegen eine zufällige Schwangerschaft traf. Nach einem halben Dutzend Begegnungen träumten beide von nichts anderem mehr als von den Sonntagnachmittagen.

Er war als einziger berechtigt, sie vom Internat abzuholen, und fuhr dort zu diesem Zweck mit dem Sechszylinder-Hudson der K. F. K. vor. An sonnenlosen Nachmittagen schlugen sie gelegentlich das Verdeck zurück und unternahmen Spazierfahrten am Strand, er trug seinen düsteren Hut, und sie hielt sich lachend mit beiden Händen die Matrosenmütze der Schuluniform fest, damit der Wind sie ihr nicht vom Kopf wehte. Irgend jemand hatte ihr geraten, sie solle nicht länger als nötig mit ihrem Betreuer zusammen sein, solle nichts essen, wovon er gekostet hätte, und seinem

Atem nicht zu nahe kommen, da das Alter ansteckend sei. Aber das kümmerte sie nicht. Beiden war gleichgültig, was man über sie denken könnte, da das verwandtschaftliche Verhältnis wohl bekannt war und der extreme Altersunterschied sie außerdem gegen jeden Verdacht feite.

Am Pfingstsonntag um vier Uhr nachmittags, als das Geläut einsetzte, hatten sie gerade miteinander geschlafen. Florentino Ariza mußte sich zusammenreißen, der Schreck war ihm ins Herz gefahren. In seiner Jugend war das Totengeläut noch im Begräbnispreis inbegriffen gewesen und nur den Allerärmsten verweigert worden. Doch nach unserem letzten Krieg, auf der Schwelle zwischen den beiden Jahrhunderten, hatte sich das konservative Regime mit seinen kolonialen Sitten konsolidiert, und die Bestattungszeremonien waren so teuer geworden, daß nur die Reichsten sie noch bezahlen konnten. Als der Erzbischof Dante de Luna starb, schlugen in der ganzen Provinz die Glocken ohne Unterlaß neun Tage und neun Nächte lang, und die öffentliche Ruhe war dadurch so empfindlich gestört worden, daß sein Nachfolger das Trauergeläut abschaffte, beziehungsweise es nur den prominenten Toten vorbehielt. Als Florentino Ariza an einem Pfingstsonntag um vier Uhr nachmittags die Glocken der Kathedrale hörte, hatte er daher das Gefühl, ein Gespenst aus seiner verlorenen Jugend suche ihn heim. Er wäre niemals auf die Idee gekommen, daß es sich um das Geläut handelte, auf das er so viele, viele Jahre sehnlichst gewartet hatte, seit jenem Sonntag, da er Fermina Daza, die im sechsten Monat schwanger war, nach dem Hochamt gesehen hatte.

»Verflixt«, sagte er im Halbdunkel, »das muß schon ein großer Fisch sein, wenn man ihn in der Kathedrale ausläutet.«

América Vicuña, die ganz nackt dalag, wachte auf.

»Wird wohl wegen Pfingsten sein.«

Florentino Ariza war alles andere als ein Fachmann in Kirchendingen und kaum mehr zur Messe gegangen, seitdem er mit einem Deutschen, der ihn auch in die Wissenschaft der Telegraphie eingeführt hatte und von dessen weiterem Schicksal nichts Genaues bekannt war, einst im Kirchenchor Geige gespielt hatte. Doch er war sicher, daß es sich nicht um das Pfingstläuten handeln konnte. Es gab einen Trauerfall in der Stadt, ganz gewiß, das war ihm klar. Eine Abordnung der Karibikflüchtlinge war an jenem Morgen zu ihm ins Haus gekommen, um ihm zu berichten, daß Jeremiah de Saint-Amour in seinem Fotoatelier tot aufgefunden worden war. Florentino Ariza war mit diesem Mann zwar nicht näher befreundet gewesen, dafür aber mit vielen anderen Flüchtlingen, die ihn immer zu ihren öffentlichen Veranstaltungen, insbesondere zu Begräbnissen, einluden. Doch er war sicher, daß die Glocken nicht für Jeremiah de Saint-Amour läuteten, der ein militanter Ungläubiger und ein eingefleischter Anarchist gewesen und zudem von eigener Hand gestorben war.

»Nein«, sagte er, »so ein Geläut gibt's nur vom Gouverneur aufwärts.«

América Vicuña, deren blasser Leib von den durch die schlecht geschlossenen Rollos fallenden Lichtstreifen getigert war, hatte nicht das Alter, in dem man an den Tod denkt. Sie hatten sich nach dem Mittagessen geliebt und lagen nun da, benommen nach der Siesta, nackt unter dem Flügelventilator, dessen Surren nicht das hagelähnliche Geprassel der auf dem aufgeheizten Blechdach herumlaufenden Hühnergeier übertönen konnte. Florentino Ariza liebte América Vicuña, wie er so viele Gelegenheitsfrauen in seinem langen Leben geliebt hatte, diese aber liebte er mit einer größeren Unruhe als alle anderen, war er sich doch sicher, selbst tödlich alt zu sein, wenn sie gerade die Oberschule beendet hätte.

Der Raum glich eher einer Schiffskabine, die Wände bestanden aus Holzlatten, die genausooft wie Schiffe wieder und wieder überstrichen worden waren, aber die Hitze um vier Uhr nachmittags war trotz des über dem Bett angebrachten Ventilators durch das aufgeheizte Metalldach größer als in den Kabinen der Flußdampfer. Es war nicht eigentlich ein Schlafzimmer, sondern eine Kajüte an Land, die sich Florentino Ariza hinter den Büroräumen der K. F. K. mit keinem anderen Vorsatz oder Vorwand hatte bauen lassen als dem, einen guten Unterschlupf für seine Altersliebschaften zu haben. An Werktagen konnte man dort wegen des Geschreis der Stauer, des Getöses der Flußhafenkräne und des ungeheuren Dröhnens der Schiffe am Kai kaum ein Auge zumachen. Sonntags jedoch war es für das Mädchen ein Paradies.

Am Pfingstsonntag hatten sie zusammenbleiben wollen, bis sie fünf Minuten vor dem Angelus wieder im Internat sein mußte, doch das Geläut hatte Florentino Ariza an sein Versprechen erinnert, zu Jeremiah de Saint-Amours Begräbnis zu gehen, und er zog sich hastiger an als gewöhnlich. Zuvor flocht er dem Mädchen noch, wie immer, ihren Zopf, den er selbst vor der Liebe gelöst hatte, und hob sie auf den Tisch, um ihr die Schulschuhe zu schnüren, was sie nie richtig schaffte. Er half ihr ohne Arglist, und sie half ihm, ihr zu helfen, als sei es eine Pflicht: Seit ihren ersten Begegnungen waren sich beide nicht mehr ihres Alters bewußt und behandelten sich mit der Vertrautheit von Eheleuten, die im Leben so viel voreinander verborgen hatten, daß sie sich schon fast nichts mehr zu sagen hatten.

Die Geschäftsräume waren wegen des Feiertags geschlossen und dunkel, und am leeren Kai lag nur ein Schiff mit ungeheizten Kesseln. Die Schwüle kündigte Regen an, den ersten des Jahres, die klare Luft und die sonntägliche Stille des Hafens ließen an einen milden Monat denken. Hier schien die Welt härter als im Dämmerlicht der Kabine, und die Glockenschläge waren schmerzhafter, auch wenn man nicht wußte, wem sie galten. Florentino Ariza und das Mädchen stiegen in den Salpeterhof hinunter, der den Spaniern als Umschlagplatz beim Sklavenhandel gedient hatte und wo noch letzte Teile der Waage und andere angefressene Eisenutensilien aus jener Zeit zu finden waren. Das Automobil wartete im Schatten der Lagerhallen auf sie. Den Chauffeur, der hinter dem Lenkrad eingeschlafen war, weckten sie erst, als sie sich auf den Sitzen niedergelassen hatten. Der Wagen fuhr um die mit Maschendraht umzäunten Schuppen herum, überquerte den alten Marktplatz an der Bahia de las Ánimas, wo halbnackte Männer Ball spielten, und verließ den Flußhafen in einer glühenden Staubwolke. Florentino Ariza war sicher, daß die Trauer nicht Jeremiah de Saint-Amour gelten konnte, doch die Beharrlichkeit des Geläuts machte ihn stutzig. Er legte dem Fahrer eine Hand auf die Schulter und schrie ihm die Frage ins Ohr, für wen denn die Glocken läuteten.

»Für den Arzt, den mit dem Spitzbart«, sagte der Chauffeur. »Wie heißt er gleich?«

Florentino Ariza mußte nicht überlegen, er wußte, wer gemeint war. Als der Chauffeur ihm jedoch erzählte, wie der Arzt gestorben sein sollte, schwand die momentane Hoffnung, da die Geschichte ihm nicht glaubhaft erschien. Denn nichts gleicht einem Menschen so sehr wie die Art seines Todes, und diese glich so ganz und gar nicht dem Mann seiner Vorstellung. Doch der war es, auch wenn es absurd anmutete: der älteste und qualifizierteste Arzt der Stadt, einer ihrer hervorragendsten Männer, auch vieler anderer

Verdienste wegen, war im Alter von einundachtzig Jahren bei dem Versuch, einen Papagei zu fangen, von einem Mangobaum gestürzt und mit zerschmetterter Wirbelsäule gestorben.

Alles, was Florentino Ariza seit Fermina Dazas Heirat getan hatte, war in Erwartung dieser Nachricht geschehen. Als aber die Stunde gekommen war, überkam ihn nicht das Gefühl des Triumphes, das er in seinen schlaflosen Nächten sooft im vornhinein ausgekostet hatte, sondern ihn befiel Panik: die ungeheuerliche Einsicht, daß die Totenglocken ebensogut für ihn hätten läuten können. América Vicuña, die neben ihm in dem über Kopfsteinpflaster holpernden Auto saß, erschrak über seine Blässe und fragte, was mit ihm sei. Florentino Ariza nahm ihre Hand in seine eisige.

»Ach, Kindchen«, seufzte er, »da brauchte ich noch einmal fünfzig Jahre, um dir das zu erklären.«

Er vergaß die Beerdigung von Jeremiah de Saint-Amour. América Vicuña setzte er am Eingang des Internats mit dem hastigen Versprechen ab, sie am nächsten Samstag wieder abzuholen, und befahl dann dem Chauffeur, ihn zu Doktor Juvenal Urbinos Haus zu fahren. Er traf in den Nachbarstraßen auf die sich stauenden Autos und Droschken und vor dem Haus auf einen Menschenauflauf von Neugierigen. Die Gäste von Lácides Olivella, die von der schlechten Nachricht auf dem Höhepunkt des Festes überrascht worden waren, fielen truppweise ein. Es war nicht leicht, zwischen all den Menschen im Haus hindurchzukommen, doch Florentino Ariza gelang es, sich einen Weg bis zum ehelichen Schlafzimmer zu bahnen, er reckte sich über die Grüppchen, die die Tür blockierten, und da lag Juvenal Urbino auf dem Ehebett, so wie er ihn immer hatte sehen wollen, seitdem er zum ersten Mal von ihm gehört hatte, in die Würdelosigkeit des Todes gesunken. Der Schreiner hatte gerade für den Sarg Maß genommen. Neben dem Leichnam stand, wie eine Großmutter im hochzeitlichen Kleid, das sie für das Fest angezogen hatte, abwesend und welk, Fermina Daza.

Florentino Ariza hatte sich diesen Augenblick seit seinen jungen Jahren, als er sich seiner waghalsigen Liebe ganz verschrieben hatte, bis ins kleinste Detail ausgemalt. Für sie hatte er sich einen Namen und ein Vermögen erworben, ohne dabei allzusehr auf die Methoden zu achten, für sie hatte er seine Gesundheit und seine äußere Erscheinung mit einer Gewissenhaftigkeit gepflegt, die andere Männer seiner Zeit nicht für besonders männlich hielten, und er hatte auf jenen Tag gewartet, wie niemand sonst auf dieser Welt auf etwas oder auf jemanden hätte warten können: ohne einen Augenblick mutlos zu werden. Daß der Tod nun endlich zu seinen Gunsten eingegriffen hatte, gab ihm die nötige Courage, Fermina Daza in ihrer ersten Witwennacht erneut ewige Treue und stete Liebe zu schwören.

Vor seinem Gewissen leugnete er nicht, daß es eine unbedachte Handlung gewesen war, ohne jedes Gespür für das Wie und Wann, zudem übereilt, aus der Angst, diese Gelegenheit könne sich niemals wieder bieten. Er hätte es sich weniger brutal gewünscht und auch oft so vorgestellt, doch es war ihm nicht anders beschieden gewesen. Er hatte das Trauerhaus in dem Schmerz verlassen, sie in den gleichen Zustand der Erschütterung versetzt zu haben, in dem er sich selbst befand, hatte das jedoch nicht verhindern können, denn diese barbarische Nacht, das spürte er, war ihnen von jeher vorbestimmt gewesen.

In den folgenden zwei Wochen schlief er keine Nacht richtig. Verzweifelt fragte er sich, wo Fermina Daza ohne ihn sei, was sie denke, wie sie die noch vor ihr liegenden Jahre mit der Bürde des Schreckens, die er ihr aufgeladen hatte, leben würde. Er litt an einer akuten Verstopfung, die ihm den Unterleib wie eine Trommel aufblähte, und mußte auf weniger angenehme Mittel als die Spülungen zurückgreifen. Seine Altersbeschwerden, die er besser als seine Generationsgefährten ertrug, weil er sie von Jugend an kannte, überfielen ihn alle auf einmal. Am Mittwoch erschien er nach einer Woche Abwesenheit wieder im Büro, und Leona Cassiani erschrak, als sie ihn derart bleich und verwahrlost sah. Aber er beruhigte sie: Es sei die Schlaflosigkeit, wie immer, und wieder mußte er sich auf die Zunge beißen, damit die Wahrheit nicht aus einem der vielen Lecks in seinem Herzen hervorsprudelte. Der Regen ließ ihm keine sonnige Schonfrist zum Nachdenken. Er brachte noch eine unwirkliche Woche hinter sich, konnte sich auf nichts konzentrieren, aß kaum und schlief noch weniger, versuchte verschlüsselte Zeichen aufzufangen, die ihm den Weg des Heils hätten weisen können. Am Freitag überkam ihn jedoch ganz ohne Grund Gelassenheit, er nahm sie als Hinweis dafür, daß nichts Neues geschehen werde, daß alles, was er im Leben unternommen hatte, nutzlos gewesen war und es nicht weitergehen konnte: Das war das Ende. Am Montag jedoch, als er in die Calle de las Ventanas heimkam, stolperte er fast über einen Brief, der im überschwemmten Hausflur trieb, und auf dem nassen Umschlag erkannte er sogleich die herrische Handschrift, die alle Wechselfälle des Lebens nicht hatten verändern können, und er meinte sogar, den nächtlichen Duft der welken Gardenien wahrzunehmen, denn im ersten Schrecken hatte das Herz ihm schon alles gesagt: Das war der Brief, auf den er über ein halbes Jahrhundert lang ohne einen Augenblick der Gelassenheit gewartet hatte.

Fermina Daza wäre nie auf den Gedanken gekommen, daß Florentino Ariza ihren vom blinden Zorn diktierten Brief als Liebesbrief verstehen könnte. Sie hatte alle Wut, derer sie fähig war, hineingelegt, die grausamsten Worte, besonders verletzende und zudem ungerechte Schmähungen, die ihr jedoch geringfügig erschienen, verglichen mit dem Ausmaß der Beleidigung. Es war der letzte Akt von einem bitteren Exorzismus gewesen, der ihr ermöglichen sollte, sich mit ihrer neuen Lage auszusöhnen. Sie wollte wieder sie selbst sein und alles zurückerobern, was sie in einem halben Jahrhundert zweifellos glücklicher Leibeigenschaft hatte abtreten müssen und was sie nun, da der Ehemann tot war, ohne einen Rest der eigenen Identität zurückließ. Sie war ein Gespenst in einem fremden Haus, das von einem Tag auf den anderen riesig und einsam geworden war, sie trieb ziellos dahin und fragte sich verängstigt, wer denn toter sei: der Gestorbene oder die Zurückgebliebene.

Sie konnte einen versteckten Groll gegen den Mann nicht unterdrücken, hatte er sie doch inmitten des Ozeans allein gelassen. Alles, was ihm gehört hatte, brachte sie zum Weinen: der Pyjama unter dem Kopfkissen, die Pantoffeln, die ihr immer wie die eines Kranken vorgekommen waren, die Erinnerung daran, wie sie, wenn sie sich vorm Schlafengehen kämmte, ihm im Spiegel beim Ausziehen sah, der Geruch seiner Haut, der noch lange Zeit nach seinem Tod an ihrer Haut haften sollte. Mitten in irgendeiner Tätigkeit schlug sie sich an die Stirn, weil ihr plötzlich etwas einfiel, das sie vergessen hatte, ihm zu sagen. Ständig kamen ihr alltägliche Fragen in den Sinn, die nur er hätte beantworten können. Er hatte ihr einmal etwas erzählt, was sie sich nicht hatte vorstellen können: Amputierte fühlen in dem Bein, das sie nicht mehr haben, Schmerzen, Krämpfe, Kitzeln. So fühlte sie sich ohne ihn, sie spürte ihn dort, wo er nicht mehr war.

Als sie an ihrem ersten Witwenmorgen aufgewacht war, hatte sie sich, ohne erst die Augen zu öffnen, im Bett herumgedreht, um eine bequemere Lage zum Weiterschlafen zu finden, und in eben dem Augenblick war er für sie gestorben. Erst da war ihr nämlich bewußt geworden, daß er nun zum ersten Mal die Nacht außer Haus verbracht hatte. Eine ähnliche Empfindung hatte sie bei Tisch, nicht weil sie sich allein fühlte, was sie auch tatsächlich war, sondern wegen der seltsamen Gewißheit, mit jemandem zusammen zu essen, den es nicht mehr gab. Erst als ihre Tochter mit Mann und drei Töchtern aus New Orleans kam, setzte Fermina Daza sich zum Essen wieder an den Tisch, allerdings nicht an den alten Tisch, sondern an einen kleineren, den sie vorläufig in die Vorhalle stellen ließ. Bis dahin hatte sie keine regelmäßige Mahlzeit mehr zu sich genommen. Sie ging irgendwann, wenn sie Hunger hatte, in die Küche, fuhr mit der Gabel in die Töpfe und aß im Stehen vor dem Herd von allem ein bißchen, ohne es sich erst auf einen Teller zu füllen, und redete dabei mit den Dienstmädchen, den einzigen, bei denen sie sich wohl fühlte und mit denen sie sich auch am besten verstand. Aber sosehr sie sich auch bemühte, es gelang ihr nicht, sich der Gegenwart des Toten zu entziehen: Wo immer sie ging und stand, was immer sie tat, stets stieß sie auf etwas, das an ihn erinnerte. Und wenn der Schmerz ihr auch recht und billig erschien, wollte sie sich darin doch keinesfalls genüßlich ergehen. So rang sie sich zu dem drastischen Entschluß durch, alles, was sie an den toten Ehemann erinnerte, aus dem Haus zu verbannen; das schien ihr die einzige Möglichkeit, ohne ihn weiterzuleben.

Es war eine Zeremonie der Vernichtung. Der Sohn erklärte sich bereit, die Bücher zu übernehmen, damit Fermina Daza in der Bibliothek das Nähzimmer einrichten konnte, das sie als verheiratete Frau nie gehabt hatte. Die Tochter wollte ihrerseits einige Möbel sowie zahlreiche Gegenstände mitnehmen, die ihr für die Antiquitätenauktionen in New Orleans besonders geeignet zu sein schienen. Das alles war eine Erleichterung für Fermina Daza, auch wenn es sie unangenehm berührte, daß die Dinge, die sie auf ihrer Hochzeitsreise gekauft hatte, nun schon Altertümer für Antiquare waren. Zum stillen Entsetzen des Personals, der Nachbarn und der engeren Freundinnen, die in jenen Tagen zu ihr kamen, um ihr Gesellschaft zu leisten, ließ sie auf einem leeren Stück Land hinter dem Haus einen Scheiterhaufen errichten und verbrannte dort alles, was sie an ihren Mann erinnerte: die teuerste und eleganteste Garderobe, die seit dem vergangenen Jahrhundert in der Stadt gesehen worden war, die feinsten Schuhe, die Hüte, die ihm ähnlicher waren als seine Porträts, der Schaukelstuhl für die Siesta, aus dem er sich ein letztes Mal zum Sterben erhoben hatte, unzählige Gegenstände, die so eng mit seinem Leben verbunden gewesen waren, daß sie schon Bestandteile seiner Identität waren. Sie tat es ohne den Anflug eines Zweifels und in der vollen Überzeugung, daß ihr Mann es gutgeheißen hätte, und zwar nicht nur aus Gründen der Hygiene. Er hatte oft von seinem Wunsch gesprochen, eingeäschert zu werden, statt in der ritzenlosen Dunkelheit einer Zedernkiste eingesperrt zu sein. Seine Religion ließ das natürlich nicht zu, dennoch: Er war so kühn gewesen, für alle Fälle beim Erzbischof vorzufühlen, doch der hatte es rundweg abgelehnt. Es war auch nur eine Wunschvorstellung gewesen, denn die katholische Kirche erlaubte auf unseren Friedhöfen keine Krematorien, nicht einmal für Andersgläubige, und außer Juvenal Urbino kam auch keiner je auf den Gedanken, es könnte zweckmäßig sein, welche zu errichten. Fermina Daza hatte seine Angst nicht vergessen und sogar in der Verwirrung der ersten Stunde daran gedacht, den Schreiner zu beauftragen, ihrem Mann zum Trost einen Lichtspalt im Sarg zu lassen.

Es war jedenfalls ein sinnloses Brandopfer. Fermina Daza sah sehr bald ein, daß das Feuer der Erinnerung an den toten Ehemann ebensowenig anhaben konnte wie das Verstreichen der Zeit. Schlimmer noch: Nach der Kleiderverbrennung sehnte sie sich nun nicht mehr nur nach all dem, was sie an ihm geliebt hatte, sondern obendrein noch nach dem, was sie am meisten gestört hatte: nach dem Krach, den er beim Aufstehen machte. Diese Erinnerungen halfen ihr dabei, aus dem Mangrovendickicht der Trauer herauszufinden. Vor allem aber enschloß sie sich, in Zukunft so an ihren Mann zu denken, als sei er nicht gestorben. Sie wußte, es würde weiterhin schwer sein, jeden Morgen aufzuwachen, doch von Mal zu Mal weniger.

Am Ende der dritten Woche sah sie tatsächlich einen ersten Lichtschimmer. Doch während dieser größer und heller wurde, kam ihr zu Bewußtsein, daß ihr ein Gespenst im Wege stand, das ihr keinen ruhigen Augenblick gönnte. Es war nicht das jammervolle Gespenst, das ihr im kleinen Parque de los Evangelios aufgelauert hatte und an das sie sich auf ihre alten Tage mit einer gewissen Zärtlichkeit erinnerte, sondern das abscheuliche Gespenst im Henkersrock mit dem an die Brust gedrückten Hut, dieser Mann, der sie mit seiner dummen Dreistigkeit so sehr verstört hatte, daß es ihr schon nicht mehr möglich war, nicht an ihn zu denken. Seitdem sie ihn als Achtzehnjährige abgewiesen hatte, war sie immer überzeugt gewesen, ein Samenkorn des Hasses in ihn gesenkt zu haben, das mit der Zeit aufgehen mußte. Sie hatte jederzeit mit diesem Haß gerechnet, spürte ihn in der

Luft, wenn das Gespenst in ihrer Nähe war, schon es zu sehen, beklemmte sie, erschreckte sie dermaßen, daß sie nie unbefangen mit ihm umzugehen lernte. In der Nacht, in der er ihr erneut seine Liebe beteuerte, während noch der Duft der Blumen für den toten Ehemann durchs Haus zog, konnte sie sich nicht vorstellen, daß jene Unverschämtheit etwas anderes war als der erste Schritt eines wer weiß was für finsteren Racheplans.

Die Hartnäckigkeit dieser Erinnerung steigerte ihre Wut. Als sie am Tag nach der Beerdigung beim Aufwachen an ihn dachte, gelang es ihr noch, ihn mit einem einfachen Willensakt aus ihren Gedanken zu bannen. Doch die Wut überkam sie immer wieder, und sie merkte sehr bald, daß der Wunsch, ihn zu vergessen, der stärkste Antrieb war, an ihn zu denken. Von der Wehmütigkeit besiegt, wagte sie dann zum ersten Mal, sich die trügerischen Zeiten jener unwirklichen Liebe zu vergegenwärtigen. Sie versuchte, sich den kleinen Platz, so wie er damals gewesen war, ins Gedächtnis zu rufen, die morschen Mandelbäume, die Bank, von der aus er sie angehimmelt hatte, denn nichts war noch so wie damals. Alles war verändert worden, die Bäume mit ihrem gelben Blätterteppich hatte man entfernt, anstelle der enthaupteten Statue war die eines anderen Helden in Galauniform aufgestellt worden, den kein Name, keine Jahreszahlen und keine Inschrift rechtfertigte, er stand auf einem klobigen Piedestal, in das man die Stromsicherungen für das Wohnviertel eingebaut hatte. Ihr Haus, das vor vielen Jahren endlich verkauft worden war, zerbröckelte der Provinzregierung unter den Händen. Es fiel ihr nicht leicht, sich Florentino Ariza so vorzustellen, wie er damals gewesen war, und noch weniger wollte ihr in den Kopf, daß jener verschlossene Jüngling, der so schutzlos im Regen gesessen hatte, derselbe wie dieser mottenzerfressene alte Mann war, der sich vor ihr aufgepflanzt hatte und ihr ohne jede Rücksicht auf ihren Zustand, ohne die geringste Achtung vor ihrem Schmerz die Seele mit einer rotglühenden Beleidigung versengt hatte, die ihr noch immer den Atem nahm.

Kusine Hildebranda Sánchez war kurz nach Fermina Dazas Aufenthalt auf der Hazienda in Flores de María, wo sich diese von der bösen Stunde der Señorita Lynch erholt hatte, zu Besuch gekommen. Alt, fett und glücklich war sie in Begleitung ihres Sohnes eingetroffen, der Oberst im Heer war wie sein Vater, von diesem aber wegen seiner unwürdigen Rolle bei dem Massaker an den Arbeitern der Bananenplantagen in San Juan de la Ciénaga verstoßen worden war. Die beiden Kusinen hatten sich oft gesehen, und die Stunden waren ihnen bei wehmütigen Erinnerungen an die Zeit, in der sie sich kennengelernt hatten, stets wie im Flug vergangen. Bei ihrem letzten Besuch wirkte Hildebranda wehmütiger als je zuvor, und sie trug hart an der Last des Alters. Um die Sehnsucht besser auskosten zu können, hatte sie ihren Abzug des Fotos mitgebracht, das der belgische Fotograf von ihnen als Damen aus alter Zeit an jenem Nachmittag aufgenommen hatte, an dem der junge Juvenal Urbino der eigenwilligen Fermina Daza den Gnadenstoß versetzt hatte. Ferminas Abzug war verlorengegangen, und auf dem von Hildebranda war kaum noch etwas zu sehen, beide aber erkannten sich auch durch den Nebel der Ernüchterung: jung und schön, wie sie es niemals wieder sein würden.

Für Hildebranda war es unmöglich, nicht über Florentino Ariza zu sprechen, da sie stets ihr Schicksal in dem seinen gesehen hatte. Sie erinnerte sich an ihn wie an den Tag, an dem sie ihr erstes Telegramm aufgegeben hatte, und es war ihr nie gelungen, dieses Bild eines traurigen, zum Vergessen verurteilten kleinen Vogels aus ihrem Herzen zu tilgen. Fermina dagegen hatte ihn oft gesehen, ohne sich freilich mit ihm zu unterhalten, und sie wollte nicht wahrhaben, daß dieser Mann ihre erste Liebe gewesen sein sollte. Sie hatte von Zeit zu Zeit etwas über ihn erfahren, da sie früher oder später über jeden etwas erfuhr, der in der Stadt Bedeutung erlangte. Es hieß, er habe nicht geheiratet, weil er andere Vorlieben pflege, doch sie hatte nichts darauf gegeben, teils weil sie nie auf Gerüchte gehört hatte, teils weil Ähnliches von vielen unverdächtigen Männern behauptet wurde. Seltsam erschien ihr hingegen, daß Florentino Ariza auch weiterhin seine wunderliche Kleidung und seine seltsamen Lotionen beibehielt und daß er sich immer noch so geheimnisvoll gab, nachdem er im Leben auf so spektakuläre und zudem ehrenhafte Weise seinen Weg gemacht hatte. Sie mochte nicht glauben, daß es dieselbe Person war, und wunderte sich stets, wenn Hildebranda seufzte: »Der arme Mann, was muß er gelitten haben!« Schon seit langer Zeit sah sie ihn ohne Kummer: Er war ein ausgelöschter Schatten.

An dem Abend jedoch, als sie ihn im Kino traf, kurz nachdem sie aus Flores de María zurückgekehrt war, ging in ihrem Herzen etwas Seltsames vor sich. Sie war nicht überrascht, ihn mit einer Frau, noch dazu einer Schwarzen, zu sehen. Aber es überraschte sie, daß er sich so gut gehalten hatte und daß er sich viel ungezwungener bewegte, und ihr kam überhaupt nicht der Gedanke, daß vielleicht nicht er, sondern sie sich nach Señorita Lynchs bedrohlichem Einbruch in ihr Privatleben verändert hatte. Seitdem hatte sie ihn über zwanzig Jahre lang mit einem milderen Blick gesehen. In der Nacht der Totenwache für ihren Mann war ihr seine Anwesenheit nicht nur verständlich erschienen, sie hatte sie auch als Zeichen für ein natürliches Ende der Verbitterung gesehen: eine Geste des Verzeihens und Vergessens. Deshalb traf sie die dramatische Beteuerung einer Liebe, die es für sie nie gegeben hatte, so unvorbereitet, und das in einem Alter, in dem sie und Florentino Ariza nichts mehr vom Leben zu erwarten hatten.

Die tödliche Wut des ersten Zusammenstoßes verlor sich auch nach der symbolischen Einäscherung des Ehemanns nicht, sie wuchs und verzweigte sich immer mehr, je weniger Fermina Daza sich imstande fühlte, sie zu beherrschen. Es kam noch schlimmer: Das Mohnfeld, in dem die Erinnerungen an Florentino Ariza begraben lagen, breitete sich allmählich und unerbittlich bis in die Räume des Gedächtnisses aus, in denen sie die Erinnerungen an den Toten hatte beschwichtigen können. So dachte sie an Florentino Ariza, ohne ihn zu lieben, und je mehr sie an ihn dachte, desto wütender wurde sie auf ihn, und je wütender sie wurde, desto mehr dachte sie an ihn, bis das alles so unerträglich geworden war, daß es ihr den Verstand raubte. Da setzte sie sich an den Schreibtisch ihres Mannes und schrieb Florentino Ariza einen Brief, drei irrationale Seiten, die vor Beleidigungen und infamen Unterstellungen strotzten, womit sie sich die Erleichterung verschaffte, ganz bewußt die unwürdigste Handlung in ihrem langen Leben begangen zu haben.

Auch für Florentino Ariza waren es Wochen der Agonie gewesen. In der Nacht, in der er Fermina Daza erneut seine Liebe beteuert hatte, war er ziellos durch die von der nachmittäglichen Sintflut verwüsteten Straßen geirrt und hatte sich voller Entsetzen gefragt, was er mit der Haut des Tigers anfangen sollte, der ihm ein halbes Jahrhundert lang aufgelauert hatte und den er nun erlegt hatte. In der Stadt herrschte wegen der Gewalt der Wassermassen der Ausnahmezustand. In einigen Häusern versuchten halbnackte Männer und Frauen, das, was Gott erlaubte, aus der Sintflut zu retten, und Florentino Ariza war es, als habe ihr aller Unglück etwas mit dem seinen zu tun. Doch die Luft war zahm, und die Sterne der Karibik standen ruhig an ihrem Platz. Plötzlich, als all die anderen Stimmen kurz schwiegen, erkannte Florentino Ariza die Stimme des Mannes, den er zusammen mit Leona Cassiani vor vielen Jahren zur gleichen Stunde und an der gleichen Straßenecke hatte singen hören: *In Tränen gebadet, wandt' ich mich von der Brücke ab.* Ein Lied, das auf irgendeine Weise und nur für ihn in jener Nacht etwas mit dem Tod zu tun gehabt hatte.

Nie hatte ihm Tránsito Ariza mit ihren klugen Worten und ihrem papierblumengeschmückten Haupt einer Karnevalskönigin so sehr gefehlt. Er konnte nicht dagegen an: Am Rande der Katastrophe brauchte er stets den Schutz einer Frau. Also lief er auf der Suche nach einer, die für ihn erreichbar war, zum Lehrerseminar und sah in der langen Fensterreihe von América Vicuñas Schlafsaal ein Licht brennen. Er mußte sich sehr zusammennehmen, daß er nicht die Greisentorheit beging, sie um zwei Uhr morgens herauszuholen, noch schlafwarm in ihren Windeln und duftend wie ein plärrendes Wickelkind.

Leona Cassiani wohnte allein und ungebunden am anderen Ende der Stadt und hätte ihm zweifellos auch um zwei Uhr morgens, um drei, zu jeder Stunde und in jeder Situation das Mitgefühl angedeihen lassen, das ihm fehlte. Es wäre nicht das erste Mal gewesen, daß er in der Ödnis seiner Schlaflosigkeit an ihrer Tür geklopft hätte, doch er sah ein, daß sie zu intelligent war und sie beide sich auch zu sehr liebten, als daß er sich auf ihrem Schoß hätte ausweinen können, ohne ihr den Grund zu offenbaren. Während er somnambul durch die leere Stadt wanderte, kam ihm der Gedanke, daß er bei keiner besser aufgehoben sein würde als bei der Doppelwitwe Prudencia Pitre. Sie war jünger als er. Sie hatten sich im vergangenen Jahrhundert kennengelernt und trafen sich nur deshalb nicht mehr, weil sie sich nicht länger so sehen lassen wollte, wie sie war, halb blind und wahrhaft hinfällig. Die Erinnerung an sie war ihm kaum in den Sinn gekommen, als Florentino Ariza auch schon zur Calle de las Ventanas zurückging, zwei Flaschen Portwein und ein Glas Essiggemüse in eine Einkaufstasche packte und sich auf den Weg zu ihr machte, ohne auch nur zu wissen, ob sie noch im selben Haus wohnte, ob sie allein und überhaupt noch am Leben war.

Prudencia Pitre hatte die heimlichen Kratzzeichen an der Tür nicht vergessen, mit denen er sich damals, als sie sich noch jung fühlten, obgleich sie es schon nicht mehr waren, zu erkennen gegeben hatte, und sie öffnete ihm, ohne Fragen zu stellen. Die Straße lag im Dunkeln, und er war kaum sichtbar in seinem schwarzen Tuchanzug, dem steifen Hut und dem Fledermausschirm, der an seinem Arm hing, und mit ihren Augen hätte sie ihn nur bei vollem Licht sehen können, dennoch erkannte sie ihn an den Lichtreflexen des Laternenlichts im Metall seines Brillengestells. Er sah aus wie ein Mörder, der noch Blut an den Händen hat.

»Asyl für ein armes Waisenkind«, war alles, was ihm, nur um etwas zu sagen, einfiel. Er war überrascht, wie sehr sie gealtert war, seitdem er sie zum letzten Mal gesehen hatte, und ihm war bewußt, daß auch sie ihn so sah. Doch er tröstete sich mit dem Gedanken, daß ihnen ein wenig später, wenn beide sich vom ersten Schlag erholt hätten, die Wunden des Lebens weniger auffallen und sie sich dann wieder so sehen würden, wie sie füreinander gewesen waren, als sie sich kennengelernt hatten.

»Du siehst nach Begräbnis aus«, sagte sie.

So war es. Auch sie hatte wie fast die ganze Stadt seit elf Uhr am Fenster gestanden, um den längsten und pompösesten Trauerzug vorbeiziehen zu sehen, den es seit dem Tod des Erzbischofs De Luna in der Stadt gegeben hatte. Sie war von Artilleriedonner, der die Erde erbeben ließ, aus der

Siesta geweckt worden, hatte den Mißklang der Militärkapellen gehört, das Durcheinander der Trauergesänge, die sich über den Lärm der seit dem vergangenen Tag pausenlos läutenden Kirchenglocken erhoben. Vom Balkon aus hatte sie die berittenen Soldaten in Paradeuniform gesehen, die religiösen Kongregationen, die Schulklassen, die langen schwarzen Limousinen der unsichtbaren Obrigkeit, die von Pferden mit Federbüschen und goldenen Schabracken gezogenen Karossen, den gelben, von der Fahne bedeckten Sarg auf der Lafette einer historischen Kanone und zum Schluß die lange Reihe der alten offenen Kutschen, die für den Transport von Totenkränzen instand gehalten wurden. Sie waren kaum kurz nach Mittag an Prudencia Pitres Balkon vorbeigezogen, als die Sintflut hereinbrach und der Trauerzug sich fluchtartig auflöste.

»Was für eine absurde Art zu sterben«, sagte sie.

»Der Tod hat keinen Sinn für das Lächerliche«, sagte er und fügte betrübt hinzu: »Schon gar nicht in unserem Alter.«

Sie saßen auf der Terrasse mit Blick auf das offene Meer, sahen den Mond, der mit seinem Hof den halben Himmel füllte, sahen die bunten Lichter der Schiffe am Horizont und genossen die lau duftende Brise nach dem Gewitter. Sie aßen Essiggemüse auf Brotscheiben, die Prudencia Pitre in der Küche von einem Laib abschnitt. Seitdem sie kinderlos Witwe geworden war, hatten sie viele solche Nächte zusammen verlebt. Florentino Ariza war ihr zu einer Zeit begegnet, da sie jeden Mann genommen hätte, der bereit gewesen wäre, ihr Gesellschaft zu leisten, und sei es stundenweise für Entgelt, dennoch war es ihnen gelungen, eine Beziehung aufzubauen, die sich als ernsthafter und beständiger erwies, als es damals möglich erschienen war.

Sie hätte, obwohl sie nie auch nur eine Andeutung darüber machte, dem Teufel ihre Seele verkauft, um mit ihm eine zweite Ehe einzugehen. Sie wußte, daß es nicht leicht war, sich ihm zu unterwerfen, mit seiner Kleinlichkeit, seinem albernen Gebaren eines vorzeitigen Greises, seiner manischen Ordnungsliebe, der Zwanghaftigkeit, mit der er alles forderte und nichts, aber auch nichts gab, aber dafür fand sich auch kein Mann, mit dem es sich besser zusammensein ließ, denn auf der ganzen Welt war kein zweiter liebesbedürftiger als er. Sie kannte allerdings auch keinen, der so wenig zu fassen war, und daher ging die Liebe auch nicht weiter als sonst bei ihm: gerade so weit, daß sie nicht seinen Entschluß, für Fermina Daza frei zu bleiben, unterlief. Dennoch hielt diese Liebschaft viele Jahre, sogar dann noch, als er die Dinge dahingehend geregelt hatte, daß Prudencia Pitre wieder heiratete, und zwar einen Handelsvertreter, der drei Monate zu Hause und die nächsten drei auf Reisen war und dem sie eine Tochter und vier Söhne gebar, von denen einer wiederum, wie sie schwor, von Florentino Ariza war.

Sie plauderten, ohne auf die Uhrzeit zu achten, denn beide waren als junge Leute daran gewöhnt gewesen, ihre Schlaflosigkeit zu teilen, und hatten nun im Alter noch weniger dabei zu verlieren. Obwohl er fast nie mehr als zwei Glas Wein trank, war Florentino Ariza auch nach dem dritten noch nicht wieder zu Atem gekommen. Er schwitzte in Strömen, und die Doppelwitwe sagte, er solle die Jacke ablegen, die Weste, die Hose oder alles, zum Teufel, wenn er wolle, schließlich und endlich würden sie sich besser nackt als bekleidet kennen. Er sagte, er wolle es tun, wenn sie es auch täte, aber sie wollte nicht: Es war schon lange her, daß sie vor dem Schrankspiegel eingesehen hatte, daß sie nie wieder den Mut aufbringen würde, sich vor ihm oder vor sonst jemandem nackt zu zeigen.

In einem Zustand der Überspanntheit, die er auch mit vier Gläsern Portwein nicht hatte dämpfen können, redete Florentino Ariza weiter von der guten alten Zeit, seit langem schon sein einziges Thema, suchte er doch in der Vergangenheit sehnsüchtig nach einem heimlichen Ansatz, um sich auszusprechen. Denn das hatte er nötig: jemandem das Herz auszuschütten. Als er am Horizont die ersten Strahlen sah, machte er einen verstohlenen Versuch. Scheinbar beiläufig fragte er: »Was würdest du tun, wenn dir jemand in deinem Alter, so wie du heute bist, einen Heiratsantrag machte?« Sie lachte das verknitterte Lachen einer alten Frau und fragte zurück:

»Fragst du wegen der Witwe Urbino?«

Florentino Ariza vergaß immer, wenn er es gerade am wenigsten vergessen sollte, daß Frauen, und besonders Prudencia Pitre, mehr auf den verborgenen Sinn der Fragen als auf die Fragen selbst achten. Wegen ihrer beängstigenden Treffsicherheit überkam ihn plötzliche Panik, er stahl sich jedoch durch die Hintertür davon: »Ich sage es wegen dir.« Sie lachte wieder: »Mach du dich nur über deine Hurenmutter lustig, Friede ihrer Seele.« Dann drang sie in ihn, er solle doch sagen, was er habe sagen wollen, denn sie wußte, daß weder er noch sonst ein Mann sie nach so vielen Jahren um drei Uhr morgens geweckt hätte, nur um mit ihr Landbrot und Essiggemüse zu essen. Sie sagte: »So was tut man nur, wenn man jemanden sucht, mit dem man weinen kann.«

Florentino Ariza trat den geordneten Rückzug an.

»Dies eine Mal irrst du«, sagte er. »Heute nacht ist mir eher zum Singen zumute.«

»Dann laß uns singen«, sagte sie.

Sie stimmte mit guter Singstimme den Schlager an, der gerade in Mode war: *Ramona, ohne dich kann ich nicht sein.* Das war das Ende der Nacht, denn er traute sich nicht, verbotene Spielchen mit einer Frau anzufangen, die ihm zu oft bewiesen hatte, daß sie die abgewandte Seite des Mondes kannte. Er trat in eine andere Stadt hinaus, die nach den letzten Juni-Dahlien duftete, und lief eine Straße seiner Jugend entlang, auf der die Witwen der Dunkelheit zur Fünf-Uhr-Messe zogen. Nicht sie, sondern er wechselte diesmal den Gehsteig, damit man nicht die Tränen sah, die er nun wirklich nicht länger zurückhalten konnte, nicht die Tränen um Mitternacht, es waren andere: Er hatte sie vor einundfünfzig Jahren, neun Monaten und vier Tagen heruntergeschluckt.

Als er vor einem großen, blendenden Fenster erwachte, hatte er kein Gefühl mehr für die Zeit. Erst die Stimme von América Vicuña, die im Garten mit den Dienstmädchen Ball spielte, brachte ihn in die Wirklichkeit zurück: Er lag im Bett seiner Mutter, deren Zimmer er unverändert gelassen hatte; in den seltenen Fällen, wenn ihm die Einsamkeit zusetzte, legte er sich dort schlafen, um sich weniger allein zu fühlen. Dem Bett gegenüber hing der große Spiegel aus dem Restaurant von Don Sancho, den er nur anzusehen brauchte, um Fermina Dazas Spiegelbild darin zu entdecken. Er wußte, es war Sonnabend, weil der Chauffeur an diesem Tag América Vicuña vom Internat abholte und zu ihm nach Hause brachte. Ihm wurde klar, daß er geschlafen hatte, ohne es zu merken, dabei geträumt hatte, nicht schlafen zu können, in einem Traum, der von Fermina Dazas zornigem Gesicht überschattet war. Er nahm ein Bad und dachte über den nächsten Schritt nach, zog sich bedächtig seine besten Kleider an, parfümierte sich, wichste den weißen Schnurrbart mit den gezwirbelten Spitzen, und als er aus dem Schlafzimmer trat, sah er von der Galerie des oberen Stockwerks aus das schöne Geschöpf in Schuluniform, das den Ball mit einer Anmut aus der Luft auffing, die ihn an vielen Sonntagen erschüttert hatte, ihn an diesem Morgen jedoch kein bißchen verwirrte. Er bedeutete ihr, mitzukommen, und bevor sie ins Auto stiegen, sagte er ohne Notwendigkeit zu ihr: »Heute gibt es keine Spielchen.« Er fuhr sie zur amerikanischen Eisdiele, die zu dieser Zeit von Eltern überfüllt war, die mit ihren Kindern unter den großflügeligen Deckenventilatoren Eis aßen. América Vicuña bestellte ihr Lieblingseis, einen riesigen Becher mit mehreren verschiedenfarbigen Schichten, der wegen der magischen Dampfwolke, die davon aufstieg, am häufigsten bestellt wurde. Florentino Ariza trank einen schwarzen Kaffee und sah dem schweigenden Mädchen zu, das sein Eis mit einem bis zum Grund des Bechers reichenden langstieligen Löffel aß. Ohne den Blick von ihr abzuwenden, sagte er plötzlich:

»Ich werde heiraten.«

Sie schaute ihn an, einen Funken Unsicherheit in den Augen, hielt den Löffel einen Augenblick still in der Luft, faßte sich jedoch gleich wieder und lächelte.

»Du schwindelst«, sagte sie, »alte Leutchen heiraten nicht.«

An diesem Abend setzte er sie während eines hartnäckigen Regenschauers pünktlich zum Angelus vor dem Internat ab, nachdem sie sich zusammen das Puppenspiel im Park angesehen hatten, an den Bratfischständen am Meer gegessen, sich die Käfige mit den wilden Tieren eines soeben eingetroffenen Zirkus angeschaut und an den Portalen allerlei Süßigkeiten fürs Internat gekauft hatten und dann noch mehrmals mit offenem Verdeck durch die Stadt gefahren waren, damit América Vicuña sich an den Gedanken gewöhnte, daß er ihr Betreuer und nicht mehr ihr Liebhaber war. Am Sonntag schickte er ihr den Wagen, für den Fall, daß sie mit ihren Freundinnen ausfahren wollte, er selbst aber mochte sie nicht sehen, weil ihm seit der vergangenen

Woche der Altersunterschied erst so richtig bewußt geworden war. An diesem Abend faßte er den Entschluß, Fermina Daza einen Entschuldigungsbrief zu schreiben, und sei es nur, um nicht zu kapitulieren, doch er verschob es auf den nächsten Tag. Am Montag, nach exakt drei Leidenswochen, betrat er vom Regen durchweicht sein Haus und fand dort ihren Brief.

Es war acht Uhr abends. Die beiden Dienstmädchen waren zu Bett gegangen und hatten im Gang wie immer ein Licht angelassen, damit Florentino Ariza bis zu seinem Zimmer kommen konnte. Er wußte, daß sein karges und fades Abendessen auf dem Eßzimmertisch stand, doch das bißchen Hunger, das er noch verspürte, nachdem er so viele Tage kaum gegessen hatte, verging ihm bei der Aufregung über den Brief. Seine Hände zitterten so sehr, daß er das Hauptlicht im Schlafzimmer kaum anmachen konnte. Er legte den nassen Brief auf das Bett, zündete die Nachttischlampe an und zog mit künstlicher Ruhe – sein ureigenes Hilfsmittel, um Fassung zu gewinnen – die Jacke aus, hängte sie über die Stuhllehne, zog die Weste aus und legte sie ordentlich gefaltet auf die Jacke, nahm die schwarze Seidenschleife und den Zelluloidkragen ab, der schon aus der Mode gekommen war, knöpfte das Hemd bis zur Taille auf und löste den Gürtel, um besser durchatmen zu können, zuletzt nahm er den Hut ab und legte ihn zum Trocknen ans Fenster. Plötzlich durchfuhr ihn ein Schauer, er wußte nicht, wo der Brief geblieben war, und wurde derart nervös, daß es ihn erstaunte, als er ihn doch noch fand, denn er konnte sich nicht daran erinnern, ihn aufs Bett gelegt zu haben. Bevor er ihn öffnete, trocknete er den Umschlag vorsichtig mit dem Taschentuch ab, um nicht die Tinte zu verwischen, mit der sein Name geschrieben war, und während er das tat, wurde ihm klar, daß dieses Geheimnis nicht von zwei, sondern von drei Menschen geteilt wurde, denn wer auch immer den Brief gebracht hatte, ihm mußte aufgefallen sein, daß die Witwe Urbino kaum drei Wochen nach dem Tod ihres Mannes jemandem schrieb, der nicht zu ihren Kreisen gehörte, und das mit einer solchen Eile, daß sie den Brief nicht mit der Post schickte, ihn auch nicht aushändigen, sondern heimlich unter der Tür durchschieben ließ wie einen anonymen Brief. Er brauchte den Umschlag gar nicht erst aufzureißen, da die Nässe den Klebstoff gelöst hatte, der Brief aber war trocken geblieben: drei dichtbeschriebene Bogen, ohne Anrede und unterzeichnet mit den Namensinitialen der Verheirateten.

Er saß auf dem Bett und überflog ihn einmal, weniger auf den Inhalt gespannt als auf den Ton, und wußte, noch bevor er bei der zweiten Seite angelangt war, daß es genau der Schmähbrief war, den er erwartet hatte. Er legte ihn ins Licht der Nachttischlampe, zog die nassen Schuhe und Strümpfe aus, ging zur Tür, um das Deckenlicht zu löschen, zog zum Schluß die Bartbinde aus Wildleder an und legte sich dann, ohne erst Hemd und Hose auszuziehen, aufs Bett, den Kopf auf zwei großen Kissen, die ihm beim Lesen als Lehne dienten. Dann ging er den Brief durch, Buchstaben für Buchstaben, prüfte jeden von ihnen, damit keine verborgene Absicht unergründet blieb, und las den Brief dann noch viermal, bis er so erfüllt davon war, daß die geschriebenen Worte ihren Sinn zu verlieren begannen. Zuletzt verwahrte er die Blätter ohne Umschlag in der Nachttischschublade, legte sich, die Hände hinter dem Kopf verschränkt, auf den Rücken und blieb so vier Stunden lang liegen, den Blick starr auf den Raum im Spiegel gerichtet, den sie einst ausgefüllt hatte, er blinzelte nicht, atmete kaum, war toter als ein Toter. Punkt Mitternacht ging er in die Küche und machte sich eine Thermoskanne mit starkem

Kaffee, dickflüssig wie Rohöl, nahm sie mit aufs Zimmer, legte das Gebiß in das Glas Borwasser, das ihm dafür immer auf den Nachttisch gestellt wurde, und nahm wieder die Stellung einer ruhenden Marmorfigur ein, die er nur in gewissen Abständen, wenn er einen Schluck Kaffee trank, kurz änderte, bis dann um sechs Uhr das Zimmermädchen mit einer neu gefüllten Thermoskanne hereinkam.

Zu dieser Stunde kannte Florentino Ariza jeden seiner weiteren Schritte. In Wahrheit taten ihm die Beleidigungen nicht weh, und es war ihm auch nicht wichtig, die ungerechten Unterstellungen zurückzuweisen, die ja auch noch schlimmer hätten ausfallen können, wenn man Fermina Dazas Charakter und den schwerwiegenden Grund in Betracht zog. Ihn interessierte allein, daß ihm der Brief Gelegenheit und Recht zu einer Antwort gab. Mehr noch, er forderte sogar eine. Also war das Leben jetzt bis zu der Grenze gelangt, wo er es haben wollte. Alles übrige hing von ihm ab, er war zwar davon überzeugt, daß seine ein halbes Jahrhundert alte persönliche Hölle noch viele lebensgefährliche Prüfungen für ihn bereithielt, doch wollte er diese mit noch größerer Glut, größerem Schmerz und größerer Liebe auf sich nehmen, da es die letzten sein würden.

Fünf Tage nachdem er Fermina Dazas Brief erhalten hatte, war ihm bei seiner Ankunft im Büro auf einmal, als schwebe er in einer abrupten und ungewohnten akustischen Leere, denn das Regengeprassel der Schreibmaschinen fiel schon weniger auf als ihr Schweigen. Es war Pause. Als der Lärm wieder einsetzte, schaute Florentino Ariza in Leona Cassianis Büro und betrachtete sie, wie sie vor ihrer eigenen Maschine saß, die wie ein menschliches Instrument ihren Fingerkuppen gehorchte. Sie fühlte sich beobachtet und sah mit ihrem schrecklichen Sonnenlächeln zur Tür, hörte jedoch erst am Ende des Absatzes zu schreiben auf.

»Sag mir eins, Löwin meiner Seele«, fragte Florentino Ariza sie, »was würdest du empfinden, wenn du einen Liebesbrief bekämst, der mit so einem Apparat geschrieben wäre?«

Sie, die nichts mehr überraschen konnte, machte eine wahrhaft überraschte Gebärde.

»Mann!« rief sie aus, »auf die Idee bin ich noch nie gekommen.«

Also wußte sie keine Antwort darauf. Auch Florentino Ariza dachte zum ersten Mal daran und beschloß, das ganze Risiko einzugehen. Unter dem freundlichen Spott der Untergebenen: »Alter Papagei lernt das Sprechen nicht«, nahm er eine der Maschinen aus dem Büro mit nach Hause. Leona Cassiani, die für alles Neue zu begeistern war, erbot sich, ihm Privatunterricht in Maschineschreiben zu geben. Doch er hatte etwas gegen methodische Lehrprogramme, seitdem Lothario Thugut ihm hatte beibringen wollen, nach Noten Geige zu spielen, und ihm mit der Drohung zugesetzt hatte, er werde mindestens ein Jahr für die Anfangsgründe brauchen, fünf, um den Ansprüchen eines Berufsorchesters zu genügen, und sein Leben lang sechs Stunden täglich üben müssen, um gut zu spielen. Florentino Ariza aber hatte bei seiner Mutter erreicht, daß sie ihm eine Geige für Blinde kaufte, und es mit den fünf Grundregeln, die ihm Lothario Thugut erklärte, so weit gebracht, daß er es vor Ablauf eines Jahres wagen konnte, im Chor der Kathedrale zu spielen und Fermina Daza, je nach Windrichtung, vom Armenfriedhof aus Ständchen zu bringen. Wenn ihm das als Zwanzigjährigem mit etwas so Schwierigem wie einer Geige gelungen war, so sah er nicht ein, warum es ihm nicht auch im Alter von sechsundsiebzig Jahren mit einem Ein-Finger-Instrument wie der Schreibmaschine möglich sein sollte.

Er behielt recht. Er brauchte drei Tage, um sich die

Anordnung der Buchstaben auf der Tastatur einzuprägen, weitere sechs, um gleichzeitig tippen und denken zu lernen, und noch einmal drei, um seinen ersten Brief fehlerfrei zu Ende zu bringen, nachdem er ein halbes Ries Papier zerrissen hatte. Er wählte eine förmliche Anrede: *Señora,* und unterzeichnete wie bei den parfümierten Billetts seiner Jugend mit seinen Initialen. Er schickte den Brief per Post in einem Umschlag mit Trauerrand, wie es sich bei einer kürzlich verwitweten Frau gehörte, und schrieb keinen Absender auf die Rückseite.

Es war ein sechsseitiger Brief, der nichts mit irgendeinem anderen jemals von ihm geschriebenen gemein hatte. Er hatte weder den Ton noch den Stil oder den rhetorischen Schwung der ersten Liebesjahre und war vom Inhalt her so vernünftig und gemessen, daß der Duft einer Gardenie ein Stilbruch gewesen wäre. In gewisser Hinsicht war das Schreiben die gelungenste Annäherung an die Geschäftsbriefe, die ihm nie geglückt waren. In späteren Jahren sollte ein persönlicher Brief, der mit der Maschine geschrieben war, fast als Beleidigung angesehen werden, damals aber war die Schreibmaschine noch ein Bürotier ohne eigene Ethik, dessen Domestizierung für den Privatgebrauch die Benimmbücher nicht vorgesehen hatten. Dieser Versuch wirkte vielmehr als ein Zeichen kühner Modernität, und so mußte es auch Fermina Daza gesehen haben, da sie den zweiten Brief, den sie Florentino Ariza schrieb, damit begann, sich für die Unebenheiten ihrer Schrift zu entschuldigen, sie verfüge eben nicht über fortschrittlichere Schreibmittel als die Stahlfeder.

Florentino Ariza war erst gar nicht auf ihren ungeheuerlichen Brief eingegangen, sondern versuchte es von Anfang an mit einer anderen Methode der Verführung, ohne die vergangene Liebe oder die Vergangenheit auch nur zu erwähnen: Schlußstrich und neue Rechnung. Jetzt handelte es sich vielmehr um ausführliche Betrachtungen über das Leben, die auf seinen Anschauungen und Erfahrungen das Verhältnis zwischen Mann und Frau betreffend gründeten, über das er einmal als Ergänzung zu seinem *Sekretär der Verliebten* hatte schreiben wollen. Nur daß er diese Betrachtungen jetzt in den patriarchalischen Stil von Alterserinnerungen kleidete, damit ihnen nicht allzusehr anzumerken wäre, daß sie in Wirklichkeit ein Zeugnis der Liebe waren. Zuvor schrieb er viele Entwürfe in der alten Art und brauchte länger dazu, sie mit kühlem Kopf durchzulesen, als sie ins Feuer zu werfen. Er wußte, daß jede Unbedachtheit in der Form und die kleinste nostalgische Leichtfertigkeit den Groll der Vergangenheit in ihrem Herzen aufwühlen konnte, und obwohl er sich darauf eingestellt hatte, daß sie ihm vielleicht hundert Briefe zurückschicken würde, bevor sie den Mut fand, den ersten zu öffnen, wünschte er doch, daß es nicht ein einziges Mal geschähe. Also bedachte er auch noch das kleinste Detail, als ginge es um die Entscheidungsschlacht: Alles mußte anders sein, um neue Erwartungen, neue Anteilnahme und neue Hoffnungen in einer Frau zu wecken, die schon ein ganzes erfülltes Leben gelebt hatte. Es mußte eine unvernünftige Hoffnung sein, die ihr den nötigen Mut geben konnte, die Vorurteile einer Klasse abzuwerfen, die nicht die ihre gewesen, aber es mehr als jede andere geworden war. Er mußte sie lehren, an die Liebe als an eine Zustand der Gnade zu denken, der kein Mittel zu irgendeinem Zweck, sondern selbst Ursprung und Ziel war.

Er war klug genug, nicht sofort auf eine Antwort zu warten, es genügte ihm, daß der Brief nicht zurückgewiesen wurde. Das wurde er nicht, ebensowenig die folgenden, und so nahm seine Unruhe mit jedem Tag zu, denn je mehr Tage ohne Rücksendung vergingen, um so größer wurde die Hoffnung auf eine Antwort. Am Anfang war die Häufigkeit seiner Briefe durch seine Fingerfertigkeit vorgegeben: erst einer pro Woche, dann zwei, schließlich einer pro Tag. Er freute sich über die Fortschritte im Postverkehr seit seiner Zeit als Flaggenwärter, denn das Risiko, täglich im Postamt dabei gesehen zu werden, wie er einen Brief an stets die gleiche Person aufgab, wäre er nicht eingegangen, noch hätte er seine Briefe mit einem Boten schicken können, der womöglich plauderte. Dagegen war nichts leichter, als sich von einem Angestellten die Briefmarken für einen ganzen Monat holen zu lassen und den Brief dann in einen der drei Briefkästen in der Altstadt zu werfen. Bald hatte er dieses Ritual in seinen Tagesablauf eingebaut: Die schlaflosen Stunden nützte er zum Schreiben, und am Tag darauf bat er auf dem Weg zum Büro den Chauffeur, einen Augenblick an einer Ecke vor dem Briefkasten zu halten, und stieg dann selbst aus, um den Brief einzuwerfen. Er erlaubte nie, daß der Chauffeur das für ihn erledigte, was dieser an einem regnerischen Morgen angeboten hatte, und traf manchmal die Vorsichtsmaßnahme, nicht nur den einen, sondern mehrere Briefe gleichzeitig einzustecken, damit es natürlicher wirkte. Der Chauffeur wußte selbstverständlich nicht, daß die zusätzlichen Briefe unbeschriebene Seiten waren, die Florentino Ariza an sich selbst adressierte, da er nie mit irgend jemandem einen privaten Briefwechsel geführt hatte, wenn man von seinem Bericht als Betreuer absah, in dem er jeweils am Monatsende den Eltern von América Vicuña seinen persönlichen Eindruck von dem Verhalten, der körperlichen und seelischen Verfassung und den Studienfortschritten des Mädchens schilderte.

Nach dem ersten Monat begann er, die Briefe an Fermina Daza zu numerieren, und setzte wie bei Fortsetzungsromanen an den Anfang eine Zusammenfassung des jeweils vorangegangenen Briefes, aus Furcht, sie könne übersehen, daß es so etwas wie eine Kontinuität gab. Als er dann täglich schrieb, tauschte er außerdem die Trauerumschläge gegen längliche weiße Kuverts aus, was den Briefen endgültig die komplizenhafte Unpersönlichkeit von Geschäftskorrespondenz gab. Von Anfang an war er bereit gewesen, seine Geduld einer schweren Probe zu unterwerfen, solange er keinen Beweis dafür hatte, daß er mit dieser einzigen neuen Methode, die er sich hatte ausdenken können, nicht seine Zeit verschwendete. So konnte er tatsächlich warten, ohne dabei wie in seiner Jugend Anfechtungen aller Art ausgesetzt zu sein, nun mit dem Starrsinn eines eisernen Greises, der an nichts anderes mehr denken mußte, auch nichts mehr zu tun hatte in einem Flußschiffahrtsunternehmen, das damals schon in günstigem Wind allein seinen Weg machte, und im übrigen war er davon überzeugt, dereinst an jenem Tag lebendig und im Vollbesitz seiner Manneskraft zu sein, wenn Fermina Daza endlich begreifen würde, daß es für ihre Sehnsüchte einer einsamen Witwe kein anderes Heilmittel gab, als die Zugbrücke für ihn herunterzulassen.

Inzwischen führte er sein Leben wie immer weiter. Da er mit einer günstigen Antwort rechnete, ließ er das Haus ein zweites Mal renovieren, damit es jener würdig sei, die sich, seitdem es gekauft worden war, als seine Herrin und Gebieterin betrachten konnte. Wie versprochen besuchte er noch mehrmals Prudencia Pitre, um ihr zu beweisen, daß er sie trotz der Verheerungen des Alters auch bei Tageslicht und offenen Türen liebte und nicht nur in den Nächten seiner Verlassenheit. Er ging auch weiter am Haus von Andrea Varón vorbei, bis einmal das Licht im Badezimmer gelöscht war, und versuchte dann, sich in ihrem liebestollen Bett auszutoben, und sei es nur, um nicht aus der Übung zu kommen, denn auch darin war er abergläubisch und noch nicht eines Besseren belehrt worden, solange man weitermacht, meinte er, macht auch der Körper mit.

Das einzig Störende war seine Beziehung zu América Vicuña. Er hatte zwar den Chauffeur angewiesen, sie auch weiterhin samstags um zehn Uhr vormittags im Internat abzuholen, wußte aber nicht, was er am Wochenende mit ihr anfangen sollte. Er überließ sie der Obhut der Dienstmädchen, die sie nachmittags ins Kino, zu den Festen im Kinderpark oder zu Wohltätigkeitsbazaren führen sollten, oder er dachte sich Sonntagsausflüge mit Schulkameradinnen für sie aus, um sie nicht in sein Paradies hinter den Büros mitnehmen zu müssen, wohin sie, seitdem er sie das erste Mal dorthingeführt hatte, immer wieder drängte. Im Sternennebel seiner neuen Hoffnung war ihm nicht klargeworden, daß Frauen innerhalb von drei Tagen erwachsen werden können, und seitdem er sie vom Motorsegler aus Puerto Padre abgeholt hatte, waren drei Jahre vergangen. Sosehr er auch versuchte, ihr die Umstellung zu versüßen, für sie war es brutal, und sie konnte sich die Gründe dafür nicht erklären. An dem Tag, als er ihr in der Eisdiele gesagt hatte, daß er heiraten wolle, was der Wahrheit entsprach, hatte sie für einen Augenblick Panik ergriffen, später aber war ihr diese Möglichkeit so absurd erschienen, daß sie das alles vergaß. Sie mußte jedoch bald einsehen, daß er sich zumindest so verhielt, als ob es stimme, und unerklärliche Ausweichmanöver vollführte, als sei er nicht sechzig Jahre älter, sondern sechzig Jahre jünger als sie.

An einem Samstagnachmittag überraschte Florentino Ariza sie dabei, wie sie in seinem Schlafzimmer versuchte, Maschine zu schreiben. Sie stellte sich recht geschickt an, da sie in der Schule Unterricht im Tippen hatte. Sie hatte über eine halbe Seite automatisch vollgeschrieben, doch ließen sich unschwer aus dem einen oder anderen Absatz einzelne Sätze herauslösen, die etwas über ihren Seelenzustand verrieten. Florentino Ariza beugte sich über ihre Schulter, um mitlesen zu können. Seine Manneswärme, sein unregelmäßiger Atem, der Duft seiner Kleidung, der auch der ihres Kopfkissens war, all das verwirrte sie. Sie war nicht mehr das frisch angekommene kleine Mädchen, das er Stück für Stück mit Elterntricks entkleidete: erst mal diese Schühchen für den Teddy und dann das Hemdchen hier für das Hundchen und die geblümten Höschen für das Häschen und jetzt ein Küßchen für Papas liebe Muschi. Nein, sie war nun eine gestandene Frau, die gern selbst die Initiative ergriff. Sie schrieb nur mit einem Finger der rechten Hand weiter und tastete mit der linken Hand nach seinem Bein, suchte und fand ihn, fühlte ihn aufleben, wachsen, vor Verlangen stöhnen, und sein Altmänneratem wurde steinig und schwer. Sie kannte ihn: Dies war der Punkt, an dem er die Beherrschung zu verlieren begann, sein Verstand schmolz dahin, und er war ihr ausgeliefert, fand keinen Weg mehr zurück, bevor er nicht bis zum Ende vorgedrungen war. Wie einen armen Blinden von der Straße führte sie ihn an der Hand zum Bett und zerlegte ihn Stück für Stück mit hinterlistiger Zärtlichkeit, fügte Salz nach ihrem Geschmack hinzu, Pfeffer, Nelken, eine Knoblauchzehe, gehackte Zwiebeln, den Saft einer Zitrone, ein Lorbeerblatt, bis sie ihn gut gewürzt in der Reine liegen hatte und der Backofen auf die richtige Temperatur vorgeheizt war. Es war niemand im Haus. Die Dienstmädchen hatten Ausgang, und die Maurer und Schreiner, die das Haus renovierten, arbeiteten nicht am Samstag. Die beiden hatten die ganze Welt für sich allein. Am Rande des Abgrunds aber entkam er der Ekstase, schob ihre Hand beiseite, richtete sich auf und sagte mit bebender Stimme:

»Vorsicht, wir haben keine Gummis.«

Sie blieb noch eine Weile auf dem Rücken liegend im Bett und dachte nach, und als sie gut eine Stunde vor der Zeit ins Internat zurückkehrte, war sie über die Tränen hinweg, hatte dafür aber Geruchssinn und Krallen geschärft, um die verborgene Häsin aufzuspüren, die ihr das Leben verdorben hatte. Florentino Ariza aber verfiel wieder einmal einem männlichen Irrtum: Er dachte, sie habe die Sinnlosigkeit ihrer Absichten eingesehen und beschlossen, ihn zu vergessen.

Er war ganz mit sich beschäftigt. Sechs Monate waren ohne das geringste Zeichen vergangen, und er wälzte sich, verloren in der Wüste einer anderen Schlaflosigkeit, bis zum Morgen im Bett. Er dachte, Fermina Daza könne den ersten Brief wegen seines unschuldigen Äußeren geöffnet, die ihr aus früheren Briefen bekannten Intitialen erkannt und den Brief mit dem Müll verbrannt haben, ohne sich auch nur die Mühe gemacht zu haben, die Blätter zu zerreißen. Womöglich hatte ihr schon der Anblick der folgenden Briefe genügt, um mit ihnen ebenso zu verfahren, ohne sie erst zu öffnen, und so weiter bis zum Ende der Zeiten, während er sich dem Ende seiner schriftlichen Meditationen näherte. Er glaubte nicht, daß es eine Frau gab, die imstande gewesen wäre, während eines halben Jahres täglicher Briefe ihre Neugier so zu bezwingen, daß sie nicht wenigstens wissen wollte, was für eine Farbe die Tinte hatte, mit der sie geschrieben waren. Wenn es aber solch eine Frau gab, dann konnte nur sie es sein.

Florentino Ariza empfand die Zeit des Alters nicht als horizontal dahinfließenden Strom, sondern als eine Zisterne ohne Grund, in der das Gedächtnis versickerte. Seine Erfindungsgabe war erschöpft. Nachdem er mehrere Tage um das Anwesen in La Manga herumgestrichen war, hatte er eingesehen, daß es ihm mit dieser Jünglingsmethode nicht gelingen würde, die zur Trauer verurteilten Türen aufzubrechen. Eines Morgens, als er im Telefonbuch eine Nummer suchte, stieß er zufällig auf Fermina Dazas. Er rief an. Es klingelte lange, und dann endlich erkannte er die Stimme, sie war ernst und heiser: »Ja bitte?« Er legte auf, ohne etwas gesagt zu haben, doch die unendliche Ferne jener unerreichbaren Stimme schlug ihm aufs Gemüt.

In jenen Tagen feierte Leona Cassiani ihren Geburtstag und lud ein paar Freunde zu sich nach Hause ein. Florentino Ariza war zerstreut und bekleckerte sich mit der Hähnchensauce. Sie säuberte ihm das Revers mit dem Zipfel einer Serviette, den sie in einem Wasserglas angefeuchtet hatte, und legte ihm diese dann, um größerem Mißgeschick vorzubeugen, wie ein Lätzchen um. Ihr fiel auf, daß er während des Essens mehrmals die Brille abnahm, um sie mit dem Taschentuch trockenzureiben, da ihm die Augen tränten. Beim Kaffee nickte er mit der Tasse in der Hand ein, und sie versuchte, ihm die Tasse abzunehmen, ohne ihn aufzuwekken, doch er fuhr beschämt auf: »Ich habe nur die Augen ein wenig ausgeruht.« Noch als Leona Cassiani zu Bett ging, wunderte sie sich darüber, wie sehr ihm plötzlich sein Alter anzusehen war.

Am ersten Jahrestag von Juvenal Urbinos Tod verschickte die Familie Einladungen zu einer Gedenkmesse in der Kathedrale. Zu diesem Zeitpunkt hatte Florentino Ariza kein Antwortzeichen empfangen, und so kam er auf den kühnen Gedanken, auch uneingeladen zur Messe zu gehen. Sie wurde zu einem gesellschaftlichen Ereignis, das eher prunkvoll als bewegend war. Die Bänke in den ersten Reihen hatten an den Rücklehnen Kupferschildchen mit den Namen der Besitzer, für die sie auf Lebenszeit reserviert waren, um danach auf die Erben überzugehen. Florentino Ariza traf mit den ersten Gästen ein, um sich einen Platz zu suchen, an dem Fermina Daza nicht vorbeigehen konnte, ohne ihn zu sehen. Am geeignetsten schienen ihm die Bänke im Mittelschiff hinter den reservierten zu sein, doch der Andrang war so groß, daß er da keinen freien Platz mehr fand und sich ins Seitenschiff zu den armen Verwandten setzen mußte. Von dort aus sah er Fermina Daza am Arm ihres Sohnes hereinkommen, sie war bis zu den Handgelenken in schwarzen Samt gekleidet, ohne jeden Schmuck, mit einer durchgehenden Knopfleiste vom Hals bis zu den Fußspitzen wie bei einer Bischofssoutane, und auf dem Kopf trug sie statt des Hutes mit Schleier anderer Witwen und auch vieler Damen, die es hätten sein wollen, ein Tuch aus spanischen Spitzen. Das unbedeckte Antlitz schimmerte wie Alabaster, die blattförmigen Augen hatten unter den riesigen Lüstern des Mittelschiffs ihre eigene Lebendigkeit, und sie ging so aufrecht, so hoheitsvoll und beherrscht, daß sie nicht älter zu sein schien als ihr Sohn. Florentino Ariza, der stand, mußte sich mit den Fingern an der Banklehne abstützen, bis ihm nicht mehr schwindlig war: Er hatte deutlich gespürt, daß er und sie nicht sieben Schritte voneinander entfernt waren, sondern in zwei verschiedenen Zeiten lebten.

Fermina Daza hielt in der Familienbank vor dem Hauptaltar fast die ganze Zeremonie stehend durch, so aufmerksam wie bei einer Opernvorstellung. Zum Schluß durchbrach sie noch die Ordnung des Trauerrituals, indem sie nicht, wie es Brauch war, auf ihrem Platz blieb, um dort erneut die Kondolenzen entgegenzunehmen, sondern sich aufmachte, jedem Besucher einzeln zu danken: eine Geste der Erneuerung, die ganz ihrem Wesen entsprach. Einen nach dem anderen begrüßend, kam sie bis zu den Bänken der armen Verwandten und schaute sich zuletzt noch um, um sicherzugehen, daß sie niemand Bekanntes ausgelassen hatte. Florentino Ariza spürte, wie ihn ein übernatürlicher Wind aus dem Gleichgewicht brachte: Sie hatte ihn gesehen. Tatsächlich löste sich Fermina Daza von ihren Begleitern mit der Ungezwungenheit, mit der sie sich stets in der Gesellschaft bewegte, reichte ihm die Hand und sagte mit einem sanften Lächeln:

»Danke, daß Sie gekommen sind.«

Denn sie hatte die Briefe nicht nur erhalten, sondern auch mit großer Anteilnahme gelesen und darin bedenkenswerte Gründe zum Weiterleben gefunden. Als sie den ersten Brief bekam, hatte sie gerade mit ihrer Tochter beim Frühstück gesessen. Sie öffnete den Brief aus Neugier, weil er mit der Maschine geschrieben war, und ihr Gesicht brannte von einem plötzlichen Erröten, als sie die Initialen der Unterschrift erkannte. Doch sie überwand es sofort und steckte den Brief in die Schürzentasche. »Von der Regierung, ein Beileidsbrief«, sagte sie. Die Tochter war erstaunt: »Es sind doch schon alle eingetroffen.« Sie blieb ungerührt: »Das hier ist noch einer.« Sie hatte die Absicht, den Brief später fern von den Fragen der Tochter zu verbrennen, sie konnte der Versuchung jedoch nicht widerstehen, zuvor einen Blick hineinzuwerfen. Sie erwartete eine verdiente Antwort auf ihren Schmähbrief, den sie, kaum daß sie ihn abgeschickt hatte, zu bereuen begonnen hatte, doch schon der vornehme Briefkopf und die Einleitung des ersten Absatzes ließen sie erkennen, daß sich in der Welt etwas verändert hatte. Das machte sie so neugierig, daß sie sich in ihr Schlafzimmer einschloß, um den Brief, bevor sie ihn verbrannte, in Ruhe zu lesen, und sie las ihn dreimal, ohne Atem zu holen.

Es waren Betrachtungen über das Leben, die Liebe, das Alter, den Tod: Gedanken, die oft mit dem Flügelschlag von Nachtvögeln über ihren Kopf hinweggezogen und, wenn sie versuchte, sie festzuhalten, in Federwolken zerstoben waren. Hier waren sie wieder, genau und einfach, so, wie sie sie gern ausgedrückt hätte, und erneut schmerzte es sie, daß ihr Mann nicht mehr am Leben war, um mit ihm darüber zu sprechen, wie sie vor dem Schlafengehen über bestimmte Ereignisse des Tages zu reden pflegten. Auf diese Weise offenbarte sich ihr ein unbekannter Florentino Ariza, der über eine Hellsicht verfügte, die weder zu den fiebrigen Botschaften seiner Jugend noch zu dem düsteren Benehmen in seinem restlichen Leben paßte. Es waren eher die Worte jenes Mannes, der Tante Escolástica wie vom Heiligen Geist beseelt erschienen war, und dieser Gedanke erschreckte sie wie beim ersten Mal. Immerhin beruhigte dann die Gewißheit ihr Gemüt, daß jener Brief eines weisen alten Mannes nicht der Versuch war, die Ungehörigkeit der Trauernacht zu wiederholen, es war vielmehr eine vornehme Art, die Vergangenheit auszulöschen.

Die folgenden Briefe besänftigten sie vollends. Sie verbrannte sie dennoch, nachdem sie sie mit wachsendem Interesse gelesen hatte, während sie aber einen nach dem anderen verbrannte, lagerte sich in ihrem Gewissen der Bodensatz einer Schuld ab, die sie nicht abzutragen vermochte. Als die Briefe dann numeriert einzutreffen begannen, fand sie darin die gewünschte moralische Rechtfertigung, sie nicht vernichten zu müssen. Sie hatte ursprünglich keinesfalls die Absicht gehabt, sie für sich aufzuheben, sondern wollte eine Gelegenheit abwarten, um sie Florentino Ariza zurückzugeben, damit etwas, das ihr menschlich so nutzvoll schien, nicht verlorenging. Das Schlimme war, daß die Zeit verstrich und weitere Briefe kamen, das ganze Jahr über alle drei oder vier Tage einer, und sie nun nicht wußte, wie sie ihm alle zurückgeben konnte, ohne daß er es als Kränkung auffassen mußte, was sie schon nicht mehr wollte, und ohne es lang in einem Brief erklären zu müssen, den ihr der Stolz verbot.

Dieses erste Jahr hatte ihr genügt, die Witwenschaft anzunehmen. Die geläuterte Erinnerung an den Ehemann beeinträchtigte sie nicht mehr bei den alltäglichen Verrichtungen, bei ihren innersten Gedanken, bei den einfachsten Vorhaben, sondern gewann für sie eine wachsame Gegenwärtigkeit, die sie leitete, ohne ihr im Weg zu sein. Zuweilen begegnete sie ihm, nicht seiner Erscheinung, sondern ihm leibhaftig, und zwar da, wo er ihr wirklich fehlte. Es gab ihr Mut, ihn dort zu wissen, noch lebendig, aber ohne seine Männerlaunen, seine patriarchalische Anmaßung, ohne den aufreibenden Anspruch, daß sie ihn mit dem gleichen Ritual der Küsse und zärtlichen Worte zum falschen Zeitpunkt lieben müsse wie er sie. Sie verstand ihn nun besser als zu der Zeit, als er noch lebte, sie verstand seinen Liebeshunger, sein dringendes Bedürfnis, in ihr die Sicherheit zu finden, die sein öffentliches Auftreten bestimmte und die er in Wirklichkeit nie gehabt hatte. Eines Tages hatte sie ihn auf dem Gipfel der Verzweiflung angeschrien: »Merkst du denn gar nicht, wie unglücklich ich bin!« Er hatte, ohne sich aufzuregen, mit einer für ihn typischen Bewegung die Brille abgenommen, seine Frau mit dem klaren Wasser seiner kindlichen Augen überschwemmt und ihr mit einem einzigen Satz die ganze Last seines unerträglichen Wissens aufgehalst: »Du mußt immer daran denken, daß nicht Glück, sondern Beständigkeit entscheidend für eine gute Ehe ist.« In ihrer ersten Einsamkeit als Witwe wurde ihr klar, daß jener Satz nicht die kleinliche Drohung enthielt, die sie damals herausgehört hatte, sondern der Stein der Weisen war, der ihnen beiden so viele glückliche Stunden ermöglicht hatte.

Bei ihren zahlreichen Reisen durch die Welt hatte Fermina Daza alles, was ihr wegen seiner Neuheit auffiel, gekauft. Sie gehorchte dabei einem unmittelbaren Impuls, den ihr Mann gern rational zu erklären pflegte; es waren schöne und nützliche Dinge, solange sie in ihrer ursprünglichen Umgebung waren, in den Schaufenstern von Rom, Paris, London oder jenem New York im Charleston-Fieber, wo die Wolkenkratzer schon in die Höhe wuchsen, aber den Straußwalzern mit Zikadenbegleitung und der Herausforderung der Blumen bei 40 Grad im Schatten hielten sie nicht stand. Mit einem halben Dutzend sargähnlichen Schrankkoffern, riesig, aus lackiertem Metall mit verstärkten Kanten und Schlössern aus Messing, kehrte Fermina Daza jedesmal heim, Herrin und Gebieterin über die letzten Weltwunder, die jedoch ihren Preis in Gold nur in dem flüchtigen Augenblick wert waren, da sie jemand aus ihrer Welt hier zum ersten Mal sah. Denn dafür waren sie gekauft worden: damit die anderen sie ein einziges Mal sähen. Die Eitelkeit ihres Geltungsdrangs war ihr, lang bevor sie alt zu werden begann, bewußt geworden, und im Haus hörte man sie oft sagen: »Man muß diesen ganzen Krimskrams loswerden, der einem keinen Platz zum Leben läßt.« Doktor Urbino spottete über ihre zukunftslosen Vorsätze, denn er wußte, daß die befreiten Gebiete nur dazu da waren, wieder besetzt zu werden. Doch sie bestand darauf, weil tatsächlich auch kein einziger Gegenstand mehr Platz fand und es andererseits auch nirgendwo etwas gab, das wirklich zu gebrauchen gewesen wäre, wie etwa die Hemden, die an den Türklinken hingen, und die für europäische Winter gedachten Mäntel, die sich in den Küchenschränken stauten. Wenn sie einmal an einem Morgen voller Unternehmungslust aufgestanden war, nahm sie die Kleiderschränke in Angriff, leerte die Koffer, schleifte die Speicher und führte eine Schlacht gegen den Berg Kleider, in denen sie schon zu oft gesehen worden war, gegen die Hüte, die sie nie aufgesetzt hatte, weil es, als sie in Mode waren, keine Gelegenheit dazu gegeben hatte, gegen die Schuhe, von europäischen Künstlern denen nachempfunden, die Kaiserinnen zu ihrer Krönung getragen hatten, die hier aber von den jungen Damen verschmäht wurden, da sie genau denen glichen, die sich die Schwarzen als Hausschuhe auf dem Markt kauften. Den ganzen Vormittag über herrschte auf der Innenterrasse der Ausnahmezustand, und im Haus wurde das Atmen mühselig, weil von den Mottenkugeln beizende Schwaden aufstiegen. Doch wenige Stunden später kehrte wieder Ruhe ein, da sich Fermina Daza am Ende all der auf den Boden geworfenen Seide, der vielen Brokat- und Bortenreste, all der Blaufuchsschwänze erbarmte, die zum Scheiterhaufen verurteilt waren.

»Es ist eine Sünde, so etwas zu verbrennen, wo es massenhaft Menschen gibt, die nicht einmal zu essen haben.«

Also wurde die Verbrennung wieder aufgeschoben, die Sachen wechselten nur den Standort, von ihren privilegierten Plätzen wanderten sie in die ehemaligen Pferdeställe, die sich in Restelager verwandelten, während sich der befreite Raum, ganz wie Juvenal Urbino vorausgesagt hatte, wieder zu füllen begann, bald drängten sich dort die Gegenstände, die einen Augenblick lang lebten, um dann in den Schränken zu sterben: bis zur nächsten Verbrennung. Sie sagte: »Es müßte etwas für die Sachen erfunden werden, die zu nichts zu gebrauchen sind, die man aber auch nicht wegwerfen kann.« So war es: Die Gier, mit der sich die Dinge in die Lebensräume fraßen, die Menschen zurückdrängten und einkesselten, beängstigte Fermina Daza so lange, bis sie alles irgendwohin gepackt hatte, wo es nicht zu sehen war. Denn sie war nicht so ordentlich, wie man glaubte, sie hatte nur ihre eigene verzweifelte Methode, so zu scheinen: sie versteckte die Unordnung. An dem Tag, als Juvenal Urbino starb, mußten sie die Hälfte des Arbeitszimmers ausräumen und alles in den Schlafzimmern stapeln, um für die Totenwache Platz zu schaffen.

Mit dem Tod kam auch die Lösung ins Haus. Als Fermina Daza die Kleider ihres Mannes verbrannt hatte, merkte sie, daß ihr Puls dabei ruhig geblieben war, und so zündete sie derselben Eingebung folgend in Abständen erneut einen Scheiterhaufen an und warf alles hinein, das Alte und das Neue, ohne an den Neid der Reichen oder die Benachteiligung der hungernden Armen zu denken. Zuletzt ließ sie den Stamm des Mangobaums an der Wurzel fällen, so daß keine Spur mehr von dem Unglück zurückblieb, und verschenkte den lebenden Papagei an das neue Stadtmuseum. Erst da konnte sie wieder frei atmen: in einem Haus, wie sie es sich immer gewünscht hatte, weitläufig, bequem und ihr Eigentum.

Ihre Tochter Ofelia blieb drei Monate bei ihr und kehrte dann nach New Orleans zurück. Der Sohn kam stets mit seiner Familie zum gemeinsamen Sonntagsessen und, wann immer es ihm möglich war, auch unter der Woche. Nachdem die tiefste Trauer überwunden war, besuchten die nächsten Freundinnen sie wieder, sie spielten vor dem kahlen Patio Karten, probierten neue Kochrezepte aus und hielten Fermina Daza über das geheime Leben der unersättlichen Welt auf dem laufenden, die ohne sie weiter bestand. Zu den häufigsten Besucherinnen gehörte Lucrecia del Real del Obispo, eine Aristokratin von altem Schlag, mit der Fermina Daza immer eine gute Freundschaft verbunden hatte und die sich nach Juvenal Urbinos Tod enger an sie anschloß. Lucrecia del Real, die durch die Arthritis steif geworden war und ihren Lebenswandel bereute, lenkte sie damals nicht nur am besten ab, sondern holte sich auch Rat bei ihr für die bevorstehenden öffentlichen und geselligen

Vorhaben in der Stadt, und so konnte Fermina Daza aus dem schützenden Schatten des Ehemanns heraustreten und sich nützlich fühlen. Dennoch wurde sie nie so sehr wie damals mit ihm identifiziert, man nahm ihr sogar den Mädchennamen, unter dem sie immer bekannt gewesen war, und sie wurde die Witwe Urbino.

Es schien ihr selbst unfaßlich, doch je näher der erste Todestag ihres Mannes rückte, um so mehr war ihr, als trete sie in einen schattigen, kühlen und stillen Raum: in den Hain des Unabänderlichen. Damals und auch noch mehrere Monate später war ihr nicht voll bewußt, wie sehr ihr die brieflichen Betrachtungen von Florentino Ariza geholfen hatten, ihren inneren Frieden wiederzufinden. Sie erlaubten ihr nämlich – übertragen auf eigene Erfahrungen –, das eigene Leben zu verstehen und gelassen abzuwarten, was das Alter bringen würde. Die Begegnung bei der Gedenkmesse war eine willkommene Gelegenheit, Florentino Ariza zu verstehen zu geben, daß auch sie, dank seiner mutspendenden Briefe, bereit war, die Vergangenheit auszulöschen.

Zwei Tage später erhielt sie einen ganz anderen Brief von ihm: Er hatte ihn mit der Hand auf Leinenpapier geschrieben und als Absender deutlich seinen vollständigen Namen auf den Umschlag gesetzt. In der feingeschwungenen Schrift der frühen Briefe und der alten lyrischen Grundeinstellung dankte er ihr nun mit ein paar einfachen Sätzen für ihre entgegenkommende Begrüßung in der Kathedrale. Noch mehrere Tage, nachdem sie den Brief gelesen hatte, dachte Fermina Daza mit neu erweckter Sehnsucht an ihn, hatte dabei aber ein derart reines Gewissen, daß sie Lucrecia del Real del Obispo, ohne daß es sich im Gespräch ergeben hätte, direkt fragte, ob sie Florentino Ariza, den Eigentümer der Flußdampfer, kenne. Lucrecia bejahte: »Er scheint ein verkommenes Subjekt zu sein.« Sie wiederholte das bekannte Gerücht, er habe nie etwas mit Frauen gehabt, obwohl er doch eine gute Partie gewesen sei, und daß er ein geheimes Kontor unterhalte, wohin er die Knaben mitnehme, die er nachts an den Kais verfolge. Fermina Daza kannte diese Legende, seit sie zurückdenken konnte, und hatte ihr nie Glauben geschenkt oder Bedeutung beigemessen. Doch als sie nun Lucrecia del Real del Obispo, von der es auch einmal geheißen hatte, sie habe seltsame Neigungen, dies alles erneut im Brustton der Überzeugung vortragen hörte, konnte sie dem Drang nicht widerstehen, die Dinge ins Lot zu bringen. Sie erzählte ihr, daß sie Florentino Ariza von Kindheit an kenne. Sie erinnerte daran, daß seine Mutter ein Kurzwarengeschäft in der Calle de las Ventanas gehabt und außerdem alte Hemden und Laken aufgekauft und aufgezupft habe, um sie während der Bürgerkriege als Watteersatz zu verkaufen. Sie schloß mit Nachdruck: »Das sind durch und durch anständige Leute.« Sie sagte das mit solcher Vehemenz, daß Lucrecia einen Rückzieher machte: »Von mir wird schließlich Ähnliches behauptet.« Fermina Daza kam nicht darauf, sich zu fragen, warum sie einen Mann, der nur ein Schatten in ihrem Leben gewesen war, so leidenschaftlich verteidigte. Sie dachte auch weiterhin an ihn, vor allem, wenn die Post keinen neuen Brief von ihm brachte. Zwei Wochen des Schweigens waren vergangen, als eines der Dienstmädchen sie von der Siesta mit einem alarmierenden Flüstern aufweckte.

»Señora«, sagte sie, »Don Florentino ist da.«

Er war da. Fermina Dazas erste Reaktion war Panik. Sie dachte zunächst: Nein, er solle an einem anderen Tag zu einer passenderen Zeit wiederkommen, es gäbe nichts zu besprechen. Doch sie faßte sich sofort und befahl, ihn in den Salon führen zu lassen und ihm einen Kaffee anzubieten, während sie sich zurechtmachte, um ihn zu empfangen.

Unter der höllischen Drei-Uhr-Mittagssonne glühend, wartete Florentino Ariza vor der Eingangstür, hatte aber die Zügel fest in der Hand. Er war darauf vorbereitet gewesen, nicht empfangen zu werden, und sei es mit einer liebenswürdigen Ausrede, und diese Gewißheit hatte ihn die Ruhe bewahren lassen. Doch die Nachricht von ihrer Entscheidung erschütterte ihn bis ins Mark, und als er in den kühlen Schatten des Salons trat, blieb ihm keine Zeit, über das ihm widerfahrende Wunder nachzudenken, weil sich plötzlich in seinen Gedärmen eine Explosion schmerzhaften Schaums ausbreitete. Von der unseligen Erinnerung an den Vogelschiß auf seinem ersten Liebesbrief verfolgt, setzte er sich mit angehaltenem Atem und verharrte reglos im Dämmerlicht, während der erste Schauer des Schüttelfrosts abklang, und in diesem Augenblick war er bereit, jedes Unglück außer diesem unbilligen Mißgeschick hinzunehmen.

Er kannte sich. Trotz seiner angeborenen Verstopfung hatte ihn sein Darm drei- oder viermal in seinem langen Leben in aller Öffentlichkeit verraten, und bei diesen drei oder vier Anlässen hatte er kapitulieren müssen. Nur bei jenen und ähnlichen dringlichen Gelegenheiten wurde ihm klar, wie wahr ein Spruch war, den er gern im Scherz wiederholte: »Ich glaube nicht an Gott, aber ich fürchte ihn.« Er hatte keine Zeit, den Spruch in Frage zu stellen: Er versuchte irgendein Gebet zu sprechen, aber ihm fiel keines ein. Als Kind hatte ihm ein anderer Junge ein paar magische Worte beigebracht, um einen Vogel mit einem Stein treffen zu können: »Hab acht, hab acht, treff ich nicht, dann kracht's.« Er hatte sie ausprobiert, als er zum ersten Mal mit einer neuen Schleuder ins Freie gezogen war, und der Vogel war getroffen heruntergefallen. In seiner Verwirrung schien ihm nun das eine mit dem anderen etwas zu tun zu haben, und er wiederholte die Formel mit der Inbrunst eines Gebets, sie hatte jedoch nicht die gleiche Wirkung. Eine spiralförmige Verschlingung in den Gedärmen hob ihn aus dem Sessel, der immer dichtere und schmerzhaftere Schaum in seinem Leib gab einen Klagelaut von sich, und Florentino Ariza war von kaltem Schweiß bedeckt. Das Mädchen, das ihm den Kaffee brachte, erschrak vor seinem totenbleichen Antlitz. Er stöhnte: »Es ist die Hitze.« Sie öffnete das Fenster und glaubte, ihm damit einen Gefallen zu tun, doch nun schien ihm die Nachmittagssonne voll ins Gesicht, so daß man das Fenster wieder schließen mußte. Er hatte eingesehen, daß er es keine Minute länger aushalten würde, als fast unsichtbar in der Dämmerung Fermina Daza auftauchte und erschrak, ihn in einem solchen Zustand zu sehen.

»Sie können den Rock ablegen«, sagte sie.

Mehr noch als die tödliche Verkrampfung hätte ihn geschmerzt, wenn sie das Gurgeln in seinen Eingeweiden gehört hätte. Es gelang ihm noch, einen kurzen Moment durchzustehen und ihr zu sagen, nein, er sei nur vorbeigekommen, um zu fragen, wann sie ihn empfangen könne. Noch im Stehen sagte sie verwirrt: »Sie sind ja nun schon da«, und forderte ihn auf, ihr zur Patioterrasse zu folgen, wo es nicht so heiß sei. Er lehnte mit einem Ton ab, der für sie wie ein kläglicher Seufzer klang.

»Bitte, kann es nicht morgen sein?« sagte er.

Ihr fiel ein, daß morgen Donnerstag war, der feste Besuchstag von Lucrecia del Real del Obispo, aber sie nannte ihm eine endgültige Lösung: »Übermorgen um fünf.« Florentino Ariza dankte, schwenkte gerade noch zum Abschied den Hut und verschwand, ohne von dem Kaffee auch nur probiert zu haben. Sie blieb perplex in der Mitte des Salons zurück, ohne zu begreifen, was gerade geschehen war, bis am Ende der Straße das Knattern des Automobils verklungen war. Florentino Ariza suchte sich auf dem Rücksitz die am wenigsten schmerzhafte Stellung, schloß die Augen, lockerte die Muskeln und überließ sich seinem Körper. Der Chauffeur, den nach so vielen Jahren in Florentino Arizas Diensten nichts mehr überraschte, blieb ungerührt. Als er ihm vor dem Hauseingang den Türschlag öffnete, sagte er jedoch:

»Passen Sie auf, Don Floro, das könnte Cholera sein.«

Es war aber dasselbe wie immer. Florentino Ariza dankte Gott dafür, als ihn am Freitag Punkt fünf Uhr das Dienstmädchen durch den dämmrigen Salon zur Patioterrasse führte und er dort Fermina Daza an einem für zwei Personen gedeckten Tischchen sah. Sie bot ihm Tee, Schokolade oder Kaffee an. Florentino Ariza bat um Kaffee, sehr heiß und sehr stark, und sie befahl dem Mädchen: »Für mich wie immer.« Wie immer, das war ein starker Aufguß verschiedener orientalischer Teesorten, den sie nach der Siesta zum Aufmuntern trank. Als sie den Teetopf und er die Kaffeekanne geleert hatte, hatten beide schon mehrere Themen angeschnitten und wieder fallengelassen, nicht weil sie tatsächlich daran interessiert gewesen wären, sondern um andere zu umgehen, die weder er noch sie zu berühren wagten. Beide waren verschüchtert und wußten nicht, was sie so fern ihrer Jugend auf der im Schachbrettmuster gefliesten Terrasse eines herrenlosen Hauses zu suchen hatten, das noch nach Friedhofsblumen duftete. Sie saßen sich zum ersten Mal so nah gegenüber und hatten nach einem halben Jahrhundert Zeit, sich in Ruhe anzusehen, und sahen einander als das, was sie waren: zwei alte Menschen, auf die der Tod lauerte, die nichts gemein hatten, außer der Erinnerung an eine ephemere Vergangenheit, die schon nicht mehr ihre eigene, sondern die zweier entschwundener junger Leute war, die ihre Enkel hätten sein können. Sie dachte, er würde sich nun endlich davon überzeugen, wie wirklichkeitsfern sein Traum war, und das werde ihn von seiner Dreistigkeit erlösen.

Um peinliche Pausen und unerwünschte Themen zu vermeiden, stellte sie ihm naheliegende Fragen über die Flußdampfer. Kaum zu glauben, daß er als Reeder nur einmal damit gereist war, und das vor vielen Jahren, als er mit dem Unternehmen noch nichts zu tun gehabt hatte. Sie kannte den Grund für jene Reise nicht, und er hätte seine Seele dafür gegeben, wenn er ihn ihr hätte sagen können. Auch sie kannte den Fluß nicht. Ihr Mann hatte die allgemeine Abneigung gegen die Andenluft geteilt und sie mit unterschiedlichen Argumenten kaschiert: die für das Herz gefährliche Höhe, das Risiko einer Lungenentzündung, die Falschheit der Menschen dort, die Ungerechtigkeiten des Zentralismus. Also kannten sie die halbe Welt, aber nicht das eigene Land. Neuerdings flog ein Wasserflugzeug der Marke Junkers wie ein Grashüpfer aus Aluminium mit zwei Mann Besatzung, sechs Passagieren und den Postsäcken von Städtchen zu Städtchen den Magdalena entlang. Florentino Ariza bemerkte: »Das Ding kommt mir wie ein Sarg in der Luft vor.« Sie hatte ohne jede Angst die erste Ballonfahrt mitgemacht, konnte jedoch selbst kaum glauben, daß tatsächlich sie sich auf ein solches Abenteuer eingelassen hatte. Sie sagte: »Das war etwas anderes.« Und wollte damit sagen, daß sie, und nicht die Art zu reisen, sich verändert habe.

Sie wurde manchmal vom Geräusch der Flugzeuge überrascht. Sie hatte sie am hundertsten Todestag des Befreiers ganz tief vorbeifliegen und akrobatische Kunststückchen vollführen sehen. Schwarz wie ein riesiger Geier hatte dabei eins die Hausdächer in La Manga gestreift, einen Flügel an einem Baum in der Nachbarschaft verloren und war schließlich in den Stromdrähten hängengeblieben. Doch auch danach hatte Fermina Daza die Existenz von Flugzeugen innerlich noch nicht verarbeitet. Und in den vergangenen Jahren war sie nicht so neugierig gewesen, daß sie sich an der Manzanillo Bucht angesehen hätte, wie die Wasserflugzeuge niedergingen, nachdem die Boote der Wasserwacht die Fischerkanus und die immer zahlreicheren Ausflugsboote vertrieben hatten. Trotz ihres Alters war sie dazu ausersehen gewesen, Charles Lindbergh mit einem Rosenstrauß auf seinem »Flug des guten Willens« zu empfangen, und sie hatte nicht begriffen, wie ein so großer, so blonder und so gut aussehender Mann sich in einem Apparat, der aus zerknittertem Blech gemacht zu sein schien und den zwei Mechaniker beim Start an der Schwanzflosse anschieben mußten, in die Lüfte erheben konnte. Der Gedanke, daß Flugzeuge, die nicht viel größer waren, bis zu acht Personen transportieren konnten, wollte ihr nicht in den Kopf. Dagegen hatte sie gehört, daß die Reisen auf den Flußdampfern der reine Genuß seien, da diese nicht so schaukelten wie die Schiffe auf See, dafür allerdings auch ernsteren Gefahren wie Sandbänken oder Überfällen von Banditen ausgesetzt seien.

Florentino Ariza erklärte ihr, das seien alles Legenden aus längst vergangener Zeit: Die modernen Schiffe hätten einen Tanzsaal und Kabinen, die so geräumig und luxuriös wie Hotelzimmer seien, mit eigenem Bad und elektrischem Ventilator, und bewaffnete Überfälle habe es seit dem letzten Bürgerkrieg nicht mehr gegeben. Er erklärte ihr außerdem mit der Befriedigung des persönlichen Triumphes, diese Fortschritte seien in erster Linie auf den freien Schiffsverkehr zurückzuführen, für den er sich eingesetzt und der den Wettbewerb stimuliert habe: Statt eines einzigen Unternehmens gab es jetzt drei, die alle sehr rührig und erfolgreich waren. Dennoch, die schnellen Fortschritte in der Luftfahrt stellten für sie alle eine reale Gefahr dar. Sie versuchte ihn zu trösten: Schiffe werde man immer brauchen, denn so viele Verrückte gäbe es nicht, die bereit seien, in einen Apparat zu steigen, der wider die Natur zu sein schien. Zuletzt sprach Florentino Ariza von den Fortschritten im Postverkehr, sowohl bei der Beförderung wie auch bei der Zustellung, und versuchte so, sie dazu zu bringen, über seine Briefe zu sprechen. Aber das erreichte er nicht.

Wenig später ergab sich die Gelegenheit jedoch von selbst. Sie hatten sich weit vom Thema entfernt, als ein Dienstmädchen sie unterbrach, um Fermina Daza einen Brief zu übergeben, der soeben von dem Städtischen Sonderpostdienst gebracht worden war, eine neue Einrichtung, die das gleiche Zustellungssystem wie der Telegrammdienst hatte. Wie immer konnte Fermina Daza ihre Lesebrille nicht finden. Florentino Ariza blieb gelassen.

»Das ist auch nicht nötig«, sagte er, »der Brief ist von mir.«

So war es. Er hatte ihn am Tag zuvor in einem Zustand fürchterlicher Niedergeschlagenheit geschrieben, weil er die Schmach seines ersten fehlgeschlagenen Besuchs nicht verwinden konnte. Er entschuldigte sich darin für die Dreistigkeit, daß er versucht hatte, sie unangemeldet zu besuchen, und verzichtete darauf, je wiederzukommen. Er hatte den Brief, ohne lange nachzudenken, eingeworfen, und als er es sich dann noch einmal überlegte, war es schon zu spät gewesen, es rückgängig zu machen. Eine derart ausführliche Erklärung erschien ihm jedoch nicht nötig. Er bat Fermina Daza um den Gefallen, den Brief nicht zu lesen.

»Gewiß«, sagte sie, »schließlich gehören Briefe dem, der sie schreibt, nicht wahr?«

Er ging einen Schritt weiter.

»So ist es«, sagte er, »deshalb gibt man bei einem Bruch auch als erstes die Briefe zurück.«

Sie überging die Anspielung, reichte ihm den Brief und sagte: »Schade, daß ich ihn nicht lesen kann, die anderen haben mir nämlich viel gegeben.« Er atmete tief durch, überrascht darüber, daß sie so spontan sehr viel mehr gesagt hatte, als er erwartet hätte. Er sagte: »Sie können sich nicht vorstellen, wie glücklich mich das macht.« Sie aber wechselte das Thema, und er schaffte es nicht, daß sie es im weiteren Laufe des Nachmittags noch einmal aufnahm.

Er verabschiedete sich kurz nach sechs Uhr, als im Haus die Lichter angezündet wurden. Er fühlte sich nun sicherer, machte sich allerdings keine allzu großen Illusionen, da er das wetterwendische Gemüt und die unvermuteten Reaktionen der zwanzigjährigen Fermina Daza nicht vergessen hatte und es keinen Grund zu der Annahme gab, daß sie sich geändert hätte. Daher wagte er nur, aufrichtig bescheiden zu fragen, ob er ein andermal wiederkommen dürfe, und wieder überraschte ihn die Antwort.

»Kommen Sie, wann Sie mögen«, sagte sie, »ich bin fast immer allein.«

Vier Tage später, am Dienstag, kam er unangemeldet wieder, und sie wartete nicht ab, bis ihnen der Tee gebracht wurde, um ihm zu sagen, wie sehr ihr seine Briefe geholfen hätten. Er sagte, es habe sich strenggenommen nicht um Briefe, sondern um die losen Blätter eines Buches gehandelt, das er gern geschrieben hätte. Auch sie hatte das so verstanden. Sie habe sogar daran gedacht, ihm die Briefe, falls er das nicht als Kränkung auffaßte, zurückzugeben, damit er sie noch sinnvoller verwende. Sie sprach weiter darüber, wie gut ihr die Briefe in der schweren Zeit, die sie durchgemacht hatte, getan hätten, und sagte das mit einer solchen Begeisterung und Dankbarkeit, vielleicht sogar Zuneigung, daß Florentino Ariza mehr als nur einen Schritt weiter auf festem Boden machte: Er wagte einen Salto mortale.

»Früher haben wir uns geduzt«, sagte er.

Früher: Das war ein verbotenes Wort. Sie spürte, wie der Engel der Vergangenheit chimärenhaft vorüberschwebte, und versuchte, ihm auszuweichen. Doch Florentino Ariza wurde noch deutlicher: »Ich meine früher in unseren Briefen.« Sie war verstimmt und mußte sich ernsthaft bemühen, es sich nicht anmerken zu lassen. Er merkte es dennoch und begriff, daß er behutsamer vorgehen mußte, wenngleich ihm sein Ausrutscher zeigte, daß sie zwar immer noch so widerspenstig war wie in ihrer Jugend, aber gelernt hatte, sich sanfter zu geben.

»Ich meine«, sagte er, »daß diese Briefe etwas ganz anderes sind.«

»Alles in der Welt hat sich verändert«, sagte sie.

»Ich nicht«, sagte er. »Und Sie?«

Sie hielt inne, die zweite Tasse Tee auf halbem Weg zum Mund, und wies ihn zurecht mit diesen Augen, die allen Schicksalsschlägen widerstanden hatten.

»Das tut nichts mehr zur Sache«, sagte sie. »Ich bin gerade zweiundsiebzig Jahre alt geworden.«

Florentino Ariza traf der Schlag mitten ins Herz. Er hätte gern mit der Schnelligkeit und dem Instinkt eines Pfeils eine Antwort gefunden, doch die Schwere des Alters siegte über ihn: Nie hatte ihn ein so kurzes Gespräch derart erschöpft, das Herz tat ihm weh, und jeder Schlag hallte metallen in seinen Adern wider. Er fühlte sich alt, traurig und unnütz, er hatte das dringende Bedürfnis zu weinen und konnte nicht weitersprechen. Sie tranken die zweite Tasse in einem von Vorahnungen durchsetzten Schweigen aus, und als sie wieder sprach, war es, um eins der Mädchen zu beauftragen, ihr die Briefmappe zu bringen. Er wollte sie schon bitten, die Briefe doch zu behalten, da er mit Kohlepapier Durchschriften gemacht hatte, dachte dann aber, daß diese Vorsichtsmaßnahme kleinlich erscheinen könnte. Als er sich verabschiedete, schlug er vor, daß er am nächsten Dienstag zur gleichen Zeit wiederkommen könnte. Sie fragte sich, ob sie so willfährig sein sollte.

»Ich sehe nicht, was für einen Sinn so viele Besuche haben sollten«, sagte sie.

»Ich bin nicht davon ausgegangen, daß sie einen Sinn haben müßten«, sagte er.

Also erschien er am Dienstag wieder um fünf Uhr, ebenso an allen folgenden Dienstagen, und das ohne förmliche Anmeldung, da beiden die allwöchentlichen Besuche schon nach dem zweiten Monat zur festen Gewohnheit geworden waren. Florentino Ariza brachte englisches Teegebäck, kandierte Maronen oder griechische Oliven mit, kleine Köstlichkeiten, die er auf den Überseedampfern auftrieb. An einem Dienstag brachte er ihr einen Abzug des Fotos mit, das der belgische Fotograf vor einem halben Jahrhundert von ihr und Hildebranda aufgenommen und das Florentino Ariza für fünfzehn Centavos bei einer Postkartenversteigerung am Portal de los Escribanos erstanden hatte. Fermina Daza konnte sich nicht erklären, wie es dorthin gelangt war, und er erklärte es sich nur als ein Wunder der Liebe. Eines Morgens, als er in seinem Garten Rosen schnitt, fühlte er die unwiderstehliche Versuchung, ihr bei seinem nächsten Besuch eine mitzubringen. Es war ein schwieriger Fall in der Sprache der Blumen, da es um eine kürzlich verwitwete Frau ging. Eine rote Rose, Symbol flammender Leidenschaft, hätte sie in ihrer Trauer beleidigen können. Gelbe Rosen, die in einer gehobenen Sprache als Glücksblumen galten, brachten im gängigen Sprachgebrauch Eifersucht zum Ausdruck. Er hatte einmal von den schwarzen Rosen der Türkei gehört, die vielleicht am besten geeignet gewesen wären, doch er hatte keine auftreiben können, um sie in seinem Patio heimisch werden zu lassen. Nach langem Grübeln ging er das Wagnis einer weißen Rose ein, eine Sorte, die er weniger als andere mochte, weil sie stumm und fad war: Sie sagte nichts. Im letzten Moment entfernte er noch, für den Fall, daß Fermina Daza spitzfindig sein sollte, alle Dornen.

Die Rose wurde wohlwollend aufgenommen, als ein Geschenk ohne verborgene Absichten, und das Dienstagsritual damit bereichert. Das führte so weit, daß, wenn er mit seiner weißen Rose kam, auf dem Teetischchen schon eine Vase mit Wasser bereitstand. An irgendeinem Dienstag sagte er, als er die Rose hineinstellte, wie beiläufig:

»Zu unserer Zeit brachte man nicht Rosen, sondern Kamelien mit.«

»Das ist richtig«, sagte sie, »aber auch, wie Sie wissen, mit anderer Absicht.«

So lief es immer: Er versuchte voranzukommen, und sie schnitt ihm den Weg ab. Trotz ihrer prompten Antwort merkte er jedoch diesmal, daß er ins Schwarze getroffen hatte, denn sie mußte das Gesicht abwenden, um ihr Erröten zu verbergen. Ein glühendes, jugendliches Erröten, auf das sie keinen Einfluß hatte, das aber ihren Ärger mit seiner Dreistigkeit entfachte. Florentino Ariza war klug genug, auf weniger verfängliche Themen auszuweichen, doch sein Entgegenkommen war so offensichtlich, daß sie sich ertappt fühlte und noch wütender wurde. Es war ein schlechter Dienstag. Sie wollte ihn schon fast bitten, nicht wiederzukommen, doch dann erschien ihr die Vorstellung eines Zanks wie bei einem Liebespärchen in ihrem Alter und ihrer beider Situation so lächerlich, daß sie einen Lachanfall bekam. Als Florentino Ariza am darauffolgenden Dienstag seine Rose in die Vase stellte, erforschte sie ihr Gewissen und stellte mit Freude fest, daß wegen des vergangenen Dienstags nicht eine Spur von Groll in ihr zurückgeblieben war.

Die Besuche erfuhren bald eine zunächst störende familiäre Erweiterung, da Doktor Urbino Daza oft wie zufällig mit seiner Frau auftauchte und zum Kartenspielen dablieb. Florentino Ariza konnte nicht spielen, doch Fermina Daza brachte es ihm im Laufe eines einzigen Besuchsnachmittags bei, woraufhin dann beide gemeinsam dem Ehepaar Urbino Daza eine schriftliche Herausforderung für den kommenden Dienstag schickten. Für alle Beteiligten wurden diese Nachmittage so angenehm, daß sie sich ebenso schnell wie die Besuche einbürgerten und Regeln für die Beiträge jedes einzelnen aufgestellt wurden. Doktor Urbino Daza und seine Frau, die eine vorzügliche Kuchenbäckerin war, steuerten jedesmal andere ausgefallene Torten bei. Florentino Ariza brachte weiterhin Delikatessen mit, die er auf den Schiffen aus Europa auftrieb, und Fermina Daza ließ sich jede Woche eine neue Überraschung einfallen. An jedem dritten Dienstag im Monat wurden Turniere abgehalten, bei denen nicht um Geld gespielt, aber dem Verlierer ein besonderer Beitrag für die nächste Partie abverlangt wurde.

Doktor Urbino Daza entsprach dem Bild, das man sich allgemein von ihm machte: Seine geistigen Möglichkeiten waren beschränkt, er hatte linkische Manieren, ihn überkamen plötzliche Anwandlungen, sei es aus Freude oder Ärger, und er litt an einem unangemessenen Erröten, das um seine geistige Gesundheit fürchten ließ. Aber er war zweifellos und ganz offensichtlich das, wofür Florentino Ariza auf keinen Fall gehalten werden wollte: ein guter Mensch. Seine Frau hingegen war lebhaft und von einer plebejischen Schlagfertigkeit, die ihrer Eleganz eine menschlichere Note verlieh. Man konnte sich kein besseres Gespann zum Kartenspielen vorstellen, und dazu wurde Florentino Arizas unersättliches Liebesbedürfnis durch die Illusion gestillt, sich *en famille* zu fühlen.

Eines Abends, als sie gemeinsam das Haus verließen, lud Doktor Urbino Daza ihn zum Essen ein: »Morgen Punkt halb eins im Club Social.« Das war eine Delikatesse mit einem vergifteten Wein: Der Club Social behielt sich das Recht vor, Gäste aus vielerlei Gründen abzulehnen, und eine uneheliche Geburt war einer der wichtigsten. Onkel León XII. hatte diesbezüglich unliebsame Erfahrungen gemacht, und Florentino Ariza selbst hatte die Schmach hinnehmen müssen, wieder hinauskomplimentiert zu werden, nachdem er bereits auf Einladung eines Gründungsmitglieds an einem Tisch Platz genommen hatte. Dem Gastgeber, Florentino Ariza wegen kniffliger Gefälligkeiten beim Flußhandel verpflichtet, war nichts anderes übriggeblieben, als diesen woanders hin zum Essen auszuführen.

»Wir, die wir die Reglements machen, stehen als erste in der Pflicht, sie einzuhalten«, hatte er gesagt.

Dennoch ging Florentino Ariza mit Doktor Urbino Daza dies Risiko ein, wurde dann auch bevorzugt bedient, aber nicht aufgefordert, sich ins Goldene Buch der prominenten Gäste einzutragen. Das Mittagessen war kurz, sie blieben unter sich, und alles lief in Moll ab. Die mit diesem Treffen verbundenen Ängste, die Florentino Ariza seit dem vergangenen Abend beunruhigt hatten, zerstreuten sich bei dem Glas Portwein zum Aperitif. Doktor Urbino Daza wollte mit ihm über seine Mutter sprechen. Aus allem, was er sagte, konnte Florentino Ariza entnehmen, daß sie von ihm erzählt hatte. Erstaunlicher noch: Sie hatte zu seinen Gunsten gelogen. Sie hatte dem Sohn erzählt, daß sie von Kindesbeinen an befreundet gewesen seien, daß sie beide, nachdem sie von San Juan de la Ciénaga hergezogen war, zusammen gespielt hätten, daß er es gewesen sei, der sie an Bücher herangeführt habe und sie ihm gegenüber deshalb eine alte Dankbarkeit empfinde. Sie hatte ihm noch erzählt, daß sie nach der Schule oft viele Stunden bei Tránsito Ariza im Kurzwarenladen verbracht habe, wo ihr wahre Wunder beim Sticken gelungen seien, da diese Frau eine bemerkenswerte Lehrerin gewesen sei, und wenn sie Florentino Ariza später nicht mehr so häufig gesehen habe, so habe dies nicht an ihr, sondern an ihrer beider unterschiedlichen Lebensläufen gelegen.

Bevor Doktor Urbino Daza zu seinem eigentlichen Anliegen kam, stellte er einige Betrachtungen über das Alter an. Er meinte, daß die Welt sich ohne die Behinderung durch die alten Menschen schneller fortbewegen würde. Er sagte: »Wie die Heereszüge schreitet auch die Menschheit mit der Geschwindigkeit des Langsamsten voran.« Er sah eine Zukunft voraus, die humanitärer und daher auch zivilisierter sein würde, in der diese Menschen in Siedlungen am Rande der Städte ausgegliedert würden, wenn sie sich nicht mehr auf Dauer allein versorgen könnten, was ihnen die Scham, die Leiden und die grauenvolle Einsamkeit des Alters ersparen würde. Von ärztlicher Sicht aus konnte seiner Meinung nach diese Altersgrenze bei sechzig Jahren liegen. Bis man aber jene Stufe der Barmherzigkeit erreicht habe, wären Altersheime die einzige Lösung, dort könnten die Alten einander trösten, sich in den Vorlieben und Aversionen, in der Bitterkeit und den Traurigkeiten der anderen wiedererkennen, ohne von den naturgegebenen Zwistigkeiten zwischen den Generationen bedroht zu sein. Er meinte: »Alte sind unter Alten weniger alt.« Langer Rede kurzer Sinn: Doktor Urbino Daza wollte Florentino Ariza dafür danken, daß er seiner Mutter in der Einsamkeit ihrer Witwenschaft so freundlich Gesellschaft leistete, und bat ihn inständig, es auch weiterhin zu tun, zu beider Nutzen und aller Bequemlichkeit, und mit ihren Greisenlaunen Geduld zu haben. Florentino Ariza war erleichtert über den Ausgang des

Gesprächs. »Sie können ganz beruhigt sein«, sagte er, »ich bin vier Jahre älter als Ihre Mutter, und das nicht erst jetzt, sondern schon seit langem, lange bevor Sie geboren wurden.« Dann gab er der Versuchung nach, sich mit einem ironischen Stich Luft zu machen.

»In der künftigen Gesellschaft«, schloß er, »müßten Sie jetzt auf den Gottesacker gehen, um ihr und mir einen Strauß Anthurien zum Mittagsmahl zu bringen.«

Doktor Urbino Daza hatte bis dahin nicht bedacht, wie unpassend seine Zukunftsvision war, und geriet in eine Sackgasse mit seinen Erklärungen, in denen er sich schließlich verhedderte. Doch Florentino Ariza half ihm, wieder herauszukommen. Er war glänzender Laune, wußte er doch, daß er, um einer gesellschaftlichen Formalität zu genügen, früher oder später eine ähnliche Zusammenkunft mit Doktor Urbino Daza haben würde: wenn er bei ihm offiziell um die Hand seiner Mutter anhielt. Das Essen war sehr ermutigend, nicht nur wegen des eigentlichen Anlasses, sondern weil es ihm auch zeigte, wie selbstverständlich und wohlwollend seine unvermeidliche Bitte aufgenommen werden würde. Hätte er schon mit der Zustimmung von Fermina Daza rechnen können, wäre keine Gelegenheit günstiger gewesen. Mehr noch: Nach ihrem Gespräch bei diesem denkwürdigen Mittagessen war ein förmlicher Antrag fast überflüssig geworden.

Florentino Ariza war Treppen stets besonders vorsichtig hinauf- und hinuntergestiegen, selbst als er noch jung war, weil er immer gemeint hatte, daß das Alter mit einem ersten harmlosen Sturz beginnt und der Tod mit dem zweiten folgt. Gefährlicher als alle anderen erschien ihm die Treppe in seiner Firma, weil sie steil und eng war, und schon lange, bevor er sich dazu zwingen mußte, nicht mit den Füßen zu schlurfen, schaute er genau auf jede Stufe und hielt sich beim

Hochsteigen mit beiden Händen am Geländer fest. Oft war ihm nahegelegt worden, eine weniger gefährliche Treppe einbauen zu lassen, doch der Entschluß wurde immer auf den kommenden Monat verschoben, weil er darin ein Zugeständnis an das Alter sah. Mit dem Lauf der Jahre ließ er sich jedesmal mehr Zeit beim Hinaufsteigen, nicht weil es ihm schwerer gefallen wäre, wie er sich zu erklären beeilte, sondern weil er von Mal zu Mal vorsichtiger wurde. An dem Nachmittag jedoch, als er von dem Essen mit Doktor Urbino Daza zurückkehrte, nach einem Gläschen Portwein zum Aperitif und einem halben Glas Rotwein zum Essen und vor allem nach dem siegreichen Gespräch, versuchte er die dritte Stufe mit einem derart jugendlichen Tanzschritt zu nehmen, daß er sich dabei den linken Knöchel verstauchte, auf den Rücken fiel und nur wie durch ein Wunder nicht den Tod fand. Im Augenblick des Sturzes war er noch hellsichtig genug für den Gedanken, daß er an diesem Mißgeschick nicht sterben konnte, da die Logik des Lebens es nicht zuließ, daß zwei Männer, die so viele Jahre hindurch so sehr dieselbe Frau geliebt hatten, mit nur einem Jahr Unterschied auf die gleiche Weise stürben. Er hatte recht. Sein Bein kam vom Fuß bis zur Wade in einen Gipspanzer, und er mußte regungslos im Bett liegenbleiben, war jedoch lebendiger als vor dem Sturz. Als der Arzt ihm die sechzig Tage Invalidität verordnete, konnte er an so viel Unglück nicht glauben.

»Tun Sie mir das nicht an, Doktor«, flehte er ihn an, »zwei Monate sind für mich so viel wie zehn Jahre für Sie.«

Mehrmals versuchte er aufzustehen, indem er die Beinstatue mit beiden Händen anhob, doch immer besiegte ihn die Realität. Als er aber mit dem noch schmerzenden Knöchel und einem wundgelegenen Rücken endlich wieder gehen konnte, hatte er allen Grund zu glauben, daß das

Schicksal seine Beharrlichkeit mit einem glückbringenden Sturz belohnt hatte.

Der erste Montag war für ihn der schwerste Tag gewesen. Der Schmerz hatte nachgelassen, und die Prognose des Arztes war ermutigend, doch Florentino Ariza wollte nicht fatalistisch hinnehmen, am folgenden Nachmittag Fermina Daza zum ersten Mal seit vier Monaten nicht sehen zu können. Nach einer Siesta der Resignation beugte er sich den Umständen und schrieb ein Entschuldigungsbillett. Er schrieb es mit der Hand auf parfümiertes Papier und mit Leuchttinte, die man im Dunkeln lesen konnte, dabei dramatisierte er schamlos den Unfall, um ihr Mitleid zu wekken. Sie antwortete zwei Tage später, sehr mitfühlend, sehr liebenswürdig, doch wie in den großen Tagen der Liebe mit keinem Wort zuviel oder zuwenig. Er ergriff die Gelegenheit beim Schopf und schrieb zurück. Als sie ihm zum zweiten Mal geantwortet hatte, beschloß er, sehr viel weiter als in den verschlüsselten Dienstagsgesprächen zu gehen, und ließ unter dem Vorwand, das tägliche Geschehen im Unternehmen überwachen zu wollen, neben seinem Bett ein Telefon anschließen. Er bat die Telefonistin der Zentrale, ihn mit der dreistelligen Nummer zu verbinden, die er seit seinem ersten Anruf auswendig konnte. Die Stimme mit dem matten Klang, durch die Entfernung geheimnisvoll aufgeladen, diese geliebte Stimme meldete sich, erkannte die andere Stimme und verabschiedete sich nach drei konventionellen Begrüßungssätzen. Florentino Ariza war untröstlich über ihre Gleichgültigkeit: Sie standen wieder einmal am Anfang.

Zwei Tage später jedoch erhielt er einen Brief, in dem Fermina Daza ihn darum bat, sie nicht mehr anzurufen. Sie hatte triftige Gründe. Es gab so wenige Telefone in der Stadt, daß die Gespräche von einer Angestellten vermittelt wurden, die alle Teilnehmer einschließlich ihrer Lebensgeschichte kannte, und wenn die Leute nicht zu Hause waren, machte es auch nichts: Sie stöberte sie dort auf, wo sie gerade waren. Als Entschädigung für so viel Effizienz hielt sie sich durch die Gespräche auf dem laufenden, bekam Einblick in das heimliche Privatleben, die bestgehüteten Dramen, und schaltete sich nicht selten in Gespräche ein, um ihren Standpunkt mitzuteilen oder die Gemüter zu beschwichtigen. Zum anderen war in jenem Jahr die Abendzeitung *La Justicia* gegründet worden, deren einziger Zweck es war, die Familien mit den langen Nachnamen öffentlich und ohne jede Rücksicht zu geißeln: eine Vergeltungsmaßnahme des Verlegers, weil seine Söhne nicht in den Club Social aufgenommen worden waren. Trotz ihres untadeligen Lebenswandels achtete Fermina Daza nun mehr als je zuvor und auch im engsten Freundeskreis auf das, was sie tat oder sagte. Also blieb sie Florentino Ariza durch das anachronistische Band der Briefe verbunden. Der Briefwechsel wurde so rege und intensiv, daß Florentino Ariza sein Bein und die Strafe der Bettlägrigkeit vergaß, daß er alles vergaß und sich an einem tragbaren Klapptischchen, wie es in den Hospitälern benutzt wird, um den Kranken das Essen zu servieren, ganz dem Schreiben hingab.

Sie duzten sich wieder, tauschten wieder, wie in den Briefen von einst, Ansichten über ihr Leben aus, und abermals legte Florentino Ariza eine zu schnelle Gangart ein: Er schrieb ihren Namen mit Nadelstichen in das Blütenblatt einer Kamelie und schickte es ihr in einem Brief. Zwei Tage darauf bekam er es kommentarlos zurück. Fermina Daza konnte sich nicht helfen: Sie hielt das alles für eine Kinderei. Erst recht, als Florentino Ariza darauf bestand, seine Nachmittage der melancholischen Gedichte im Parque de los Evangelios zu beschwören, die Briefverstecke auf dem Schulweg, die Stickstunden unter den Mandelbäumen. Es tat ihr in der Seele weh, doch sie mußte ihn zur Ordnung rufen und machte es mit einer scheinbar beiläufigen Frage zwischen anderen trivialen Bemerkungen: »Warum willst du unbedingt über etwas sprechen, das es nicht gibt?« Später warf sie ihm dann noch die sinnlose Sturheit vor, nicht auf natürliche Weise altern zu wollen. Dies war, wie sie meinte, der Grund für seine Überstürzung und seine ständigen Einbrüche bei der Rückbesinnung auf die Vergangenheit. Sie begriff nicht, wie ein Mann, zu jenen Betrachtungen fähig, die ihr eine solche Stütze dabei gewesen waren, sich in ihrer Witwenschaft einzurichten, sich selbst bei dem Versuch, diese auf sein eigenes Leben anzuwenden, auf so kindische Weise verstrikken konnte. Sie tauschten die Rollen. Nun versuchte sie, ihm neuen Mut für die Zukunft mit einem Satz einzuflößen, den er in seiner tumben Hast nicht deuten konnte: »Lassen wir uns davon überraschen, was die Zeit uns bringt.« Er war nie ein so guter Schüler gewesen wie sie. Die erzwungene Ruhe, die täglich klarere Gewißheit von der Flüchtigkeit der Zeit, der wahnwitzige Wunsch, Fermina Daza zu sehen, das alles zeigte ihm, daß seine Ängste beim Sturz nur allzu begründet gewesen waren und tragischer als vorhergesehen. Zum ersten Mal begann er, sich rational mit der Realität des Todes auseinanderzusetzen.

Leona Cassiani kam jeden zweiten Tag und half ihm, sich zu waschen und den Pyjama zu wechseln, verabreichte ihm die Einläufe, schob ihm das Stichbecken unter, legte ihm Arnikakompressen auf die Schwären am Rücken und massierte ihn nach ärztlicher Anweisung, um zu verhindern, daß die Bewegungslosigkeit noch schlimmere Übel verursachte. Samstags und sonntags wurde sie von América Vicuña abgelöst, die im Dezember des Jahres ihre Ausbildung als Lehrerin abschließen sollte. Er hatte ihr versprochen, sie auf Kosten der Flußschiffahrtskompanie nach Alabama zu einem

Fortbildungskurs zu schicken, teils um sein Gewissen zu beruhigen, vor allem aber, um sich nicht den Vorwürfen stellen zu müssen, die sie nicht vorzubringen wußte, noch den Erklärungen, die er ihr schuldig war. Nie hätte er sich vorzustellen vermocht, wie sehr sie in ihren schlaflosen Internatsnächten litt, an den Wochenenden ohne ihn, in ihrem Leben ohne ihn, weil er nie geahnt hatte, wie sehr sie ihn liebte. Er wußte durch einen offiziellen Brief der Schule, daß sie von dem ersten Platz, den sie immer innegehabt hatte, auf den letzten abgesunken war und die Schlußexamina womöglich nicht bestehen würde. Aber er drückte sich vor seiner Pflicht als Betreuer: weder informierte er América Vicuñas Eltern wegen eines Schuldgefühls, das er zu beschwichtigen suchte, noch sprach er mit ihr wegen seiner wohlbegründeten Angst, sie könne versuchen, ihn in ihr Scheitern zu verwickeln. Er ließ den Dingen ihren Lauf. Unbewußt begann er die Probleme von sich zu schieben in der Hoffnung, daß der Tod sie lösen werde.

Nicht nur die beiden Frauen, die sich um ihn kümmerten, auch Florentino Ariza selbst staunte darüber, wie sehr er sich verändert hatte. Es war kaum zehn Jahre her, daß er hinter der Haupttreppe seines Hauses eines seiner Dienstmädchen angefallen und sie, angekleidet und im Stehen, schneller als ein Philippinenhahn in gute Hoffnung versetzt hatte. Er mußte ihr dann ein möbliertes Haus schenken, damit sie schwor, ein Sonntagsverehrer, der sie noch nicht einmal geküßt hatte, sei der Urheber der Schande, woraufhin ihr Vater und ihr Onkel, beide gestandene Zuckerrohrschnitter, die Hochzeit erzwangen. Kaum zu glauben, daß das derselbe Mann war, an dem sich jetzt zwei Frauen, die ihn noch vor wenigen Monaten vor Lust hatten erzittern lassen, von hinten und vorne zu schaffen machten, ihn von oben bis unten einseiften, ihn mit Tüchern aus ägyptischer

Baumwolle abtrockneten und am ganzen Körper massierten, ohne daß er nur einen Seufzer der Unruhe von sich gegeben hätte. Jede hatte ihre eigene Erklärung für seine Bedürfnislosigkeit. Leona Cassiani meinte, es handele sich um die Präludien des Todes. América Vicuña vermutete eine dunkle Ursache, der sie nicht auf die Spur kam. Nur er kannte die Wahrheit bei ihrem Namen. Wie auch immer, es war ungerecht: Sie litten mehr dabei, ihn zu versorgen, als er, der so gut versorgt wurde.

Drei Dienstage genügten Fermina Daza schon, um einzusehen, wie sehr ihr Florentino Arizas Besuche fehlten. Dabei fühlte sie sich mit ihren engen Freundinnen wohl und immer besser, je mehr die Zeit sie den Gewohnheiten ihres Mannes entrückte. Lucrecia del Real del Obispo war nach Panama gefahren, um ihre nicht zu lindernden Ohrenschmerzen behandeln zu lassen, und nach einem Monat sehr erleichtert mit einem kleinen Hörrohr zurückgekehrt, mit dem sie aber schlechter hörte als zuvor. Unter ihren Freunden war Fermina Daza diejenige, die am besten ihre wirren Fragen und Antworten ertrug, was Lucrecia derart anregte, daß es kaum einen Tag gab, an dem sie nicht zu irgendeiner Uhrzeit auftauchte. Niemand aber konnte Fermina Daza die beruhigenden Nachmittage mit Florentino Ariza ersetzen.

Die Erinnerung an die Vergangenheit war aber nicht, wie er beharrlich glaubte, eine Lösung für die Zukunft. Im Gegenteil, sie bestärkte Fermina Daza in ihrer alten Überzeugung, daß jener fiebrige Aufruhr im Alter von zwanzig Jahren wohl etwas sehr Edles und Schönes gewesen sei, nicht aber die Liebe. Trotz ihrer sonst bis zur Brutalität gehenden Ehrlichkeit hatte sie nicht die Absicht, ihm das in einem Brief oder persönlich zu eröffnen, und sie hatte auch nicht das Herz, ihm zu sagen, wie falsch die Sentimentalität seiner Briefe in ihren Ohren klang, nachdem sie die wohltuenden

Tröstungen seiner schriftlichen Meditationen kennengelernt hatte, wie klein ihn seine lyrischen Lügen machten und wie sehr das manische Beharren auf der Vergangenheit seiner Sache schadete. Nein: Weder eine Zeile seiner Briefe von einst noch irgendein Moment ihrer eigenen verhaßten Jugend hatten in ihr das Gefühl aufkommen lassen, daß die Dienstagnachmittage ohne ihn so lang sein konnten, wie sie es in Wirklichkeit waren, so einsam und unwiederbringlich ohne ihn.

In einer ihrer vereinfachenden Anwandlungen hatte sie das Radio, ein Geschenk ihres Mannes zu einem ihrer Geburtstage, in die Ställe bringen lassen, obgleich sie beide ursprünglich vorgehabt hatten, es einmal dem Museum zu vermachen, da es der erste Rundfunkempfänger in der Stadt gewesen war. In der dunklen Zeit ihrer Trauer hatte sie beschlossen, den Apparat nicht wieder zu benutzen, da eine Witwe ihres Standes selbst im engsten Kreis nicht Musik, welcher Art auch immer, hören konnte, ohne das Gedächtnis des Toten zu beleidigen. Nach dem dritten Dienstag der Verlassenheit ließ sie das Radio wieder in den Salon schaffen, nicht um wie früher die Schlager vom Sender Riobamba zu hören, sondern um ihre toten Stunden mit den rührseligen Radioromanen aus Santiago de Cuba auszufüllen. Es war ein Erfolg, denn nach der Geburt der Tochter hatte sie sich nach und nach das Lesen abgewöhnt, das ihr Mann ihr seit der Hochzeitsreise mit soviel Eifer nahegebracht hatte und das sie mit fortschreitender Ermüdung ihrer Augen dann ganz aufgegeben hatte, so daß sogar Monate vergehen konnten, ohne daß sie wußte, wo ihre Lesebrille war.

Sie begeisterte sich derart für die Radioromane aus Santiago de Cuba, daß sie sehnsüchtig auf die täglichen Fortsetzungen wartete. Ab und zu hörte sie Nachrichten, um zu wissen, was in der Welt passierte, und bei den seltenen Gelegenheiten, wenn sie im Haus allein war, lauschte sie bei gedämpfter Lautstärke den fernen, aber deutlichen Merengues aus Santo Domingo und Plenas aus Puerto Rico. Eines Nachts hörte sie auf einem unbekannten Sender, der plötzlich und so kraftvoll und klar, als komme er aus dem Nachbarhaus, hereinplatzte, eine erschütternde Meldung: Ein greises Paar, das seit vierzig Jahren immer wieder zum Ziel seiner Hochzeitsreise fuhr, war von dem Bootsmann, der sie spazierengefahren hatte, wegen ihres Geldes mit dem Ruder erschlagen worden: Es ging um vierzehn Dollar. Noch erschütterter war sie, als Lucrecia del Real ihr die ganze, in einem Lokalblatt veröffentlichte Geschichte erzählte. Die Polizei hatte herausgefunden, daß die erschlagenen alten Leute, sie achtundsiebzig und er vierundachtzig Jahre alt, ein heimliches Liebespaar gewesen waren, und obgleich jeder von ihnen eine glückliche und dauerhafte Ehe führte und eine große Familie hatte, waren sie seit vierzig Jahren gemeinsam in Urlaub gefahren. Fermina Daza, die bei den Radioromanen nie geweint hatte, mußte mit dem Weinen kämpfen, die ihr den Hals zuschnürten. In seinem nächsten Brief schickte ihr Florentino Ariza kommentarlos den Zeitungsausschnitt mit der Meldung.

Es sollten nicht die letzten Tränen sein, die Fermina Daza unterdrücken mußte. Florentino Ariza hatte seine sechzigtägige Verbannung noch nicht hinter sich gebracht, als *La Justicia* auf der ganzen ersten Seite mit Bildern der Protagonistendarsteller eine angebliche Liebschaft von Doktor Juvenal Urbino und Lucrecia del Real del Obispo enthüllte. Es wurde über Einzelheiten der Affäre spekuliert, über Regelmäßigkeit und Art und Weise und angedeutet, wie willfährig der gehörnte Ehemann gewesen sei, der mit den Negern auf seiner Zuckerrohrplantage dem Frevel der Sodomie gefrönt habe. Diese Geschichte, die blutrot in riesigen Holzlettern aufgemacht war, erschütterte wie ein Erdrutsch die geschwächte Stadtaristokratie. Dabei war keine Zeile davon wahr. Juvenal Urbino und Lucrecia del Real waren in ihrer Jugend eng befreundet gewesen und blieben es auch, nachdem beide geheiratet hatten, waren aber nie ein Liebespaar geworden. Jedenfalls schien die Veröffentlichung nicht darauf aus zu sein, den Namen von Doktor Juvenal Urbino in den Schmutz zu ziehen, der uneingeschränkte Achtung genoß, sie sollte vielmehr dem Mann von Lucrecia del Real schaden, der eine Woche zuvor zum Präsidenten des Club Social gewählt worden war. Der Skandal wurde in wenigen Stunden unterdrückt, Lucrecia del Real besuchte jedoch Fermina Daza nie wieder, was diese als ein Eingeständnis von Schuld deutete.

Bald aber wurde klar, daß auch Fermina Daza selbst nicht vor den Risiken ihrer Klasse gefeit war. *La Justicia* griff sie an ihrer einzigen schwachen Flanke an: die Geschäfte ihres Vaters. Als dieser gezwungenermaßen das Land hatte verlassen müssen, war ihr aus Erzählungen Gala Placidias nur eine einzige Episode seiner trüben Machenschaften bekannt gewesen. Doktor Urbino hatte ihr das nach dem Gespräch mit dem Gouverneur bestätigt, sie aber glaubte fest daran, daß ihr Vater das Opfer einer Verleumdung geworden war. Tatsache war, daß zwei Regierungsbeamte mit einem Durchsuchungsbefehl für das Haus am Parque de los Evangelios aufgetaucht waren und es von oben bis unten durchkämmt hatten, ohne zu finden, was sie suchten. Schließlich hatten sie befohlen, einen Spiegelschrank in Fermina Dazas altem Schlafzimmer zu öffnen. Gala Placidia, die allein im Haus gewesen war und niemanden hatte warnen können, gab vor, nicht die Schrankschlüssel zu haben, worauf einer der Männer den Spiegel mit dem Kolben seines Revolvers zerschlagen und entdeckt hatte, daß der Hohlraum zwischen Glas und Holz mit falschen Hundertdollarnoten vollgestopft war. Hier lief eine Vielzahl von Spuren zusammen, die zu Lorenzo Daza als dem letzten Glied einer breitangelegten internationalen Operation führten. Es war eine meisterhafte Fälschung, da die Geldscheine das Originalwasserzeichen hatten: Durch ein an Magie grenzendes chemisches Verfahren waren Eindollarnoten gelöscht und die Scheine mit dem Einhundert-Dollar-Aufdruck versehen worden. Lorenzo Daza machte geltend, daß der Schrank lange nach der Hochzeit seiner Tochter gekauft worden sei und mit dem versteckten Geld ins Haus gekommen sein müsse, die Polizei aber konnte beweisen, daß er seit Fermina Dazas Schulzeit dort gestanden hatte. Niemand außer Lorenzo Daza hatte das falsche Vermögen hinter den Spiegeln verstecken können. Das war alles, was Doktor Urbino seiner Frau erzählte, nachdem er sich dem Gouverneur gegenüber verpflichtet hatte, den Schwiegervater in dessen Heimat zurückzuschicken, damit der Skandal nicht herauskam. Die Zeitung aber berichtete weit mehr.

Sie schrieb, daß Lorenzo Daza in einem der vielen Bürgerkriege des vergangenen Jahrhunderts als Vermittler zwischen der Regierung des liberalen Präsidenten Aquileo Parra und einem gewissen Joseph K. Korzeniowski aufgetreten sei, einem Polen, der mit der Besatzung des unter französischer Flagge fahrenden Handelsschiffs Saint Antoine bei dem Versuch, ein verwickeltes Waffengeschäft unter Dach und Fach zu bringen, mehrere Monate lang hiergeblieben war. Korzeniowski, der später unter dem Namen Joseph Conrad in aller Welt berühmt werden sollte, hatte irgendwie Kontakt mit Lorenzo Daza aufgenommen, der ihm dann die Waffenladung auf Rechnung der Regierung mit vorschriftsmäßigen Frachtscheinen und Quittungen für bares Gold abgekauft hatte. Die Zeitung behauptete, Lorenzo Daza habe die Waffen nach einem kaum glaubhaften Überfall als gestohlen gemeldet und sie zum doppelten Preis an die mit der Regierung Krieg führenden Konservativen verkauft.

La Justicia berichtete auch, daß Lorenzo Daza zu der Zeit, als General Rafael Reyes die Kriegsmarine gegründet hatte, eine Restladung Stiefel des englischen Heeres zu einem äußerst niedrigen Preis aufgekauft habe und allein durch dieses Geschäft sein Vermögen in sechs Monaten habe verdoppeln können. Der Zeitung zufolge hatte Lorenzo Daza, als die Fracht den hiesigen Hafen erreicht hatte, die Annahme verweigert, da die Lieferung nur die Stiefel für den rechten Fuß enthielt, und war dann als einziger Interessent bei der Versteigerung, die von der Zollbehörde nach geltenden Vorschriften anberaumt worden war, aufgetaucht, um das Kontingent für symbolische einhundert Pesos zu kaufen. Zur gleichen Zeit hatte einer seiner Komplizen zu ähnlichen Bedingungen die Lieferung linker Stiefel erstanden, die bei der Zollbehörde in Riohacha eingetroffen war. Als man die Stiefelpaare wieder zusammengefügt hatte, habe Lorenzo Daza, seine Verwandtschaft mit den Urbinos de la Calle nutzend, sie mit einem Gewinn von zweitausend Prozent an die neue Kriegsmarine verkauft.

Der Bericht in *La Justicia* schloß mit der Behauptung, daß Lorenzo Daza zu Ende des letzten Jahrhunderts San Juan de la Ciénaga nicht etwa auf der Suche nach einem besseren Klima für die Zukunft seiner Tochter verlassen hatte, wie er gern erzählte, sondern weil er bei dem blühenden Geschäft ertappt worden war, importierten Tabak auf so geschickte Weise mit gehäckseltem Papier zu versetzen, daß nicht einmal erfahrene Raucher den Betrug gemerkt hatten. Auch seine Verbindungen zu einer internationalen Geheimorganisation wurden enthüllt, deren lohnendste Aktivitäten zu Ende des Jahrhunderts im illegalen Einschleusen von Chinesen aus Panama bestanden hatten. Der verdächtige Maultierhandel hingegen, der Lorenzo Dazas Ruf so sehr geschadet hatte, schien der einzige ehrliche zu sein, den er je betrieben hatte.

Als Florentino Ariza wieder aufstehen konnte und statt des Regenschirms erstmals einen Stock benützte, führte ihn sein erster Gang trotz des wunden Rückens in Fermina Dazas Haus. Sie wirkte fremd auf ihn, von den Spuren des Alters gezeichnet, von einer Verbitterung, die ihr allen Lebenswillen genommen hatte. Doktor Urbino Daza hatte Florentino Ariza in der Zeit der Verbannung zweimal besucht und ihm von der Verstörtheit der Mutter nach den beiden Veröffentlichungen in La Justicia erzählt. Die erste hatte in ihr eine solch unsinnige Wut über die Treulosigkeit des Ehemannes und den Verrat der Freundin ausgelöst, daß sie es ablehnte, wie sonst einmal monatlich an einem Sonntag das Familienmausoleum zu besuchen, denn es hätte sie um den Verstand gebracht, daß er in seinem Sarg die Schmähungen, die sie ihm zuschreien wollte, nicht hören konnte: Sie haderte mit dem Verstorbenen. Lucrecia del Real ließ sie durch wen auch immer, der es ihr sagen wollte, ausrichten, sie könne zufrieden sein, unter den vielen Gestalten, die durch ihr Bett gegangen seien, wenigstens einen Mann gehabt zu haben. Was die Enthüllungen über Lorenzo Daza anging, so war nicht zu entscheiden, was sie mehr getroffen hatte, die Veröffentlichung an sich oder die späte Entdekkung der wahren Identität ihres Vaters. Doch eines von beiden oder beides hatte sie vernichtet. Ihr stahlfarbenes leuchtendes Haar, das ihr Antlitz veredelt hatte, erinnerte nun an vergilbtes Maisstroh, und die schönen Pantheraugen gewannen ihren Glanz nicht einmal im Aufblitzen der Wut zurück. Der Entschluß, nicht weiterleben zu wollen, war jeder ihrer Gesten anzumerken. Schon seit langem hatte sie die Gewohnheit aufgegeben, im Bad eingeschlossen oder sonst irgendwo zu rauchen, doch sie war rückfällig geworden und rauchte nun mit ungezügelter Gier erstmals auch in der Öffentlichkeit, zunächst die selbstgedrehten Zigaretten, die sie schon immer gemocht hatte, und dann, da sie zum Drehen weder Zeit noch Geduld aufbrachte, die ordinärsten, die im Handel waren. Jeder andere Mann hätte sich gefragt, was denn einem Greis wie ihm, der hinkte und dessen Rücken brannte wie der eines aufgerittenen Esels, und einer Frau, die sich schon kein anderes Glück als den Tod ersehnte, die Zukunft noch hätte bringen können. Nicht so Florentino Ariza. Er rettete ein Fünkchen Hoffnung aus den Trümmern der Katastrophe, da ihm schien, daß das Unglück Fermina Daza Größe verlieh, die Wut sie schöner machte und der Groll gegen die Welt ihr den schroffen Charakter ihrer zwanzig Jahre zurückgegeben hatte.

Sie hatte wieder einen Grund, Florentino Ariza dankbar zu sein, denn dieser hatte die infamen Berichte zum Anlaß für einen exemplarischen Brief über die ethische Verantwortung der Presse und das Gebot der Achtung vor der Ehre anderer genommen und diesen an *La Justicia* geschickt. Der Brief wurde nicht abgedruckt. Der Autor sandte jedoch eine Kopie an den *Diario del Comercio*, die älteste und seriöseste Zeitung der Karibikküste; dort wurde der Brief auf der ersten Seite veröffentlicht. Er war mit dem Pseudonym Jupiter gezeichnet und so durchdacht, so scharf und gut formuliert, daß er einigen der bedeutendsten Schriftsteller der Provinz zugeschrieben wurde. Inmitten des Ozeans hatte sich eine einsame Stimme erhoben, doch sie war eindringlich und weit zu hören. Ohne daß es ihr jemand gesagt hätte, wußte Fermina Daza, wer der Autor war, denn sie hatte einige Gedanken Florentino Arizas wiedererkannt, ja sogar wörtlich einen Satz aus seinen moralischen Betrachtungen. Daher empfing sie ihn in den Wirren ihrer Selbstaufgabe mit neuerblühter Zuneigung. Zu jener Zeit hielt sich América Vicuña an einem Sonntagnachmittag einmal allein im Schlafzimmer der Calle de las Ventanas auf und entdeckte rein zufällig die Kopien von Florentino Arizas maschinengeschriebenen Betrachtungen sowie handschriftliche Briefe Fermina Dazas.

Doktor Urbino Daza war sehr erfreut über die Wiederaufnahme der Besuche, die seine Mutter aufmunterten. Ganz anders seine Schwester Ofelia, die auf dem ersten Bananenfrachter aus New Orleans anreiste, sobald sie erfahren hatte, daß ihre Mutter eine seltsame Freundschaft mit einem Mann verband, dessen Ansehen moralisch nicht eines der besten war. Ihre Beunruhigung steigerte sich nach der ersten Woche zur Krise, nachdem sie beobachtet hatte, mit welcher Vertrautheit und Selbstverständlichkeit Florentino Ariza im Haus ein- und ausging und daß sich seine Besuche mit Gewisper und flüchtigen Plänkeleien wie bei Verliebten bis in die Nacht hinein ausdehnten. Was für Doktor Urbino Daza eine heilsame Seelenverwandtschaft zwischen zwei alten Menschen war, erschien ihr als eine verderbliche Spielart geheimen Konkubinats. So war Ofelia Urbino schon immer gewesen, sie war Doña Blanca, ihrer Großmutter väterlicherseits, ähnlicher, als eine Tochter es hätte sein können. Wie diese war sie distinguiert, hochfahrend und eine Gefangene ihrer Vorurteile. Sie war einfach nicht fähig, sich eine unschuldige Freundschaft zwischen Mann und Frau vorzustellen, nicht im Alter von fünf Jahren und erst recht nicht mit achtzig. In einem hitzigen Streit mit ihrem Bruder sagte sie, es fehle nur noch, daß Florentino Ariza, um die Mutter endgültig zu trösten, sich zu ihr ins Witwenbett lege. Doktor Urbino Daza hatte nicht die Courage, gegen sie Front zu machen, hatte sie nie gehabt, aber seine Frau griff besonnen mit einer Rechtfertigung der Liebe in jedem Lebensalter ein. Ofelia verlor die Beherrschung:

»Liebe in unserem Alter ist lächerlich«, schrie sie, »aber in ihrem Alter ist sie eine Ferkelei!«

Ofelia setzte sich derart heftig für die Vertreibung von Florentino Ariza ein, daß es Fermina Daza zu Ohren kam. Sie rief sie, wie immer, wenn sie nicht von den Dienstmädchen gehört werden wollte, zu sich ins Schlafzimmer und forderte sie auf, ihre Anschuldigungen zu wiederholen. Ofelia beschönigte nichts: Sie sei sicher, daß Florentino Ariza, der bei jedermann in dem Ruf stehe, pervers zu sein, ein zwielichtiges Verhältnis anstrebe, das mehr als die Gaunerstückchen Lorenzo Dazas und die harmlosen Abenteuer Juvenal Urbinos dem guten Namen der Familie schaden würde. Fermina Daza hörte ihr wortlos, ohne mit der Wimper zu zucken, zu, und als sie alles gehört hatte, war sie eine andere Frau: Sie war ins Leben zurückgekehrt.

»Mir tut nur leid, daß ich nicht genug Kraft habe, um dir die Tracht Prügel zu verpassen, die du wegen deiner Unverschämtheit und deiner Hintergedanken verdient hast«, sagte sie. »Aber du verläßt auf der Stelle dieses Haus, und ich schwöre dir bei den Gebeinen meiner Mutter, du betrittst es nicht wieder, solange ich lebe.«

Keine Macht der Erde konnte sie davon abbringen. Ofelia zog inzwischen in das Haus ihres Bruders und entsandte Emissäre von Rang mit den eindringlichsten Bitten. Es war zwecklos. Fermina Daza ließ sich auch nach den Vermittlungsversuchen des Sohnes und der Intervention ihrer Freundinnen nicht umstimmen. Ihrer Schwiegertochter gegenüber, mit der sie immer eine gewisse freimütige Vertraulichkeit verbunden hatte, ließ sie sich schließlich zu einer Bemerkung in der blumigen Sprache ihrer besten Jahre hinreißen: »Vor einem Jahrhundert haben sie mich um ein Leben mit diesem armen Mann beschissen, weil wir zu jung waren, und jetzt wollen sie uns bescheißen, weil wir zu alt sind.« Sie zündete sich eine Zigarette am Stummel der anderen an und spuckte all das Gift aus, das sich ihr in die Eingeweide gefressen hatte.

»Sie sollen sich doch alle zum Teufel scheren«, sagte sie. »Wenn wir Witwen einen Vorteil haben, dann doch den, daß uns niemand mehr herumkommandieren kann.«

Es war nichts zu machen. Als Ofelia sich schließlich davon überzeugt hatte, daß alle Möglichkeiten ausgeschöpft waren, kehrte sie nach New Orleans zurück. Alles, was sie nach inständigem Flehen bei ihrer Mutter erreicht hatte, war, daß diese sich von ihr verabschiedete, das Haus aber durfte sie nicht betreten: Fermina Daza hatte es bei den Gebeinen ihrer Mutter geschworen, und in jenen Tagen der Finsternis waren diese für sie das einzige, was noch nicht befleckt war.

Bei einem seiner ersten Besuche hatte Florentino Ariza, als er von seinen Schiffen sprach, Fermina Daza in aller Form zu einer Erholungsreise auf dem Fluß eingeladen. Dann hätte sie nach einem weiteren Tag Zugfahrt die Hauptstadt der Republik kennenlernen können, die sie wie die meisten Küstenbewohner ihrer Generation noch bei dem Namen nannte, den die Stadt bis ins letzte Jahrhundert hinein gehabt hatte: Santa Fé. Doch Fermina Daza hielt sich an die Abneigung ihres Mannes und hatte keine Lust, eine eisige und düstere Stadt zu besuchen, in der die Frauen das Haus nur für die Fünf-Uhr-Messe verlassen und weder Eisdielen noch öffentliche Ämter betreten durften, wie man ihr erzählt hatte, wo der Verkehr zu jeder Tageszeit wegen der vielen Trauerzüge stocke und seit Maulesels Tagen ein dünner Nieselregen falle: schlimmer als in Paris. Der Fluß hingegen zog sie mächtig an, sie wollte die Kaimane sehen, die sich auf den Sandbänken sonnten, wollte mitten in der Nacht von der Weiberklage der Seekühe geweckt werden, allerdings hatte der Gedanke an eine so mühselige Reise in ihrem Alter, allein und als Witwe, etwas Unwirkliches für sie.

Florentino Ariza wiederholte diese Einladung später, als sie sich dazu entschlossen hatte, auch ohne ihren Mann weiterzuleben, und nun konnte sie es sich schon eher vorstellen. Nach dem Zerwürfnis mit der Tochter aber, als sie über die Verleumdung des Vaters verbittert war, voll Zorn gegen den toten Ehemann und wütend über die heuchlerischen Schmeicheleien von Lucrecia del Real, die sie jahrelang für ihre beste Freundin gehalten hatte, fühlte sie sich im eigenen Haus überflüssig. Eines Nachmittags, als sie auf der Terrasse ihren Kräutertee trank, schaute sie auf das Schlammfeld im Garten, wo der Baum ihres Unglücks nicht wieder ausschlagen konnte.

»Am liebsten würde ich aus diesem Haus verschwinden, einfach weglaufen, geradeaus, immer geradeaus, und nie mehr zurückkommen.«

»Steig auf ein Schiff«, sagte Florentino Ariza.

Fermina Daza sah ihn nachdenklich an.

»Das wäre gar nicht so dumm«, sagte sie.

Sie hatte es noch nicht erwogen, als sie das sagte, doch indem sie es in Betracht zog, wurde es zur beschlossenen Sache. Sohn und Schwiegertochter zeigten größtes Verständnis. Florentino Ariza beeilte sich klarzustellen, daß Fermina Daza auf seinen Schiffen Ehrengast sein würde, eine wie ihr eigenes Haus ausgestattete Kabine für sie bereitstünde, daß sie bestens bedient und der Kapitän persönlich über ihre Sicherheit und ihr Wohlbefinden wachen würde. Florentino Ariza brachte Karten von der Reiseroute mit, um sie zu begeistern, Postkarten von furiosen Sonnenuntergängen, Gedichte auf das ursprüngliche Paradies von La Magdalena, geschrieben von berühmten Reisenden oder von solchen, die durch das herrliche Gedicht berühmt geworden waren. Wenn sie in Laune war, warf sie einen Blick darauf.

»Du mußt mich nicht wie ein Kind überlisten. Wenn ich fahre«, sagte sie, »dann fahre ich, weil ich es so entschieden habe, und nicht wegen der landschaftlichen Reize.«

Als der Sohn vorschlug, seine Frau könne sie begleiten, lehnte sie das rundweg ab: »Ich bin alt genug, auf mich muß keiner aufpassen.« Sie regelte die Einzelheiten der Reise selbst. Bei dem Gedanken, acht Tage flußaufwärts und fünf flußabwärts nur mit dem Allernötigsten zu leben, spürte sie eine unendliche Erleichterung: nur ein halbes Dutzend Baumwollkleider, das Waschzeug, ein Paar Schuhe, um an Bord zu gehen und das Schiff später wieder zu verlassen, für die Reise Hausschuhe, und sonst nichts: der Traum ihres Lebens.

Im Januar 1824 hatte der Gründer der Flußschiffahrt, Kommodore Juan B. Elbers, die Flagge auf dem ersten Dampfschiff gesetzt, das den Magdalena durchfurchen sollte, ein primitiver Kasten von vierzig Pferdestärken, der *Fidelidad*, Treue, hieß. Ein gutes Jahrhundert später begleiteten Doktor Urbino Daza und seine Frau die Mutter an Bord des Schiffes, mit dem sie ihre erste Reise auf dem Fluß machen sollte. Es war das erste, das von heimischen Werften gebaut worden war, und Florentino Ariza hatte es in Erinnerung an seinen ruhmreichen Vorgänger *Nueva Fidelidad* getauft. Fermina Daza wollte nie glauben, daß es sich bei diesem für sie beide so bedeutsamen Namen tatsächlich um einen historischen Zufall handelte und nicht um einen weiteren geistreichen Einfall, der Florentino Arizas chronischem Romantisieren zu verdanken war.

Jedenfalls hatte die *Nueva Fidelidad* im Unterschied zu anderen alten oder modernen Flußdampfern neben der Kapitänskabine noch eine weitere großzügige Kabine mit allem Komfort: ein kleiner Salon mit Bambusmöbeln in fröhlichen Farben, ein ganz mit chinesischen Motiven dekoriertes eheliches Schlafzimmer, ein Bad mit Wanne und Dusche, dazu einen überdachten Ausguck mit Hängepflanzen und Aussicht auf das Vorderschiff sowie beide Seiten. Im übrigen schützte ein geräuscharmes Kühlsystem den ganzen Raum vor dem Getöse draußen und tauchte ihn in ein Klima ständigen Frühlings. Diese Luxussuite, die Präsidentenkabine genannt wurde, weil bereits drei Präsidenten der Republik darin gereist waren, hatte keinen kommerziellen Zweck, sie war für hohe Amtsträger und besondere Ehrengäste reserviert. Florentino Ariza hatte sie, kaum zum Präsidenten der K. F. K. gewählt, aus Repräsentationsgründen einrichten lassen, dabei jedoch die innere Gewißheit gehabt, daß sie früher oder später das glückliche Refugium seiner Hochzeitsreise mit Fermina Daza sein würde.

Als es soweit war, zog diese denn auch als Herrin und Besitzerin in die Kabine ein. Der Kapitän des Schiffes machte mit Champagner und Räucherlachs für Doktor Urbino Daza, seine Gattin und für Florentino Ariza die Honneurs an Bord. Er hieß Diego Samaritano und trug eine weiße Leinenuniform, die von den Stiefelspitzen bis zur Mütze mit dem in Goldfäden eingestickten Wappen der K. F. K. absolut untadelig war; wie die anderen Flußkapitäne hatte er die Korpulenz eines Ceibabaums, die gebieterische Stimme und das Auftreten eines florentinischen Kardinals.

Um sieben Uhr abends ertönte das erste Aufbruchsignal, das in Fermina Dazas linkem Ohr mit einem stechenden Schmerz widerhallte. In der Nacht zuvor hatte sie von unheilvollen Vorzeichen erfüllte Träume gehabt, die sie nicht zu deuten wagte. Sehr früh am Morgen hatte sie sich noch zum in der Nähe liegenden Pantheon des Priesterseminars fahren lassen, wie damals der Friedhof von La Manga genannt wurde, und vor der Krypta ihres verstorbenen Mannes stehend, hatte sie sich mit ihm in einem Monolog versöhnt, in dem sie all die gerechtfertigten Vorwürfe los wurde, die sie bis dahin heruntergeschluckt hatte. Dann erzählte sie ihm Näheres über die Fahrt und verabschiedete sich bis auf bald. Sie wollte niemandem sonst von ihrem Aufbruch erzählen, so wie sie es, um das anstrengende Abschiednehmen zu umgehen, auch meistens vor ihren Europareisen gehalten hatte. Trotz ihrer vielen Reisen war ihr, als sei diese die erste, und während der Tag verging, vertiefte sich ihr Unbehagen. Schließlich an Bord, fühlte sie sich verlassen und traurig und wäre am liebsten allein gewesen, um weinen zu können.

Als das letzte Signal ertönte, verabschiedeten sich Doktor Urbino Daza und seine Frau ohne viel Aufhebens von ihr, und Florentino Ariza begleitete die beiden bis zur Landungsbrücke. Doktor Urbino Daza wollte ihm hinter seiner Frau den Vortritt lassen, und erst da wurde klar, daß Florentino Ariza mit auf die Reise ging. Doktor Urbino Daza konnte seine Verwirrung nicht verbergen.

»Davon war aber doch nie die Rede«, sagte er.

Florentino Ariza zog ostentativ seinen Kabinenschlüssel aus der Tasche: eine gewöhnliche Kabine auf dem Mitteldeck. Doch das genügte Doktor Urbino Daza nicht als Unschuldsbeweis. In seiner Bestürzung suchte er nach einem Halt und sah seine Frau mit dem Blick eines Schiffbrüchigen an, begegnete aber nur zwei eisigen Augen. Leise, aber streng sagte sie: »Auch du?« Ja: Wie seine Schwester Ofelia meinte auch er, daß es ein Alter gibt, in dem Liebe anstößig wird. Doch er fing sich noch beizeiten und verabschiedete sich von Florentino Ariza mit einem eher resignierten als dankbaren Händedruck.

Florentino Ariza stand an der Reling vor dem Salon und sah sie von Bord gehen. Wie er es erwartet und gewünscht hatte, drehten sich Doktor Urbino Daza und seine Frau noch einmal nach ihm um, bevor sie in das Automobil stiegen, und er winkte ihnen zum Abschied. Beide winkten zurück. Er blieb an der Reling stehen, bis der Wagen in einer Staubwolke vom Kai verschwunden war, und ging dann in seine Kabine, um sich etwas Passendes für das erste Essen an Bord in der Kapitänsmesse anzuziehen.

Es wurde ein herrlicher Abend, den Kapitän Diego Samaritano mit saftigen Geschichten aus vierzig Jahren Flußfahrt zu würzen wußte, aber Fermina Daza mußte sich große Mühe geben, amüsiert zu wirken. Obgleich das letzte Abfahrtssignal um acht Uhr ertönt war und man dann die Gäste von Bord geschickt und die Landungsbrücke eingeholt hatte, legte das Schiff erst ab, als der Kapitän fertig zu Abend gegessen hatte und das Manöver von der Kommandobrücke aus leiten konnte. Fermina Daza und Florentino Ariza blieben auf dem Promenadendeck zwischen den lärmenden Passagieren stehen, die sich dem Spielchen hingaben, die Lichter der Stadt zu identifizieren, bis das Schiff aus der Bucht ausgelaufen war, in unsichtbaren Fahrrinnen durch die von den schwimmenden Lichtern der Fischerboote gesprenkelten Lagunen steuerte und schließlich in der freien Luft des Rio Grande de la Magdalena aus voller Lunge schnaubte. Da setzte die Kapelle mit einem volkstümlichen Schlager ein, es gab ein Aufjauchzen unter den Passagieren, und der Tanz wurde turbulent eröffnet.

Fermina Daza zog es vor, in ihre Kabine zu gehen. Sie hatte den ganzen Abend über kein Wort gesagt, und Florentino Ariza überließ sie rücksichtsvoll ihren Grübeleien.

Erst vor der Kabine machte er sich bemerkbar, er wollte sich verabschieden, sie aber war nicht müde, nur etwas fröstelig und schlug vor, sich noch ein wenig zusammen in ihren privaten Ausguck zu setzen, um den Fluß zu betrachten. Florentino Ariza rückte zwei Korbsessel bis an die Balustrade, löschte die Lichter, legte ihr einen Wollschal um die Schultern und setzte sich neben sie. Sie drehte sich eine Zigarette aus der Tabakschachtel, die er ihr geschenkt hatte, drehte sie mit erstaunlicher Geschicklichkeit, rauchte sie langsam mit der Glut im Mund, sprach nicht, drehte dann noch zwei Zigaretten und rauchte ohne Unterbrechung. Florentino Ariza trank Schluck für Schluck zwei Thermoskannen mit schwarzem Kaffee leer.

Der Widerschein der Stadt war hinter dem Horizont verschwunden. Von ihrem dunklen Ausguck aus verwandelte sich der stille, glatte Fluß mit den Wiesen an beiden Ufern unter dem Vollmond zu einer einzigen phosphoreszierenden Ebene. Ab und zu war eine Strohhütte neben großen Feuern zu sehen, die anzeigten, daß es dort Brennholz für die Schiffskessel zu kaufen gab. Florentino Ariza bewahrte verschwommene Erinnerungen an die Reise in seiner Jugend, und der Anblick des Flusses ließ sie in blendenden Bruchstücken wiederaufleben, als sei das alles gestern gewesen. Er begann Fermina Daza davon zu erzählen, glaubte sie damit aufmuntern zu können, doch sie rauchte in einer anderen Welt. So verzichtete Florentino Ariza auf seine Erinnerungen und ließ sie mit den ihren allein, drehte ihr inzwischen Zigaretten und reichte sie ihr schon angezündet, bis die Schachtel leer war. Die Musik verstummte nach Mitternacht, der Lärm der Passagiere verlor sich, löste sich in ein schläfriges Flüstern auf, und die beiden Herzen blieben allein im Schatten des Ausgucks, lebten im keuchenden Takt des Schiffes.

Nach einer langen Zeit sah Florentino Ariza Fermina Daza an, im Glanz des Flusses wirkte sie wie ein Geist auf ihn, ein bläulicher Schein machte ihr statuenhaftes Profil sanfter, und er sah, daß sie stumm weinte. Statt sie aber zu trösten oder zu warten, bis ihre Tränen versiegt waren, wie sie es sich gewünscht hatte, geriet er in Panik.

»Möchtest du allein sein?« fragte er.

»Wenn ich es wollte, hätte ich dich nicht hereingebeten«, sagte sie.

Woraufhin er seine eisige Hand in die Dunkelheit streckte, im Finstern nach der anderen Hand tastete und sie, die auf ihn wartete, fand. Beide waren nüchtern genug, sich einen flüchtigen Moment lang einzugestehen, daß keine der verknöcherten alten Hände die war, die sie sich vor der Berührung vorgestellt hatten. Aber einen Augenblick später waren sie es bereits. Und als Fermina Daza von ihrem toten Mann in der Gegenwart, so als lebe er noch, zu sprechen begann, erkannte Florentino Ariza, daß auch für sie die Stunde gekommen war, sich mit Würde, Größe und einem unbezwingbaren Lebenshunger zu fragen, wohin mit der Liebe, die herrenlos zurückgeblieben war.

Fermina Daza rauchte nicht weiter, um nicht die Hand loslassen zu müssen, die die ihre hielt. Sie war erfüllt von dem Verlangen zu verstehen. Sie konnte sich keinen besseren Ehemann als den ihren vorstellen und stieß dennoch bei der Rückbesinnung auf ihr Leben auf mehr Störendes als Angenehmes, zu oft hatte es am gegenseitigen Verständnis gefehlt, unnötige Streitereien und Verstimmungen gegeben, die nicht ausgeräumt wurden. Sie seufzte plötzlich: »Kaum zu glauben, Teufel noch mal, daß man so viele Jahre lang inmitten von so viel Kleinkram und Ärger so glücklich sein kann, ohne wirklich zu wissen, ob das die Liebe ist oder nicht.« Als sie ihr Herz ausgeschüttet hatte, war der Mond von jemandem gelöscht worden. Der Dampfer bewegte sich gemessenen Schrittes voran, Fußbreit um Fußbreit, vorsichtig wie ein riesiges Tier, das sich anschleicht. Fermina Daza war aus ihrer Seelenangst aufgetaucht.

»Geh jetzt«, sagte sie.

Florentino Ariza drückte ihr die Hand, beugte sich zu ihr hinüber und versuchte, sie auf die Wange zu küssen. Doch sie entzog sich ihm mit ihrer heiseren und sanften Stimme.

»Das nicht«, sagte sie, »ich rieche nach altem Weib.«

Sie hörte ihn in der Dunkelheit hinausgehen, hörte seine Schritte auf der Treppe und wie er bis zum nächsten Tag aus dem Leben verschwand. Fermina Daza zündete noch eine Zigarette an und sah, während sie rauchte, Doktor Juvenal Urbino in seinem untadeligen weißen Leinenanzug vor sich, seine professionelle Strenge, seinen blendenden Charme, seine abgesegnete Liebe, er stand auf einem anderen Schiff der Vergangenheit und winkte ihr mit seinem weißen Hut zu. »Wir Männer sind jämmerliche Sklaven von Vorurteilen«, hatte er ihr einmal gesagt. »Wenn eine Frau aber beschließt, mit einem Mann zu schlafen, gibt es keine Hürde, die sie nicht überspringen, und keine Festung, die sie nicht schleifen würde, noch moralische Bedenken irgendwelcher Art, die sie nicht bereit wäre, über Bord zu werfen: Da hat Gott seine Macht verloren.« Fermina Daza blieb bis zum Morgengrauen reglos sitzen und dachte an Florentino Ariza, nicht an den trostlosen Wächter im Parque de los Evangelios, der in ihrer Erinnerung nicht einen Funken von Sehnsucht weckte, sie dachte an den hinkenden Florentino Ariza von heute, der zwar gebrechlich, dafür aber wirklich war: der Mann, der immer in Reichweite gewesen war und den sie nicht zu erkennen vermocht hatte. Während das Schiff sie schnaubend dem

Leuchten der ersten Rosen entgegentrug, bat sie Gott nur um eines, Florentino Ariza möge wissen, wo er am nächsten Tag neu beginnen müßte.

Er wußte es. Fermina Daza gab dem Steward Anweisung, sie so lange schlafen zu lassen, wie sie wollte, und als sie aufwachte, stand auf dem Nachttisch eine Vase mit einer noch vom Tau benetzten weißen Rose, und daneben lag ein Brief Florentino Arizas mit so vielen Seiten, wie ihm, seitdem er sich von ihr verabschiedet hatte, zu füllen gelungen war. Es war ein gelassener Brief, der nur die Stimmung beschreiben wollte, die den Verfasser seit der vergangenen Nacht erfüllte: lyrisch wie die anderen Briefe, rhetorisch wie alle, doch erfüllt von Wirklichkeit. Fermina Daza las ihn und schämte sich dabei etwas über den wilden Galopp ihres Herzens. Der Brief endete mit der Bitte, dem Steward Bescheid zu geben, sobald sie fertig sei, da der Kapitän sie auf der Brücke erwarte, um ihnen den Dampfer zu erklären.

Um elf Uhr war sie bereit, gebadet und nach Blumenseife duftend, sie trug ein schlichtes Witwenkleid aus dünner grauer Baumwolle und hatte sich von der Nacht erholt. Sie bestellte bei dem in makelloses Weiß gekleideten Steward des Kapitäns ein einfaches Frühstück, trug ihm jedoch nicht auf, man solle sie abholen. Sie machte sich geblendet vom wolkenlosen Himmel allein auf den Weg und traf Florentino Ariza, der sich mit dem Kapitän unterhielt, auf der Brücke. Er wirkte verändert, nicht nur weil sie ihn jetzt mit anderen Augen sah, sondern weil er sich tatsächlich verändert hatte. Statt seiner lebenslangen Trauerkleidung trug er nun bequeme weiße Schuhe, eine Leinenhose und ein kurzärmeliges Leinenhemd mit offenem Kragen und einer Brusttasche, auf die sein Monogramm gestickt war. Dazu paßte seine ebenfalls weiße Schottenmütze, und an der ewigen Brille des Kurzsichtigen hatte er getönte Gläser befestigt. Ganz offensichtlich war alles neu und gerade erst für den Zweck der Reise gekauft worden, mit Ausnahme des abgewetzten braunen Ledergürtels, den Fermina Daza sofort, wie ein Haar in der Suppe, bemerkte. Als sie den Mann sah, der sich so offenkundig für sie eingekleidet hatte, konnte sie nicht verhindern, daß ihr brennende Röte ins Gesicht stieg. Sie war verwirrt, als sie ihn begrüßte, und ihn verwirrte ihre Verwirrung. Das Bewußtsein, sich wie ein Liebespaar zu benehmen, verwirrte beide noch mehr, und das Bewußtsein, verwirrt zu sein, verwirrte beide dermaßen, daß es Kapitän Samaritano vor Mitgefühl bebend registrierte. Er half ihnen über die Verlegenheit hinweg, indem er ihnen zwei Stunden lang die Bedienung des Steuers und der Maschinen des Dampfers erklärte. Sie fuhren langsam auf einem Fluß ohne Ufer dahin, der sich am Horizont zwischen kahlen Sandbänken verlor. Doch anders als das aufgewühlte Wasser im Mündungsgebiet war der Strom hier langsam und durchsichtig und von metallischem Glanz unter der gnadenlosen Sonne. Fermina Daza hatte den Eindruck, ein Delta voller Sandinseln läge vor ihr.

»Das ist das wenige, was uns vom Fluß noch bleibt«, sagte der Kapitän.

Florentino Ariza war in der Tat verwundert über die Veränderungen und sollte es am nächsten Tag noch mehr sein, als es abermals mühsamer wurde, voranzukommen, und er einsehen mußte, daß der Magdalena, einer der großen Ströme der Welt, nur noch ein Trugbild seiner Erinnerung war. Kapitän Samaritano erklärte ihnen, wie das planlose Abholzen den Fluß innerhalb von fünfzig Jahren erledigt hatte: Die Schiffskessel hatten dieses Urwalddickicht aus kolossalen Bäumen verschlungen, das Florentino Ariza auf seiner ersten Fahrt noch als bedrohlich empfunden hatte.

Fermina Daza würde die Tiere ihrer Träume nicht mehr sehen: Die Jäger der Gerbereien von New Orleans hatten die Kaimane ausgerottet, die sich einst stundenlang mit offenem Rachen an den Flußufern totgestellt hatten, um die Schmetterlinge zu überlisten, die plappernden Papageien und die langschwänzigen Affen mit ihrem Gekecker waren, als die Laubkronen dahinschwanden, allmählich ausgestorben, und den Seekühen, die ihre Jungen an den großen Zitzen säugten und mit untröstlichen Frauenstimmen auf den Sandbänken klagten, hatten die Mantelgeschosse der Sonntagsjäger ein Ende bereitet.

Kapitän Samaritano hegte fast mütterliche Gefühle für die Seekühe, sie kamen ihm vor wie vornehme Damen, die wegen einer Liebeseskapade verdammt worden waren, und er glaubte an die Legende, daß sie im Tierreich die einzigen Weibchen ohne dazugehörige Männchen waren. Er war stets eingeschritten, wenn von Bord aus auf sie geschossen worden war, wie es trotz des gesetzlichen Verbots allgemein üblich war. Ein Jäger aus North Carolina mit einwandfreien Papieren hatte seinen Befehl nicht befolgt und mit einem gezielten Schuß seiner Springfield den Kopf eines Muttertieres zerschmettert, dessen Junges toll vor Schmerzen auf dem niedergestreckten Kadaver seine Klageschreie ausstieß. Der Kapitän hatte das Waise an Bord bringen lassen, um sich darum kümmern zu können, und dann den Jäger auf der einsamen Sandbank neben dem Kadaver des ermordeten Muttertiers ausgesetzt. Auf Grund von diplomatischen Protestnoten kam er für sechs Monate ins Gefängnis und hätte fast sein Kapitänspatent verloren, war aber, als er wieder herauskam, entschlossen, bei ähnlichen Gelgenheiten erneut so zu handeln. Es hatte sich jedoch um ein historisches Ereignis gehandelt: Das verwaiste Jungtier, das in dem Park für seltene Tiere in San Nicolás de las Barrancas aufwuchs und dort lange Jahre lebte, war das letzte Exemplar seiner Art, das im Fluß gesichtet wurde.

»Jedesmal wenn ich an jener Sandbank vorbeifahre«, sagte er, »bete ich zu Gott, daß sich dieser Gringo noch einmal auf meinem Dampfer einschifft, damit ich ihn wieder dort absetzen kann.«

Fermina Daza, die den Kapitän nicht besonders sympathisch gefunden hatte, war nun so gerührt über diesen sanften Riesen, daß sie ihm seit jenem Morgen einen Vorzugsplatz in ihrem Herzen einräumte. Sie tat gut daran: Die Fahrt hatte eben erst begonnen und sollte ihr noch Gelegenheit genug bieten, sich davon zu überzeugen, daß sie sich nicht geirrt hatte.

Fermina Daza und Florentino Ariza blieben auf der Brükke, bis es Zeit zum Mittagessen war, kurz nachdem sie die Siedlung Calamar passiert hatten, wo vor wenigen Jahren noch ständig Feste gefeiert worden waren, nun aber der Hafen in Trümmern und die Straßen verlassen dalagen. Als einziges Wesen sah man vom Schiff aus eine weißgekleidete Frau, die mit dem Taschentuch winkte. Fermina Daza verstand nicht, warum man diese Frau, die doch so verängstigt wirkte, nicht abholte, doch der Kapitän erklärte ihr, daß es sich um die Erscheinung einer Ertrunkenen handele, die falsche Zeichen gäbe, um die Schiffe in die gefährlichen Strudel am anderen Ufer zu locken. Sie fuhren so nah an ihr vorüber, daß Fermina Daza sie deutlich in der Sonne erkennen konnte, sie zweifelte nicht daran, daß die Frau nicht wirklich existierte, aber ihr Gesicht kam ihr bekannt vor.

Es war ein langer und heißer Tag. Nach dem Essen ging Fermina Daza in die Kabine zurück, um ihre unvermeidliche Siesta zu halten, schlief aber unruhig wegen der Ohrenschmerzen, die noch schlimmer wurden, als der Dampfer mit einem anderen Schiff der K. F. K., dem er einige Meilen oberhalb von Barranca Vieja begegnete, die üblichen Begrüßungssignale austauschte. Florentino Ariza schüttelte einen flüchtigen Traum ab. Er saß im großen Salon, wo die meisten Passagiere schliefen, als sei es Mitternacht; er hatte ganz in der Nähe des Ortes, wo er sie an Bord hatte steigen sehen, von Rosalba geträumt; sie reiste allein, gekleidet wie die Frauen aus Mompox im vergangenen Jahrhundert, und sie, nicht das Kind, hielt die Siesta in einem von den Deckenbalken hängenden Korbkäfig. Der Traum war so rätselhaft und zugleich so anregend, daß Florentino Ariza sich den ganzen Nachmittag damit beschäftigte, während er mit dem Kapitän und zwei befreundeten Passagieren Domino spielte.

Die Hitze ließ bei Sonnenuntergang nach, und das Schiff lebte wieder auf. Die Passagiere tauchten aus ihrer Lethargie auf und setzten sich frisch gebadet und gekleidet in die Korbsessel im Salon, um auf das Abendessen zu warten, das Schlag fünf Uhr von einem Tischsteward angekündigt wurde, der mit einem Sakristansglöckchen klingelnd unter scherzhaftem Applaus der Anwesenden von einem Ende des Decks zum anderen lief. Während des Essens begann die Kapelle Fandangomusik zu spielen, und es wurde bis Mitternacht getanzt.

Fermina Daza wollte wegen der Ohrenschmerzen nicht zu Abend essen, statt dessen schaute sie dabei zu, wie an einer kahlen Uferböschung, wo nur Stämme aufgeschichtet lagen, zum erstenmal Holz für die Schiffskessel geladen wurde. Ein alter Mann wickelte den Handel ab, sonst schien es meilenweit keinen Menschen mehr zu geben. Für Fermina Daza war es ein langer und langweiliger Zwischenaufenthalt, undenkbar auf einer Fahrt mit einem europäischen Transatlantikdampfer, und die Hitze war so groß, daß sie sogar in dem künstlich kühlgehaltenen Ausguck noch zu spüren war. Als aber das Schiff wieder Fahrt machte, ging ein Wind, der nach tiefstem Urwald roch, und auch die Musik wurde fröhlicher. In der Siedlung Sitio Nuevo leuchtete in einem einzigen Haus, in einem einzigen Fenster ein einziges Licht, und da im Hafenbüro nicht das vereinbarte Signal gegeben wurde, daß Fracht oder Passagiere mitgenommen werden sollten, fuhr der Dampfer ohne Sirenenzeichen daran vorbei.

Fermina Daza hatte sich den ganzen Nachmittag über gefragt, was sich Florentino Ariza wohl einfallen lassen würde, um sie zu sehen, ohne bei ihr an die Kabinentür klopfen zu müssen, und gegen acht Uhr hatte sie ein solches Verlangen, mit ihm zusammen zu sein, daß sie es nicht länger aushielt. In der Hoffnung, ihm zufällig zu begegnen, ging sie auf den Gang hinaus und mußte nicht weit gehen. Florentino Ariza saß dort auf einer Bank, still und traurig wie im kleinen Parque de los Evangelios, und hatte schon seit zwei Stunden darüber gegrübelt, was er nur tun könnte, um sie zu sehen. Beide machten die gleiche überraschte Gebärde, die beide als unecht erkannten, und wandelten dann gemeinsam über das Erste-Klasse-Deck, auf dem sich die jungen Leute drängten, vor allem fröhlich lärmende Studenten, die das letzte Ferienvergnügen geradezu gierig auslebten. In der Bar tranken die beiden, wie die Studenten am Tresen sitzend, ein Erfrischungsgetränk in Flaschen, und sie erkannte sich plötzlich in einer Situation, die ihr Angst machte. »Wie entsetzlich«, sagte sie, und Florentino Ariza fragte, was sie so sehr beeindrucke, an was sie denke.

»An die armen alten Leutchen«, sagte sie. »Die, die mit dem Ruder erschlagen worden sind.«

Nach einer langen ungetrübten Unterhaltung im dunklen Ausguck gingen beide, als die Musik aufhörte, schlafen. Es gab keinen Mond, der Himmel war bedeckt und am Horizont ein Wetterleuchten, das sie für Augenblicke in Licht tauchte. Florentino Ariza drehte ihr die Zigaretten, aber sie rauchte nicht mehr als vier davon, so sehr quälte sie der Schmerz, der momentweise nachließ, um dann wieder heftiger zu werden, wenn das Schiff bei der Begegnung mit einem anderen aufheulte oder wenn sie ein verschlafenes Dorf passierten oder wenn der Kapitän die Fahrt drosselte, um die Wassertiefe auszuloten. Florentino Ariza sagte ihr, mit wieviel Sehnsucht er sie immer bei den Blumenspielen beobachtet habe, bei der Ballonfahrt, auf dem Akrobaten-Hochrad, und wie sehnsüchtig er das ganze Jahr über auf offizielle Feiern gewartet habe, nur um sie zu sehen. Sie dagegen hatte sich vor knapp einem Jahr beim Lesen seiner Briefe gefragt, wie es möglich sei, daß er nie an den Blumenspielen teilgenommen hatte: er hätte sie zweifellos gewonnen. Florentino Ariza log: Er schreibe nur für sie, schreibe Gedichte für sie, die nur er lese. Nun war sie es, die in der Dunkelheit seine Hand suchte, und er hatte sie nicht erwartet, wie sie in der vergangenen Nacht die seine, sondern wurde von ihr überrascht. Ihm gefror das Herz.

»Wie seltsam doch die Frauen sind«, sagte er.

Sie lachte auf, das tiefe Gurren einer jungen Taube, und mußte dann wieder an die Greise auf dem Boot denken. Es war schicksalhaft: Dieses Bild sollte sie immer verfolgen. In jener Nacht aber konnte sie es ertragen, denn sie fühlte sich ruhig und wohl wie selten in ihrem Leben: frei von jeder Schuld. So hätte sie bis zum Morgengrauen sitzenbleiben können, schweigend, seine eisschwitzende Hand in der ihren, aber die Qual der Ohrenschmerzen wurde unerträglich. Als daher die Musik verstummte und der Lärm der Zwischendeckpassagiere, die ihre Hängematten im Salon befestigten, aufhörte, sah sie ein, daß der Schmerz stärker war als ihr Wunsch, mit ihm zusammen zu sein. Schon darüber zu sprechen, hätte ihr Erleichterung verschafft, das wußte sie, sie tat es jedoch nicht, um ihn nicht zu beunruhigen. Denn zu diesem Zeitpunkt glaubte sie ihn schon so gut zu kennen, als hätte sie das ganze Leben mit ihm verbracht, und sie traute ihm zu, das Schiff zurück in den Hafen zu beordern, wenn sie das von den Schmerzen befreit hätte.

Florentino Ariza hatte vorausgesehen, daß diese Nacht so ablaufen würde, und zog sich zurück. Als er schon an der Kabinentür stand, versuchte er, sie zum Abschied zu küssen, doch sie hielt ihm ihre linke Wange hin. Bereits schwer atmend, insistierte er, worauf sie ihm mit einer Koketterie, die er an dem Schulmädchen nicht gekannt hatte, die andere Wange bot. Er insistierte ein zweites Mal, und sie empfing ihn mit den Lippen, empfing ihn mit einem untergründigen Beben, das ein seit ihrer Hochzeitsnacht vergessenes Lachen ersticken sollte.

»Mein Gott«, rief sie aus, »was bin ich auf Schiffen verrückt.«

Florentino Ariza erschauerte: In der Tat, wie sie selbst gesagt hatte, verströmte sie den säuerlichen Geruch des Alters. Während er sich dann den Weg zurück zu seiner Kabine durch das Labyrinth der Schlafenden in ihren Hängematten bahnte, tröstete er sich mit dem Gedanken, daß er den gleichen Geruch hatte, vier Jahre älter, und sie diesen mit der gleichen Empfindung wahrgenommen haben mußte. Es war der Geruch menschlicher Zersetzung, den er an seinen ältesten Geliebten – und diese an ihm – bemerkt hatte. Die Witwe Nazaret, die nichts für sich behielt, hatte es ihm auf krudere Weise gesagt: »Wir stinken schon nach Geier.« Der eine ertrug es beim anderen, denn sie waren quitt: mein Geruch gegen deinen. Vor América Vicuña war er hingegen auf der Hut gewesen. Ihr Windelgeruch hatte mütterliche Instinkte in ihm geweckt, aber der Gedanke hatte ihn beunruhigt, daß ihr sein Geruch unerträglich sein könnte: der

Gestank nach altem Bock. Aber das alles gehörte der Vergangenheit an. Wichtig war allein, daß Florentino Ariza zum ersten Mal seit jenem Nachmittag, als die Tante Escolástica das Gebetbuch am Schalter der Telegraphenstation liegengelassen hatte, in dieser Nacht wieder ein solches Glück empfand; es war so intensiv, daß es ihm Angst machte.

Er war dabei einzuschlafen, als der Zahlmeister des Schiffs ihn um fünf Uhr auf Höhe des Hafens Zambrano aufweckte, um ihm ein dringendes Telegramm zu übergeben. Es war am Tag zuvor mit Leona Cassianis Unterschrift aufgegeben worden, und alles Entsetzen paßte in eine Zeile: *América Vicuña gestern aus unerklärlichen Gründen gestorben.* Einzelheiten erfuhr er um elf Uhr vormittags von Leona Cassiani in einer telegraphischen Kettenschaltung, bei der er selbst den Morseapparat bediente, was er seit seinen Tagen als Telegraphist nicht mehr getan hatte. América Vicuña hatte in einer tödlichen Depression wegen ihres Scheiterns bei den Abschlußexamina eine Flasche Opiumtinktur ausgetrunken, die sie aus dem Krankenzimmer der Schule entwendet hatte. Im Grunde seiner Seele wußte Florentino Ariza, daß die Nachricht unvollständig war. Aber nein: América Vicuña hatte keinen Abschiedsbrief hinterlassen, der erlaubt hätte, jemand für ihren Entschluß verantwortlich zu machen. Die Familie war schon aus Puerto Padre unterwegs, und die Beerdigung sollte nachmittags um fünf stattfinden. Florentino Ariza atmete tief durch. Alles, was er tun konnte, wenn er weiterleben wollte, war, sich diese quälende Erinnerung nicht zu erlauben. Er löschte sie aus seinem Gedächtnis, in seinen letzten Jahren lebte sie jedoch zuweilen plötzlich grundlos wieder auf, ein kurzer, stechender Schmerz wie von einer alten Narbe.

Die folgenden Tage waren heiß und endlos. Der Fluß wurde trübe und immer schmaler, und statt des Dickichts aus kolossalen Bäumen, über das Florentino Ariza auf seiner ersten Reise gestaunt hatte, lagen nun verbrannte Steppen mit dem Abfall ganzer Wälder da, die von den Schiffskesseln verschlungen worden waren, Trümmer von gottverlassenen Dörfern, deren Straßen auch in den grausamsten Dürreperioden noch unter Wasser standen. Nachts wurden die beiden nicht vom Sirenengesang der Seekühe auf den Sandbänken, sondern vom widerlichen Gestank der Toten geweckt, die dem Meer entgegentrieben. Es gab zwar keine Kriege mehr und keine Pest, doch man sah immer noch die aufgedunsenen Leichen vorbeitreiben. Der Kapitän erläuterte ungewohnt nüchtern: »Wir haben Anweisung, den Passagieren zu sagen, daß es sich um zufällig Ertrunkene handelt.« An Stelle des Papageiengekreischs und des Lärms der unsichtbaren Affen, die einst die Mittagsglut noch anzufachen schienen, herrschte jetzt das ausgedehnte Schweigen der geschleiften Erde.

Es gab nur noch so wenige Stellen, an denen man Holz schlagen konnte, und sie lagen so weit auseinander, daß der *Nueva Fidelidad* am vierten Reisetag der Brennstoff ausging. Fast eine Woche lang lag der Dampfer vertäut da, während sich Suchtrupps durch Aschesümpfe arbeiteten, um letzte versprengte Bäume aufzutreiben. Andere gab es nicht mehr: Die Holzfäller hatten ihre Lager verlassen, sie waren vor den Grausamkeiten der Grundbesitzer geflüchtet, vor der unsichtbaren Cholera und vor den kaschierten Kriegen, die mit ablenkenden Dekreten von den Regierungen heruntergespielt wurden. Inzwischen veranstalteten die Passagiere aus Langeweile Schwimmturniere, organisierten Jagdausflüge, von denen sie mit lebenden Leguanen zurückkamen, die sie aufschlitzten und mit Sacknadeln wieder zunähten, nachdem sie ihnen die weichen, durchscheinenden Eier herausgenommen hatten, die sie dann zum Trocknen auf Schnüre aufgereiht an der Reling aufhängten. Die ärmlichen Huren aus den Nachbardörfern folgten den Spuren der Expeditionen, schlugen improvisierte Zelte an der Uferböschung auf, schafften Musik und Wein heran und sorgten so vor dem festliegenden Schiff für Rummel.

Schon lange bevor er Präsident der K. F. K. geworden war, hatte Florentino Ariza beunruhigende Berichte über den Zustand des Flusses bekommen, diese aber allenfalls überflogen. Seine Gesellschafter hatte er beruhigt: »Keine Sorge, wenn das Holz einmal zu Ende ist, gibt es längst Schiffe, die mit Erdöl fahren.« Benebelt von der Leidenschaft für Fermina Daza, hatte er sich nie die Mühe gemacht, ernsthaft darüber nachzudenken, und als er die Wahrheit zur Kenntnis nehmen mußte, war schon nichts mehr zu machen, es sei denn, man hätte einen neuen Fluß dorthin geleitet. Nachts mußte das Schiff selbst in Zeiten höheren Wasserstands vertäut werden, damit man schlafen konnte, und dann wurde sogar die schlichte Tatsache, lebendig zu sein, unerträglich. Die Mehrzahl der Passagiere, insbesondere die Europäer, verließen dann die zu Faulkammern gewordenen Kabinen und verbrachten die Nacht auf- und ablaufend an Deck, verscheuchten Getier aller Art mit ihrem einzigen Handtuch, mit dem sie sich auch den unaufhörlich rinnenden Schweiß abwischten, und erreichten erschöpft und von Stichen verschwollen den Morgen. Ein englischer Reisender hatte zu Beginn des neunzehnten Jahrhunderts über diese damals mit Maultieren und Kanus durchgeführte Reise, die bis zu fünfzig Tage dauern konnte, geschrieben: »Dies ist eine der übelsten und beschwerlichsten Pilgerfahrten, die ein menschliches Wesen unternehmen kann.« Für die ersten achtzig Jahre Dampfschiffahrt war das nicht mehr zutreffend gewesen, dann aber erneut und für immer, als die Kaimane sich den letzten Schmetterling geschnappt hatten, die mütterlichen Seekühe und auch die Papageien, die Affen und die Dörfer ausgestorben waren: als alles ein Ende hatte.

»Kein Problem«, lachte der Kapitän, »in ein paar Jahren werden wir mit Luxusautomobilen durch das trockene Flußbett fahren.«

Fermina Daza und Florentino Ariza waren während der ersten drei Tage noch im sanften Frühling des geschlossenen Ausgucks geschützt gewesen, als dann aber das Brennholz rationiert wurde und das Kühlsystem ausfiel, verwandelte sich die Präsidentenkabine in einen Dampfkessel. Fermina Daza überstand die Nächte dank der Flußbrise, die durch die geöffneten Fenster drang, die Moskitos verscheuchte sie mit einem Handtuch, da das Zerstäuben von Insektengift keinen Sinn hatte, solange das Schiff festlag. Die Ohrenschmerzen waren unerträglich geworden, bis sie eines Morgens, als Fermina Daza aufwachte, plötzlich, wie der Gesang einer zertretenen Zikade, ganz aufhörten. Erst am Abend, als ihr Florentino Ariza etwas erzählte und sie den Kopf wenden muße, um ihn zu verstehen, kam sie darauf, daß sie auf dem linken Ohr nicht mehr hörte. Sie erzählte niemand davon und hielt es resigniert für einen der vielen unabänderlichen Mängel des Alters.

Trotz allem war für sie beide der Aufenthalt des Schiffes ein glücklicher Zwischenfall. Florentino Ariza hatte irgendwo einmal gelesen: »Die Liebe gewinnt im Unglück an Größe und Edelmut.« Die Schwüle der Präsidentenkabine tauchte sie in eine wirklichkeitsfremde Lethargie, in der es leichter war, sich ohne Fragen zu lieben. Sie verbrachten unvorstellbar lange Stunden in den Sesseln vor der Brüstung, hielten sich an den Händen, küßten sich bedächtig und genossen ungestört von drängendem Verlangen die trunkene Zärtlichkeit. In der dritten drückendheißen Nacht wartete sie mit einer Flasche Anisschnaps auf ihn, den sie schon heimlich mit der Mädchenbande der Kusine Hildebranda getrunken hatte, und auch später, als sie bereits Mann und Kinder hatte und sich mit den Freundinnen aus ihrer geborgten Welt einschloß. Sie brauchte ein wenig Betäubung, um nicht allzu klar über ihr Schicksal nachzudenken. Florentino Ariza aber glaubte, der Anisschnaps solle ihr Mut für den letzten Schritt machen. Ermuntert von dieser Vorstellung wagte er, mit den Fingerkuppen ihren welken Hals zu erforschen, dann die mit Metallstäbchen bewehrte Brust, die Hüften mit brüchigen Knochen und die Schenkel einer alten Hindin. Ohne zu erschauern, ließ sie es willig mit sich geschehen, während sie rauchte und ab und zu einen Schluck trank. Als die streichelnde Hand schließlich über ihren Bauch glitt, hatte sie schon genug Anis im Herzen.

»Wenn wir schon Dummheiten machen, bitte schön«, sagte sie, »dann doch wie erwachsene Leute.«

Sie nahm ihn mit ins Schlafzimmer und begann, sich ohne falsche Scham bei Licht auszuziehen. Florentino Ariza legte sich auf das Bett und versuchte, seine Fassung wiederzuerlangen, wußte aber wieder einmal nicht, was er mit dem Fell des erlegten Tigers anfangen sollte. Sie sagte: »Nicht herschauen.« Er fragte, warum, ohne die Augen von der Decke zu wenden.

»Weil es dir nicht gefallen wird«, sagte sie.

Da schaute er sie an und sah sie nackt bis zur Taille, so, wie er sie sich vorgestellt hatte. Sie hatte faltige Schultern, Hängebrüste, und die Rippenpartie war von einer fahlen und kalten Haut wie bei einem Frosch überzogen. Sie bedeckte die Brust mit der eben erst ausgezogenen Bluse und löschte das Licht. Er richtete sich auf und begann sich zu entkleiden, warf dabei mit jedem abgelegten Stück nach ihr, und sie lachte sich krank, wenn sie es zurückschleuderte.

Sie blieben eine ganze Weile auf dem Rücken liegen, und

seine Verwirrung nahm zu, je nüchterner er wieder wurde, und sie lag ruhig, fast wie gelähmt da, betete aber zu Gott, daß sie nicht grundlos lachen müßte, wie jedes Mal, wenn sie mit dem Anis über die Stränge geschlagen war. Sie plauderten, um die Zeit zu vertreiben. Sie sprachen über sich, über ihr unterschiedliches Leben, über den unglaublichen Zufall, daß sie nackt in der dunklen Kabine eines festliegenden Schiffes lagen, wo man doch eigentlich hätte annehmen können, daß sie für nichts anderes mehr Zeit hatten, als auf den Tod zu warten. Sie hatte nie gehört, daß er eine Frau gehabt hatte, nicht eine einzige, und das in einer Stadt, in der alles, noch ehe es geschah, bekannt wurde. Sie sagte es beiläufig, und er erwiderte prompt, ohne mit der Stimme zu zittern:

»Ich habe für dich meine Unschuld bewahrt.«

Sie hätte es auch nicht geglaubt, wenn es wahr gewesen wäre, da seine Liebesbriefe aus solchen Sätzen bestanden, deren Wert nicht in der Aussage selbst, sondern in ihrer Blendkraft lag. Ihr gefiel jedoch die Kühnheit, mit der er es behauptet hatte. Florentino Ariza fragte sich nun plötzlich seinerseits, was er sich zu fragen nie getraut hatte: Was für eine Art von Geheimleben sie wohl am Rande ihrer Ehe geführt hatte. Nichts hätte ihn überrascht, denn er wußte, daß Frauen bei ihren heimlichen Abenteuern nicht anders sind als Männer: die gleichen Kriegslisten, die gleichen plötzlichen Eingebungen, der gleiche Verrat ohne Reue. Doch er tat gut daran, nicht zu fragen. Zu einer Zeit, da Fermina Dazas Verhältnis zur Kirche schon arg lädiert war, hatte ihr Beichtvater sie grundlos gefragt, ob sie ihrem Mann schon einmal untreu gewesen sei, worauf sie, ohne zu antworten, ohne zu Ende zu beichten, ohne zu grüßen, aufgestanden war und nie wieder bei diesem oder irgendeinem anderen Priester gebeichtet hatte. Florentino Arizas

Zurückhaltung wurde jedoch unerwartet belohnt: Sie streckte ihre Hand in die Dunkelheit aus, streichelte seinen Bauch, die Flanken, seinen kaum behaarten Unterleib. Sie sagte: »Du hast eine Haut wie ein kleiner Junge.« Dann tat sie den letzten Schritt: Sie suchte ihn, wo er nicht war, suchte ohne Hoffnung weiter und fand ein hilfloses Etwas.

»Er ist tot«, sagte er.

Es war ihm oft so ergangen, so daß er gelernt hatte, mit diesem Gespenst zu leben: Jedesmal hatte er von neuem lernen müssen, als sei es das erste Mal. Er nahm ihre Hand und legte sie auf seine Brust: Fermina Daza spürte unter der Haut das alte unermüdliche Herz, das mit der Kraft und dem Ungestüm eines Jünglings schlug. Er sagte: »Zu viel Liebe ist ebenso schlecht dafür wie fehlende Liebe.« Doch er sagte es ohne Überzeugung: Er war beschämt, wütend auf sich selbst und suchte sehnlichst einen Grund, um ihr die Schuld an seinem Scheitern zuschieben zu können. Sie wußte das und begann, den wehrlosen Körper mit spöttischen Zärtlichkeiten herauszufordern, eine sanfte Kätzin, die ihre Grausamkeit auskostet, bis er die Folter nicht länger aushalten konnte und in seine Kabine ging. Sie dachte noch bis zum Morgengrauen an ihn, glaubte endlich an die eigene Liebe, und während der Anis allmählich verebbte, überkam sie mehr und mehr die schmerzliche Unruhe, daß Florentino Ariza verärgert sein und nie wieder kommen könnte.

Doch er kam noch am gleichen Tag, zu ungewöhnlicher Morgenstunde, um elf Uhr, frisch und wiederhergestellt, und zog sich demonstrativ vor ihr aus. Sie war erfreut, ihn bei Licht so zu sehen, wie sie sich ihn im Dunkeln vorgestellt hatte: ein altersloser Mann mit einer dunklen Haut, die glänzend und straff wie ein aufgespannter Regenschirm war, unbehaart außer dem spärlichen glatten Flaum in den Achseln und am Unterleib. Er hatte das Gewehr präsentiert, und sie merkte, daß er es nicht zufällig sehen ließ, sondern wie eine Kriegstrophäe zeigte, um sich selbst Mut zu machen. Er ließ ihr nicht einmal Zeit, das Nachthemd auszuziehen, das sie beim Aufkommen der Morgenbrise übergestreift hatte, und angesichts dieser Hast eines Anfängers überflutete sie Mitleid. Aber das störte sie nicht, weil ihr stets bei solchen Gelegenheiten schwerfiel, Mitleid und Liebe auseinanderzuhalten. Am Ende fühlte sie sich leer.

Seit über zwanzig Jahren war es das erste Mal, daß sie mit einem Mann schlief, sie war voller Neugier gewesen, wie das in ihrem Alter und nach einer so langen Pause wohl sein könnte. Er aber hatte ihr keine Zeit gelassen, um erfahren zu können, ob auch ihr Körper ihn begehrte. Es war schnell und trist passiert, und sie dachte: »Jetzt haben wir alles verdorben.« Doch sie irrte sich: Trotz beider Ernüchterung, obwohl er seine Tölpelhaftigkeit bereute und sie sich Vorwürfe wegen ihres anisseligen Übermuts machte, trennten sie sich in den folgenden Tagen keinen Augenblick. Kapitän Samaritano, der instinktiv jedes Geheimnis, das auf seinem Schiff unentdeckt bleiben sollte, aufspürte, ließ ihnen jeden Morgen die weiße Rose bringen, ließ ihnen ein Ständchen mit Walzern ihrer Zeit vortragen und verrückte Gerichte mit aufmunternden Ingredienzien zubereiten. In der Liebe versuchten sie sich erst wieder sehr viel später, als die Stimmung sie überkam, ohne daß sie diese hätten heraufbeschwören müssen. Jetzt hatten sie genug an der einfachen Seligkeit, zusammenzusein.

Auf den Gedanken, die Kabine zu verlassen, wären sie gar nicht gekommen, hätte der Kapitän ihnen nicht schriftlich angekündigt, daß sie nach dem Mittagessen, nach elf Tagen Fahrt, La Dorada erreichen würden. Fermina Daza und Florentino Ariza sahen von der Kabine aus das Vorgebirge der von einer bleichen Sonne beleuchteten Häuser und glaubten zu verstehen, warum diese Stadt die Goldene genannt wurde, was ihnen dann aber wieder weniger einleuchtend erschien, als sie die wie ein Dampfkessel ächzende Hitze spürten und auf den Straßen den Teer kochen sahen. Im übrigen machte der Dampfer nicht vor der Stadt, sondern am gegenüberliegenden Ufer fest, wo sich die Endstation der Santa-Fé-Eisenbahn befand.

Sie verließen ihr Refugium, sobald die Passagiere von Bord gegangen waren. Fermina Daza atmete im leeren Salon die gute Luft der Nichtbelangbarkeit, und beide beobachteten von der Reling aus die aufgeregte Menschenmenge, die vor den Waggons eines Zuges, der wie eine Spielzeugeisenbahn aussah, ihr Gepäck zusammensuchte. Man hätte denken können, daß sie aus Europa kamen, besonders die Frauen, deren nordische Mäntel und Hüte aus dem vorigen Jahrhundert in der staubigen Glut aberwitzig wirkten. Einige hatten das Haar mit wunderschönen Kartoffelblumen geschmückt, die jetzt in der Hitze ermatteten. All diese Menschen waren gerade aus der Andenhochebene eingetroffen, nach einer eintägigen Zugreise über eine verwunschene Savanne, und hatten noch keine Zeit gehabt, sich für die Karibik umzuziehen.

Inmitten dieses Marktgetümmels stand ein sehr alter, trostlos aussehender Mann, der aus den Taschen seines Bettlermantels Küken hervorholte. Er war plötzlich in diesem zerlumpten Mantel aufgetaucht, der jemand sehr viel größerem und korpulenterem gehört haben mußte, und hatte sich einen Weg durch die Menge gebahnt. Er nahm den Hut ab, legte ihn für den Fall, daß jemand eine Münze hineinwerfen wollte, offen auf den Hafendamm und holte dann aus den Taschen Hände voller weicher farbloser Küken, die sich zwischen seinen Fingern zu vermehren schienen. Einen Augenblick lang sah der Hafendamm aus, als sei er mit Küken überzogen, sie piepten überall zwischen den eiligen Reisenden herum, die über sie hinwegtrampelten, ohne sie zu hören. Fasziniert von diesem wunderbaren Spektakel, das ihr zu Ehren aufgeführt zu werden schien, da nur sie es betrachtete, hatte Fermina Daza nicht bemerkt, daß irgendwann die Passagiere für die Rückreise begonnen hatten, an Bord zu gehen. Da hörte der Spaß für sie auf: Unter den Neuankömmlingen sah sie viele bekannte Gesichter, einige Freunde, die ihr noch bis vor kurzem in ihrer Trauer beigestanden hatten, und sie flüchtete sich eilends wieder in ihre Kabine. Dort fand Florentino Ariza sie, sie war verstört und wäre lieber gestorben, als von ihren Leuten so kurz nach dem Tode ihres Mannes bei einer Vergnügungsreise ertappt zu werden. Ihre Niedergeschlagenheit bedrückte ihn so sehr, daß er versprach, sich etwas anderes als die Kabinenhaft zu ihrem Schutz einfallen zu lassen.

Die Idee kam ihm plötzlich beim Abendessen in der Kapitänsmesse. Den Kapitän beschäftigte ein Problem, das er schon seit geraumer Zeit mit Florentino Ariza hatte besprechen wollen, dieser war ihm jedoch mit seinem üblichen Argument immer wieder ausgewichen: »Solche Geschichten regelt Leona Cassiani besser als ich.« Diesmal aber hörte er dem Kapitän zu. Es ging darum, daß die Schiffe flußaufwärts Fracht geladen hatten, flußabwärts jedoch leer fuhren, sah man einmal von den dann zahlreicheren Passagieren ab: »Wobei die Fracht den Vorteil hat, daß sie mehr einbringt und nichts verzehrt«, sagte der Kapitän. Fermina Daza aß lustlos, sie langweilte sich bei dem hitzigen Gespräch der beiden Männer über die Vorteile von differenzierten Tarifen. Doch Florentino Ariza führte die Diskussion zu Ende und schoß erst dann eine Frage ab, die der Kapitän für die Ankündigung eines rettenden Gedankens hielt:

»Mal rein hypothetisch gesprochen«, sagte er, »wäre es denn denkbar, eine direkte Fahrt zu machen, ohne Fracht, ohne Passagiere, ohne einen Hafen anzulaufen, ohne alles?«

Der Kapitän erwiderte, dies sei nur hypothetisch möglich. Die K. F. K. habe Arbeitsverträge, die niemand besser kenne als Florentino Ariza, sei verpflichtet, Fracht, Passagiere, Post und vieles mehr zu befördern, und die meisten dieser Verträge seien nicht zu umgehen. Über all das könne man sich nur hinwegsetzen, wenn ein Pestfall an Bord sei. Dann werde das Schiff nämlich mit Quarantäne belegt, die gelbe Fahne aufgezogen, und es herrsche der Ausnahmezustand. Kapitän Samaritano hatte das mehrfach wegen der vielen Cholerafälle im Flußgebiet durchexerzieren müssen, wenn auch später die Sanitätsbehörde die Ärzte dazu gezwungen hatte, Atteste über einfache Dysenterie auszustellen. Übrigens sei die gelbe Pestflagge in der Geschichte des Flusses auch oft gehißt worden, um Steuern zu entgehen, einen unerwünschten Gast nicht aufnehmen zu müssen oder unliebsame Kontrollen zu vermeiden. Florentino Ariza fand unter dem Tisch Fermina Dazas Hand.

»Also gut«, sagte er. »Machen wir das.«

Der Kapitän war überrascht, durchschaute dann aber alles mit dem Instinkt eines alten Fuchses.

»Ich befehle auf diesem Schiff, aber wir stehen unter Ihrem Befehl«, sagte er. »Falls Sie es also ernst meinen, geben Sie mir die Order schriftlich, und wir machen uns sofort auf den Weg.«

Selbstverständlich war es ernst gemeint, und Florentino Ariza unterschrieb die Order. Schließlich wußte jeder, daß trotz der frohgemuten Aufstellungen der Sanitätsbehörde die Zeiten der Cholera keineswegs vorbei waren. Was nun das Schiff betraf, so gab es kein Problem. Die wenige Fracht wurde umgeladen, und die Passagiere schickte man mit dem

Hinweis auf einen Maschinenschaden frühmorgens auf den Dampfer einer anderen Linie. Wenn solche Tricks aus so vielen unmoralischen und sogar unwürdigen Gründen angewandt wurden, sah Florentino Ariza nicht ein, warum es nicht erlaubt sein sollte, sie aus Liebe zu gebrauchen. Der Kapitän bat nur noch um einen Halt in Puerto Nare, um dort eine Person an Bord zu nehmen, die ihn auf der Reise begleiten sollte: Auch er hatte insgeheim ein Herz.

Also legte die *Nueva Fidelidad* im Morgengrauen des nächsten Tages ab, ohne Fracht und Passagiere, aber mit der gelben Choleraflagge, die fröhlich am Hauptmast flatterte. Gegen Abend nahmen sie in Puerto Nare eine Frau an Bord, die größer und robuster war als der Kapitän und von umwerfender Schönheit, nur der Bart fehlte ihr noch, um sich im Zirkus engagieren lassen zu können. Sie hieß Zenaida Neves, aber der Kapitän nannte sie *Meine Kraftmenschin*. Sie war eine alte Freundin, die er an einem Hafen aufzugabeln pflegte, um sie an einem anderen wieder abzusetzen, und die vom Sturmwind der Wonne getrieben an Bord kam. In jenem traurigen Kaff, wo für Florentino Ariza die wehmütige Erinnerung an Rosalba wieder lebendig wurde, als er sah, wie der Zug nach Envigado sich mühselig den alten Maultierpfad hocharbeitete, ging ein amazonischer Wolkenbruch nieder, der mit wenigen Unterbrechungen den Rest der Reise über andauern sollte. Doch das störte niemand: Das Fest auf dem Wasser hatte sein eigenes Dach. In jener Nacht stieg Fermina Daza unter den Ovationen der Mannschaft in die Schiffsküche hinunter und kreierte für alle ein Gericht, das Florentino Ariza für sich Liebesauberginen taufte.

Tagsüber spielten sie Karten, aßen bis zum Platzen und hielten steinerne Siestas, aus denen sie erschöpft erwachten, kaum aber war die Sonne untergegangen, ließen sie die Kapelle aufspielen, aßen Lachs und tranken über den Durst hinaus Anisschnaps. Es war eine schnelle Reise mit einem leichten Schiff und reichlich Wasser, das noch durch die Fluten vermehrt wurde, die vom Oberlauf des Flusses herunterstürzten, wo es in jener Woche mehr regnete als auf der ganzen restlichen Strecke. In einigen Dörfern wurden barmherzige Böllerschüsse für sie abgefeuert, um die Cholera zu vertreiben, und sie dankten mit einem traurigen Tuten. Die Schiffe anderer Reedereien, denen sie auf der Fahrt begegneten, grüßten mit Kondolenzsignalen. In dem Dorf Magangué, wo Mercedes geboren ist, luden sie Holz für den Rest der Reise.

Fermina Daza erschrak, als sie die Schiffssirenen in ihrem gesunden Ohr hörte, doch am zweiten Anistag hörte sie dann wieder auf beiden besser. Sie entdeckte, daß die Rosen stärker dufteten als früher, daß die Vögel im Morgengrauen sehr viel schöner sangen als früher und daß Gott eine Seekuh für sie geschaffen und am Strand von Tamalameque ausgesetzt hatte, nur damit sie von dieser geweckt werden konnte. Als der Kapitän das Tier hörte, ließ er das Schiff näherdriften, bis sie schließlich die riesige Matrone, die das Junge in ihren Armen säugte, sehen konnten. Weder Florentino noch Fermina war bewußt, wie sehr sie zusammengewachsen waren: Sie half ihm bei den Spülungen, stand vor ihm auf, um sein Gebiß zu putzen, das er vor dem Schlafen ins Wasserglas gelegt hatte, und hatte eine Lösung für ihre ständig verlegte Brille gefunden, da sie auch mit seiner lesen und stopfen konnte. Eines Morgens, als sie aufwachte, sah sie ihn in der Dämmerung einen Hemdenknopf annähen und beeilte sich, es für ihn zu erledigen, bevor er den rituellen Satz von den zwei Frauen, die man eigentlich bräuchte, wiederholen konnte. Für sich selbst nahm sie ihn dagegen nur in Anspruch, als sie gegen die Rückenschmerzen einen warmen Glassaugnapf angesetzt bekommen mußte.

Florentino Ariza machte sich seinerseits daran, mit einer Geige der Kapelle nostalgische Erinnerungen zu beleben, und war nach einem halben Tag schon in der Lage, den Walzer der *Bekränzten Göttin* für sie zu spielen, spielte ihn stundenlang, bis man ihn zwang aufzuhören. Eines Nachts wachte Fermina Daza zum ersten Mal von einem erstickten Weinen auf, sie weinte nicht aus Wut, sondern aus Schmerz über die beiden von dem Bootsführer niedergeknüppelten alten Leute. Der unaufhörliche Regen bedrückte sie dagegen nicht, und ihr kam reichlich spät der Gedanke, daß Paris vielleicht nicht so grau war, wie sie es empfunden hatte, und sich in Santa Fé vielleicht nicht so viele Trauerzüge durch die Straßen bewegten. Der Traum anderer zukünftiger Reisen mit Florentino Ariza tauchte am Horizont auf: verrückte Reisen ohne die vielen Koffer und ohne gesellschaftliche Verpflichtungen: Liebesreisen.

Am Vorabend der Ankunft feierten sie ein großes Fest mit Papiergirlanden und bunten Lämpchen. Gegen Abend hatte der Regen aufgehört. Der Kapitän tanzte eng umschlungen mit Zenaida die ersten Boleros, die in jenen Jahren die Herzen brechen ließen. Florentino Ariza wagte den Vorschlag, auch sie beide sollten ihren eigenen Walzer tanzen, doch sie weigerte sich. Den ganzen Abend über wiegte sie dann aber den Kopf im Takt der Musik, klapperte mit den Absätzen dazu, und es kam sogar der Augenblick, da sie, ohne es selbst zu merken, im Sitzen tanzte, während der Kapitän in der Dunkelheit des Boleros mit seiner sanften Kraftmenschin verschmolz. Fermina Daza trank soviel Anisschnaps, daß man ihr die Treppen hinaufhelfen mußte, und in einem Anfall, der alle in Sorge versetzte, lachte sie dabei Tränen. Als sie sich dann aber in der duftenden Stille der Kabine wieder gefaßt hatte, gaben sie sich einer ruhigen und wohltuenden Liebe hin, die ihr als die schönste Erinnerung an diese irrwitzige Reise im Gedächtnis bleiben sollte. Sie fühlten sich nicht, wie Zenaida und der Kapitän meinten, als frisch verliebtes Paar und schon gar nicht als späte Liebende. Es war, als hätten sie den harten Leidensweg des Ehelebens übersprungen, um ohne Umwege zum Kern der Liebe vorzudringen. Sie lebten dahin wie zwei alte, durchs Leben kluggewordene Eheleute, jenseits der Fallen der Leidenschaft, jenseits des grausamen Hohns der Hoffnungen und der Trugbilder der Enttäuschungen: jenseits der Liebe. Denn sie hatten genug zusammen erlebt, um zu erkennen, daß die Liebe zu jeder Zeit und an jedem Ort Liebe war, jedoch mit der Nähe zum Tod an Dichte gewann.

Sie wachten um sechs Uhr auf. Sie hatte nach Anis duftende Kopfschmerzen und ein banges Herz, da sie das Gefühl gehabt hatte, Doktor Juvenal Urbino sei, dicker und jünger als bei seinem Sturz vom Baum, zurückgekehrt und säße im Schaukelstuhl auf sie wartend am Hauseingang. Sie hatte die nötige geistige Klarheit, um zu erkennen, daß diese Vision nicht auf den Anis, sondern auf die bevorstehende Heimkehr zurückzuführen war.

»Es wird wie Sterben sein«, sagte sie.

Florentino Ariza war überrascht, denn sie hatte einen Gedanken erraten, der ihm seit Antritt der Rückreise das Leben schwermachte. Weder er noch sie konnten sich vorstellen, in einem anderen Haus als dem Schiff zu wohnen oder zu essen oder an einem Leben teilzuhaben, das ihnen immer fremd bleiben würde. Es war in der Tat wie Sterben. Er konnte nicht mehr einschlafen. Er lag auf dem Rücken, die Hände im Nacken verschränkt. Es kam ein Augenblick, da er sich vor Schmerz um América Vicuña qualvoll wand: Die Wahrheit war nicht länger aufzuschieben. Er schloß sich ins Bad ein und weinte hemmungslos und ohne Hast auch noch die letzte Träne. Erst dann hatte er den Mut, sich einzugestehen, wie sehr er sie geliebt hatte.

Als sie aufgestanden waren und sich schon für die Ankunft angekleidet hatten, lagen die Wasserarme und Sümpfe der alten spanischen Fahrrinne hinter ihnen, der Dampfer zog zwischen Schiffswracks und den toten Öllachen der Bucht dahin. Über den goldenen Kuppeln der Stadt der Vizekönige stieg ein strahlender Donnerstag auf, doch von der Reling aus waren Fermina Daza der stinkende Ruhm der Stadt, der Hochmut ihrer von den Leguanen entweihten Bollwerke unerträglich: das Grauen des wirklichen Lebens. Sie sprachen es zwar nicht aus, doch beide fühlten, daß sie sich unmöglich so einfach geschlagen geben konnten.

Sie trafen im Speiseraum den Kapitän in einem Zustand der Verwahrlosung, der seiner gewohnheitsmäßigen Akkuratesse widersprach: Er war unrasiert, hatte vor Müdigkeit blutunterlaufene Augen, verschwitzte Kleider von der Nacht, und er sprach mit schwerer Zunge zwischen Anisrülpsern. Zenaida schlief. Schweigend begannen sie zu frühstücken, als die Sanitätswache des Hafens mit einem Motorboot das Schiff stoppte.

Von der Kommandobrücke aus beantwortete der Kapitän schreiend die Fragen der bewaffneten Patrouille. Man wollte wissen, welche Art von Pest sie an Bord hätten, die Zahl der Passagiere, wie viele davon krank seien und ob mit neuen Ansteckungsfällen zu rechnen sei. Der Kapitän erwiderte, sie hätten nur drei Passagiere an Bord, alles drei Cholerafälle, die jedoch streng isoliert untergebracht seien. Weder die Personen, die sich in La Dorada hätten einschiffen sollen, noch irgendeiner von den siebenundzwanzig Mann der Besatzung seien mit ihnen in Berührung gekommen. Der Kommandant der Patrouille war damit noch nicht zufrieden und gab ihnen den Befehl, das Hafenbecken zu verlassen und bis zwei Uhr mittags in der Bucht von Las Mercedes zu warten, bis alles veranlaßt sei, um das Schiff in Quarantäne zu legen. Der Kapitän stieß einen Fuhrmannsfluch aus und wies mit einem Handzeichen den Lotsen an, kehrtzumachen und zurück nach Las Monedes zu fahren.

Fermina Daza und Florentino Ariza hatten vom Tisch aus alles gehört, doch das schien den Kapitän nicht zu kümmern. Er aß schweigend weiter, und seine schlechte Laune war schon daran zu erkennen, wie er sich über die Gesetze der Höflichkeit hinwegsetzte, auf denen der legendäre Ruf der Flußkapitäne gründete. Mit der Messerspitze stach er die vier Spiegeleier auf und verschmierte sie über den aufgeschnittenen grünen Bananen, die er sich scheibenweise in den Mund stopfte und mit wildem Vergnügen kaute. Fermina Daza und Florentino Ariza sahen ihm zu, ohne zu sprechen, sie saßen da wie auf der Schulbank und warteten auf die Bekanntgabe der Abschlußnoten. Sie hatten während der Auseinandersetzung mit der Sanitätsbehörde kein Wort miteinander gewechselt und auch nicht die geringste Ahnung, was aus ihrer beider Leben werden sollte, wußten aber, daß der Kapitän sich für sie den Kopf zerbrach: Man sah es an den pochenden Schläfen.

Während er die Portion Spiegeleier und die ganze Platte Bananen verputzte und auch die Kanne Milchkaffee leerte, lief das Schiff mit gedrosselter Maschine aus der Bucht, bahnte sich in den Wasserarmen einen Weg durch treibenden Tang und Lotuspflanzen mit violetten Blüten und großen herzförmigen Blättern und kehrte in die Lagunen zurück. Das Wasser war von changierendem Glanz wegen all der Fische, die auf der Seite liegend an der Oberfläche trieben, Opfer des Dynamits beim illegalen Fischen, und die Vögel vom Lande und vom Wasser kreisten mit metallischen Schreien darüber. Der Wind von der karibischen See drang mit dem Lärm der Vögel durch die Fenster, und Fermina Daza spürte das unregelmäßige Pochen ihres freien Willens im Blut. Zu ihrer Rechten erstreckte sich trübe und bedächtig die breite Mündung des Rio Grande de la Magdalena bis ans andere Ende der Welt.

Als nichts Eßbares mehr auf den Tellern war, wischte sich der Kapitän mit einem Tischtuchzipfel den Mund ab und begann in einem so vulgären Jargon zu reden, daß das Prestige von der gewählten Ausdrucksweise der Flußkapitäne endgültig zerstört war. Denn er sprach nicht für sie, noch für sonst jemanden, er versuchte, mit seiner eigenen Wut ins reine zu kommen. Die Schlußfolgerung seiner Schimpfkanonade war, daß er keinen Weg aus dem Schlamassel wußte, in den er sich mit der Choleraflagge gebracht hatte.

Florentino Ariza hörte ihm zu, ohne mit der Wimper zu zucken. Dann schaute er durch die Fenster in alle vier Himmelsrichtungen der Windrose, auf die klare Linie des Horizonts, den wolkenlosen Dezemberhimmel, auf die ewig schiffbaren Wasser und sagte:

»Wir fahren geradeaus, immer weiter geradeaus, zurück nach La Dorada.«

Fermina Daza erschauerte, denn sie hatte die alte, von der Gnade des Heiligen Geistes erleuchtete Stimme erkannt; sie sah auf den Kapitän: Er war das Schicksal. Doch der Kapitän sah sie nicht, denn er war gebannt von Florentino Ariza, von der ungeheuerlichen Kraft seiner Inspiration.

»Meinen Sie das im Ernst?« fragte er.

»Seit meiner Geburt habe ich kein einziges Mal etwas gesagt, was nicht im Ernst gemeint gewesen wäre«, erwiderte Florentino Ariza.

Der Kapitän sah Fermina Daza an und entdeckte auf ihren Wimpern das erste Glitzern winterlichen Reifs. Dann schaute er Florentino Ariza an, sah seine unerschrockene Liebe und erschrak über den späten Verdacht, daß nicht so sehr der Tod, vielmehr das Leben keine Grenzen kennt.

»Und was glauben Sie, wie lange wir dieses Scheiß-Hin- und-Zurück durchhalten können?«

Florentino Ariza war seit dreiundfünfzig Jahren, sieben Monaten und elf Tagen und Nächten auf die Frage vorbereitet:

»Das ganze Leben«, sagte er.

Gabriel García Márquez
Leben, um davon zu erzählen

Aus dem Spanischen von Dagmar Ploetz
Gebunden

»Unser Leben ist nicht das, was geschah, sondern das, was wir erinnern und wie wir es erinnern.«

Gabriel García Márquez

»García Márquez versteht es, den Dingen jene geheimnisvolle Kunst und Kraft zu verleihen, die sie übernatürlich erscheinen lassen. Wobei es im Prinzip keine Rolle spielt, ob diese Dinge erfunden, gefunden, imaginiert oder nach der Anschauung beschrieben werden.«

Tagesanzeiger Zürich

Paperbacks bei Kiepenheuer & Witsch

KiWi

Gabriel García Márquez in der KiWi-Reihe

Gabriel García Márquez
Bericht eines Schiffbrüchigen
KiWi 737

Gabriel García Márquez
Der Herbst des Patriarchen
Roman
KiWi 741

Gabriel García Márquez
Laubsturm
Roman
KiWi 736

Gabriel García Márquez
Die böse Stunde
Roman
KiWi 739

Gabriel García Márquez
Der Geruch der Guayave
Gespräche mit Plinio Apuleyo Mendoza
KiWi 746

Gabriel García Márquez
Das Abenteuer des Miguel Littín
Illegal in Chile
KiWi 744

Gabriel García Márquez in der KiWi-Reihe

Gabriel García Márquez
Die Liebe in den Zeiten der Cholera
Roman
KiWi 745

Gabriel García Márquez
Hundert Jahre Einsamkeit
Roman
KiWi 740

Gabriel García Márquez
Der General in seinem Labyrinth
Roman
KiWi 742

Gabriel García Márquez
Chronik eines angekündigten Todes
Roman
KiWi 735

Gabriel García Márquez
Die Erzählungen
KiWi 743

Gabriel García Márquez
Der Oberst hat niemand, der ihm schreibt
Roman
KiWi 738